England in Hitlers politischem Kalkül
1935–1939

SCHRIFTEN DES BUNDESARCHIVS

20

Josef Henke

England in
Hitlers politischem Kalkül
1935–1939

HARALD BOLDT VERLAG · BOPPARD AM RHEIN

943.086
HEN

90382

ISBN: 3 7646 1575 3

© Harald Boldt Verlag · Boppard am Rhein 1973
Alle Rechte vorbehalten · Printed in Germany
Herstellung: boldt druck boppard gmbh

Inhaltsverzeichnis

6

Vorwort

Mit der Studie Josef Henkes über „England in Hitlers politischem Kalkül 1935–1939" legt das Bundesarchiv eine Arbeit vor, die auch einen Beitrag zu der gegenwärtig wieder aktuell gewordenen Erforschung des Hitler-Bildes leisten kann. In erster Linie aber will sie eine Antwort geben auf die heute in der Spezialforschung viel diskutierte Frage nach Hitlers außenpolitischem Programm, nach seinen außenpolitischen Intentionen, Fragen, die – ausgehend von den Gedanken und Theorien Trevor-Ropers – in der Mitte der sechziger Jahre in verstärktem Maße Gegenstand der historischen Forschung geworden sind. Sie fanden eine erste grundlegende Klärung in den Untersuchungen von Andreas Hillgruber. Seither sind in Hitlers Außenpolitik immer wieder die programmatischen Prinzipien hervorgehoben worden – mit dem Ergebnis, daß das einstmals vorherrschende Bild vom skrupellosen, machtbesessenen Opportunitätspolitiker Hitler einer Anschauung weichen mußte, die im deutschen „Führer" eher einen auf sein ideologisch untermauertes „Programm" festgelegten Doktrinär erblickt.

Hitler hat dem Verhältnis des Deutschen Reiches zu England eine wesentliche, wenn nicht gar die entscheidende Rolle in seiner außenpolitischen Konzeption zugewiesen, was von den Historikern der Nachkriegszeit stets nachdrücklich herausgearbeitet worden ist. Dennoch hat sich die Forschung – seltsamerweise – bisher kaum damit beschäftigt, welche Position England in Hitlers Gesamt-„Programm" eingenommen hat, so daß es notwendig erschien, besonders diese Frage eingehender zu untersuchen. Dabei sollte vor allem eine Analyse der Hitlerschen England-Konzeption während einer bestimmten Zeitspanne, vom Scheitern der ursprünglichen, im „Programm" vorgesehenen Idee eines zeitweiligen Bündnisses mit dem Inselreich bis zur britischen Kriegserklärung an das Deutsche Reich 1939, gegeben werden. In diesem Zusammenhang werden dann auch die Modifizierungen sichtbar, die Hitlers Vorstellungen vom Verhältnis des Deutschen Reiches zu England im Rahmen des übergeordneten „Programms" erfahren haben. Hitler schritt in der zweiten Hälfte der dreißiger Jahre – notgedrungen, wie er meinte – zur Änderung einer Unterkonzeption, nämlich seiner England-Politik. Er tat dies, um die Konstanz des Gesamt-„Programms" zu sichern, das als unabänderliche Prämisse die Expansion in die Weiten des bolschewistischen Rußlands zum Inhalt hatte und ein nachfolgendes imperiales Ausgreifen vom Kontinentalreich zur Weltvormacht ins Auge faßte. Die in diese Pläne stets eingefügte Entwicklung der Hitlerschen Englandpolitik zu verfolgen, ihr Verhältnis zu Hitlers Grundeinstellung gegenüber Großbritannien darzulegen, ihre Abhebung von den England-Konzeptionen der übrigen nationalsozialistischen Politiker jener Zeit zu unterstreichen und vor allem ihre permanente funktionale Abhängigkeit von Hitlers Primärzielen deutlich zu machen, das sind die Aufgaben, die Henke sich in der vorliegenden Arbeit gestellt hat. Zugleich möchte er damit auch einen Beitrag zum Verständnis des Hitler-Bildes leisten, indem er eine Lösung des in der Forschung aufgetretenen Widerspruchs, in Hitler entweder einen Machiavellisten oder einen Programmatiker zu sehen, anstrebt.

Das Bundesarchiv hat es seit seiner Gründung stets als seine Aufgabe angesehen, alle Möglichkeiten auszuschöpfen, um seine archivalischen Bestände der Öffentlichkeit zugänglich zu machen. Zu diesem Zweck blieb es stets bestrebt, neben den Quelleneditionen in seiner Schriftenreihe auch Untersuchungen zu veröffentlichen, die auf Grund intensiven Studiums bundesarchivischer Quellen und deren sorgfältiger Interpretation die historische Forschung und ihre Spezialdisziplinen befruchten. Den eingeschlagenen Weg möchte das Bundesarchiv auch weiterhin beschreiten, ohne dabei jedoch Wandlungen des historischen Verständnisses außer acht zu lassen. Mit der Aufnahme der Arbeit des Kollegen Henke in die Schriftenreihe des Bundesarchivs glaube ich, den genannten Zielen gerecht zu werden. Ihm gilt daher zunächst mein Dank, nicht zuletzt aber auch seinen akademischen Lehrern sowie den Archivaren in den von ihm benutzten deutschen und englischen Archiven, die die Entstehung der Arbeit unterstützt haben.

Koblenz, im Juni 1973

Professor Dr. Hans Booms
Präsident des Bundesarchivs

Einleitung

1. THEMA, PROBLEMSTELLUNG UND METHODE

Angesichts der ins Unübersehbare wachsenden Fülle von Darstellungen zur Geschichte des nationalsozialistischen Deutschlands und seiner Außenpolitik[1]) mag es erstaunlich anmuten, daß in der vorliegenden Arbeit Hitlers Einstellung zu England[2]) in den letzten Jahren vor Beginn des Zweiten Weltkrieges untersucht werden soll. Bei der Durchsicht der vorhandenen Literatur ergibt sich allerdings die überraschende Feststellung, daß zwar in den meisten Abhandlungen wegen Großbritanniens zentraler Position sowohl in der europäischen Politik der dreißiger Jahre als auch in Hitlers Vorstellungswelt den deutsch-britischen Beziehungen ein gewichtiger Platz zukommt und Hitlers Verhältnis zum Inselstaat fortlaufend angesprochen wird, daß eine spezielle Studie über diese so entscheidende Frage jedoch bisher noch fehlte.

Zwei Publikationen neueren Datums, die Arbeiten von D. Aigner und A. Kuhn[3]), scheinen dieser Behauptung auf den ersten Blick zu widersprechen. Aigner gibt im Titel seines 1969 erschienenen Buches an, Hitlers „Ringen um England" in der Zeit zwischen 1933 und 1939 schildern zu wollen. Indessen verdeutlicht bereits einer der Untertitel, worauf der Verfasser den Schwerpunkt seiner Untersuchung legte: Das deutsch-britische Verhältnis erscheint unter der besonderen Perspektive der „öffentlichen Meinung" beider Länder. Fragen nach den mannigfachen Gruppierungen, Strömungen und Tendenzen in der Öffentlichkeit, in Presse und Parlament sowie nach ihrer Einflußnahme auf die Außenpolitik stehen im Vordergrund, während die Position Hitlers, des Hauptakteurs auf deutscher Seite, keine vertiefende, ihrer Wichtigkeit entsprechende Würdigung erfährt. Zudem liegt der Hauptwert von Aigners Studie zweifellos in der detaillierten Beleuchtung der

---

[1]) Vgl. Andreas Hillgruber, Hitlers Strategie. Politik und Kriegführung 1940–1941, Frankfurt/Main 1965, S. 13, Anm. 1: Bis 1961 erschienen beispielsweise allein zur Geschichte des Zweiten Weltkriegs bereits 50 000 Titel.

[2]) Dem deutschen Sprachgebrauch entsprechend soll in dieser Arbeit mit dem Terminus „England" — nicht ganz korrekt — das gesamte Vereinigte Königreich von Großbritannien und Nordirland bezeichnet werden.

[3]) Dietrich Aigner, Das Ringen um England. Das deutsch-britische Verhältnis. Die öffentliche Meinung 1933–1939. Tragödie zweier Völker, München und Esslingen 1969. — Axel Kuhn, Hitlers außenpolitisches Programm. Entstehung und Entwicklung 1919–1939, Stuttgart 1970.

britischen Haltung, der vielfältigen Reaktion jenseits des Kanals auf die Erscheinungsformen und die Politik des nationalsozialistischen Regimes. Auf diesem Gebiet zeigt Aigner überraschende und wichtige Ergebnisse auf. Verdienstvoll sind weiterhin seine Bemühungen, die seit etwa 1937 auf deutscher Seite deutlich feststellbare Versteifung, ja feindselige Wendung gegen den vorher umworbenen Bündnispartner hervorzuheben.

Axel Kuhn konzentriert den zweiten Teil seiner Untersuchung über „Hitlers außenpolitisches Programm" auf die Darstellung der Hitlerschen England-Konzeption von 1933 bis 1939, deren Veränderungen und Modifizierungen in ihren Auswirkungen auf Hitlers „programmatische" Zielsetzungen verfolgt werden. Kuhn unterstreicht somit treffend die Schlüsselstellung von Hitlers Einstellung zu England im Rahmen seines gesamtpolitischen Konzepts, versäumt hingegen, ihre letztliche *Unterordnung* unter Hitlers eigentliche Pläne, ihren Stellenwert innerhalb von Hitlers „Programm" schlüssig zu analysieren. Quellenmäßig bleibt zudem die Basis in diesem Teil seines Buches zu schmal. Kuhn präsentiert mehr einen kursorischen, thesenartigen Aufriß[4]), der zwar diskussionswürdige, zum Teil auch zutreffende Einsichten vermittelt, jedoch einer systematischen, breiteren Fundierung bedarf. Hinzu kommt, daß die Arbeit kaum die nach 1967 erschienene Literatur verwertet. Es fehlt bedauerlicherweise der Bezug zu den für jede Diskussion über Hitlers außenpolitisches „Programm" bedeutenden Darstellungen von A. Hillgruber und K. Hildebrand[5]).

Hingegen haben die Forschungen der letztgenannten Autoren für meine Studie die übergeordneten Orientierungshilfen geliefert. Sie knüpft an die dort erarbeiteten Resultate an, bestätigt, ergänzt oder differenziert und modifiziert diese, indem ein begrenztes — wenn auch zentrales — Teilgebiet, näm-

---

[4]) Wie aus Kuhns Vorwort (S. 6) hervorgeht, entstand der zweite Teil seines Buches aus seiner 1967 geschriebenen Zulassungsarbeit zum Staatsexamen, während der erste Teil (die Entstehung von Hitlers Programm) der Dissertation des Vf. aus dem Jahre 1969 entspricht. Von daher rührt wohl die Tatsache, daß die Quellenbasis notwendigerweise im zweiten Teil schmaler ist (keine nichtveröffentlichten Dokumente) als im ersten, und die Auseinandersetzung mit der seit der Abfassung der Examensarbeit erschienenen Literatur (u. a. auch Aigner) fehlt. Auch Einleitung und Schlußbetrachtung lassen erkennen, daß Hauptakzent und auch der Hauptwert der Studie in der Darstellung der Genesis von Hitlers Programm liegt, das Kuhn übrigens einseitig in den kontinentalen Zielen erschöpft sieht.

[5]) Vgl. u. a. Hillgruber, Hitlers Strategie; ders., „Der Faktor Amerika in Hitlers Strategie 1938–1941", in: Aus Politik und Zeitgeschichte. Beilage zur Wochenschrift „Das Parlament", B 19/66, v. 11. Mai 1966, S. 3–21; ders., Deutschlands Rolle in der Vorgeschichte der beiden Weltkriege, Göttingen 1967; und: Kontinuität und Diskontinuität in der deutschen Außenpolitik von Bismarck bis Hitler. Düsseldorf 1969; sowie von Klaus Hildebrand, Vom Reich zum Weltreich. Hitler, NSDAP und koloniale Frage 1919–1945, München 1969; ders., Deutsche Außenpolitik 1933–1945. Kalkül oder Dogma? Stuttgart–Berlin–Köln–Mainz 1971.

lich Hitlers England-Konzeption, im Rahmen seines Gesamt-„Programm"[6]) eingehend beleuchtet wird.

Bewußt verzichtet die Arbeit auf eine detaillierte Darstellung der deutsch-englischen Beziehungen für den besagten Zeitraum. Vielmehr steht eindeutig *Hitlers* Haltung zu Großbritannien, sein England-Konzept und — als sichtbares Ergebnis beider Vorbedingungen — seine England-Politik im Vordergrund. Entscheidend ist stets die Frage: Wie beurteilte Hitler Großbritannien? Welche Faktoren prägten in diesem Bereich seine Entscheidungen: waren es vom Kalkül bestimmte machtpolitische Erwägungen oder an Hitlers rassenideologischer Vorstellungswelt orientierte Prämissen oder gar Dogmen? Gingen dabei beide Denkweisen – auch im Fall Englands – eine für Hitler charakteristische Synthese ein[7])?

Nicht die diplomatischen Aktionen als solche sollen etwa aufgezählt und im einzelnen geschildert werden. Vielmehr sind sie nur unter der speziellen Perspektive interessant, wie sie Hitlers Haltung zu England widerspiegeln oder über diese Aussagen vermitteln. Es ergibt sich bei dieser Fragestellung weiterhin die Aufgabe, nicht allein auf die Ereignisgeschichte einzugehen, sondern nach jenen Vorstellungen, Wünschbarkeiten und Alternativmöglichkeiten zu suchen, die mit dem, was dann tatsächlich geschah, nicht übereinzustimmen brauchen, aber unerläßliche konstitutive Faktoren im Prozeß der außenpolitischen Willensbildung der handelnden Person, in unserem Fall also Hitler, ausmachen und die Formulierung eines „Konzeptes", das es ausfindig zu machen gilt, mitbestimmen oder dieses sogar prägen.

Eine Hauptgefahr dieses Unternehmens liegt darin, daß es zum Psychologisieren verleiten könnte. Es sollte indessen nicht übersehen werden, daß gerade Hitler sein „Programm" nicht gleichsam wie ein Roboter ablaufen ließ, daß er vielleicht mehr als jeder andere Politiker durchaus Sentiments und Ressentiments in seine politische Entscheidungen einfließen ließ.

---

[6]) Zur Verwendung des Begriffes „Programm" als „Ausdruck für Hitlers Zielsetzung im großen (Errichtung eines Kontinentalimperiums in Europa, Aufbau einer deutschen Weltmacht-Stellung)" siehe Hillgruber, Strategie, S. 21 Anm. 15. Gemeint ist also nicht das Parteiprogramm der NSDAP von 1920.

[7]) Zum Diskussionsstand über das Hitlerbild eines pragmatisch-opportunistischen Nur-Machtpolitikers oder eines dogmatisch festgelegten Doktrinärs siehe Eberhard Jäckel, Hitlers Weltanschauung. Entwurf einer Herrschaft, Tübingen 1969, S. 9 ff.; dort die Behandlung der Positionen von H. Rauschning (Die Revolution des Nihilismus, Zürich 1964), A. Bullock (Hitler. Eine Studie in Tyrannei, Düsseldorf 1953. Neuausgabe 1967), G. Lucács (Die Zerstörung der Vernunft, 1953), E. G. Reichmann (Die Flucht in den Haß. Frankfurt/Main 1956), M. Broszat (Der Nationalsozialismus, Stuttgart 1960), F. Glum (Der Nationalsozialismus. Werden und Vergehen, München 1962), E. Nolte (Der Faschismus in seiner Epoche, München 1963) und andere. Zur Problematik vgl. auch Fritz Dickmann, „Machtwille und Ideologie in Hitlers außenpolitischen Zielsetzungen von 1933", in: Spiegel der Geschichte. Festgabe für M. Braubach, Münster 1964, S. 915 ff. sowie nun Hillgruber, Kontinuität und Diskontinuität, und Hildebrand, Deutsche Außenpolitik, wo das Problem im Untertitel („Kalkül oder Dogma?") angeschnitten wird.

Unbeantwortet bleiben muß die aus Erwägungen dieser Art sich ergebende Grundfrage, inwieweit wir Hitlers Wirken, dessen Folgen noch immer unübersehbar in unsere Gegenwart hineinreichen, überhaupt wesentlich rational fassen können, ob nicht der irrationale Rest in Hitlers Handeln und Denken für den aus zeitlicher Distanz betrachtenden, analysierenden und systematisierenden Historiker zu groß und schlechthin unerklärbar bleibt. Diese Einschränkung sollte besonders dann beachtet werden, wenn in der vorliegenden Darstellung der Eindruck entstehen könnte, als seien sämtliche Maßnahmen des Diktators sehr weitgehend mit von vornherein bestimmten Gewichten und Bedeutungen versehen und der Ausfluß einer bis ins letzte rational durchdachten Konzeption gewesen.

Wenn am Rande der Schilderung zur Konterkarierung der Hitlerschen Anschauung die Standorte anderer außenpolitisch wirksamer Personen und Gruppen ebenfalls ins Blickfeld rücken, so mag darin der Ansatz zu dem ausgeweiteten Aspekt einer „nationalsozialistischen Englandpolitik" vor dem Zweiten Weltkrieg gesehen und das Feld nachfolgender Forschung angedeutet werden.

Im Anschluß an den richtungweisenden Versuch von H. R. Trevor-Roper über Hitlers Kriegsziele[8]) hat die neuere historische Forschung Ausmaße und Stufenabfolge des Hitlerschen „Programms" grundlegend aufgezeigt[9]). Die in Hitlers Schriften der zwanziger Jahre skizzierten großen Linien dieses

[8]) Hugh R. Trevor-Roper, „Hitlers Kriegsziele", in: Vierteljahrshefte für Zeitgeschichte (zit: VfZg) 8 (1960), S. 121—133.
[9]) Vgl. die unter Anm. 5 genannten Arbeiten und Hillgruber, Strategie, S. 17, Anm. 8. Zum Stellenwert von Hitlers „Programm" innerhalb der politischen und gesellschaftlichen Entwicklung des deutschen Großmachtstaates vgl. Hildebrands Formulierung: „Hitlers Programm ... integrierte prinzipiell alle seit Bismarcks Tagen in der deutschen Gesellschaft vorhandenen politischen Forderungen, wirtschaftlichen Notwendigkeiten und sozial-psychologischen Erwartungen. Es bot Erklärungen für das Mißgeschick in der Vergangenheit und für das Misere der Gegenwart": Deutsche Außenpolitik, S. 144. Vgl. auch Hildebrands Ausführungen zur gesellschaftspolitischen Funktion des „Programms", „Der Fall Hitler. Bilanz und Wege der Hitler-Forschung", in: Neue Politische Literatur (NPL) 14 (1969), S. 375—386, hier: S. 382: Einerseits dienten die außenpolitischen Expansionspläne zur Konsolidierung des bestehenden Gesellschaftssystems (ähnlich wie im Bismarckreich und in der „Ära Tirpitz"), andererseits strebte die Realisierung des „Programms" auf die neue Herrschaftsform des rassisch hochwertigen, zur Weltherrschaft prädestinierten Menschen hin, was eine Zerstörung des alten Systems implizierte. Zur Frage nach der Entstehung des „Programms", bei der vor allem die Umwandlung des konventionell-revisionistischen Hitler von 1919/20 zum „Bodenpolitiker" von 1924 aufschlußreich ist, vgl. Jäckel, Weltanschauung, S. 39; Hildebrand, Weltreich, S. 75 ff.; Dickmann, Machtwille und Ideologie, S. 934 ff. und neuerdings Kuhns These, derzufolge rein machtpolitisch-rationale, nicht jedoch antibolschewistische Überlegungen Hitlers Blick nach der Option für England gegen Frankreich auf Ziele in Rußland gelenkt hätten. Vgl. dazu unten S. 28 Anm. 46.

„Grund-Planes"[10]) blieben für das politische Denken des späteren Diktators dogmatisch bestimmend, womit Elastizität und die politischen Gegebenheiten des Augenblicks berücksichtigendes Kalkül in untergeordneten und vorbereitenden Aktionen nicht ausgeschlossen wurde.

Nach der Phase der „Abschirmung" und der politischen und militärischen Vorbereitungen, die zunächst halbwegs friedliche Revisionen der Versailler Vertragsbestimmungen, dann auch unter Umständen bereits militärische Eroberungen nach begrenzten „Feldzügen" beinhaltete, sollte im Bunde mit England in einem antibolschewistischen Vernichtungskrieg gegen die Sowjetunion der notwendige Lebensraum als Ernährungsgrundlage für das deutsche Volk und ein deutschbeherrschtes Kontinentalimperium als Höhepunkt und Abschluß der „kontinentalen Phase" von Hitlers „Programm" geschaffen werden. In der sich anschließenden „Weltmachtphase"[11]) würde der deutsche Festlandsblock in „imperialem Ausgreifen"[12]) atlantische Stützpunkte und von einer starken Kampfflotte gesicherten kolonialen Ergänzungsraum erwerben und als vierte autarke Weltmacht neben dem Britischen Empire, dem von Japan geführten ostasiatischen Großraum und den Vereinigten Staaten zur Seite treten (während Frankreich und Rußland in den Auseinandersetzungen der Kontinentalphase als Großmächte ausgeschaltet worden waren). Der „Endkampf" um die Weltvorherrschaft gegen die USA sollte sich erst in der nächsten Generation abspielen, wobei Großbritannien entweder als Juniorpartner auf deutscher Seite stand, – was Hitlers Wunschvorstellungen entsprach –, oder aber mit den USA das Lager der feindlichen angelsächsischen Seemächte bildete[13]). Der für unsere Untersuchung gewählte Zeitraum befand sich im Rahmen der Großkonzeption an der Nahtstelle zwischen Vorberei-

---

[10]) Dieser Terminus nach George W. F. Hallgarten, „Hitler verwirklicht seinen Grund-Plan. Zur Psychologie und Soziologie der nationalsozialistischen Expansion", in: Blätter für deutsche und internationale Politik 10 (1965), S. 515–522, 690–699. Zur Gültigkeit der in „Mein Kampf" niedergelegten Grundvorstellungen siehe Karl Lange, Hitlers unbeachtete Maximen. „Mein Kampf" und die Öffentlichkeit. Stuttgart–Berlin–Köln–Mainz 1968.

[11]) Vgl. Hillgruber, Strategie, S. 22 f. und S. 36 mit Anm. 39; ders., „Zum Kriegsbeginn im September 1939", in: Österreichische Militärische Zeitschrift 7 (1969), S. 357–361, hier: S. 357.

[12]) Vgl. Hillgruber, Faktor Amerika, S. 3 f. und im Detail Hildebrand, Weltreich, der die Planung und Vorbereitungen der Phase des „imperialen Ausgreifens" eingehend schildert.

[13]) Es bleibt offen, ob Hitler ursprünglich nicht allein den Kampf mit den USA um die Weltvorherrschaft, sondern auch das imperiale Ausgreifen nach atlantischen Stützpunkten und Kolonien erst der nächsten Generation als Aufgabe zuweisen wollte. Dafür spricht, daß Hitler im „Zweiten Buch" den Verzicht auf überseeische Ziele „für die nächsten hundert Jahre" empfiehlt: Hitlers Zweites Buch. Ein Dokument aus dem Jahre 1928. Hrsg. von Gerhard L. Weinberg, Stuttgart 1961, S. 163; vgl. Hildebrand, Weltreich, S. 79. Damit sollte von Hitler selbst lediglich der erste Teil seines „Programms" in die Wirklichkeit umgesetzt werden, die Beschränkung auf kontinentale Ziele in der Praxis für seine Person bestimmend sein.

tungsstufe und eigentlicher „Kontinentalphase"; er bezeichnete den Übergang von der Politik der „Abschirmung" zur „aktiven" Außenpolitik, die durchaus schon militärische Aktionen begrenzten Ausmaßes mit sich ziehen konnte.

Diese gleichbleibenden Grundintentionen Hitlers sollen den weiteren Rahmen unserer Darstellung bilden. Das jeweilige zeit- und situationsbestimmte „Unter"-Konzept, also auch Hitlers Vorstellungen hinsichtlich Englands, wird möglichst immer als ein der Gesamtplanung untergeordneter Faktor, gewissermaßen als funktionale Größe der konstanten „programmatischen" Zielsetzung gewertet werden.

Versuchen wir anschließend die Einordnung des Themas auf der an Hitlers Gesamtprogramm gemessen sekundären Ebene der eigentlichen Englandpolitik. Unter diesem verengten Blickwinkel betrachtet beginnt die Darstellung zu dem Zeitpunkt, an dem es Hitler mehr und mehr deutlich wurde, daß die ursprüngliche, in „Mein Kampf" und seinem „Zweiten Buch" aufgezeigte Idee eines Bündnisses mit Großbritannien bei der Regierung in London auf keinerlei Gegenliebe stieß, und mit der Verwirklichung dieses Gedankens auch für die Zukunft nicht gerechnet werden konnte. Notgedrungen mußte der deutsche Reichskanzler zur Revision seiner alten, aus machtpolitischen und ideologischen Motiven begründbaren Allianzkonzeption schreiten, um das übergeordnete Ziel der Kontinentalphase, das „Ausbrechen" nach Osten auch angesichts eines widerstrebenden Großbritanniens dennoch zu erreichen, um den „Grundplan" nicht in dieser Phase schon scheitern zu lassen. Es soll untersucht werden, welchen Stellenwert England nach dieser Erkenntnis in Hitlers politischem Kalkül besaß, welcher Art die somit notwendig gewordene Modifizierung der Rolle Großbritanniens innerhalb des „Programms" war.

Etwa zur gleichen Zeit zeigte sich anläßlich des deutschen Einmarsches in das entmilitarisierte Rheinland (März 1936) mit auffallender Deutlichkeit, daß nicht mehr Frankreich, das bislang die in Versailles 1919 geschaffene europäische Kontinentalordnung sorgsam gehütet hatte, sich aber nun von inneren Wirren und Depressionsstimmungen erschüttert zu tatenlosem Zusehen verurteilt sah, sondern allein Großbritannien im Spiel der europäischen Mächte einen wirksamen Widerpart zu den sich ankündigenden Aktionen des von Hitler geführten erstarkenden Deutschen Reiches abgeben könnte. Frankreich, in der Vergangenheit gewissermaßen Spinne im Netz der europäischen Vertragssysteme und gewichtiger Mittelpunkt der politischen Erwägungen aller Regierungen und Außenämter, geriet in Abhängigkeit von den Leitlinien der Politik seines Entente-Partners[14]. Somit markierte in dem zu behandelnden Zeitabschnitt Hitlers Einstellung zu England nicht einfach das Verhältnis zweier großer europäischer Staaten zueinander, sondern bestimmte die Politik der agierenden Nation gegenüber dem Land, dessen Haltung auch die Positionen der übrigen Regierungen in Europa nachhaltig

---

[14]) Vgl. Hillgruber, Deutschlands Rolle, S. 80.

beeinflußte, das mit seiner Reaktion über den Verlauf, Erfolg oder Mißerfolg der deutschen Unternehmungen entscheiden konnte. Der Faktor „Großbritannien" übernahm — noch stärker als ursprünglich von Hitler angenommen — eine Schlüsselstellung für die übergeordneten Zielsetzungen. Englands Weigerung sich den Vorstellungen des „Führers" entsprechend zu verhalten, drohte also Folgen von großer Tragweite für das gesamte „Programm" zu zeitigen.

Für die Darstellung wurde eine möglichst breite Quellenbasis angestrebt, wobei naturgemäß all jenen Dokumenten, die direkte Einblicke in Hitlers Zielsetzungen und Konzeptionen vermitteln — also vor allem den „programmatischen" Äußerungen[15] — eine hervorragende Bedeutung zukam. Die veröffentlichten deutschen und britischen sowie französischen, belgischen, italienischen, tschechoslowakischen und auch ungarischen Aktensammlungen[16] und die publizierten Materialien zu den Nürnberger Nachkriegsprozessen[17] enthalten zweifelsohne bereits relevante, wenn nicht gar die wichtigsten Quellen zur Vorgeschichte des Zweiten Weltkriegs. Darüberhinaus empfahl

---

[15] Vgl. Andreas Hillgruber, „Quellen und Quellenkritik zur Vorgeschichte des Zweiten Weltkrieges", in: Wehrwissenschaftliche Rundschau 14 (1964), S. 110–126. Siehe auch Hildebrand, Weltreich, S. 13, Anm. 4. Es sind dies z. B. Adolf Hitler, Mein Kampf, München 317./321. Aufl. 1938; Hitlers „Zweites Buch"; Henry Picker, Hitlers Tischgespräche im Führerhauptquartier 1041/42. Neu herausgegeben von Percy Ernst Schramm in Zusammenarbeit mit Andreas Hillgruber und Martin Vogt, Stuttgart 2. Auflage 1965; ergänzend dazu die bisher nur in französischer und englischer Übersetzung vorliegenden „Bormann-Vermerke": Hitler's Table Talks 1941–1944. With an introductory essay on „The Mind of Adolf Hitler" by H. R. Trevor-Roper, New York 1953; Hugh R. Trevor-Roper, Le Testament politique de Hitler, Notes recueillies par Martin Bormann, Paris 1959.

[16] Vgl. als wichtigste: Akten zur Deutschen Auswärtigen Politik 1918–1945 (zit.: ADAP), Serie D (1937–1945), Bd. I–X, Baden-Baden 1950–1956 und Frankfurt/Main 1961–1964, Bd. XI, 1–2, Bonn 1965, Bd. XII, 1–2, Göttingen 1969. Documents on German Foreign Policy 1918–1945, Series C, (Zit.: DGFP), Vol. III–V, London 1962, 1966. Documents on British Foreign Policy (zit.: DBFP) 1919–1939, Third Series, Vol. I–IX, London 1949–1955. Documents Diplomatiques Français (zit.: DDF) 1932–1939, 2e série, Tomes I–V, Paris 1963–1968. Documents Diplomatiques Belges (zit.: DDB) 1920–1940, Tomes III–V, Brüssel 1964–1966. I Documenti Diplomatici Italiani, Ottava Serie 1935–1939, Vol. XII–XIII, Roma 1953. Das Abkommen von München 1938, Tschechoslowakische diplomatische Dokumente 1937–1939, Praha 1968. Allianz Hitler-Horthy-Mussolini. Dokumente zur ungarischen Außenpolitik, Budapest 1966. Diplomáciai Iratok Magyarország Külpolitikájahoz 1936–1945 (Diplomatische Dokumente zur Außenpolitik Ungarns), Bd. 1–2, 4, Budapest 1962 (mit Regesten in deutscher Sprache, zit.: Ungarische Dokumente).

[17] Der Prozeß gegen die Hauptkriegsverbrecher vor dem Internationalen Militärgerichtshof Nürnberg, Bd. 1–42 (zit.: IMT), Nürnberg 1947–1949. Veröffentlichter englischer Auszug aus dem „Wilhelmstraßenprozeß": Trials of War Criminals before the Nürnberg Military Tribunals (zit.: TWC), Vol. XII–XIV: Case 11, U.S.v. von Weizsäcker et al., „The Ministries Case", Washington 1950–1952.

es sich dennoch, die in den Archiven lagernden reichhaltigen Bestände der unveröffentlichten Dokumente zur Auswertung heranzuziehen. Entsprechend unserer Fragestellung, die den deutschen Blickwinkel bei den Ereignissen vorrangig berücksichtigt, bot sich vor allem das Politische Archiv des Auswärtigen Amtes in Bonn an[18]). Trotz der dort vorhandenen, teilweise noch weiterhin unbekannten Materialfülle erwies sich die Hauptmasse der Quellen — wenn wir sie streng auf Hitler selbst beziehen — als Dokumente der „zweiten Ebene". Von den für diese Arbeit besonders wichtigen direkten Zeugnissen von Hitlers Gedankengängen — soweit sie nicht schon durch die Publikationen der „Schlüsseldokumente" und der Gesprächsaufzeichnungen mit ausländischen Staatsmännern und Diplomaten[19]) ohnehin bekannt sind — finden sich im Bonner Archiv nur noch sehr wenige. Hitlers Arbeitsweise war nicht so, daß sie sich in Randbemerkungen, Ausarbeitungen, Denkschriften u. ä. aktenmäßig hätte niederschlagen können. Der Verlust des größten Teiles der „RAM"-Akten macht sich hier besonders schmerzlich bemerkbar, da sie am ehesten Hitlers Bearbeitungsvermerke getragen hätten. Immerhin, Ribbentrop und auch die leitenden Beamten des Auswärtigen Amtes in der Wilhelmstraße führten letztlich die Politik ihres Reichskanzlers aus — in welchem Maße und in welchem Grade soll hier nicht entschieden werden —, so daß die Dokumente der „zweiten Ebene" nicht unbeachtet bleiben konnten, besonders wenn sie indirekt über Hitlers Auffassungen Kunde gaben.

Von Interesse waren ebenfalls die einlaufenden Schriftstücke aus der deutschen Botschaft in London, die die Haltung ihres Gastlandes schilderten und analysierten und — sofern sie von Hitler gelesen wurden — die Entscheidungen hinsichtlich der deutschen Englandpolitik nicht unwesentlich beeinflussen konnten.

Eine große Zahl mittelbarer Zeugnisse für Hitlers Einstellung zu Großbritannien boten die im Public Record Office London lagernden und in den letzten Jahren freigegebenen britischen Akten aus der Zeit bis zum Kriegsbeginn 1939. Bei der Prüfung der Aktenmassen empfahl sich eine Beschrän-

---

[18]) Über die Bestände vgl. H. Philippi, „Das Politische Archiv des Auswärtigen Amtes", in: Der Archivar 13 (1960), S. 201 ff.; sowie besonders: A Catalog of Files and Microfilms of the German Foreign Ministry Archives 1920–1945, compiled and edited by G. O. Kent, vor allem Vol. III, Stanford 1966. In unserer Darstellung wird die jeweilige Bestandsbezeichnung in abgekürzter Form gegeben; z. B.: PA Bonn, Staatssekretär, = Büro Staatssekretär.

[19]) Für die Zeit vor Kriegsbeginn 1939 siehe ADAP und DBFP usw. Hitlers Unterredungen mit ausländischen Staatsmännern während des Krieges sind gesondert zusammengestellt worden von Andreas Hillgruber, Staatsmänner und Diplomaten bei Hitler. Vertrauliche Aufzeichnungen über die Unterredungen mit Vertretern des Auslandes. Bd. I: 1939–1941, Frankfurt/Main 1967, Bd. II: 1942–1944, Frankfurt/Main 1970. Hitlers rückschauende Betrachtungen im Kriege über sein Verhältnis zu England während der Vorkriegszeit wurden mit der gebotenen Vorsicht als oftmals interessante Ergänzung der direkten, zeitgenössischen Quellen häufig herangezogen.

kung auf die Dokumente des Foreign Office[20]), — die auch die wichtigsten Kabinettsprotokolle enthielten — und die Privatpapiere einiger Persönlichkeiten, soweit sie mit Hitler in direktem oder indirektem Kontakt standen[21]); es wurde ja keine Darstellung etwa der britischen Deutschlandpolitik angestrebt, die zweifellos auf Grund der neuen Quellenbasis neue Akzente erhalten wird, — da die zu diesem Problem eminent wichtigen Kabinettsakten in den bisherigen Editionen der englischen Dokumente noch gar nicht berücksichtigt wurden.

Im Central Department des Londoner Außenministeriums, zu dessen Arbeitsbereich Deutschland gehörte, sammelten sich im Lauf der uns betreffenden Jahre eine Fülle von Analysen, Studien, Denkschriften, Informationen, aber auch von Mutmaßungen und bloßen Gerüchten über die vermeintlichen deutschen Pläne bezüglich Englands und auch speziell über Hitlers Politik und Haltung gegenüber Großbritannien. Wenn auch Materialien der genannten Art in erster Linie über den Informationsstand und Erwartungshorizont des Foreign Office und der britischen Regierung hinsichtlich der deutschen Intentionen aussagten, so trugen sie mitunter entscheidend zur Aufhellung von Hitlers Plänen selbst bei. Dies trifft besonders dann zu, wenn es sich um Aufzeichnungen über amtliche, offiziöse oder private Gespräche von Engländern mit Hitler handelte — bekanntlich empfing Hitler bis zum Kriegsbeginn vorzugsweise Besucher aus Großbritannien[22] — und wenn Informationen aus deutschen Quellen in Hitlers engster Umgebung in die Hände des Foreign Office gelangten, wobei beispielsweise Hitlers Adjutant Fritz Wiedemann, Ribbentrops Verbindungsmann in der Reichskanzlei Walter Hewel und auch Carl Goerdeler häufig bewußt oder unbewußt als Nachrichtengeber fungierten. Immer war es indessen erforderlich, strengste quellenkritische Maßstäbe an die Dokumente anzulegen, um das wertvolle „Körnchen Wahrheit" von zweckgebundenen, lancierten Meldungen, deren Authentizität umstritten blieb, und von halbwahren oder gänzlich grundlosen Gerüchten trennen zu können.

Studien im Bundesarchiv Koblenz[23]), wo vor allem die von Aigner bereits intensiv ausgewerteten Anweisungen des Reichsministeriums für Volksaufklärung und Propaganda an die deutsche Presse auch für unser

---

[20]) Vgl. zu den Beständen Index to the Correspondence of the Foreign Office for the Year 1936 ff. Nendeln/Liechtenstein 1969. O. Hauser besorgt eine Edition von Public Record Office-Akten zum deutsch-britischen Verhältnis in den dreißiger Jahren: Großbritannien und das Dritte Reich. Bd. 1: 1933–1936. Stuttgart 1972.

[21]) Leider waren zur Zeit meines Londoner Aufenthalts (Anfang 1970) die Papiere Botschafter Hendersons für das Jahr 1939 noch nicht zugänglich, da sie mit späteren Jahrgängen zusammengeheftet waren.

[22]) Vgl. Hans-Adolf Jacobsen, Nationalsozialistische Außenpolitik 1933–1938, Frankfurt/Main–Berlin 1968, S. 365.

[23]) Vgl. Das Bundesarchiv und seine Bestände. Übersicht bearbeitet von Friedrich Facius, Hans Booms, Heinz Boberach, Boppard, 2. Aufl. 1968.

Vorhaben von Bedeutung waren, sowie im Institut für Zeitgeschichte München, das mit Material zum Nürnberger „Wilhelmstraßenprozeß", dem gesammelten Zeugenschrifttum und einigen privaten Aufzeichnungen wertvolle Hilfen bot, vervollständigten die Durchsicht der unveröffentlichten Quellen. Zwar konnten – wie bereits angedeutet – keine sensationellen „Schlüsselzeugnisse" zu Tage gefördert werden; immerhin ergab sich eine beträchtliche Menge von Dokumenten, die ergänzend, bestätigend und differenzierend wichtige Aspekte neu zu beleuchten vermochte.

Es wurde darauf verzichtet, die militärischen Akten des Militärarchivs in Freiburg/Brsg. zu sichten, zumal da die für unsere Fragestellung relevanten Dokumente der Marine und der Luftwaffe sehr weitgehend von C. A. Gemzell, M. Salewski, J. Dülffer und K. H. Völker aufbereitet wurden[24]). Es versteht sich von selbst, daß die publizierten Quellen militärischer Provenienz für unsere Arbeit herangezogen wurden[25]), wenn sie sich bislang auch in ihrer überwiegenden Mehrzahl auf die Kriegszeit beziehen, vielfach jedoch die letzten Friedenswochen und -tage noch mitbehandeln.

Wichtige Einblicke in Hitlers Absichten gegenüber England — allerdings in sehr unterschiedlicher Qualität — lieferten die in ihrer Zahl weiter anschwellenden Memoiren von unmittelbar oder als „Statisten" am Geschehen der dreißiger Jahre beteiligten Personen[26]). Mit den bekannten Vorbehalten hinsichtlich ihres Quellenwertes wurde versucht, sie in möglichst breiter Streuung nutzbar zu machen. In der Tat bestätigten und verdeutlichten sie mitunter überraschend die aus den Quellen gewonnenen Aussagen. Besonders erwiesen sich die in den Erinnerungen des ehemaligen Schweizer Völkerbundskommissars in Danzig, C. J. Burckhardt[27]), enthaltenen Notizen und Aufzeichnungen über Unterredungen mit Hitler von hohem Wert, so daß sie

---

[24]) Carl-Axel Gemzell, Raeder, Hitler und Skandinavien. Der Kampf für einen maritimen Operationsplan. Lund 1965. Michael Salewski, Die deutsche Seekriegsleitung 1935–1945. Bd. 1: 1935–1941, Frankfurt/Main 1970. Jost Dülffer, Weimar, Hitler und die Marine. Reichspolitik und Flottenbau 1920 bis 1939. Düsseldorf 1973. Karl-Heinz Völker, Die deutsche Luftwaffe 1933–1939. Aufbau, Führung und Rüstung der Luftwaffe sowie die Entwicklung der deutschen Luftkriegstheorie. Stuttgart 1967.

[25]) Siehe u. a. Generaloberst Halder, Kriegstagebuch Bd. I: Vom Polenfeldzug bis zum Ende der Westoffensive (14. 8. 1939 – 30. 6. 1940). Bearbeitet von H. A. Jacobsen in Verbindung mit A. Philippi, Stuttgart 1962; das Tagebuch des Chefs des Wehrmachtsführungsstabes General Jodl publiziert in IMT XVIII, S. 745 ff.; Der Generalquartiermeister. Briefe und Tagebuchaufzeichnungen des Generalquartiermeisters des Heeres General der Artillerie Eduard Wagner, München–Wien 1963. Helmuth Groscurth, Tagebücher eines Abwehroffiziers 1938–1940. Hrsg. von H. Krausnick und H. C. Deutsch unter Mitarbeit von H. v. Kotze. Stuttgart 1970; und Hitlers Weisungen für die Kriegführung 1939–1945. Dokumente des Oberkommandos der Wehrmacht. Hrsg. von W. Hubatsch, Frankfurt/Main 1962.

[26]) Zum Quellenwert der Memoiren vgl. Hildebrand, Weltreich, S. 31 f. und ebd. Anm. 82 mit Literaturangaben.

[27]) Carl J. Burckhardt, Meine Danziger Mission 1937–1939. München 1960.

teilweise in die Reihe der Primärzeugnisse von Hitlers politischer Vorstellungswelt eingereiht werden könnten.

Um Hitlers Englandkonzeptionen der späten dreißiger Jahre den rechten Standort im Verhältnis zur Ausgangsposition der zwanziger Jahre zuordnen zu können, schien es unerläßlich, vor der eigentlichen Darstellung in knappen Strichen ihren Hintergrund, nämlich Hitlers ursprüngliche Idee von Englands Rolle innerhalb seines „Programms" zu markieren. Kapitel I schildert mehr systematisch als chronologisch jene Faktoren, die Hitler zwischen 1935 und 1937 seine Bündnisvorstellungen aufgeben und zu einem modifizierten England-Konzept greifen ließen. Der Versuch, mit Hilfe des neuen Kurses Österreichs „Anschluß" und die militärische Zerschlagung der Tschechoslowakei durchzuführen, ist Gegenstand des II. Kapitels, während das III. Kapitel jene Konzeptionen und Möglichkeiten untersucht, die sich Hitler zur Realisierung seines „Programms" auch gegen den Widerstand Englands anboten. Gelegentlich eingeschaltete Ausblicke auf die Kriegsjahre kennzeichnen die Kontinuität der Hitlerschen England-Dispositionen über den 3. September 1939 hinaus. Die Kriegserklärung der Westmächte bildete nicht *die* scharfe Zäsur, wie es gemeinhin angenommen wird. Wünschenswert bliebe daher — das sei als ein Ergebnis der Arbeit bereits vorweggenommen — eine Fortführung der Darstellung bis zum Sommer 1940[28]), während A. Hillgrubers grundlegende Studie über „Hitlers Strategie" die Thematik für 1940—1941 in einem Hitlers *gesamte* Konzeption umfassenden Rahmen in gültiger Weise neu aufnimmt.

Die Abhandlung lag im Wintersemester 1971/1972 den Philosophischen Fakultäten der Albert-Ludwigs-Universität zu Freiburg i. Br. als Inaugural-Dissertation vor. Mein besonderer Dank gilt Prof. Dr. Andreas Hillgruber (jetzt Köln), der die Anfertigung der Arbeit mit großer Umsicht und anregender und kritischer Sorgfalt betreute und unermüdlich in allen Belangen wirkungsvoll förderte. Die Beschäftigung mit der aufgezeigten Problematik geht auf Anregungen von Prof. Dr. Gottfried Schramm (Freiburg i. Br.) zurück, der auch die Entwicklung des Vorhabens stets mit großem Interesse und wertvollen Hinweisen verfolgte. Zahlreiche weiterführende Gedanken und Anregungen verdanke ich Prof. Dr. Klaus Hildebrand (Bielefeld) und Dr. Jost Dülffer (Köln), mit denen die Thematik fortwährend erörtert wurde. Die betreuenden Damen und Herren des Politischen Archivs des Auswärtigen Amtes, Bonn, des Public Record Office, London, des Bundesarchivs, Koblenz, und des Instituts für Zeitgeschichte, München, waren mir in allen Fragen und Wünschen stets behilflich. Das Cusanus-Werk, Bonn–Bad Godesberg, trug mit einer großzügigen finanziellen Förderung entscheidend zur Entstehung der Arbeit bei. Das Bundesarchiv erklärte sich bereit, die Studie in seine Schriftenreihe aufzunehmen. Allen sei herzlich gedankt.

---

[28]) Zum Teil wird die Thematik von der sich in Vorbereitung befindlichen Studie von Bernd Martin (Freiburg/Brsg.), Friedensinitiativen während des Zweiten Weltkrieges, erfaßt werden.

2. HITLERS ALLIANZKONZEPTION DER ZWANZIGER JAHRE

Es ist bekannt und von der historischen Forschung gesichert, daß Hitler in seinen „programmatischen" Schriften, in „Mein Kampf" und dem „Zweiten Buch", die Idee vertrat, daß die kontinentale Phase seines „Programms", also die Errichtung eines kontinentalen Imperiums in einem ideologischen Vernichtungskrieg gegen die Sowjetunion, im Bunde mit der Seemacht England und mit Italien durchzuführen sei. Die in Hitlers Augen verhängnisvolle Strategie des wilhelminischen Deutschland, das zur gleichen Zeit Kontinental- und Weltpolitik betreiben wollte, würde damit, so glaubte Hitler, von einer erfolgverheißenden Politik des „Nacheinander" abgelöst werden[1]. Das erste Großziel, der „neue Germanenzug" in die Weiten Osteuropas, könne nur mit dem Bundesgenossen England im Rücken angestrebt werden[2]. Dafür war Hitler für *diese* Stufe seines „Programms" bereit, mit der deutschen Vorkriegspolitik zu brechen, d. h. „auf Kolonien und Seegeltung zu verzichten"[3]. Vom rein machtpolitischen Aspekt glaubte Hitler in der für ihn typischen Gleichsetzung von politischen und territorialen Interessen[4], alle Voraussetzungen für eine solche Bündniskonstellation zu sehen. Die England und Deutschland gemeinsame Aversion gegen Frankreich, dessen Streben zur „unbedingt herrschenden Hegemonie-Stellung"[5] die britische Regierung nicht länger dulden werde, würde die ersten Annäherungsversuche erleichtern[6]. „Pro-englische Politik" gliche also „pro-deutschen Interessen", wenn auch nur für einen konkreten Zeitraum, wie Hitler ausdrücklich betonte und mit der Prophezeiung, daß die Parallelität „eines Tages in das reine Gegenteil umschlagen könne"[7], die zeitliche Beschränkung dieser offenbar auf rein machtpolitischer, auf „nüchternster und kältester Überlegung"[8] beruhenden Allianz mit Großbritannien hervorhob[9].

Eine Überschneidung britischer und deutscher Ambitionen vermeinte Hitler indessen zunächst nicht befürchten zu müssen, da Deutschlands vorläufige Stoßrichtung im Osten lag, während Englands Hauptaugenmerk auf sein Empire gerichtet sei, was eine genaue Aufteilung der gegenseitigen, für

---

[1]) Vgl. Hillgruber, Strategie, S. 567.

[2]) Siehe Mein Kampf, S. 154, in Form von Kritik an der deutschen Vorkriegspolitik und S. 697 als „programmatische" Proklamation, „daß als letzte durchführbare Bindung nur eine Anlehnung an England übrigbleibt."

[3]) Ebd., S. 154 und S. 699.

[4]) Siehe Hillgruber, Faktor Amerika, S. 5.

[5]) Mein Kampf, S. 698.

[6]) Ebd. und S. 757: „Jede Macht ist heute unser natürlicher Verbündeter, der gleich uns Frankreichs Herrschaft auf dem Kontinent als unerträglich empfindet."

[7]) Ebd., S. 698.

[8]) Ebd., S. 700.

[9]) Zur Beschränkung dieser Bündniskonstellation auf die kontinentale Phase des Hitlerschen „Programms" siehe Hillgruber, Strategie, S. 36, Anm. 39 und Hildebrand, Weltreich, S. 70 ff.: Unterabschnitt „Hitlers Position", passim.

beide Partner streng verbindlichen Machtsphären als Grundlage der angestrebten Allianz ermöglichen würde[10]). Insofern hielt Hitler Befürchtungen
für grundlos, daß Großbritannien sich auch einer *deutschen* Vormachtstellung
auf dem europäischen Festland, die Hitler ja ansteuern wollte, entgegenstemmen würde, denn, so glaubte er, Großbritannien bekämpfe nur eine starke
Nation „soweit sie Weltmachtziele verfolge"[11]). Während durch eine Hegemonie *Frankreichs* „die Wiederaufnahme der großen Linie einer französischen Weltpolitik nicht nur ermöglicht, sondern geradezu erzwungen" werde[12]),
könne *Deutschland* in der Beschränkung auf rein kontinentale Ziele im Osten
Europas, „bei Verzicht oder besser: bei einer Zurückstellung einer deutschen
Kolonial- und Überseepolitik[13]), der englischen Partnerschaft sicher sein[14]).
„England wünscht kein Deutschland als Weltmacht", heißt es in „Mein
Kampf", „Frankreich keine Macht, die Deutschland heißt: ein denn doch sehr
wesentlicher Unterschied! Heute aber kämpfen wir nicht für eine Weltmachtstellung, sondern haben zu ringen um den Bestand unseres Vaterlandes, um
die Einheit unserer Nation und um das tägliche Brot unserer Kinder[15])."

Auf diese Weise versuchte Hitler die für sein Kontinentalprogramm
bedrohliche „Balance-of-Power"-Theorie in einen Grundsatz des „imperialen
Gleichgewichts"[16]) umzuwandeln. „Auch das europäische Gleichgewicht interessiert England nur so lange", bemerkte er im „Zweiten Buch", „als es
das Werden einer für England bedrohlichen Welthandels- und Seemacht
verhindert[17])." Dieses schwer beweisbare Axiom mußte also herhalten, um
die angesichts der traditionellen Gleichgewichtspolitik der Londoner Regierungen leicht verständlichen Bedenken gegen die Realisierbarkeit von Hitlers

[10]) Vgl. Jäckel, Hitlers Weltanschauung, S. 46: „Der neue Dreibund beruhte ...
gerade darauf, daß sich die drei Partner in drei verschiedene Richtungen hin
ausdehnen würden: Deutschland in den kontinentalen Osten, England nach
Übersee und Italien in das Mittelmeergebiet."
[11]) Hitlers Rede v. 13. 7. 1928 zit. von H. Rothfels in seinem Vorwort zu Hitlers
„Zweitem Buch", S. 28; vgl. auch „Mein Kampf", S. 696: „Englands Wunsch
ist und bleibt die Verhütung des übermäßigen Emporsteigens einer kontinentalen Macht zu weltpolitischer Bedeutung."
[12]) Mein Kampf, S. 699.
[13]) Hillgruber, Strategie, S. 565 f.
[14]) Vgl. Zweites Buch, S. 174 und S. 163.
[15]) Mein Kampf, S. 699. Daß England jedoch einer Wiederaufnahme der wilhelminischen, überseeische Ziele anstrebenden Weltmachtpolitik energischen Widerstand entgegensetzen würde, betont Hitler im „Zweiten Buch", S. 122: „Es
gehört wirklich die ganz unglaubliche bürgerlich-nationale Naivität dazu zu
meinen, daß England eine ihm gefährliche deutsche Konkurrenz dulden würde
oder auch nur könne."
[16]) So A. V. N. van Woerden, „Hitler Faces England. Theories, Images and Policies", in: Acta Historiae Neerlandica 1968, S. 141—159: mit dieser imperialen
„Balance-of-Power-Idee" hoffte Hitler auf die „imperiale Isolation" Großbritanniens, welche ihm freie Hand im Osten und das Bündnis unter seinen
Bedingungen ermöglichen würde.
[17]) Zweites Buch, S. 174.

Traum einer „imperialistischen Komplizenschaft" mit England[18]), dessen Kontinuität bekanntlich bis in die letzten Kriegsjahre zu verfolgen ist[19]), zu zerstreuen.

Zu diesen rein machtpolitischen, ja skrupellosen Motivationen[20]) trat Hitlers schon früh feststellbare gefühlsmäßige Bewunderung für die gleichgeartete britische Rasse[21]), für das „großbritannische Weltreich" und dessen Herrschaftsformen, wie sie sich in zahlreichen Äußerungen dokumentierte. Englands Regime in Indien sollte zum Vorbild für die deutsche Beherrschung des Ostens werden[22]), wobei Hitler die unterstellte Brutalität der britischen Eroberer ausdrücklich anerkannte und bejahte[23]). Der „Stabilität der eng-

---

[18]) Formulierung nach Martin Broszat, „Betrachtungen zu Hitlers Zweitem Buch", in: VfZg 9 (1961), S. 418.

[19]) Vgl. z. B. Picker, Tischgespräche, S. 135 f., 145, 244; Testament, S. 29 ff.

[20]) Vgl. Mein Kampf, S. 705: Italien und England solle man „unter Zurückhaltung aller Gefühlsmomente" die Hand reichen, und S. 749: „Ein Bündnis, dessen Ziel nicht die Absicht zu einem Krieg umfaßt, ist sinn- und wertlos." Siehe ferner Dickmann, Machtwille und Ideologie, S. 927 f.

[21]) Vgl. für die Frühzeit Kuhn, Außenpolitisches Programm, S. 45 f.; für die Kriegsjahre z. B. Tischgespräche, S. 244 (v. 3. 4. 1942): England habe eine „wunderbare Menschenauslese" jedoch nur vornehmlich in den oberen, aristokratischen Schichten; und ebd., S. 442 (v. 5. 7. 1942): England habe 300 Jahre die Welt regiert, „weil nichts rassen- und intelligenzmäßig Gleichwertiges auf dem Kontinent vorhanden gewesen sei." Die Auffassung von der rassischen Gleichwertigkeit und Überlegenheit von Engländern und Deutschen dokumentiert sich in Hitlers Worten zum schwedischen Vermittler Dahlerus am 26. 9. 1939: „Für dieses elende Land (d. i. Polen, Vf.) sollten nun Millionen Engländer und Deutsche ihr Leben lassen!", Hillgruber, Staatsmänner und Diplomaten I, S. 29.

[22]) Siehe Nolte, Faschismus, S. 500 f. Vgl. Mein Kampf, S. 746: Nur „irgendwelche asiatische Gaukler" können an einen „Zusammenbruch" Englands in Indien glauben oder ihn gar wünschen. Denn „als Germane" sah Hitler „Indien trotz allem immer noch lieber unter englischer Herrschaft ... als unter einer anderen": ebd., S. 747. Zu Hitlers Einstellung zu Indien vgl. Johannes H. Voigt, „Hitler und Indien", in: VfZg 19 (1971), S. 33—63. Vgl. auch Hitlers Äußerung im September 1941, Indien halte er für „die Geburtsstätte des englischen Selbstbewußtseins": Tischgespräche, S. 143 (8.—9. 9. 1941).

[23]) Vgl. z. B. Hitlers Worte während eines Vortrages vor westdeutschen Wirtschaftlern im Industrie-Klub zu Düsseldorf am 27. 1. 1932, München 1932: „England hat Indien nicht auf dem Wege von Recht und Gesetz erworben, sondern ohne Rücksicht auf Wünsche, Auffassungen oder Rechtskundgebungen der Eingeborenen und hat diese Herrschaft, wenn nötig mit den brutalsten Rücksichtslosigkeit aufrechterhalten." Während England in „genialster" Weise sich „immer neue Märkte erschloß und sofort politisch verankerte", ging Deutschland mit „romantischen, sentimentalen Gründen" und daher ohne Erfolg an den Erwerb von Kolonien heran. Vgl. auch die vom ersten Chef der Gestapo, Rudolf Diels, überlieferten Äußerungen Hitlers im Sommer 1935: „Nur ich bringe die Brutalität auf, wie die Engländer auf ein Ziel loszugehen": Rudolf Diels, Lucifer ante portas ... es spricht der erste Chef der Gestapo ... Stuttgart 1950, S. 84. Am 25. 1. 1939 führte Hitler vor höheren Offizieren in der Reichskanzlei aus: „Wenn das britische Weltreich in den Jahrhunderten seiner Begründung jene Kräfte und Tendenzen zur Auswirkung gebracht hätte,

lischen Außenpolitik"[24]) galt sein Lob ebenso wie innerenglischen Erscheinungen, z. B. den „Public Schools"[25]), die er als paramilitärische Institution auffaßte, der „wundervollen Einzelausbildung" der englischen Söldnerheere[26]), wie überhaupt der Tapferkeit des britischen Soldaten, mitunter gar der englischen Rechtsauffassung[27]) und in früher Jugend — wie er in „Mein Kampf" bekannte — auch dem Londoner Parlament, „der erhabenen Form der Selbstregierung eines Volkstums"[28]). Noch im Krieg pries er das Selbstbewußtsein des Engländers[29]) und die „unbestreitbaren Ergebnisse" des „Aufnordungswerkes" englischer Soldaten in Nordfrankreich während des ersten Weltkrieges[30]), bezeichnenderweise auch die „beispiellose Frechheit" der Briten, die ihn nicht hindere, sie „dennoch zu bewundern"[31]).

Lassen wir unentschieden, inwieweit solche mehr oder minder irrationale Beweggründe Einfluß auf Hitlers politische Pläne besaßen. Immerhin vermochten sie sicher seine Bündnisvorstellungen noch zusätzlich zu intensivieren. C. J. Burckhardts nachstehend zitierter Deutungsversuch sollte auch für Hitlers Einstellung zu England Beachtung verdienen: „Wenn er aus einer Stimmung heraus nach Anlehnung strebt, nach Identifikation mit einem Vorbild ... so tut er dies nicht einzig aus taktischer List, weil er ein bestimmtes Verhalten (des Vorbildes) für einen beschränkten Zeitraum nötig hat, sondern auch, weil er vorübergehend einer durch den Identifikationsvorgang entstehenden euphorischen Stimmung gehorcht[32])."

die es heute erhalten wollen, dann wäre es niemals entstanden": Hans-Adolf Jacobsen — Werner Jochmann (Hrsg.), Ausgewählte Dokumente zur Geschichte des Nationalsozialismus 1933–1944, Bd. I–II, Bielefeld 1960–1966, hier: Bd. II. „Zähigkeit, Beharrlichkeit und Dauerhaftigkeit" bewunderte Hitler noch am 12. 12. 1944 in seiner Ansprache vor den Divisionskommandeuren der Ardennen-Offensive als Hauptgrundlagen der Errichtung des Britischen Empire: siehe Hitlers Lagebesprechungen. Die Protokollfragmente seiner militärischen Konferenzen 1941 bis 1945. Hrsg. von Helmut Heiber, Stuttgart 1961, S. 719.

[24]) Zweites Buch, S. 133.
[25]) Siehe Anthony Eden (The Earl of Avon), Angesichts der Diktatoren. Memoiren 1923–1938, Köln–Berlin 1962, S. 175 (während des Besuches von Außenminister Simon und Lordsiegelbewahrer Eden im März 1935 in Berlin). In der Tat dienten die „Public Schools" den Nationalpolitischen Erziehungsanstalten („Napola") in mancher Hinsicht als Vorbild. Man bemühte sich auch um beiderseitigen Schüleraustausch: Vgl. Horst Ueberhorst, Elite für die Diktatur — die Nationalpolitischen Erziehungsanstalten 1933–1945, Düsseldorf 1969; Rezension von Manfred Sack in: DIE ZEIT Nr. 41, v. 10. 10. 1969.
[26]) Zweites Buch, S. 110.
[27]) Vgl. Albert Krebs, Tendenzen und Gestalten der NSDAP. Erinnerungen an die Frühzeit der Partei. Stuttgart 1959, S. 128.
[28]) Mein Kampf, S. 82.
[29]) Tischgespräche, S. 135 (v. 22. 7. 1941): „Selbstbewußtsein hat nur wer befehlen kann."
[30]) Ebd., S. 463.
[31]) Ebd., S. 145 (v. 9. 9. 1941).
[32]) Burckhardt, Danziger Mission, S. 268 f.

Beleuchten wir nach der machtpolitisch-rationalen und der gefühlsmäßig-irrationalen Ebene schließlich den ideologischen Sektor des Hitlerschen Englandbildes, wobei diese Trennung nur in der theoretischen Abstraktion möglich ist, während realiter die Teilbereiche in Hitler wohl eine untrennbare Synthese eingingen.

Sowohl Deutschland als auch Großbritannien waren Hitlers Ansicht nach zur Zeit der Formulierung seiner Konzeption in ihrer Frontstellung gegen den „jüdisch-bolschewistischen Weltfeind" – den Zerstörer des nationalen, natürlichen Völkerlebens[32a] – infolge ihrer demokratisch-parlamentarischen Staatsform gefährdet, bildete doch die Demokratie in Hitlers Augen den ersten Ansatzpunkt für das Zersetzungswerk der jüdisch-beherrschten „Internationale"[33]. Während Frankreich in der gleichen Bedrohung wegen der geringen „Rassenhöhe" seines Volkskörpers dem Bolschewismus bereits unrettbar erlegen war[34], bot sich Deutschland und Großbritannien, die beide über genügend rassisch wertvolle Elemente verfügten, die gleiche Chance, daß die „völkischen Kräfte" beider Nationen sich als stark genug erwiesen, um der drohenden Gefahr Herr zu werden, und dann den Erfordernissen einer nationalen Machtpolitik gehorchend in einem Bündnis zueinander finden würden[35]. In Italien hatte Mussolini die nationalen Elemente bereits

---

[32a]) Vgl. unten Anm. 38.

[33]) Zur Identität der Interessen von Demokratie und Judentum vgl. Hitlers Rede vom 13. 8. 1920: „Wir wissen ganz genau, daß der Jude stets drei Perioden durchmacht. Erst autokratisch gesinnt, bereit jedem Fürsten zu dienen, dann heruntersteigend zum Volk, kämpfend für eine Demokratie, von der er weiß, daß sie in seiner Faust ist und von ihm gelenkt wird; besitzt er sie, dann wird er zum Diktator, und wir erleben das heute in Rußland": zit. nach Reginald H. Phelps, „Hitlers grundlegende Rede über den Antisemitismus", in: VfZg 16 (1968), S. 414; vgl. auch Kuhn, Außenpolitisches Programm, S. 51. Siehe ferner Dietrich Eckart, Der Bolschewismus von Moses bis Lenin. Zwiegespräch mit Adolf Hitler und mir. München 1924, S. 7; dort Hitlers Betrachtung zum biblischen Auszug der Israeliten aus Ägypten. Auch damals hätten sich die Juden unter dem Schlagwort „Freiheit, Gleichheit, Brüderlichkeit" mit den Unterschichten verbündet; jedoch hätte der „national gebliebene Teil der Ägypter" durch eine Vertreibung der Juden die Gefahr gebannt. Zum Quellenwert siehe Ernst Nolte, „Eine frühe Quelle zu Hitlers Antisemitismus", in: Historische Zeitschrift (zit.: HZ) 192 (1961), S. 584–606. Zu Hitlers Demokratieverständnis als Vorstadium einer „jüdisch-bolschewistischen Herrschaft" vgl. Hillgruber, Strategie, S. 567.

[34]) Siehe Mein Kampf, S. 704: „Dieses an sich immer mehr der Vernegerung anheimfallende Volk bedeutet in seiner Bindung an die Ziele der jüdischen Weltbeherrscher eine dauernde Gefahr für den Bestand der weißen Rasse in Europa"; vgl. ebd., S. 730, Hitlers Vision „eines europa-afrikanischen Mulattenstaates ... ein gewaltiges geschlossenes Siedlungsgebiet vom Rhein bis zum Kongo, erfüllt von einer aus dauernder Bastardisierung langsam sich bildenden niederen Rasse."

[35]) Vgl. auch Lange, Maximen, S. 93: die Möglichkeit eines Bündnisses mit Italien und England bestand deshalb, „weil in beiden Ländern die alte traditionelle Staatskunst sich noch gegen die jüdische Führung wehrte".

zum Siege geführt. In Deutschland schickte er, Hitler, sich an, die völkischen Elemente zusammenzutrommeln und mit ihnen die in der „Novemberrepublik" von Weimar heraufziehende jüdisch-bolschewistische Gefährdung abzuwenden. Was Großbritannien anging, so schrieb Hitler in „Mein Kampf": „Der Kampf gegen die jüdische Weltgefahr wird ... damit auch dort beginnen[36]." Es sei nun die entscheidende Frage: „Können die Kräfte ... der traditionellen britischen Staatskunst den verheerenden jüdischen Einfluß noch brechen oder nicht[37]?"

Es lag nahe, aus dieser nach Hitlers Meinung weltanschaulich gleichgelagerten Ausgangsbasis eine politische Allianz mit Großbritannien und Italien zu schmieden. Hitlers machtpolitische gegen Rußland gerichtete Expansionsziele in Osteuropa verquickten sich mit der ideologisch begründbaren anti-jüdisch-bolschewistischen Einstellung[38]) und sollten auch den national-

---

[36]) Mein Kampf, S. 724. Bereits am 28. 7. 1922 hatte Hitler in München verkündet, daß in Italien, England und in Frankreich „ein unerbittlicher Kampf zwischen den Idealen der national-völkisch Gesinnten und der ungreifbaren überstaatlichen Internationalen entbrannt" sei: Zit. nach Werner Siebarth (Hrsg.), Hitlers Wollen. Nach Kernsätzen aus seinen Schriften und Reden, München 8. Aufl. 1940, S. 239. Frühe Betrachtungen des „Völkischen Beobachter" zum Gegensatz zwischen „Nationalengländern" und „jüdisch-englischen Politikern" siehe bei Kuhn, Außenpolitisches Programm, S. 84 ff., S. 91. Vgl. besonders Hitlers Ausführungen zu diesem Thema im „Zweiten Buch", S. 223.

[37]) Mein Kampf, S. 720.

[38]) Zur Verzahnung von „Bodenpolitik", Antisemitismus und Antibolschewismus in Hitlers Expansionsplänen bezüglich Osteuropas siehe Jäckel, Hitlers Weltanschauung, S. 136. Jäckel stützt sich dabei auf die Passagen in Hitlers Zweitem Buch, S. 220 f. Das Judentum verfüge über keinen eigenen geschlossenen Lebensraum, könne also nicht am natürlichen Lebenskampf der Völker um ihre Ernährungsgrundlage teilnehmen und greife daher destruktiv in die natürliche, gesunde Entwicklung der Völker ein, da es zur Selbsterhaltung „parasitär" wirken müsse: Zur Bekämpfung der nationalen Anliegen des jeweiligen Volkes habe es Internationalismus und Pazifismus auf seine Fahnen geschrieben: „Der jüdische Internationalismus behindert somit den Lebenskampf, wie die Natur ihn will, und zerstört damit den Sinn der Geschichte." Damit gewann der projektierte Krieg gegen Rußland, wie Jäckel darlegt, für Hitler eine zweifache Aufgabe: einmal als Lebenskampf des deutschen Volkes zur Erweiterung von Grund und Boden im Rahmen des „natürlichen" Geschichtsablaufes, zum andern die Vernichtung des Weltfeindes aller Nationen, der durch den Sieg des Bolschewismus in Rußland seine Bastion errichtet hatte, von der aus das Zersetzungswerk auch auf die übrigen Staaten übergehen sollte. Hitler selbst nennt es einen „Fingerzeig" des Schicksals, daß Deutschlands „Bodenpolitik der Zukunft" im Osten liegt und gleichzeitig das „Riesenreich im Osten" infolge der Machtergreifung des Bolschewismus und der damit verbundenen Ausrottung der staatstragenden germanischen Elemente „reif zum Zusammenbruch sei": Mein Kampf S. 742 f. Vgl. auch Karl Lange, „Der Terminus Lebensraum in Hitlers Mein Kampf", in: VfZg 13 (1965), S. 427–437; Hans-Adolf Jacobsen, „Zur Programmatik und Struktur der nationalsozialistischen Außenpolitik 1919–1939", in: Aus Politik und Zeitgeschichte, Beilage zur Wochenschrift „Das Parlament", B 50/67 v. 13. 12. 1967, S. 3–22, hier: S. 4; und Nolte, Faschismus, S. 493.

völkischen Kräften in England genehm sein, zumal Deutschlands vorläufige Stoßrichtung ja nirgends — nach Hitlers ausschließlich in territorialen Dimensionen verhafteten Ansicht — britische Interessen tangierten. Zur Idee des zeitlich begrenzten Kondominates: England zur See — Deutschland auf dem Festland — war es von daher nur ein kleiner Schritt, da er nicht allein rein machtpolitisch betrachtet für beide Nationen gangbar war, sondern auch gleichzeitig die Vernichtung des gemeinsam ideologischen Weltfeinds durch Hitlers Marsch nach Osten und Großbritanniens Billigung oder Unterstützung zum Ziele haben würde. Doktrinäre Grundanschauungen und machtpolitische Ambitionen harmonierten also in einmaliger Weise. Auf beiden Ebenen bot sich, aus Hitlers Sicht betrachtet, die Allianz mit England (und Italien) als optimalen Bündnispartnern an.

Derartige Überlegungen lassen andererseits schon jene Argumente sichtbar werden, die Hitler später, als Großbritannien sich anders verhielt, als Hitler erwartete, heranziehen sollte: Wenn England in Mißachtung seiner wahren nationalen Interessen, die ein Zusammengehen mit dem Reich — wie Hitler glaubte — nahelegten, die zahlreichen Angebote zum Bündnis mit Deutschland, in dem unter nationalsozialistischer Führung die völkischen Gruppen die Oberhand gewonnen hatten, ausschlug, so deshalb, weil sich jenseits des Kanals die nationalen Elemente als zu schwach erwiesen hatten, der demokratische Zersetzungsprozeß zu weit vorgeschritten war, die jüdischen Hintermänner die entscheidenden Schlüsselpositionen der britischen Politik besetzt hielten und zum vom „national-britischen" Standpunkt aus gesehen widersinnigen Krieg gegen Deutschland trieben[39]. Auch die negative Seite der gefühlsmäßigen Einstellung zum Empire ließ sich leicht finden. Die unterstellten skrupellosen Methoden der britischen Politik bei der Errichtung und Beherrschung des Weltreiches verdienten dann Bewunderung, wenn man sie mit einem an der nationalsozialistischen Rassenlehre und sozialdarwinistischen Lebensauffassung orientierten Wertmaßstab begutachtete. Nach Bedarf jedoch konnten humanitäre, dem „durchschnittlichen" Empfinden des Volkes mehr entsprechende Kriterien in der Propaganda

---

[39]) Bereits im „Zweiten Buch", S. 223, zeigte Hitler die Alternative auf: Siegt das Judentum, so werde sich England gegen seine nationalen Belange, also gegen ein Bündnis mit Deutschland wenden. „Siegt der Brite, dann kann eine Umstellung Englands Deutschland gegenüber noch stattfinden." Diese Formulierung läßt schon leise Zweifel am Erfolg seines Konzepts erkennen. Für die spätere Argumentation vgl. passim die weitere Darstellung und z. B. Hitlers Worte am 28. 11. 1941 zum Großmufti von Jerusalem: Deutschland kämpfe gegen England und die Sowjetunion. „Theoretisch sei der Kapitalismus in England und der Kommunismus in Sowjetrußland voneinander verschieden, in Wirklichkeit verfolge das Judentum in beiden Ländern ein gemeinsames Ziel. Dieser Kampf sei das Entscheidende; auf der politischen Ebene stellte er sich im Grunde als eine Auseinandersetzung zwischen Deutschland und England dar, weltanschaulich sei es ein Kampf zwischen dem Nationalsozialismus und dem Judentum": Hillgruber, Staatsmänner und Diplomaten I, S. 665. Beachtenswert ist, daß Hitler hier selbst die Ebenen der machtpolitischen und doktrinären Betrachtungsweise voneinander scheidet.

schnell die gegenteilige Beurteilung zulassen: Brutalität galt dann nicht mehr als vorbildlich, sondern als empörend. Stellte man zusätzlich Bezüge zum demokratischen Menschlichkeitsideal her, so lag der Vorwurf der Heuchelei auf der Hand[40]).

Noch einmal sei betont, daß Hitlers Bündnis-Idee nur für die Phase des „Programms" als richtungsweisend galt, in der die „nationalen" Ziele des Reiches sich ausschließlich auf den europäischen Kontinent richteten. Die anschließende „Weltmacht"-Phase — und Deutschland würde nach Hitlers Auffassung in Zukunft „entweder Weltmacht oder überhaupt nicht sein"[41]) — *konnte* dagegen, mußte jedoch nicht den autarken Wirtschaftsraum Deutschland in Gegnerschaft mit dem Britischen Empire bringen[42]). Während nach Hitlers Anschauung ein deutsch-britischer Krieg auf der kontinentalen Stufe seines „Programms" den Interessen beider Länder zuwiderliefe und demnach nur als Ergebnis von Umtrieben des von Natur aus „antinationalen" Judentums in Großbritannien ausgelöst werden könne, würde eine Auseinandersetzung mit England in der Weltmachtphase Teil des „natürlichen" und gesetzmäßigen Existenzkampfes der Nationen untereinander sein, in den nach Hitlers Sieg über den Bolschewismus keine jüdische Zersetzung mehr störend eingreifen könne, und der den rassisch Stärkeren als Sieger sehen würde. Als Ideallösung schwebte Hitler immer die Konstellation vor, daß das Reich den Kampf der Zukunft um die Weltvorherrschaft nicht gegen *beide* angelsächsische Seemächte, sondern mit Großbritannien als „Juniorpartner" gegen die USA, gleichsam als Führer Europas gegen Amerika würde ausfechten müssen[43]).

---

[40]) Aufschlußreich ist, daß Hitler vor 1923 — also in der Phase seiner „revisionistischen Gegnerschaft zu England" (dazu außer Kuhn, Außenpolitisches Programm, 1. Teil, auch Günter Schubert, Die Anfänge der nationalsozialistischen Außenpolitik, Köln 1963) — sich mehrfach über die unterstellten brutalen Methoden der britischen Herrschaft in ihren Besitzungen entrüstete; vgl. van Woerden, Hitler faces England, S. 145.

[41]) Siehe Mein Kampf, S. 742.

[42]) Vgl. Hillgruber, Strategie, S. 566 und S. 36, Anm. 39; und Hildebrand, Weltreich, S. 82: Angesichts von Hitlers vereinfachtem Geschichtsbild, daß England jede Macht bekämpfe, die Weltmachtziele erstrebt, sei das Umschlagen von Englands Bundesgenossenschaft in Feindschaft bei Hitlers Ausgreifen nach Übersee eine „logische Konsequenz". Trotz aller Bewunderung für die Herrschaft der Engländer in Indien hatte Hitler in „Mein Kampf" nicht ausgeschlossen, daß das Kolonialregime nicht allein durch „rassische Zersetzung", sondern auch durch „das Schwert eines machtvollen Feindes" bezwungen werden könnte (S. 747). Er machte damit deutlich, daß auch Großbritannien dem angeblichen immerwährenden geschichtlichen Existenzkampf der Nationen ausgesetzt war, der prinzipiell auch eine deutsch-britische Gegnerschaft herbeiführen könne.

[43]) Vgl. Hillgruber, Faktor Amerika, S. 4; siehe auch Tischgespräche, S. 145, v. 8./9./10. 9. 1941). Eine künftige Gegnerschaft Englands zu den USA prophezeit Hitler bereits in „Mein Kampf", S. 722: Großbritannien bange darum, „daß es nicht mehr heißen wird: ‚England über den Meeren!' sondern: Die Meere der Union".

Hitlers Allianzkonzeption der zwanziger Jahre beruhte also auf machtpolitischen und ideologischen, ferner auch auf irrationalen Grundlagen, die
zur Zeit der Abfassung von „Mein Kampf" und dem „Zweiten Buch" bereits
zu einer Einheit verschmolzen waren und daher auch von uns — sieht man
von den irrationalen Motiven ab, die die Historie nur am Rande streifen
kann — als gleichberechtigte Faktoren gesehen wurden. Die Frage, ob machtpolitische oder weltanschaulich-doktrinäre Erwägungen das größere Gewicht
besaßen, führt zum Problem der Genesis von Hitlers Bündniskonzeption und
seines „Programms" ganz allgemein. Hatte ein primärer Faktor „Bündnis
mit England" die Konsequenz „Gegnerschaft zu Rußland" aufgezeigt, oder
verhielten sich Ursache und Wirkung umgekehrt? Erwiesen sich dabei jeweils ideologische oder rein machtpolitische Faktoren als entscheidend? Die
Vielschichtigkeit und Komplexität dieses — für unser eigentliches Thema
allerdings weniger relevanten — Problems hat A. Kuhn im ersten Teil seiner
Studie[44]) zu zergliedern und zu klären versucht. Danach habe Hitler, der in
der Frühzeit seines politischen Wirkens revisionistische Ambitionen verfolgte
und dabei von der Gegnerschaft zu England und Frankreich ausging[45]), nach
dem Ruhreinfall der französischen Truppen 1923 aus rein machtpolitischen
Überlegungen heraus für ein Bündnis mit England gegen Frankreich optiert.
Die ursprüngliche Forderung nach einer Ernährungsgrundlage für das deutsche Volk in den Kolonien sei darauf fallengelassen worden, und auf der
Suche nach neuen Möglichkeiten, den notwendigen Lebensraum zu gewinnen,
sei erst in Landsberg 1924 der Gedanke an einen Krieg gegen Rußland entstanden. Hitlers Wendung gegen den Osten war demnach — im Gegensatz zu
Hitlers Ausführungen in „Mein Kampf" — die *Folge* der während der Revi-
sionsphase vollzogenen Option für Großbritannien und zudem gänzlich los-
gelöst von rassenideologischen Motiven und zeitbedingten antibolschewistischen Kreuzzugsideen. Antibolschewismus als gemeinsame Basis der Allianz
mit England sei von Hitler, so Kuhn, erst als nachträgliche Stütze seiner
Konzeption eingeführt worden. An der Reihenfolge: Option für England —
Gegnerschaft gegen Rußland könnte festgehalten werden, während Kuhns
einseitige Festlegung auf die absolute Dominanz ausschließlich machtpolitischer Beweggründe fragwürdig erscheint und von Kuhn auch nicht schlüssig
belegt werden kann[46]).

---

[44]) Kuhn, Hitlers außenpolitisches Programm.
[45]) Dazu auch Schubert, Anfänge der nationalsozialistischen Außenpolitik.
[46]) So habe Hitler, laut Kuhn, den an sich bevorzugten Gedanken eines Bündnisses
    mit Rußland nach dem endgültigen Sieg der Bolschewisten nicht etwa aus
    prinzipiell antibolschewistischen Motiven heraus aufgegeben, sondern deshalb,
    weil nach Hitlers Ansicht mit dem Sieg der Roten Armee der alte panslawi-
    stische Ausdehnungsdrang in der russischen Politik wieder Oberhand gewin-
    nen und einen realen machtpolitischen Gegensatz zwischen Deutschland und
    Rußland schaffen würde, während bei einem „weißen" Sieg russische Inter-
    essen im Osten, also in Asien verfolgt würden. (Vgl. etwa S. 53 ff.) Rein
    machtpolitische Beweggründe hätten Hitler demnach nicht nur für ein Bündnis
    mit England optieren lassen, sondern danach auch seinen Blick auf die Gegner-

Einleuchtender wäre, daß ab 1923 machtpolitische und ideologische Erwägungen mit unterschiedlicher und wechselnder Präponderanz in Hitler den Gedanken eines Bündnisses mit England und der Stoßrichtung gegen die Sowjetunion reifen ließen[47]), zumal diese Konstellation beiden Denkebenen in glücklicher Übereinstimmung entsprechen würde. In Hitlers „programmatischen" Schriften tauchen beide Bereiche gleichrangig auf und bilden jene Einheit innerhalb von Hitlers „Programm", wie sie auch in Hitlers Englandbild und -konzeptionen während seiner Herrschaft über Deutschland zu beobachten sein wird.

Wie es sich nach dem 30. Januar 1933 zeigte, „daß das in seinem Buch entworfene Programm nicht die unverantwortliche Tirade eines jugendlichen Heißspornes war"[48]), so hielt Hitler auch an der Idee des Bündnisses mit

---

schaft Rußlands und der damit verbundenen Möglichkeit des Bodenerwerbs gelenkt. Kuhn bleibt bei dieser Interpretation, obwohl die Mehrheit der von ihm selbst angeführten Hitlerschen Äußerungen schon in der Zeit vor der Abfassung von „Mein Kampf" den Gegensatz zum Bolschewismus nicht auf dieser rein bündnispolitischen Grundlage, sondern durchaus prinzipiell rassenideologisch sieht. Kuhn kann ebenfalls nicht überzeugend belegen, daß Hitler zuvor am liebsten, wie Kuhn meinte (etwa S. 68), ein Bündnis mit Rußland abgeschlossen hätte. Aus den Belegstellen läßt sich eindeutig nur herauslesen, daß Hitler ein Zusammengehen mit einem sowjetischen Rußland a priori und unwiderruflich ablehnte. Von einer Hoffnung auf den Sieg der „Weißen" und damit verbundenen bündnispolitischen Möglichkeiten, von einem Schwanken zwischen England und Rußland ist kaum und im Lauf der Zeit gar nicht mehr die Rede. Mit seiner Auffassung möchte Kuhn Hitlers „Programm" als ein rein rational-machtpolitisches Gedankengebilde deuten können und die in der Forschung allgemein akzeptierte These verwerfen, der ab 1920 bei Hitler feststellbare Durchbruch seines Antisemitismus habe nach und nach die Ideologisierung seiner außenpolitischen Erwägungen bewirkt und sei der primäre Grund der 1924 formulierten antibolschewistisch-antijüdischen Lebensraumziele gewesen. Kuhn muß recht gegeben werden, daß sich tatsächlich noch keine Hinweise auf das „Ostprogramm" von 1924 finden lassen, doch kann er nicht widerlegen, daß ein Bündnis mit Rußland schon lange vor 1924 nicht mehr in Frage kam, und zwar auch aus prinzipiell rassenideologischen Überlegungen und nicht allein aus realpolitischen Motiven heraus, daß der Antisemitismus eine konstitutive Komponente des Hitlerschen „Programms" ausmachte.

[47]) Vgl. Hillgruber, Strategie, S. 565, der von einer „Verknüpfung machtpolitischer Überlegungen, geopolitischer Gesichtspunkte und rassenideologischer Überzeugungen" spricht.

[48]) Herbert von Dirksen, Moskau-Tokio-London. Erinnerungen und Betrachtungen zu zwanzig Jahren deutscher Außenpolitik 1919–1939. Stuttgart 1949, S. 202. Zur Gültigkeit der „Mein-Kampf"-Thesen siehe Lange, Hitlers unbeachtete Maximen, und Klaus Hildebrand, „Hitlers Mein Kampf, Propaganda oder Programm? Zur Frühgeschichte der nationalsozialistischen Bewegung", in: NPL 14 (1969), S. 72–82. Als Beweis siehe etwa die von Thilo Vogelsang herausgegebene Niederschrift des Generalleutnants Liebmann über Hitlers Ausführungen vom 3. 2. 1933 vor den Befehlshabern des Heeres und der Marine: „Neue Dokumente zur Geschichte der Reichswehr, 1930–1933", in: VfZg 2 (1954), S. 434–436.

England fest und versuchte sie, konsequent zu verwirklichen[49]). Allerdings ließ er die Londoner Regierung niemals im Zweifel darüber, daß von den besonderen Voraussetzungen dieser Allianz der Ausklammerung des europäischen Kontinents aus der britischen Gleichgewichtspolitik eine entscheidende Bedeutung zukam; mit anderen Worten, daß Hitler von Großbritannien die unbeschränkte freie Hand in Osteuropa zur Realisierung seiner Pläne verlangte.

Der Abschluß des Flottenabkommens von 1935[50]), angeblich Hitlers „glücklichster Tag"[51]), hatte für ihn zweifellos die Bedeutung eines ersten Schrittes zur bilateralen, von allen kollektiven Sicherheitspakten gelösten Partnerschaft[52]), für die Deutschland nunmehr im Verzicht auf jegliche Flottenrivalität mit dem Inselreich seine Vorleistung erbracht hatte[53]).

[49]) Vgl. Hitlers Äußerung zu Raeder: „Ich will mit England, Italien und Japan niemals einen Krieg haben": Erich Raeder, Mein Leben, Bd. II, Tübingen 1957, S. 281. Siehe zum Beginn von Hitlers Außenpolitik Jacobsen, Nationalsozialistische Außenpolitik, S. 391 ff.; Karl-Dietrich Bracher, „Das Dritte Reich zwischen Abschirmung und Expansion", in: K. D. Bracher, W. Sauer, G. Schulz, Die nationalsozialistische Machtergreifung. Studien zur Errichtung des totalitären Herrschaftssystems in Deutschland 1933/34, Köln-Opladen 1962, S. 220—260; Hildebrand, Deutsche Außenpolitik, S. 30 ff.; Günter Wollstein, Das Deutsche Reich und die europäischen Großmächte in der Anfangsphase der nationalsozialistischen Herrschaft in Deutschland. Diss. phil. Marburg/Lahn 1971; Gerhard L. Weinberg, The Foreign Policy of Hitler's Germany, Chicago und London 1971. Zum Beginn der Englandpolitik siehe auch Aigner, Ringen um England, S. 38 ff. und S. 293; Kuhn, Außenpolitisches Programm, S. 141 ff.; Hauser, England und das Dritte Reich.

[50]) Zum Flottenabkommen siehe Wolfgang Malanowski, „Das deutsch-englische Flottenabkommen vom 18. Juni 1935 als Ausgangspunkt für Hitlers doktrinäre Bündnispolitik", in: Wehrwissenschaftliche Rundschau 5 (1955), S. 408—420; Donald C. Watt, „The Anglo-German Naval Agreement of 1935. An Interim Judgement", in: The Journal of Modern History 28 (1956), S. 155—175; J. Dülffer, Hitler und die Marine; N. Wiggershaus, Der deutsch-englische Flottenvertrag vom 18. Juni 1935 ‚Diss. phil. Bonn 1972; zum Standort innerhalb der Englandpolitik auch Kuhn, Außenpolitisches Programm, S. 156 ff.

[51]) Vgl. den Titel des Buches von Robert Ingrim, Hitlers glücklichster Tag. London am 18. Juni 1935, Stuttgart 1962.

[52]) Vgl. bei Francis Hinsley, Hitlers Strategie, Stuttgart 1952, S. 24, die Aussage Raeders vor dem Nürnberger Militärgerichtshof: „Der Beschluß zu dem Flottenabkommen ... ging ganz und gar vom Führer aus", ferner die England betreffenden Passagen von Hitlers Rede am 21. 5. 1935, zitiert nach Friedrich Berber (Hrsg.), Deutschland und England 1933—1939. Die Dokumente des deutschen Friedenswillens, Essen 1940, S. 68: „Deutschland hat weder die Absicht noch die Notwendigkeit oder das Vermögen, in irgendeine neue Flottenrivalität einzutreten." Er, Hitler, habe jedoch „die aufrichtige Absicht, alles zu tun, um zum britischen Volk und Staat ein Verhältnis zu finden und zu erhalten, das eine Wiederholung des bisher einzigen Kampfes zwischen beiden Nationen für immer verhindern wird." Am 13. 6. 1935 vertrat Hitler den deutschen Unterhändlern gegenüber die Meinung, „die deutsch-britische Flottenverständigung sei der Beginn einer neuen Zeit" und „nur als Auftakt für eine sehr viel weitere Zusammenarbeit" zu werten: Erich Kordt, Nicht aus den Akten ... Die Wilhelmstraße in Frieden und Krieg. Erlebnisse, Begegnungen und Ein-

Das umfassendere, den künftigen Weg des Reiches nach Rußland ebnende Bündnis abzuschließen, sollte Aufgabe des im Sommer 1936 als Nachfolger von Leopold von Hoesch zum Botschafter am Hof von St. James ernannten Joachim von Ribbentrop sein. Die Entsendung seines vermeintlichen Fachmannes in englischen Fragen[54]), den Hitler als den „besten Mann" für diese Mission ansah[55]), zeugte für die subjektive Ehrlichkeit von Hitlers Bemühungen um Englands Freundschaft[56]). Unterhalb der amtlichen diplo-

---

drücke 1928–1945. Stuttgart 1950, S. 109. „Was seitens England eine Detaillösung darstellte, formte sich bei Hitler zu einem gewaltigen Fundament großartiger Bundesgenossenschaft", erinnert sich Hans Frank 1945/46 im Nürnberger Gefängnis: Hans Frank, Im Angesicht des Galgens. Deutung Hitlers und seiner Zeit auf Grund eigener Erlebnisse und Erkenntnisse, München 1953, S. 216. Siehe auch Joachim von Ribbentrop, Zwischen London und Moskau. Erinnerungen und letzte Aufzeichnungen. Aus dem Nachlaß herausgegeben von Annelies von Ribbentrop, Leoni am Starnberger See 1953, S. 67; und Aigner, Ringen um England, S. 290 f.

[53]) Vgl. Keith Robbins, München 1938. Ursprünge und Verhängnis. Zur Krise der Politik des Gleichgewichts, Gütersloh 1969. Karl Dönitz, Zehn Jahre und zwanzig Tage, Bonn 1958, S. 14, spricht ebenfalls von „Selbstbeschränkung". Von englischer Seite wurde später – auch in kabinettsinternen Besprechungen – kategorisch bestritten, daß jemals bei den Flottenverhandlungen etwaige britische Gegenleistungen diskutiert worden waren; siehe PRO London, FO 371/22785, A/3247/1/45 = CAB 26 (39), Ext. 2: Sitzung des britischen Kabinetts v. 3. 5. 1939.

[54]) Ribbentrop war bereits Ende 1933 für Hitler in London tätig gewesen; vgl. dazu Keith Middlemas and John Barnes, Baldwin. A Biography, London 1969, S. 749.

[55]) So Hitler zum ehemaligen britischen Premierminister Lloyd George im September 1936; vgl. die Niederschrift von T. P. Conwell-Evans in Martin Gilbert, The Roots of Appeasement, London 1966, S. 210 f. und am 29. 8. 1939 zum britischen Botschafter Henderson: siehe Ulrich von Hassell, Vom andern Deutschland. Aus den nachgelassenen Tagebüchern 1938–1944. Zürich und Freiburg/Brsg. 1946, S. 79.

[56]) Vgl. Ribbentrops Schilderungen, Zwischen London und Moskau, S. 93. Zum Zustandekommen von Ribbentrops Mission vgl. Kuhn, Außenpolitisches Programm, S. 194; danach seien Berichte des Herzogs von Sachsen-Coburg-Gotha (DGFP, C, IV, Nr. 531), in denen Ribbentrop große Sympathien in England zugesprochen wurden, für Ribbentrops Ernennung ausschlaggebend gewesen. Günstige Voraussetzungen für Ribbentrops Tätigkeit in London sahen auch Vertrauensleute des „Aufklärungsausschusses Hamburg-Bremen" in einem Bericht v. 2. 11. 1936: PA Bonn, Presse, Allgemein, England 2. Aigner, Ringen um England, S. 297, berichtet von einer freundlichen Aufnahme des neuen Botschafters in London. Vgl. dagegen Sir Austen Chamberlains Artikel im „Daily Telegraph" als Antwort auf Ribbentrops Werben für ein antisowjetisches deutsch-englisches Bündnis: „The verbal contest of Nazi and Bolshevik are not worth the bones of a British grenadier"; zit. nach Rolf Kieser, Englands Appeasementpolitik und der Aufstieg des Dritten Reiches im Spiegel der britischen Presse 1933–1939. Ein Beitrag zur Vorgeschichte des Zweiten Weltkrieges, Winterthur 1964, S. 127. Siehe als nationalsozialistische Darstellung der Ribbentrop-Mission Heinrich Rogge, Hitlers Versuche zur Verständigung mit England, Berlin 1940, S. 44. Eine Dissertation über Ribbentrops Londoner Botschafterzeit bereitet W. Michalka (Mannheim) vor.

matischen Ebene warb Hitler in zahlreichen Interviews[57]), in halboffiziellen und privaten Unterredungen mit Besuchern aus Großbritannien — darunter nicht selten hohe Persönlichkeiten des politischen Lebens[58]) — unermüdlich um die Gunst Englands und für seine Bündnisidee, wobei er überwiegend bei seinen Gesprächspartnern einen höchst positiven Eindruck hinterließ[59]). Die Liste der britischen Gäste in der Reichskanzlei oder auf dem Obersalzberg umfaßte den einflußreichen Bankkaufmann Ernest W. Tennant[60]), den früheren Privatsekretär von Lloyd George, Lord Lothian, — der den „Führer" mehrfach aufsuchte[61]) —, die konservativen Unterhausmitglieder Arnold Wilson und Thomas Moore[62]), den späteren Präsidenten der Anglo-German-Fellowship, T. P. Conwell-Evans[63]), den Publizisten und „Labour-Lord" Allen of Hurtwood[64]), sowie den Pressemagnaten Lord Rothermere[65]) und den

---

[57]) Besonders mit dem bevorzugten Journalisten Ward-Price. Vgl. etwa Jacobsen, Außenpolitik, S. 334 und Siebarth, Hitlers Wollen, S. 58: Interview v. 18. 10. 1933.

[58]) Nach Jacobsen, Außenpolitik, S. 365, kam die weitaus größte Zahl der Besucher Hitlers aus Großbritannien: 47. Es folgten in weitem Abstand USA (27) und Frankreich (21). Im Jahre 1932 hatte Hitler hingegen abgelehnt, Churchill zu empfangen (siehe Ernst Hanfstaengl, Zwischen Weißem und Braunem Haus. Memoiren eines politischen Außenseiters, München 1970, S. 278), obgleich Churchill in den frühen dreißiger Jahren noch keine besondere Abneigung gegen Hitler empfand und dessen Tatkraft zur Überwindung der Folgen von Deutschlands Niederlage bewunderte: vgl. Sebastian Haffner, Winston Churchill in Selbstzeugnissen und Bilddokumenten, Reinbek bei Hamburg 1967, S. 96 und Louis P. Lochner, Die Mächtigen und der Tyrann. Die deutsche Industrie von Hitler bis Adenauer, Darmstadt 1955, S. 214.

[59]) Vgl. Jacobsen, Außenpolitik, S. 369 und S. 374, sowie Aigner, Ringen um England, S. 375 Anm. 3.

[60]) Siehe Ernest W. Tennant, True Account, London 1957, S. 165 f.

[61]) Siehe Jacobsen, Außenpolitik S. 335 mit Anm. 31, Aigner, Ringen um England, S. 111 und Lothians Biographie: J. R. M. Butler, Lord Lothian (Philip Kerr) 1882–1940, London 1960, S. 204 und S. 333 ff. Vgl. PRO London, FO 800/290: Simon-Papers mit Lothians Bericht über seinen Besuch am 29. 1. 1935, abgedruckt bei Butler, Lothian, S. 333 ff., ferner: Ian Colvin, Vansittart in Office. A Historical Survey of the Origins of the Second World War Based on the Papers of Sir Robert Vansittart, London 1965, S. 41; und Margarete Gärtner, Botschafterin des guten Willens. Außenpolitische Arbeit 1914–1950, Bonn 1955, S. 309.

[62]) Vgl. Philipp W. Fabry, Mutmaßungen über Hitler. Urteile von Zeitgenossen, Düsseldorf 1969, S. 213; Sir Arnold Wilson, Walks and Talks Abroad. The Diary of a Member of Parliament in 1934–1936, London 1936, S. 60.

[63]) Vgl. Gärtner, Botschafterin, S. 309, und PRO London, FO 800/290: Simon Papers: Conwell-Evans Bericht v. 15. 2. 1935.

[64]) Siehe Jacobsen, Außenpolitik, S. 335; DGFP, C, III, Nr. 422, 463, und Berber, Deutschland-England, Nr. 13, S. 47.

[65]) Vgl. Fritz Wiedemann, Der Mann, der Feldherr werden wollte, Erlebnisse und Erfahrungen des Vorgesetzten Hitlers im 1. Weltkrieg und seines späteren persönlichen Adjutanten, Velbert-Kettwig 1964, S. 211. In einem Brief an Rothermere v. 3. 5. 1935 zeigte Hitler die Vorteile eines deutsch-englischen Zusammengehens in eindringlichen Worten auf: Viscount Rothermere, My Fight to Rearm Britain, London 1939, S. 80–82, dt. Original in PRO London, FO 800/290, Simon-Papers.

Historiker Arnold J. Toynbee[66]). Den Luftfahrtminister Lord Londonderry[67]) empfing Hitler ebenso wie den Oberhausabgeordneten Lord Rennel[68]), den ständigen Unterstaatsseketär im Foreign Office, Sir Robert Vansittart[69]), den späteren Außenminister Anthony Eden[70]), sowie Lord Beaverbrook, L. St. Amery, Lord Redesdale[71]) und den ehemaligen Premierminister Lloyd George[72]). Dagegen hatte der britische Faschistenführer Oswald Mosley einige Schwierigkeiten, zu Hitler zu gelangen, da Hitler sorgfältig den Anschein zu wahren suchte, daß die nationalsozialistische Staatsform auf das Deutsche Reich beschränkt bleiben sollte[73]). Erwähnt seien in diesem Zusammenhang

---

[66]) Vgl. Arnold J. Toynbee, Acquaintances, London 1967, S. 297 ff. (Februar 1936); siehe auch DDF 2, I, Nr. 250: François-Poncet an Außenminister Flandin v. 28. 2. 1936 und PRO London. FO 371/21658, C/13691/42/18: enthält einen Brief Toynbees v. 15. 10. 1938 mit einem Rückblick auf seine Begegnung mit Hitler 1936.

[67]) Siehe Marquess of Londonderry, England blickt auf Deutschland, Essen 1938, S. 101 ff.

[68]) Vgl. PA Bonn, Pol II, England-Deutschland 2, Aufz. v. 9. 8. 1936 über Lord Rennels Unterredung mit Hitler.

[69]) Siehe Colvin, Vansittart, S. 109; auch DDF 2, III, Nr. 85, François-Poncet an Außenminister Delbos v. 5. 8. 1936 und Sir Henry Channon, Chips. The Diaries. Ed. by R. R. James, London 1967, S. 108.

[70]) Vgl. Eden, Angesichts der Diktatoren, S. 87 ff. Besuch im Februar 1934, Jacobsen, Außenpolitik, S. 369, und Europäische Politik 1933–1938 im Spiegel der Prager Akten. Hrsg. von F. Berber, Essen 1941, S. 31, Nr. 23: Masaryk, tschechoslowakischer Gesandter in London, an Prager Außenministerium v. 15. 3. 1934, Eden habe ihm, Masaryk, gesagt, „Hitler habe auf ihn einen sehr guten Eindruck gemacht. Er hält Hitler für einen ehrlichen Fanatiker, der den Krieg nicht will." Siehe auch Bericht des britischen Botschafters in Berlin Sir Eric Phipps v. 24. 2. 1934, abgedruckt bei Johann Ott, Botschafter Sir Eric Phipps und die deutsch-englischen Beziehungen. Studien zur britischen Außenpolitik gegenüber dem Dritten Reich, Diss. phil. Erlangen 1968, S. 170, Beilage 10, sowie John Connell, The „Office". A Study of British Foreign Policy and its Makers 1919–1951, London 1958, S. 146.

[71]) Vgl. Aigner, Ringen um England, S. 375, Anm. 3.

[72]) Zum Besuch Lloyd Georges im September 1936 vgl. vor allem Thomas Jones, A Diary with Letters, London-New York-Toronto 1954, S. 201, S. 249 ff. und Tennant, True Account, S. 195 (mit Lloyd Georges Artikel im Daily Express v. 17. 9. 1936); Paul Schmidt, Statist auf diplomatischer Bühne 1923–1945. Erlebnisse des Chefdolmetschers im Auswärtigen Amt mit den Staatsmännern Europas, Bonn 1958, S. 336 ff. Die Aufzeichnung Conwell-Evans von der Unterredung auf dem Obersalzberg in Gilbert, Roots of Appeasement, S. 197–210. Vgl. auch BA Koblenz, R 43 II (Reichskanzlei)/1435, England, Meldung des Deutschen Nachrichtenbüros (DNB) v. 21. 9. 1936: Gespräch Lloyd Georges mit einem dänischen Journalisten: „Wir Fremde werden überwältigt, wenn wir dort hinkommen und uns umsehen. Nein, ich habe niemals gedacht, so etwas in irgendeinem Land Europas zu sehen zu bekommen. In früheren Tagen sprach man immer von Amerika als dem Land der Wunderwerke — nun ist es Deutschland."

[73]) Vgl. Jacobsen, Außenpolitik, S. 336 f., und Oswald Mosleys Erinnerungen, My Life, London 1968, S. 364.

die Schwestern Unity und Diana Mitford, Töchter von Lord Redesdale, die zeitweilig einen festen Platz in Hitlers ständiger Begleitung einnahmen[74]. Sicher mußte diese stattliche Reihe von teils wohlklingenden Namen sowie die häufig lebhafte Zustimmung zum „neuen Deutschland", die Hitler und auch die englische Öffentlichkeit aus dem Munde der Deutschlandbesucher vernahmen[75], in der Berliner Reichskanzlei den Eindruck erwecken, daß die andere Seite Hitlers Bündnisideen nicht abgeneigt gegenüberstand.

Diese knappe Skizzierung von Hitlers Werben um England[76], zu dem auch Bemühungen um ein Zusammentreffen mit Premierminister Baldwin gehörten[77], spannt zeitlich und thematisch den Bogen von der Formulierung der Hitlerschen Grundkonzeption gegenüber Großbritannien bis zu jener Phase, in der sich in steigendem Maße zeigte, daß Hitlers Versuche, zu einer Allianz mit dem Inselreich unter seinen Vorstellungen zu gelangen, bei der entscheidenden Instanz, der britischen Regierung, auf reservierte Ablehnung stießen.

---

[74]) Siehe Wiedemann, Feldherr, S. 152; Heinrich Hoffmann, Hitler was my Friend, London 1955, S. 165; Wilfred van Oven, Mit Goebbels bis zum Ende, 2 Bde., Buenos Aires 1949–1950, hier: Bd. I, S. 184 ff.

[75]) Siehe Jacobsen, Außenpolitik, S. 334.

[76]) Alfred Rosenberg, Politisches Tagebuch aus den Jahren 1934/35 und 1939/40, hrsg. und erläutert von H.-G. Seraphim, Berlin–Frankfurt 1956, S. 17, benutzt unter dem Datum v. 14. 5. 1934 den Terminus „Ringen um England", das über die Zukunft entscheiden würde.

[77]) Vgl. Kuhn, Außenpolitisches Programm, S. 191 ff., Wiedemann, Feldherr, S. 150; Middlemas-Barnes, Baldwin, S. 956 f.; A. L. Rowse, All Souls and Appeasement. A Contribution to Contemporary History, London 1961, S. 44 ff.; Tennant, True Account, S. 165.

I.

Hitlers Abkehr von der Bündniskonzeption 1935-1937

1. FRÜHE ANZEICHEN EINER MÖGLICHEN REVISION DER „MEIN KAMPF"-IDEE BEI HITLER

Weitgehende Einigkeit herrscht in der historischen Forschung darüber, daß im Jahre 1937 Hitlers intensive Bemühungen um die Bündnispartnerschaft Großbritanniens einer resignierenden, ja ablehnenden Haltung England gegenüber Platz machten[1]. Dabei meint man zu erkennen, daß sich diese Wendung der Hitlerschen Englandpolitik nicht — wie früher angenommen — schlagartig im Spätjahr 1937, sondern nach und nach in mehreren Etappen vollzog. Mit K. Hildebrand können wir diesen Zeitraum in die Jahre 1935 bis 1937 verlegen[2]. Erst vereinzelt, dann zunehmend häufiger äußerte sich der deutsche „Führer" kritisch oder gar abfällig über die einst so geschätzte britische Nation und ihre Führung. Mehr noch: es blieb nicht bei einzelnen mehr oder minder unverbindlichen Erklärungen. Auch Hitlers Politik, wiewohl immer auf die bekannten, langfristigen Pläne ausgerichtet und zu diesem Zeitpunkt weiterhin in der Phase der „Abschirmung", d. h. in der Periode traditionell-revisionistischer, „gemäßigter" Forderungen verharrend, wich —

---

[1] Vgl. besonders Rudolf Stadelmann, „Deutschland und England am Vorabend des Zweiten Weltkrieges". Festschrift für Gerhard Ritter zu seinem 60. Geburtstag, Tübingen 1950, S. 416. Rolf Bensel, „Die deutsche Flottenpolitik von 1933 bis 1939. Eine Studie über die Rolle des deutschen Flottenbaus in Hitlers Außenpolitik", in: Marine-Rundschau, Beiheft 3 (April 1958), S. 45 ff. Walter Ansel, Hitler Confronts England, Durham N. C. 1960, S. 12. Walther Hofer, „Die Diktatur Hitlers bis zum Beginn des Zweiten Weltkrieges", in: Handbuch der Deutschen Geschichte, hrsg. von Leo Just, Bd. IV, 2. Teil, IV. Abschnitt, Konstanz 1965, S. 63. E. M. Robertson, Hitler's Pre-War Policy and Military Plans 1933–1939, London 1963, S. 113. (Robertson folgert allerdings fälschlich, Hitler habe seine Ostziele aufgegeben und sich nun gänzlich gegen den Westen gewandt.) Neuerdings: Hillgruber, Deutschlands Rolle, S. 87. Aigner, Ringen um England, S. 43. Hildebrand, Weltreich, S. 451. Robbins, München 1938. S. 141. van Woerden, Hitler Faces England, S. 158 und zuletzt: Kuhn, Hitlers außenpolitisches Programm, S. 202 ff. (zur Entwicklung in den Jahren 1935–1937 siehe S. 178 ff.).

[2] Hildebrand, Weltreich, S. 464 erkennt 1935 bei Hitler erste Zeichen eines beginnenden Mißtrauens gegenüber England und charakterisiert die Zeit der Ribbentrop-Mission in London 1936–1937 als „die endgültige Klärung gegenüber Großbritannien" (S. 491).

je länger je deutlicher — von einem wichtigen Teilziel ab, das das die Realisierung des Ost-„Programms" aus den zwanziger Jahren ermöglichen sollte, von der Allianz mit dem britischen Weltreich. Unrichtig wäre es, von einer Wendung der Hitlerschen Politik insgesamt zu sprechen. Geändert hatte sich ein Aspekt: eine — wenn auch wohl die wichtigste — Voraussetzung für die Durchführung der kontinentalen Pläne wurde von Hitler nicht mehr vorrangig und aktiv angestrebt[3]). Es manifestierte sich somit in diesem Bereich ein charakteristischer Wesenszug der Außenpolitik Hitlers: konstant in den übergeordneten, „programmatischen" Zielsetzungen, jedoch variabel, situationsangemessen und taktisch in den untergeordneten Planungen. Allerdings, da es sich um eine beinahe konstitutive Prämisse handelte, die Hitler mit dem englischen Bündnis aufgeben mußte, drohten die Auswirkungen der Wendung sich notwendigerweise auch auf die langfristigen Vorstellungen zu erstrecken. Hitlers Aufgabe bestand also darin, eben dieses zu verhindern, indem er in seinen Dispositionen die gescheiterte Bündnis-Idee durch ein neues Konzept ersetzte, mit dem die „programmatischen" Ziele nach wie vor realisierbar erschienen.

Bereits an dieser Stelle sei bemerkt, daß Hitlers Abkehr von der Allianzpolitik gegenüber England keineswegs unwiderruflich war. Im Gegenteil: mehr als in anderen Fragen war er hier jederzeit bereit, die ursprüngliche Idee wiederaufzugreifen. Seine späteren Klagen über die „Unvernunft" der Briten, mit der sie seine zahlreichen Freundschaftsangebote ausgeschlagen hätten, sind zahlreich und bekannt. Es sind dies Beweise sowohl für die Konstanz des alten Wunsches, aber auch für das persönliche, sich nicht allein auf nüchtern machtpolitische Überlegungen beschränkende Engagement des „Führers" in seinem Plan einer Allianz mit dem „Herrenvolk" Britanniens. Hingegen nahmen im Laufe der Jahre 1935—1937 die Andeutungen Hitlers, auch weiterhin Freundschaft mit England pflegen zu wollen, im gleichen Maße ab, wie die Zahl der englandkritischen und -feindlichen Äußerungen anschwoll. Es kam also zu einer zunehmenden Mischung zweier sich entgegenstehender Tendenzen, von denen die anfangs weitaus schwächere schließlich die Oberhand gewann.

Bei der Analyse jener Faktoren, die Hitlers allmähliche, niemals endgültige Abkehr von der Konzeption des Bündnisses mit Großbritannien herbeiführten, lassen sich deutlich die Momente, welche Hitler zunehmend an dem Wert seiner alten Vorstellung zweifeln ließen, von jenen unterscheiden, die ihn bald von der Unmöglichkeit der angestrebten Allianz überzeugten. Sodann soll versucht werden, Hitlers Reaktionen auf in diese Richtung weisende Signale nachzuzeichnen, um ihre Auswirkungen auf das politische

---

[3]) Vgl. dagegen Kuhn, Hitlers außenpolitisches Programm, S. 141 f., der dort beansprucht, mit der Darstellung von Hitlers Englandpolitik gleichzeitig Hitlers „Programm" in den Jahren 1933 bis 1939 verfolgen zu können. Einleuchtend ist hingegen seine These, „daß die Rolle Englands bis 1939 zum beherrschenden Moment der Planungen Hitlers wurde...", S. 142.

Tagesgeschehen zu suchen. Entscheidend ist die Klärung der Frage, welche Konsequenz Hitlers aus seinen Erkenntnissen über England und dessen Politik zog, d. h. welche neue Konzeption er anstelle der gescheiterten Bündnisidee in seine Planungen einzusetzen versuchte.

Werfen wir zunächst einen kurzen Blick auf sehr frühe, nur sporadisch auftretende Anzeichen, die nicht mit der intensiv und aktiv betriebenen Bündnispolitik jener Zeit übereinstimmten und auf die Möglichkeit einer späteren Revision von Hitlers Haltung gegenüber England hindeuten mochten.

Klagen über die angeblich reservierte, wenn nicht gar kritische Haltung der englischen Regierung dem neuen Regime in Deutschland gegenüber, lassen sich schon bald nach der „Machtübernahme" beobachten[4]. Sehr früh auch erregte ihn, der die Resonanz seiner Annäherungsbemühungen in England mit gespannter Aufmerksamkeit verfolgte, die kritische Reaktion der britischen Presse zu internen Vorgängen in Deutschland[5]. Er empfand Bittgesuche aus England zugunsten von politischen Gefangenen schon in dieser Phase als Provokation[6]. Das deutsch-britische Bündnis, das er anstrebte, sollte ja gerade auf der Basis klarer Interessenabgrenzungen gegründet sein und Einmischungen jeglicher Art in die Angelegenheiten des Partners, also auch in dessen Innenpolitik, ausschließen.

Im Februar 1934 erörterte Hitler vor höheren Reichswehroffizieren erstmalig die Situation, die sich ergeben würde, wenn Großbritannien nicht nur seine Bündnisofferten ausschlüge, sondern sich auch dem deutschen Eroberungszug nach Osten zur Gewinnung neuen Lebensraumes aktiv widersetzte. In diesem Fall, so meinte Hitler, würden „kurze entscheidende Schläge nach Westen, dann nach Osten" notwendig werden[7]. Es kündigte sich erstmals

---

[4] Vgl. z. B. Hitlers Äußerungen im Oktober 1933 zum Bankkaufmann E. W. Tennant, Middlemas-Barnes, Baldwin, S. 748. Zu Tennant selbst vgl. seine Erinnerungen, True Account, und neuerdings James Douglas-Hamilton, „Ribbentrop and War", in: Journal of Contemporary History 5 (1970), Nr. 4, S. 45—63 (enthält Aufzeichnung Tennants über Gespräche mit Ribbentrop und Hewel am 26./27. Juli 1939).

[5] Zur Grundhaltung der britischen Presse unmittelbar nach der „Machtergreifung", vgl. Aigner, Ringen um England, S. 98, und als spezielle Studie Brigitte Granzow, A Mirror of Nazism. British Opinion and the Emergence of Hitler 1929—1933, London 1964.

[6] Vgl. z. B. Hanfstaengl, Zwischen Weißem und Braunem Haus, S. 303: 1933 entgegnete Hitler auf den Vorschlag Noel-Bakers, zur Beruhigung der öffentlichen Meinung in England sollten britische Konsulatsbeamte Konzentrationslager besichtigen dürfen, „es sei doch im Grunde eine merkwürdige Idee, er trüge doch keinem seiner deutschen Konsulatsbeamten in England auf, britische Strafanstalten zu inspizieren". Nach der Abreise des englischen Besuchers sei bei Hitler „die Hölle los" gewesen.

[7] Aufz. des späteren Generalfeldmarschalls Frhr. von Weichs, Zeugenschrifttum des Instituts für Zeitgeschichte, München, Nr. 182, S. 8 ff., zuerst ausgewertet von W. Sauer in: K. D. Bracher, W. Sauer, G. Schulz, Die nationalsozialistische Machtergreifung 1933—34, 2. Aufl. Köln 1962. Hier zitiert nach Robert J. O'Neill, The German Army and the Nazi Party, 1933—1939, London 1966, S. 40 ff. Vgl. auch Hildebrand, Weltreich, S. 460, Anm. 58 und S. 570 f.

ein Gedanke an, der den „Führer" vier und fünf Jahre später intensivst beschäftigen sollte. Jedoch standen derartige Erwägungen 1934 nahezu isoliert einer Vielzahl von eindeutigen Freundschaftsbemühungen gegenüber, so daß sie kaum als der Beginn einer bevorstehenden Überprüfung der damaligen Englandpolitik gewertet werden können. Sie waren wohl mehr als Denkübung „für alle Fälle" gedacht, sicher auch oder in erster Linie zu dem Zweck, Hitlers Entschlossenheit zu unterstreichen, Eroberungen im Osten in allen nur denkbaren Konstellationen durchzuführen.

Immerhin zeigten derartige Gedankengänge schon früh, daß Hitler das Bündnis mit dem Inselreich zwar als höchst wünschenswert, aber nicht als absolute Notwendigkeit, als „conditio sine qua non" für expansive Unternehmungen ansah. Die Unterordnung der England-Politik unter die eigentlichen „programmatischen" Ziele manifestierte sich hier schon deutlich.

Häufiger finden sich Anzeichen einer veränderten Gesamthaltung Hitlers gegenüber England erst 1935, in dem Jahr also, als das Bündniswerben mit dem Abschluß des Flottenvertrages seinen ersten Höhepunkt erfuhr.

Außenminister Sir John Simon und Lordsiegelbewahrer Anthony Eden begegneten während ihres Besuches in Berlin im März 1935 einem deutschen Reichskanzler, der zwar den britischen Politikern seinen „großen Plan" zur Zusammenarbeit beider Länder vortrug[8]), aber dessen Annahme nicht mehr wie bisher mit einseitigen Verzichtserklärungen auf jede koloniale und maritime Weltmachtpolitik mundgerecht machte, sondern durchaus Druckmittel und Drohungen einzusetzen verstand[9]). Erstmalig erhob Hitler die Forderung nach Rückgabe der Kolonien, um mit dieser „Sanktionsdrohung" Großbritannien, wenn es nicht freiwillig einlenkte, zum Bündnis zu „zwingen"[10]). Den gleichen Zweck sollten sicherlich die Aufsehen erregenden Hinweise auf die bereits erreichte Luftparität mit England und die kurz zuvor eingeführte allgemeine Wehrpflicht erfüllen[11]). Wenn Hitler erkannt hatte, daß „auf dem Wege der respektvollen Annäherung ... kein Vorwärtskommen mehr" war[12]), so mußte dies in seinen Augen bedeuten, daß in England

---

[8]) Vgl. z. B. Hitlers einleitende Worte; diese Besprechung sei „die erste große Möglichkeit, die Basis einer Verständigung durch direkte Aussprache zu finden." ... „Es würde einmal der Zeitpunkt kommen, an dem die europäischen Nationen zusammenstehen müßten und wo es besonders auf das Zusammenhalten zwischen Deutschland und England ankommen würde." PA Bonn, Büro RAM, F 10, 376. Gedruckt ist die deutsche Aufzeichnung der Gespräche bisher nur in englischer Sprache: DGFP, C, III, Nr. 555, S. 1043–1088, deutsch: PA Bonn, Büro RAM, F 10, 375–413, F 19, 483–521, sowie Eden, Angesichts der Diktatoren, S. 168.
[9]) Vgl. Hildebrand, Weltreich, S. 469 ff. mit zusammenfassender Interpretation der Gespräche.
[10]) Dazu Hildebrand, Weltreich, ab S. 447 passim. und neuerdings ders., Deutsche Außenpolitik, S. 41 f.
[11]) Auch Eden bemerkte den drohenden Unterton: Eden, Angesichts der Diktatoren, S. 168.
[12]) Kuhn, Hitlers außenpolitisches Programm, S. 166.

die Widerstände gegen seinen Bündnisplan stärker waren, als er ursprünglich veranschlagt hatte. Offenbar vermochten sich seiner Sicht entsprechend die „völkisch"-nationalen Kräfte, die in Erkenntnis der „wahren" Interessen des Empire Hitlers Angebote längst angenommen hätten, noch nicht gegen die in der demokratischen Staatsform wirksamen „jüdisch-bolschewistischen" Drahtzieher durchzusetzen, die nicht allein eine antideutsche, sondern auch eine „nationalbritischen" Belangen entgegenstehende Politik erzwingen wollten.

Das sachliche Ergebnis der Simon-Eden-Gespräche war enttäuschend mager[13]). Abgesehen davon blieb den britischen Besuchern nicht verborgen, daß sich die Haltung ihres Gesprächspartners nicht allein zu den allgemeinen europäischen Problemen, sondern auch in speziellen Fragen des deutsch-englischen Verhältnisses zur negativen Seite hin modifiziert hatte. Das schlug sich in der Atmosphäre der Begegnung nieder. Eden erinnerte sich, Hitler habe sich „diesmal wenig bemüht zu gefallen"[14]); der Counsellor im Foreign Office, William Strang, bemerkte gleichfalls die Verschlechterung der Stimmung gegenüber dem Gespräch Hitlers mit Eden im Vorjahr[15]). Indessen sollte man sich davor hüten, aus solchen Symptomen, die vielleicht lediglich einer Augenblicksstimmung Hitlers entsprangen, den Beginn einer grundsätzlichen Wendung gegen England herauszulesen. Hitler behielt seinen Kurs der aktiven Bündnispolitik bei, wenn auch fortan mit der veränderten Taktik der kolonialen Sanktionsdrohung anstelle des früheren konzessionslosen Verzichts. Letzteres ließ jedoch erkennen, daß die Einschätzung Großbritanniens durch Hitler nicht mehr unerschüttert, sondern einem allmählichen Wandel unterworfen war, wie auch der britische Botschafter in Berlin Sir Eric Phipps nach einem Gespräch mit Hitler am Jahresende 1935 zu erkennen glaubte[16]). Es begann die Zeit der Verknüpfung von aktivem Bündnisbemühen und zunehmend kritischer Haltung gegenüber England. Die sich andeutende Ambivalenz von Hitlers Einstellung zum Inselreich zeigte sich vor allem in einzelnen, bereits häufiger werdenden Äußerungen der Verärgerung und Abwertung. Sie änderte vorerst aber nicht die Grundtendenz der Hitlerschen Englandpolitik, modifizierte allerdings in bezeichnender Weise deren Taktik und Mittel.

---

[13]) Vgl. Simons Brief an König Georg V. vom 27. Mai 1935: trotz aller angenehmen Seiten des deutschen Reichskanzlers: „the general result of the conversations was undoubtedly disappointing." P.R.O. London, F O 800/290, Simon Papers; vgl. auch Ott, Phipps, S. 52, dagegen Schmidt, Statist, S. 294 ff. mit durchaus positivem Gesamteindruck.

[14]) Eden, Angesichts der Diktatoren, S. 168.

[15]) William Strang, Home and Abroad, London 1956, S. 67: „the mood had changed".

[16]) Ott, Phipps, S. 60 und Beilagen Nr. 24 und 25, S. 192 ff. Auch der „Völkische Beobachter" konnte „wenig Fortschritte" aus dem Gespräch herausinterpretieren.

Analysieren wir nun in mehr systematischer als chronologischer Betrachtungsweise die Faktoren, die Hitler ab 1935 hauptsächlich veranlassen konnten, seine Haltung — und als Konsequenz gegebenenfalls seine Politik — gegenüber Großbritannien zu überprüfen.

2. HITLERS „ERFAHRUNGEN" MIT ENGLAND 1935—1937: ZWEIFEL AN DER NOTWENDIGKEIT UND REALISIERBARKEIT DER ANGESTREBTEN ALLIANZ

a) *Wertminderung des potentiellen Bündnispartners: Abessinienkonflikt und Rheinlandeinmarsch 1935/36*

Wie in den einleitenden Abschnitten dargelegt, nahm die Vorstellung von der Tapferkeit und Zähigkeit des britischen Volkes, von der Größe und Stärke des Empire, das mit einer unüberwindlichen Flotte die Weltmeere beherrschte, in Hitlers Englandbild einen unverrückbaren Platz ein[1]). Der Gedanke, die Machtfülle Britanniens mit der Stärke der größten Landmacht in einer unangreifbaren Allianz zu vereinigen, die der Welt ihre Politik zu diktieren in der Lage sein würde, bewegte sich trotz aller Priorität der angestrebten Expansion im Osten von jeher oberhalb der Ebene rein rationaler Erwägungen. Aber auch wenn wir die Bündnisidee lediglich machtpolitisch als die für deutsche Aktionen im Osten unerläßliche Prämisse erfassen, so besaß die vermeintliche Kraft des Empire ihren hohen Stellenwert, insofern als sie — in einem Bündnis neutralisiert — niemals gegen deutsche Politik in Osteuropa eingesetzt werden durfte. Jede Schmälerung, die Englands beherrschende Position vermeintlich oder tatsächlich erfuhr, mußte daher nicht nur die ausgeprägten Konturen des Hitlerschen Englandbildes und des Traumes der globalen Herrschaftsteilung verschwimmen lassen, sondern — mit Blick auf die nächsten kontinentalen Ziele — Hitlers Überzeugung vom Wert und der unbedingten Notwendigkeit des gewünschten Bündnisses ins Wanken bringen.

Eben dieses geschah, als Mussolini sich zur Eroberung Abessiniens anschickte, und Großbritannien in Hitlers Sicht nicht in der seiner Stellung gemäßen Weise mit einer unmißverständlichen Haltung reagierte, sondern den Völkerbund anrief und mit halbherzigen Sanktionen versuchte, einerseits sein Gesicht notdürftig zu wahren, andererseits Italiens Ausscheren aus der Stresa-Front zu verhindern[2]). Hitler, dessen Sympathien anfänglich durch-

---

[1]) Vgl. auch Kuhn, Hitlers außenpolitisches Programm, S. 45 f., wonach Hitler selbst in Zeiten der revisionistischen Gegnerschaft zu England dessen Stärke und Macht bewunderte.

[2]) Zum Gesamtkomplex des Abessinien-Krieges und den Auswirkungen auf die europäische Politik vgl. Manfred Funke, Sanktionen und Kanonen. Hitler, Mussolini und der internationale Abessinienkonflikt, 1934—1936. Düsseldorf 1970.

aus nicht auf Seiten Italiens lagen, und der mit einem schlechten Ausgang des Abenteuers rechnete[3]), hatte als siuationsgemäße Antwort Englands auf die reale Bedrohung seiner Interessen in Ostafrika erwartet, daß etwa britische Truppen zum Tana-See entsandt worden wären, wie er mehrfach bekannte[4]). Die tatsächliche Handlungsweise der Londoner Regierung erstaunte und enttäuschte ihn. Aus dem „schwächlichen Verhalten" der Weltmacht schloß er, daß England anscheinend nicht gewillt war, seine Belange nachdrücklich zu verteidigen, und überdies, daß aus „seinen Drohungen nicht immer Ernst wurde"[5]). Je mehr sich auf dem äthiopischen Kriegsschauplatz der Erfolg den Italienern zuneigte, desto schneller wich Hitlers ungläubiges Erstaunen über das Ausbleiben energischer englischer Gegenmaßnahmen der Erkenntnis, daß England, sollte es sich auch nicht zu einem Bündnis mit Deutschland bereiterklären, eine deutsche Machterweiterung in Osteuropa genau so hinnehmen würde, wie Mussolinis Expansion in einer Region, die sich dazu noch in gefährlicher Nähe der britischen Interessensphäre befand[6]). Als kluger Beobachter der Wirkung des afrikanischen Krieges auf die deutsche Politik erwies sich Botschafter Phipps, als er in einem umfassenden Rückblick auf seine Botschaftertätigkeit schrieb:

„Italiens Sieg eröffnete ein neues Kapitel. Es war unvermeidlich, daß in einem Land, wo Macht angebetet wird, Englands Prestige sich verminderte. Der Deutsche begann sich zu fragen, ob es noch notwendig sei, sich mit einer Nation zu versöhnen, ohne deren Gunst Italien sehr gut voran zu kommen schien[7])." Darüberhinaus mußte der Zusammenbruch der antideutschen Stresa-Front Hitler fortan zu Taten gleichsam ermuntern, die anscheinend auch ohne Englands „Placet" geschehen konnten[8]).

So gewann für Hitler der Abessinienkrieg den Charakter eines Testfalls, wie sich England als führende Völkerbundmacht verhalten würde, wenn die Politik des Reiches demnächst Genfer Auffassungen zuwiderlaufen sollte[9]). Mussolini selbst bestärkte im Herbst 1937 anläßlich seines Deutschlandbesuches — wohl nicht ohne den Hintergedanken, das befürchtete deutschenglische Einvernehmen zu erschweren — Hitlers Erkenntnisse, daß die Allianz mit Großbritannien angesichts der manifesten Schwäche des Inselreiches weder besonders wünschbar noch absolut notwendig war. Saturiertheit und Scheu vor jedem Risiko, so führte der „Duce" im Gespräch mit deutschen

---

[3]) Vgl. Bericht Botschafter Phipps v. 7. 11. 1935 an das Foreign Office: Ott, Phipps, Beilage 19, S. 185.

[4]) So Hitler zu Phipps am 14. 5. 1936. Ott, Phipps, Beilage 31, S. 214. Zu Lothian am 4. Mai 1937: vgl. Kuhn, Hitlers außenpolitisches Programm, S. 179.

[5]) Siehe Wiedemann, Der Mann, der Feldherr werden wollte, S. 151.

[6]) Siehe Erich Kordt, Wahn und Wirklichkeit. Die Außenpolitik des Dritten Reiches. Versuch einer Darstellung, Stuttgart 1950, S. 164 ff.

[7]) Phipps Schlußbericht v. 13. 4. 1937, PRO London, FO 371/20710, C/2857/3/18. Vgl. auch Ott, Phipps, Beilage 43.

[8]) PRO London, ebenda.

[9]) Vgl. Hildebrand, Deutsche Außenpolitik, S. 40.

Diplomaten aus, würden Englands Kräfte lähmen. „Aus diesen Überlegungen sei er ... frech geworden und habe den Schlag gegen Abessinien gewagt[10].“

Nicht zu übersehen ist das für Hitler wichtige Moment, daß Großbritannien nicht nur seine machtpolitischen Interessen vernachlässigte, sondern sogar den Völkerbund einschaltete. Gemäß Hitlers rassenideologischer Anschauung war damit evident, daß in der permanenten Auseinandersetzung zwischen „völkisch“-nationalbritischen Gruppen und ihren jüdisch-bolschewistischen Todfeinden letztere sich in einer wichtigen Frage der englischen Politik durchzusetzen vermochten. Nationale Interessen wurden offenbar geopfert zugunsten der Stärkung der „Genfer Entente“, für Hitler von jeher Symbol und Instrument der geheimen jüdisch-demokratisch-bolschewistischen Komplizenschaft im Kampf gegen die nationalen Belange der Völker. Mit der Niederlage eben jener Kräfte, die in Erkenntnis der echten Interessen ihres Volkes das Empire mit dem nationalsozialistischen Reich Hitlers zu liieren wünschten, mußte in Hitlers Augen neben Wert und Notwendigkeit auch die Möglichkeit einer deutsch-britischen Interessengemeinschaft sich verringern. Wohl aus diesem Grund vermied er hohnlachende Schadenfreude über Englands Versagen. In der deutschen Presse sollte peinlichst darauf geachtet werden, „nur vom Schiffbruch der Kollektivitätsidee, keinesfalls aber von einer Niederlage Englands zu reden“[11]). Bedrückung, Zaudern und auch Sorge spiegelten sich in Hitlers Äußerungen gegenüber Speer im Herbst 1935, als er die mögliche Konsequenz aus der sich abzeichnenden Lage durchdachte: Deutschlands einseitige Bindung an Mussolinis Italien[12]). „Ich weiß wirklich nicht, was ich machen soll. Es ist eine zu schwere Entscheidung. Am liebsten würde ich mich den Engländern anschließen. Aber die Engländer haben sich oft in der Geschichte als unzuverlässig erwiesen... Die Engländer lassen mich danach fallen[13]).“ Hinter solchen Worten verbarg sich die Furcht vor dem Überhandnehmen ihm feindlich gesinnter Kreise in der Londoner politischen Führung. Hitler zeigte sich nach Speers Erinnerung „bedrückt“ darüber, „daß ihn die Situation zu diesem Schritt gezwungen habe“; aber schließlich sei die

[10]) PA Bonn, Büro Staatssekretär, Mussolini-Besuch, Aufz. von Bülow-Schwante über verschiedene Unterredungen mit Mussolini während des Deutschlandbesuches. Es ist anzunehmen, daß dieser Bericht Hitler nicht vorenthalten wurde. Vgl. auch Martin Göhring, Bismarcks Erben, Deutschlands Weg von Wilhelm II. bis Adolf Hitler, Wiesbaden 1958, S. 259.

[11]) Aigner, Ringen um England, S. 299, dort Näheres über die Haltung der deutschen Presse zum Krieg in Abessinien. Zur Desavouierung des Prinzips der kollekt. Sicherheit, vgl. auch Manfred Funke, „7. März 1936. Studie zum außenpolitischen Führungsstil Hitlers“, in: Aus Politik und Zeitgeschichte. Beilage zur Wochenzeitung „Das Parlament“, B 40/70 v. 3. 10. 1970, S. 9.

[12]) Dies wird allgemein als eine unmittelbare Folge des Konfliktes angesehen. Vgl. etwa Sir Samuel Hoare (Viscount Templewood), Neun bewegte Jahre, Englands Weg nach München, Düsseldorf 2. Aufl. 1955, S. 174; Glum, Der Nationalsozialismus, S. 308. Zweifel an der Zwangsläufigkeit dieser Folge nun bei Funke, Sanktionen, passim, bes. Schlußbetrachtung S. 174 ff.

[13]) Albert Speer, Erinnerungen, Berlin 1969, S. 85.

Erfahrung entscheidend, daß die westlichen Regierungen sich „als schwach und entschlußlos erwiesen"[14]. Deutlich wird Hitlers persönliches, nicht allein mit rational-machtpolitischen Überlegungen begründbares Engagement für ein Zusammengehen mit Großbritannien, von dem er allerdings nach eingehender, nüchterner Beurteilung des „Testfalles" nun zunehmend abrückte, da es letztlich doch größeren „programmatischen" Zielen untergeordnet war.

Hitlers Erfahrungen aus dem Krieg in Afrika würden sich bestätigen müssen, wenn das Reich selbst bei der Realisierung des nächsten Vorhabens sich Genfer Beschlüssen gegenübersehen würde. Hitler hatte allerdings um so mehr Grund zur Annahme, daß er bei der Wiederbesetzung der Rheinlande nicht mit einem Gegenschlag aus dem Westen zu rechnen brauchte, da England, das sich bemühte, Deutschland in die kollektiven Maßnahmen gegen Italien miteinzubeziehen, ihm als Gegenleistung sogar angeboten hatte, den Widerstand gegen deutsche Anschlußpläne mit Österreich aufzugeben[15].

Es ist deswegen kaum verwunderlich, wenn Hitler britischen Verhandlungsangeboten über einen Luftpakt, mit dem die englische Regierung die Abmachungen von Locarno zu retten hoffte und eine friedliche Lösung des Rheinlandproblems herbeizuführen wünschte, bei der großzügige Konzessionen an das Reich herausspringen sollten, die kalte Schulter zeigte. Hitler überzeugte sich nicht einmal von der Ernsthaftigkeit der Offerten aus London[16]. Zudem war es ja gerade seine Absicht, durch eine klare Interessenaufteilung in einem Bündnis zwischen Berlin und London solche Art kollektiver Lösungen zu vermeiden und einseitige, auch gewaltsame Regelungen seitens des jeweils interessierten Partners zu ermöglichen.

Immerhin konnte auch Hitler nicht übersehen, daß die entmilitarisierte Zone am Rhein den Briten näher lag als Abessinien. Eine einseitig durchgeführte Besetzung dieser Gebiete durch die deutsche Wehrmacht, deren Stärke der englischen Bevölkerung Tag für Tag in propagandistischer Manier vor Augen geführt wurde[17], war durchaus imstande, von den Westmächten als Bedrohung der Benelux-Staaten und Frankreichs und somit der auch von Hitler anerkannten britischen „Essentials" aufgefaßt zu werden. Es war ja ein Schritt gen Westen, den Hitler zu unternehmen gedachte, der also geeignet war, seine ständigen Beteuerungen, Deutschlands Interessen lägen

---

[14]) Speer, ebenda.
[15]) Funke, 7. März 1936, S. 9.
[16]) Vgl. Kuhn, Hitlers außenpolitisches Programm, S. 183 f. Einen guten Überblick über die bis 1969 erschienene Literatur zur Rheinlandkrise bietet Hildebrand, Weltreich, S. 484, Anm. 121. Eine übersichtartige Zusammenstellung aller diplomatischen Aktionen findet sich in PA Bonn, Büro RAM, Handakten Schmidt, Handakten-Privatkorrespondenz.
[17]) Die deutsche Presse antwortete darauf mit den Vorwürfen, England wolle an Frankreichs Nordostgrenze Luftstützpunkte gegen Deutschland errichten, was eine Verletzung des Locarno-Vertrages sei. Dies führte zu einer britischen Démarche bei von Hoesch, vgl. Eden, Angesichts der Diktatoren, S. 389 f. Man beachte, daß bereits in Einzelfällen deutsche Presseangriffe gegen England freigegeben wurden.

im Osten, in England unglaubwürdig zu machen. Zwar durfte man erwarten, daß der „Durchschnittsengländer" die moralische Berechtigung eines solchen Vorgehens anerkennen würde[18]. Aber es bestand die Gefahr, daß im Falle einer französischen Gegenaktion Großbritannien der daraus entstehenden Komplizierung der Situation kaum unbeteiligt zusehen würde, selbst wenn die Pariser Regierung wider Englands Rat handeln sollte[19]. Hinzu kam die Tatsache, daß das Reich erstmals die ihm in Versailles aufgezwungenen Grenzen zu überschreiten sich anschickte, also eine einseitige *territoriale* Revision der Verträge von 1919 vornahm. Trotz erheblicher Zweifel an der Entschlossenheit der Londoner Regierung, mußte man in Berlin und Berchtesgaden ein englisches Stillhalten für alles andere als sicher halten und auch dieser Aktion vielmehr einen Testcharakter beimessen[20]. Es erscheint daher nicht unglaubwürdig, wenn Ribbentrop in der Rückschau den Rheinlandeinmarsch als den bisher „schwersten außenpolitischen Entschluß" Hitlers bezeichnete[21].

Immerhin hatte dieser es für notwendig befunden, ein ganzes Register diplomatischer und rhetorischer Einfälle anzuwenden, um die Gefahr einer westlichen, vor allem britischen Intervention von vornherein entscheidend zu vermindern. Mag es auch ungeklärt bleiben, ob Hitler, wie Frankreichs Botschafter in Berlin, François-Poncet, vermutete, auf inoffiziellem Weg über „ein deutsch-freundliches Syndikat" um Lord Lothian, Ward-Price und Lloyd George sich bereits frühzeitig in London abzusichern versuchte[22], jedenfalls fällt die ausgenommen englandfreundliche und entgegenkommende Sprache der deutschen offiziellen Noten und Dokumente ins Auge. Das deutsche Memorandum vom 7. März 1936, sowie Hitlers Reichstagsrede vom gleichen Tag enthielten nicht nur Vorschläge zu Nichtangriffspakten mit den west-

---

[18] Vgl. z. B. Harold Nicolson, Tagebücher und Briefe, Erster Band 1930–1941, Frankfurt 1969, S. 213 und George W. F. Hallgarten, Als die Schatten fielen. Erinnerungen vom Jahrhundertbeginn bis zur Jahrtausendwende, Berlin–Frankfurt a. M.–Wien 1969, S. 221: H. sah während der Rheinlandkrise Jugendliche durch Londons Straßen ziehen mit Schildern wie „Hitler says he wants peace, let us make peace".
[19] Vgl. Karl Dietrich Bracher, Die deutsche Diktatur, Entstehung, Struktur, Folgen des Nationalsozialismus, Köln–Berlin 1969. S. 325: „In erster Linie Frankreich mußte reagieren, sollte nicht endgültig das Legalitätsprinzip, ja, das gesamte Gefüge des Versailler Vertrages zerbrechen."
[20] Vgl. Hildebrand, Deutsche Außenpolitik, S. 47.
[21] Ribbentrops Rede v. 24. 1. 39 vor Generalen, BA-MA Freiburg. Protokoll Case 553, Marinepolitische Angelegenheit I c 1–3. Den Hinweis auf dieses Dokument verdanke ich J. Dülffer.
[22] Vgl. DDF, I, Nr. 436, 438, II, Nr. 17. Dazu auch Gilbert Ziebura, „Die Krise des internationalen Systems 1936", in: HZ 203 (1966), S. 94. Vgl. auch DDF, 2, I, Nr. 359, François-Poncet an Flandin v. 10. 3. 1936; der französische Botschafter äußerte zwar Zweifel am Wahrheitsgehalt diesbezüglicher Gerüchte, meinte aber, es sei eine Tatsache, daß kürzlich Lord Londonderry Hitler versichert habe, daß in England kein übergroßes Interesse an der Aufrechterhaltung der entmilitarisierten Zone bestehe.

lichen und, nota bene, auch mit den östlichen Nachbarn des Reiches, sowie
das allerdings eher rhetorische Angebot, das Rheinland wieder zu räumen,
falls Frankreich sich zur Entmilitarisierung einer entsprechenden Zone bereit
fände, sondern auch als stärkste Beruhigungsmittel für die führende Völker-
bundnation Großbritannien die deutsche Bereitschaft, wieder in die Gemeinschaft von Genf zurückzukehren[23]). Reichsaußenminister Neurath hatte Botschafter Hoesch in London bereits am 5. März angewiesen, er möge bei der
Überreichung der Note den inzwischen zum Außenminister ernannten Eden
darauf aufmerksam machen, daß bei diesem Entschluß „nicht zuletzt die Erwägung maßgebend gewesen war, der Politik der britischen Regierung, die
sich eng an den Völkerbund attachiert hat, nach Möglichkeit entgegenzukommen"[24]). Auch in anderer Hinsicht hätten Memorandum und Rede kaum
geschickter an das traditionelle Gerechtigkeitsgefühl der englischen Meinung
appellieren können. Ungeachtet der weithin kritisierten Methode des deutschen Vorgehens vermochten nur wenige Briten — auch in der politischen
Führung des Landes — in Hitlers Aktion prinzipiell etwas Unrechtes zu
sehen[25]). Der „Führer" gab denn auch mehrfach seiner Zuversicht Ausdruck,
daß das Londoner Kabinett den Einzug der Wehrmacht in Köln und Koblenz
tolerieren würde, wobei er auch Umstände, wie die gewohnte Wochenend-
passivität der Engländer in Rechnung zog[26]). Indessen ließ er sich in jeder
Phase des Coups über die Reaktionen aus der britischen Hauptstadt genaue-
stens informieren[27]). Später gestand er mehrfach, die 48 Stunden nach dem
Einmarsch seien die aufregendste Spanne seines Lebens gewesen[28]). Offenbar war er seiner Sache, auch was die Inaktivität der Engländer anging,
keineswegs sicher und traute dem „nordischen Brudervolk" immer noch die
energische Verteidigung seiner Interessen zu.

Hingegen verhielt sich Großbritannien so, wie Hitler es mehr erhofft
als erwartet hatte. Pessimistische Berichte und Warnungen scheinen in Berlin
kurzerhand gefälscht oder Hitler gar nicht zugeleitet worden zu sein[29]). Er

---

[23]) Auszug der Rede in: Berber, Deutschland-England Nr. 27; vgl. auch Hildebrand, Weltreich S. 485 f.; dabei zeigt Hildebrand (S. 486), daß mit dem gleichzeitig geäußerten Wunsch nach — wenn auch freundschaftlich vereinbarter —
Rückgabe der ehemals deutschen Kolonien Hitler seinen Vorschlag praktisch
bereits wieder zurückzog. Zumindest würden darüber jahrelange Verhandlungen geführt werden, das fait accompli der Remilitarisierung, Hitlers
direktes Ziel, davon jedoch nicht berührt.
[24]) PA Bonn, Büro Staatssekretär, Wiederbesetzung des Rheinlandes, Neurath
an die deutschen Vertreter in London, Paris, Rom und Brüssel v. 5. 3. 1936;
englisch: DGFP, C, V, Nr. 2, S. 14.
[25]) Vgl. Middlemas-Barnes, Baldwin, S. 914 f.
[26]) Wiedemann, Feldherr, S. 188.
[27]) Vgl. DDB, IV, Nr. 49. Bericht des belgischen Botschafters in London an den
belgischen Außenminister van Zeeland v. 28. 3. 1936: „Hitler se fait minutieu-
sement renseigner sur opinion britannique".
[28]) Siehe Schmidt, Statist, S. 320.
[29]) Vgl. von Hoeschs Telegramm v. 13. 3. 1936: DGFP, C, V, Nr. 91: „the situation
today looks extremely serious"; und Tel. der drei Wehrmachtsattachés vom

las hauptsächlich nur das, was seinen Hoffnungen entsprach und zeigte sich über pessimistische Analysen höchst ungehalten[30]). In ihrer überwiegenden Mehrzahl enthielten die in der Wilhelmstraße einlaufenden Meldungen über die Reaktionen der Briten jedoch einen optimistischen Grundton. Bereits am 9. März erklärte Außenminister Eden vor dem Unterhaus, daß die deutsche Aktion für Großbritannien keinesfalls einen Kriegsgrund darstelle[31]). Ein Vertrauensmann der deutschen Botschaft in Spanien hatte sogar in Erfahrung gebracht, „daß England eine mit Berlin parallele Linie verfolgen" wolle[32]). Aus London selbst zeigte Botschafter von Hoesch etwa zur gleichen Zeit eine durchaus günstige Aufnahme der deutschen Auffassung „an maßgebenden Stellen" an. Auch sonst sei „Verständnis für den deutschen Standpunkt vorhanden"[33]). Ebenso mußte die britische Haltung auf der Pariser Tagung der Rest-Locarno-Staaten, wo die Vertreter Großbritanniens infolge „der unmöglichen Verhandlungsatmosphäre", wie Eden von Hoesch mitteilte, auf eine Fortführung der Debatte verzichteten, eine Verlegung der Diskussionen nach London durchsetzten[34]), und England sich sogar auf einen Alleingang mit Deutschland zur Beilegung der Krise einlassen wollte[35]), den Hoffnungen der deutschen Führung entgegenkommen.

Der Ortswechsel von Paris nach London führte überdies der Welt symbolisch vor Augen, daß England in einer Angelegenheit, die doch Frankreich, den ängstlichen Hüter des in Versailles aufgebauten Sicherheitssystems, weitaus mehr betraf, die Federführung übernahm. Die Gefahr, daß Großbritannien wider Willen durch einen französischen Gegenschlag in eine Konfliktsituation mit dem Reich hineingeraten könnte, schien damit gebannt. Hitler nutzte wohl die Gunst der Lage und ließ darauf persönlich Hoesch anweisen,

---

gleichen Tag: ebd. Nr. 98. Dazu auch Funke, 7. März 1936, S. 28 f. der die Ansicht vertritt, letzteres Telegramm zeuge von der Nervosität der deutschen Botschaft in London, wovon sich Neurath und das Auswärtige Amt nicht anstecken ließen. (Vgl. DGFP, ebd., Anm. 2) Geyr von Schweppenburg, einer der Attachés, behauptet, der entscheidende Satz des ursprünglichen Textes, nämlich, die Chancen Frieden-Krieg stünden 50:50, sei gefälscht worden, um die Nerven des Führers zu schonen. IfZg München, Nachlaß Geyr von Schweppenburg, Ms über Leopold von Hoesch.

[30]) Geyr von Schweppenburg notierte am 13. März 1936, ihm sei vom Luftattaché in London, Oberst Wenninger, mitgeteilt worden, daß man „an ganz hoher Stelle" ungehalten über seine, Wenningers, pessimistische Berichterstattung sei": IfZg München, Nachlaß Geyr von Schweppenburg, Bd. 3, Aufs. v. 13. 3. 1936. Mit dem Terminus „an ganz hoher Stelle" dürfte wohl Hitler gemeint sein.

[31]) Zit, nach Franz Wirth, „... Und London schweigt. Aus den Geheimpapieren des Foreign Office", in: Die WELT, Nr. 22, v. 26. 1. 1968.

[32]) Dt. Botschaft in Madrid an AA v. 11. 3. 1936: PA, Bonn, Büro Staatssekretär, Wiederbesetzung des Rheinlands (Beginn der Gegenaktionen).

[33]) ebenda: Hoeschs Telegramm 11. 3. 1936; englisch: DGFP, C, V, Nr. 77.

[34]) Hoesch über sein Gespräch mit Eden am 11. 3. 1936: DGFP, C, V, Nr. 81; vgl. auch Funke, 7. 3. 1936, S. 27 f.

[35]) Vgl. Wirth, Die WELT v. 26. 1. 1968.

sich in keine Diskussion über eine „Beschränkung der Souveränität" Deutschlands im Rheinland mehr einzulassen[36]), während er in seiner Rede vom 7. März noch die Zurückziehung der deutschen Truppen unter bestimmten Umständen angeboten hatte. Aus Hoeschs Lageberichten konnte Hitler weiter erfahren, daß weder die Bevölkerung[37]) noch — mit einigen Ausnahmen — die britische Presse einen Anlaß sahen, sich zur Verteidigung der Locarno-Verträge stark zu machen[38]). Im Gegenteil, Beaverbrooks „Daily Express" empfahl, aus der Krise die Lehre zu ziehen, daß England auf dem Kontinent nichts zu suchen habe, und besorgte damit Hitlers Anliegen in kaum zu übertreffender Weise[39]).

Die Summe all dieser Meldungen, Analysen und auch Ereignisse mußte demnach Hitlers erstmals während des Abessinienkonfliktes entstandenen Eindruck festigen, daß England sich nicht willens zeigte, einseitigen Aktionen der aktivistischen „jungen" Nationen ernsthaften Widerstand entgegenzusetzen. Befriedigung und Erleichterung konnten denn auch Beobachter der politischen Szenerie in Berlin allenthalben feststellen[40]). Nicht ohne Grund fürchteten die Franzosen, daß ihr Bundesgenosse mit der gezeigten Haltung Hitler zur Verwirklichung seiner Pläne gegen Österreich geradezu ermuntert habe[41]). In der Tat hatte der deutsche Diktator mit der Remilitarisierung des Rheinlandes nicht allein einen neuen, noch vom Deckmantel der Revisionspolitik abgeschirmten Schritt zu den ersten Stufen seines „Programms" getan, sondern auch aus der Reaktion der britischen Regierung wichtige Hinweise für den Fall erhalten, daß Großbritannien sich weiter seinem Bündniswerben entzog. Es schien, als ob Hitlers Politik auch ohne Englands Beistand Erfolg haben würde. Sein Glaube an die Notwendigkeit der Allianz hatte sich weiter abgeschwächt.

Der Reichskanzler hatte also allen Grund, der englischen Regierung öffentlich einen „realistischen Sinn" zu bescheinigen[42]). Andererseits je-

---

[36]) PA Bonn, Büro Staatssekretär. Wiederbesetzung des Rheinlandes (Locarno-Konferenz), Memorandum Dieckhoffs v. 12. 3. 1936, DGFP, C, V, Nr. 84 enthält Weisung für Hoesch als Antwort auf dessen Bericht über Unterredung mit Eden (Vgl. Anm. 34).

[37]) Vgl. Hoeschs Bericht v. 10. 3. 1936: DGFP, C, V, Nr. 66.

[38]) ebenda; siehe dazu Kieser, Englands Appeasementpolitik, Winterthur 1964, S. 72.

[39]) Kieser ebd. Hier stellt sich erneut die Frage, ob Hitler über diese Pressemeldungen informiert wurde. Eine grundlegende Arbeit über den Informationsstand Hitlers ist ein dringendes Desiderat.

[40]) Vgl. z. B. DDF, 2, I, Nr. 359: François-Poncet v. 10. 3. 1936: „führende Kreise in Berlin haben mit Befriedigung und Erleichterung die Reden Edens und Baldwins begrüßt"; ebd. Nr. 517: ders. v. 27. 3. 1936: „Ganz offen beglückwünscht man sich dazu, daß das englische Kabinett seinen Willen habe erkennen lassen, sich nicht blindlings von den Franzosen in ein kriegerisches Abenteuer gegen das Reich hereinziehen zu lassen."

[41]) Vgl. DDF, 2, II, Nr. 42, Außenminister Flandin an den franz. Botschafter in Prag.

[42]) Rede Hitlers am 16. März 1936 in Frankfurt, DNB-Bericht: PA, Bonn, Handakten Schmidt, 21, Politisches.

doch zeigte sich Großbritannien bei aller Passivität nicht bereit, auf den Völkerbund als Verhandlungsrahmen zu verzichten. Auf der Londoner Tagung des Völkerbundrates wurde das deutsche Vorgehen einstimmig verurteilt, also auch mit der Stimme Englands[43]. Und Ribbentrop, der Leiter der deutschen Delegation, traf in der anschließenden Besprechung mit Baldwin und Eden keineswegs auf Neigungen, nun endlich mit Deutschland zu einem Ausgleich unter Hitlerschen Bedingungen zu gelangen[44]. Insofern erwies sich Englands Haltung bei der „Rheinlandbefreiung" in Hitlers Augen letztlich als zwiespältig[45]. Die Verflochtenheit der britischen Politik mit der laut Hitler jüdisch beherrschten „Genfer Entente zur Verhinderung des Friedens in Europa"[46] war selbst dort zutage getreten, wo es sich lediglich um Deutschlands Recht handelte, wie alle Staaten Befestigungen auf eigenem Territorium zu errichten[47]. Hitler, der als Grundlage seiner Bündnisvorstellungen das Prinzip völliger Nichteinmischung auch und vor allem für zukünftige, viel weiterreichende Aktionen angewandt wissen wollte, mußte diese Tatsache als neues Symptom für die Stärke der verständigungsfeindlichen Kräfte in der britischen Staatsführung werten. Die Aussichten auf die Realisierbarkeit von freundschaftlichen Bindungen zwischen beiden Ländern verminderten sich damit in Hitlers Augen kontinuierlich.

Neben den beiden großen Testfällen in Afrika und am Rhein schmälerten noch andere Faktoren mannigfacher Art Hitlers Einschätzung der britischen Zähigkeit und Stärke. Der Adjutant des Führers, Fritz Wiedemann, weist in seinen Erinnerungen auf den Einfluß der glühenden Hitler-Verehrerin Unity Mitford hin, die ihrem „Führer" mit Erfolg defaitistische Vorstellungen über England und das englische Volk beigebracht habe[48]. Ob Hitler aus dem schwachen Abschneiden britischer Sportler bei den Olympi-

---

[43]) PA Bonn, Handakten Schmidt, 22, Politisches, enthält das Tagebuch der deutschen Delegation in London unter Ribbentrops Führung. Das Tagebuch läßt erkennen, daß Hitler ständig telegraphisch und telephonisch über den Verlauf der Tagung informiert wurde. Über den Völkerbund als Instrument britischer Außen- und Deutschlandpolitik bereitet E. Mort (Mannheim) eine Dissertation vor.

[44]) Dazu Hildebrand, Weltreich S. 487, dort auch Hinweise über Informationen an die deutsche Presse; BA Koblenz, ZSg 101/29 Brammer v. 28. 3. 36; sowie Joachim von Ribbentrop, Zwischen London und Moskau, Erinnerungen und letzte Aufzeichnungen, Leoni am Starnberger See 1953, S. 66 ff.

[45]) Hildebrand, ebd.

[46]) Vgl. BA Koblenz, ZSg 110/6 Traub, Pressekonferenz v. 13. 12. 1937, in der das Propagandaministerium empfahl, nicht mehr vom „Völkerbund" zu sprechen, sondern den zitierten Terminus zu verwenden.

[47]) Vgl. Hitlers Gespräch mit Phipps v. 14. 5. 1936, Ott, Phipps, Beilage 32, S. 215.

[48]) Wiedemann, Feldherr, S. 152; siehe auch Jacobsen, Nationalsozialistische Außenpolitik, S. 352; zu Unity Mitford: van Oven, Mit Goebbels bis zum Ende, Bd. 1, S. 184 ff.; Hoffmann, Hitler was my Friend, S. 165 und Speer, Erinnerungen, S. 53; (dort hingegen: Mitford habe „Hitler oft geradezu angefleht, sich mit England zu arrangieren").

schen Spielen in Berlin im August 1936 wirklich folgerte, „daß man von einer solchen Nation im Ernstfall kaum etwas erwarten könne"[49]), mag dahingestellt bleiben, ist jedoch angesichts seiner Bewertungsmaßstäbe nicht auszuschließen.

Solche „Erfahrungen" mochten das in der Abessinien- und Rheinlandkrise gewonnene Bild abrunden. Die britische Politik stand offenbar nicht im Dienst ihrer eigenen wahren Belange, sie war nach Hitlers eigenen Worten vom Dezember 1936 „idiotisch" und mußte den Untergang des Empire einleiten[50]). Doch immer noch wünschte er den Erhalt des Weltreiches, da dessen Zusammenbruch allein dem gemeinsamen „Weltfeind" Gewinn brachte, eine schwächliche Politik der Engländer also nur von antinationalen Kreisen geführt wurde, mit denen er wiederum niemals ein Bündnis erreichen könnte. Der Wertverlust der erstrebten Partnerschaft — wegen der Schwäche der englischen Politik — stand also mit deren Nicht-Realisierbarkeit in einem direkten Bezug, da beide Phänomene von Hitler als Ausdruck des Sieges der jüdisch-bolschewistischen Hintermänner über die Vertreter einer nationalbritischen Politik zur Wahrung der echten Interessen des Empire gedeutet wurden.

b) *Skepsis hinsichtlich der Durchführbarkeit des Bündnisplanes: „Fragebogen", Spanienkrieg und Königskrise 1936/37*

Wir wenden uns nun jenen Ereignissen und Symptomen zu, die Hitler an der *Möglichkeit* seiner Bündnisvorstellungen zweifeln ließen. Vor allem war es naturgemäß Englands Reaktion auf seine zunächst freundschaftlichen, dann ab 1935 zunehmend mit Drohungen und Druckmitteln durchsetzten Bemühungen um globale Partnerschaft, die der „Führer" gespannt verfolgen mußte. Würden sich seine Erwartungen bestätigen, daß Großbritannien aus echt nationalen Interessen heraus mit dem Reich zusammengehen und nicht allein die deutsche Gleichberechtigung, sondern auch künftig eine Hegemonie Deutschlands auf dem Kontinent — solange diese ohne maritime Zielsetzung blieb — begünstigen würde? War Englands „Balance-of-Power"-Prinzip wirklich nur auf imperialer Ebene gültig, wie der „Programmatiker" Hitler es in seinem „Zweiten Buch" zu zeigen versucht hatte[51])? Bei unserer spezifischen Fragestellung geht es dabei weniger um den Komplex der britischen Deutschlandpolitik jener Jahre[52]), als um das Problem, wie diese von Hitler gesehen und bewertet wurde.

---

[49]) Jacobsen, Außenpolitik, S. 352, dort auch Quellenangabe.
[50]) Siehe L. Geyr von Schweppenburg, Erinnerungen eines Militärattachés, London 1933—1937, Stuttgart 1949, S. 100.
[51]) Zweites Buch S. 167 f., S. 174, Siehe auch Kuhn, Hitlers außenpolitisches Programm, S. 127 f.
[52]) Speziell für die Jahre 1931—1935 vgl. dazu die in Vorbereitung befindliche Dissertation von Karin Gutzmer (Marburg/L.), Die englische Deutschlandpolitik 1931—1935. Konzeption oder Improvisation.

Man darf wohl davon ausgehen, daß Hitler die großen deutschfeindlichen Tendenzen und Strömungen in England nicht unbekannt geblieben sind[53]). Neben den prinzipiell-ideologischen Gegnern in linksstehenden und jüdischen Kreisen[54]) seien das Foreign Office unter seinem ständigen Unterstaatssekretär Sir Robert Vansittart[55]) sowie Winston Churchill und der „chauvinistisch-imperiale" Flügel der Konservativen Partei genannt, die einen deutschen Revanchekrieg fürchteten und bereits früh für eine große antideutsche Bündniskoalition plädierten[56]). Nicht als machtpolitischen Gegner des Empire, sondern als Feind der zivilisierten Menschheit zeichnete das „aka-

---

53) Eine genaue und breitgefächerte Analyse der verständigungsfeindlichen Strömungen und Gruppen bietet Aigner, Ringen um England, S. 141 ff. Natürlich stellt sich hier erneut die Frage, wie und wie weit Hitler sich im einzelnen über das Ausland, hier speziell über England und seine Politik informieren ließ, von welchem Informationsstand wir bei Hitler in unserer Darstellung ausgehen können. Bewußt haben wir uns vorwiegend auf jene Ereignisse und Berichte gestützt, bei denen der Wahrscheinlichkeitsgrad sehr hoch ist, daß Hitler sie registrierte.

54) Vgl. Aigner, Ringen um England, S. 179 ff.

55) Aigner, ebd., S. 146 ff. unterstreicht, daß bis zum Abgang Edens das Foreign Office und nicht der jeweilige Premierminister die Außenpolitik geprägt habe. Bis zu seiner Kaltstellung Anfang 1938 habe Vansittart das Verhältnis zu Deutschland in allen entscheidenden Fragen bestimmt. In der Tat fällt bei der Durchsicht der Akten des Foreign Office auf, wie in den „Minutes" genannten Kommentaren der bearbeitenden Beamten zu jedem Aktenstück Vansittart das gewichtige und meist entscheidende Schlußwort schrieb, während ab 1938 sich zwar weiterhin Memoranden Vansittarts in großer Zahl finden, diese aber ganz offensichtlich außerhalb des Entscheidungsprozesses stehen und einen mehr warnenden und mahnenden als einen entscheidenden Grundzug haben. Aigner vermittelt weitgehend noch die überkommene Vorstellung, Vansittart habe aus prinzipiellen Gründen das Deutsche Reich als geschlagene Macht niederhalten wollen. Hingegen war für Vansittart nach dem „Dogma" von Sir Eyre Crowes Memorandum von 1907 (abgedruckt u. a. bei Connell, The „Office", S. 11 ff.) die Erwägung bestimmend, daß eine deutsche Kontinentalhegemonie unweigerlich eines Tages auch gegen das Britische Weltreich wenden würde. Vgl. z. B. Vansittarts Äußerung zu Nicolson vom 28. 4. 1936: „Wenn es (d. i. Deutschland) sich erstmal eine unangreifbare Stellung geschaffen hätte, würde es kehrt machen, uns angreifen." (Nicolson, Tagebücher, S. 219) Oder Vansittarts Memorandum vom 13. 12. 1938: „Sobald Hitler seine Stellung im Osten konsolidiert hat, wird er sich nach Westen wenden, und das wird das Ende des Britischen Empire sein." PRO London, FO 371/21627, C/15689/95/62. Im Winter 1938/1939, als man in London über die nächste deutsche Stoßrichtung rätselte, war Vansittart als erster geneigt, einen deutschen Schlag im Westen anzunehmen. Seiner Meinung nach würde also ein Eingehen auf Hitlers Bündnisbedingungen nicht nur unmoralisch sein, sondern auch handfeste englische Interessen verletzen. Vgl. Vansittarts Schreiben an den Sekretär des Königs, Clive Wigram, zit. bei Colvin, Vansittart, S. 50 f. Als weitere Exponenten des „deutschfeindlichen" Foreign Office nennt Aigner Reginald Leeper, Horace Rumbold, Ivone Kirkpatrick, Eric Phipps, William Strang und Orme Sargent. Ein differenzierteres Bild von Vansittart vermittelt jetzt auch Hauser, Großbritannien und das Dritte Reich.

56) Aigner, ebd. S. 151.

demische England" Hitlerdeutschland, was angesichts innerdeutscher Ereignisse wie die vom 30. Juni 1934 und der ständigen antisemitischen und sonstigen politischen Verfolgungen nicht allzu schwer fiel[57]). Es ist zweifelhaft, ob Hitler diese verständigungsfeindlichen Richtungen so weit differenzierte. In seinem vorgefaßten Englandbild formten sie zusammen mit dem größten Teil der englischen Presse, über die er sich ausführlich orientieren ließ[58]), jene Kräfte, die – teils bewußt, teils unbewußt – die Geschäfte des internationalen jüdischen Bolschewismus besorgten und das durch seine demokratische Staatsform gefährdete Land auf eine Politik wider die eigenen nationalen Belange und damit gegen ein Bündnis mit Deutschland festzulegen versuchten. Entscheidend war, ob ihnen das gelingen würde. Als Produkt solcher Machenschaften, dem zwar noch keine übertriebene Bedeutung beigemessen zu werden brauchte, aber als Warnsignal nicht unterschätzt werden durfte, wertete der Reichskanzler das britische Rüstungsweißbuch vom 4. März 1935. Die englische Regierung legte ihren Finger darin nicht allein auf das Faktum der deutschen Aufrüstung, sondern rügte auch den „Geist, in dem die Bevölkerung und vor allem die Jugend des Landes organisiert werde", der das allgemeine „Gefühl der Unsicherheit ... beeinflußt und bestärkt"[59]). In Hitlers Augen war dies eine massive Einmischung in die inneren Angelegenheiten des Reiches, unvereinbar mit seinen Vorstellungen einer klaren Interessenabgrenzung. Er reagierte mit der Verschiebung des für den 7. März 1935 vorgesehenen Simon-Eden-Besuches, denn, so erklärte er Rosenberg, „die Gouvernanten in England müßten sich daran gewöhnen, mit uns nur auf gleichberechtigtem Fuß zu verhandeln"[60]). Das Motiv der gouvernantenhaften Bevormundung durch England, die schon eine Gleichberechtigung Deutschlands, geschweige denn eine deutsche Kontinentalhegemonie, nicht erlaubte, klang hier erstmalig an.

---

[57]) Aigner, ebd. S. 172 ff. nennt als Vertreter des „akademischen Englands" die Historiker L. B. Namier, E. L. Woodward, J. Wheeler-Bennet, E. Wiskeman, R. W. Seton-Watson und das Royal Institute of International Affairs.

[58]) Während Aigner (ebd. S. 98) zu dem Ergebnis kommt, „die überaus kritische, großenteils von Anfang an feindselige Einstellung" der britischen Presse habe zweifellos dazu beigetragen, daß Hitler von der abweisenden Haltung der Engländer überzeugt wurde, glaubt Kieser, Englands Appeasementpolitik, S. 3, im Gegenteil der englischen Presse eine „entscheidende Rolle ... bei der Unterschätzung der britischen Widerstandskraft durch Hitler" einräumen zu können. Denkbar ist demnach, daß Hitler sowohl die Unmöglichkeit als auch die Nicht-Notwendigkeit des Bündnisses aus der britischen Presse entnehmen konnte. Unbestreitbar ist, daß die Anprangerung der Presse „zum festen Bestand aller wichtigen Hitler-Reden gehörte" (Aigner, a.a.O., S. 98).

[59]) Vgl. Berber, Deutschland-England, S. 51 ff., Nr. 14. Zur Entstehung des Weißbuches siehe Colvin, Vansittart, S. 42 f.

[60]) Rosenberg, Politisches Tagebuch, S. 59, Eintrag v. 12. März 1935. Immerhin kam Hitler die letztlich als Rechtfertigung der englischen Aufrüstung dienende Dokumentation nicht ungelegen, konnte er sie doch als Alibi und moralische Absicherung bei der Verkündung der allgemeinen Wehrpflicht benutzen. Vgl. Jacobsen, Außenpolitik, S. 411; dazu jetzt auch Kuhn, Hitlers Programm, S. 160.

Als eine unerträgliche Provokation und untrügliches Zeichen für die beherrschende Stärke der antideutschen Strömungen in der Londoner Politik stellte sich für Hitler die britische Antwort auf seinen „Friedensplan" vom 31. März 1936 dar[61]). Die „anmaßend ironische" Form des bekannten „Fragebogens" vom 8. Mai[62]) ließ offenbar keinen Zweifel darüber, daß Großbritannien nicht nur nicht zum Einvernehmen mit Hitler unter dessen Bedingungen bereit war und weiterhin auf den Völkerbund und kollektive Sicherheit setzte, sondern gar einen Rückgriff in die Mentalität von Versailles befürchten ließ, indem es die nach der Rheinlandbesetzung in Berlin bereits sicher geglaubte Stellung des Reiches als starke, geachtete und gleichberechtigte Macht in Europa in Frage stellte.

Vor aller Welt — das empfand Hitler als besonders verletzend — hatte gerade der potentielle Allianzpartner Zweifel am guten Willen, an der Loyalität und an der Ernsthaftigkeit der deutschen Friedensabsichten angemeldet[63]). Damit gab die Londoner Regierung, wie Hitler Botschafter Phipps gegenüber bitter vermerkte, allen „verständigungsfeindlichen Stellen Gelegenheit..., ihr Gift zu verspritzen"[64]). Die Empörung — nicht nur Hitlers sondern auch des Auswärtigen Amtes — über die „Zumutung... zunächst vor aller Welt Zusicherungen über unser künftiges Wohlverhalten zu verlangen" und über die „Methode des Kreuzverhörs"[65]), die darauf hinauslaufe, die einseitige Festlegung Deutschlands in allen denkbaren Fragen der europäischen Politik zu einer Vorbedingung weiterer Verhandlungen zu machen"[66]), findet sich in zahlreichen diplomatischen Aktenstücken und blieb so scharfsinnigen Beobachtern wie François-Poncet nicht verborgen[67]). Während sich die Reaktion

---

[61]) Abgedruckt bei Berber, Deutschland-England, Nr. 33, S. 93 ff.; engl. Wortlaut: DGFP, C, V, Nr. 242. Das deutsche Memorandum vom 31. 3. 1936 entstand als Antwort auf eine Anfrage der übrigen Locarno-Mächte zu Hitlers 7 Punkten vom 7. März 1936. Vgl. dazu Hildebrand, Weltreich, S. 487, der im deutschen Friedensplan nicht mehr als einen diplomatischen Schritt sieht, da Hitler seine Bereitschaft zu europäischer Zusammenarbeit durch die gleichzeitige Forderung nach Trennung der Völkerbundsatzung von den Versailler Verträgen und nach kolonialer Restitution entwertete.

[62]) Abgedruckt bei Berber, Deutschland-England, Nr. 34; engl. Wortlaut: DGFP, C, V, Nr. 313. Die zitierte Charakterisierung siehe Berber, S. 93.

[63]) Auch François-Poncet gestand, daß eine solche Tendenz den Charakter des Dokuments bestimmte: DDF, 2, II, Nr. 190, François-Poncet an Flandin vom 9. Mai 1936.

[64]) Aufz. Neuraths über Hitlers Unterredung mit Botschafter Phipps am 14. Mai 1936: PA Bonn, Büro Staatssekretär, Wiederbesetzung des Rheinlandes (Der Fragebogen); englischer Wortlaut: DGFP, C, V, Nr. 326. Bei der Gelegenheit zeigte Hitler auch seinen Unwillen über die Veröffentlichung des „Fragebogens".

[65]) PA Bonn, Pol II, England-Deutschland 1, Dieckhoff an die deutsche Botschaft in Brüssel v. 26. Juni 1936.

[66]) PA Bonn, Büro Staatssekretär, Westpakt 1, Undatiertes Resumé einer dem Britischen Botschafter mündlich zu erteilende Antwort.

[67]) Siehe z. B. DDF, 2, II, Nr. 190: François-Poncet an Flandin v. 9. 5. 1936; vgl. Anm. 63.

der Beamten der Wilhelmstraße jedoch nur auf kurzfristige Ziele bezog und etwa eine Erschwerung der anstehenden Verhandlungen über einen Locarno-Ersatz ins Auge faßte[68]), schien Hitler weiterreichende Erwägungen über England und seine Haltung anzustellen. Noch stärker als während der Rheinlandkrise selbst hatten die Engländer mit dem „Fragebogen" nun verdeutlicht, daß sie nicht nur auf der Basis der kollektiven Sicherheit verharrten und sich keinesfalls auf eine von Hitler gewünschte Teilung der Interessensphären einließen, sondern die deutschen Intentionen bereits in der revisionistischen Phase argwöhnisch im Auge behielten. Eine freie Hand nach Osten -- Sinn und Zweck der Hitlerschen Englandpolitik — würde unter diesen Umständen niemals im Bereich des Möglichen liegen. Als Hitler am 14. Mai 1936 den britischen Botschafter empfing, erteilte er dem bislang verfolgten Projekt eines Luftpaktes eine eindeutige Absage[69]) und äußerte sich enttäuscht über die britischen „Diskriminierungsakte gegen Deutschland"[70]).

Die These vom „böswilligen Nicht-verstehen-wollen, vom Egoismus und satter Selbstzufriedenheit" jenseits des Kanals erhielt infolge des „Fragebogens" auch bei Hitler steigendes Gewicht und förderte dessen wachsende Einsicht in die Aussichtslosigkeit seiner Freundschaftsbemühungen[71]). Indessen geschah dieses zu einer Zeit, als der „Führer" sich gerade anschickte, seinen vermeintlich besten Mann, Joachim von Ribbentrop, als Botschafter an den Hof von St. James zu entsenden, um den letzten Versuch zu machen, doch noch zu Bündnis und Partnerschaft mit dem Inselreich zu kommen[72]). Die Verflechtung von Allianzpolitik und Zweifel an deren Wirksamkeit und Möglichkeit erfuhr im Jahre 1936 ihre größte Dichte.

Wie aus Hitlers Sicht nach der Methode des Fragebogens eigentlich kaum anders zu erwarten war, zeigte sich Großbritannien auch in der Folge der sich endlos dahinschleppenden Verhandlungen über einen neuen Westpakt[73]) in keiner Phase bereit, den deutschen Wünschen nach zweiseitigen Abmachungen über klare Interessenfestlegungen entgegenzukommen, sondern hielt weiter am System der Regional- und Kollektivpakte fest. Ein solches Verfahren jedoch stand Hitlers Wunsch nach späterer ungehinderter Expansion diametral entgegen[74]). Es war daher kein Wunder, daß auf deutscher

---

[68]) Vgl. z. B. PA Bonn, Handakten Schmidt, 23, Politisches 3: Gesichtspunkte für die Beantwortung des englischen Fragebogens, Punkt 2: „Eine beschleunigte Einleitung von Verhandlungen dürfte deutscherseits angesichts der ungeklärten internationalen Situation nicht zweckmäßig erscheinen..."

[69]) DGFP, C, V, Nr. 326; vgl. Anm. Nr. 64.

[70]) Siehe den Bericht des Botschafters Phipps über diese Unterredung, abgedruckt bei Ott, Phipps, Beilage 32, S. 215.

[71]) Vgl. Aigner, Ringen um England, S. 294.

[72]) Zur Mission Ribbentrops allgemein vgl. Hildebrand, Weltreich, S. 493 ff., dort auch weiterführende Literaturangaben.

[73]) Gedruckte Akten der Westpaktverhandlungen in DGFP, C, V; den vollständigen Vorgang siehe PA Bonn, Westpakt, 1—2.

[74]) Vgl. François-Poncets treffende Beurteilung vom 2. 7. 1936: „Deutschland steht der These von der Organisation des Friedens durch das System der Regional-

Seite – zumal die Rheinlandbesetzung im Westen faktisch akzeptiert war — wenig Neigung bestand, Diskussionen, die in ähnliche Abkommen einmünden sollten, mit großem Eifer zu führen. Vielmehr war Verschleppung und Verzögerung oberstes Gebot, so daß die ausländische Presse — nicht zu Unrecht — den Eindruck gewann, Deutschland wolle die geplante Konferenz der Locarno-Mächte sabotieren[75]). Tatsächlich herrschte in Berlin, wie Außenminister Neurath Botschafter Hassell Ende September wissen ließ, „kein Interesse an einer besonderen Beschleunigung der diplomatischen Vorbesprechungen"[76]). Vor allem verwahrten sich die deutschen Diplomaten ganz im Sinne Hitlers gegen das Ansinnen, rein westliche Probleme mit Ostfragen oder gar Völkerbundsangelegenheiten zu koppeln[77]), also die in der Rheinlandaktion

---

pakte und Kollektivgarantien feindlich gegenüber"; DDF, 2, II, Nr. 379: François-Poncet an Außenminister Delbos. Siehe auch Hitlers prinzipielle Absage an das System der kollektiven Sicherheit in seiner „Friedensrede" vom 21. Mai 1935: „Wir denken nicht daran für jeden irgendwie möglichen von uns weder bedingten noch zu beeinflussenden Konflikt unser deutsches Volk, seine Männer und Söhne, vertraglich zu verkaufen! Der deutsche Soldat ist zu gut, und wir haben unser Volk zu lieb, als daß wir es mit unserem Gefühl von Verantwortung vereinbaren könnten, uns in nicht absehbare Beistandsverpflichtungen festzulegen." Bei Ausbruch eines Konfliktes sei es besser, wenn die übrige Welt sich sofort „von beiden Teilen zurückzöge, als ihre Waffen schon von vornherein vertraglich in den Streit hineintragen zu lassen". Zit. nach Siebarth, Hitlers Wollen, S. 46 f. Im Nachhinein sind Hitlers eigentliche Intentionen hinter diesen Worten natürlich transparent. Seine Hauptsorge war vielmehr, daß durch kollektive Sicherheitspakte andere Mächte, besonders England in einen Konflikt Deutschlands mit dritten Staaten eingreifen würden.

[75]) Vgl. PA Bonn, Büro Staatssekretär, Westpakt, 1: Informationstelegramm Dieckhoffs, der mit den Geschäften des Staatssekretärs betraut war, v. 19. Juni 1936.

[76]) Ebd., Brief Neuraths an Botschafter von Hassell in Rom v. 29. 9. 1936. Einen Überblick über den Verhandlungsablauf läßt die deutsche Verschleppungstaktik erkennen. Der grundsätzlichen Annahme der Einladung zu einer Fünfmächtekonferenz folgte im Juli die Forderung nach vorherigen eingehenden diplomatischen Vorbereitungen, auf denen die deutsche Seite auch im September noch bestand. (Vgl. ebd. Memorandum Dieckhoffs v. 10. Sept. 1936, auch: DGFP, C, V, Nr. 532). Eine Antwort auf das britische Memorandum vom 18. Sept. 1936 erfolgte erst am 14. Okt. nach detaillierten Beratungen mit den mißtrauischen Italienern, und auch dabei handelte es sich, wie Hassell Ciano zu verstehen gab, um einen „taktischen Zug". (PA Bonn, Unterstaatssekretär, Besuch Graf Cianos in Berlin, Hassells Tel. an AA v. 15. 10. 1936; DGFP, C, V, Nr. 602). Im November 1936 hatte man in Berliner Journalistenkreisen zwischenzeitlich den Eindruck, daß die Westpaktfrage gänzlich abgestoppt sei. (PA Bonn, Büro Ribbentrop, Vertrauliche Berichte 1,1 Nov. 1936). Die Verhandlungen siechten jedoch noch über das ganze Jahr 1937 dahin. (Vgl. Weizsäcker zu Attolico am 27. 7. 1937: „ ... daß wir eine Antwort an die englische Regierung in allernächster Zeit wohl nicht geben würden: PA Bonn, Staatssekretär, Westpakt 2).

[77]) Vgl. Unterredung Dieckhoffs mit François-Poncet v. 1. 9. 1936: PA, Bonn, Staatssekretär, Westpakt 1 und ebd., Unterredung Dieckhoffs mit Phipps v. 2. 10. 1936, sowie ebd. die deutsche Antwortnote vom 14. 10. 1936; auch: DGFP, C, V, Nr. 596, die ausdrücklich die Verkoppelung mit dem Völkerbund ablehnt.

gewonnenen Vorteile mit Stillhalteversprechen für die östlichen Reichsgrenzen zu begleichen. Während die Beamten der Wilhelmstraße in einem solchen Junktim eine Gefährdung ihrer Revisionsträume sahen, wäre für Hitler die Realisierung seines gesamten „Programms" unmöglich geworden. Botschafter von Ribbentrop teilte daher dem stellvertretenden britischen Außenminister Lord Halifax am 14. Februar 1937 mit, „Deutschland werde niemals eine Verquickung östlicher Probleme mit einem eventuell abzuschließenden neuen Westpakt zulassen"[78]. Statt dessen — und an diesem Punkt sprach Ribbentrop ganz eindeutig als Stimme seines „Führers" — plädierte der Botschafter für eine „klare Festlegung der gegenseitigen vitalen Interessen zu See und zu Lande"[79]. Das deutsche und das britische Volk sollten sich davor hüten, „je wieder in einen Krieg hineingezogen zu werden, in dem sie sich für Interessen, die sie nicht vital berühren, als Feinde gegenübertreten würden"[80]. Was in den diplomatischen Verhandlungen und Notenwechseln bisher nur implizit unter der Oberfläche lag, wurde hier von Ribbentrop ausgesprochen: Hitlers wahren Grund für seine Abneigung gegen die britische Politik der kollektiven Pakte. Er enthielt die alte Werbung um England, das verlockende Angebot auf der Basis einer Interessenteilung, nicht der kollektiven Sicherheit, zur Partnerschaft zu gelangen; gleichzeitig aber erging — wenn auch wohl aus taktischen Gründen — auf dem düsteren Hintergrund einer möglichen erneuten deutsch-britischen Auseinandersetzung die Warnung an die Londoner Regierung, sich nicht auf Grund solcher multilateraler Absprachen außerhalb ihrer vitalen Machtsphären zu engagieren, sprich: in den Aktionsradius der jetzt noch anscheinend revisionistischen, später dann offen expansiven deutschen Politik hemmend einzugreifen. Hitler glaubte für diesen Schreckschuß offenbar Grund zu haben, denn sein Botschafter gab Halifax zu verstehen, daß in deutschen Augen England sich bisher zu der Erkenntnis, „in keiner Weise durchgerungen"[81] habe, daß nämlich eine

---

[78] PA Bonn, Pol II, England-Deutschland 3: Ribbentrops Aufzeichnungen über die Unterredung. Dieser Satz erscheint nicht in den Teilabdrucken bei Berber, Deutschland-England, Nr. 41, und bei Hildebrand, Weltreich, Dok. Nr. 57, S. 898 ff.

[79] ebd., sowie Berber, Deutschland-England, Nr. 41, S. 119, Hildebrand, Weltreich, Dok. Nr. 57, S. 901 f.

[80] ebd., Eine Verteidigung der „wahren" Interessen, die nach Hitlers Meinung jedoch nicht in Mittel- und Osteuropa lagen, hatte Hitler den Engländern ja immer zugestanden. Vgl. selbst Hitlers Rede vom 12. 9. 1938 in Nürnberg: „Wir verstehen es, wenn England und Frankreich ihre Interessen in einer ganzen Welt vertreten", aber der Westen sollte ebenso einsehen, „daß es auch deutsche Interessen gibt, die wir entschlossen sind wahrzunehmen, und zwar unter allen Umständen". Zit. nach Berber, Deutschland-England, Nr. 58, S. 143. Da es aber, von den Kolonien abgesehen, keinen echten Interessengegensatz zwischen Deutschland und England nach Hitlers Meinung gab, würde es eine neue Auseinandersetzung zwischen beiden Völkern nur dann geben, wenn England sich für Angelegenheiten engagieren würde, die, wie in Mittel- und Osteuropa, zwar Deutschland, nicht aber Großbritannien vital berührten.

[81] Berber, Deutschland-England Nr. 41.

Gegnerschaft zu Deutschland lebenswichtigen Anliegen des Empire zuwiderlaufe. Führen wir die wie gewöhnlich überpointierten Ausführungen Ribbentrops auf ihren Kern zurück, so bleibt neben der alten Bündniskonzeption die verstärkte Sorge Hitlers, Großbritannien werde sich aus den bekannten inneren Gründen seinem Werben entziehen, in den erstarrten Formeln der kollektiven Sicherheit und damit in den Fesseln des jüdisch-bolschewistisch beherrschten Völkerbundes verharren. Im letzteren Fall hätte England, wie mehrfach gezeigt, seine Bündnisfähigkeit mit dem nationalsozialistischen Deutschland eingebüßt.

Zur Zeit des diplomatischen Ringens um den neuen Westpakt verfaßte Hitler im August 1936 seine bekannte Denkschrift für den Vierjahresplan[82]). Sie manifestierte einmal mehr die ungebrochene Kontinuität des Lebensraum-„Programms" aus den zwanziger Jahren und dessen enge Verquickung mit antibolschewistischen Vorstellungen[83]). Jedoch — und in diesem Punkt unterscheidet sich das Schriftstück grundlegend von den Ausführungen in „Mein Kampf" — seien Hitlers Meinung zufolge lediglich Italien und Japan in der Lage, den Kampf mit dem Weltkommunismus aufzunehmen[84]). Von der germanischen Herrenrasse Britanniens war bezeichnenderweise nicht mehr die Rede. Statt dessen klang erstmalig der Gedanke eines deutsch-italienisch-japanischen Dreierpaktes an, jedoch noch mit einer eindeutig antisowjetischen, also „programmatischen" Zielsetzung. Zur etwa gleichen Zeit verabschiedet Hitler Botschafter von Ribbentrop mit den Worten „Bringen Sie mir das englische Bündnis!"[85]) nach London. Trotz allem hat er sich also noch nicht unwiderruflich von seiner Lieblingsidee getrennt, wohl aber sollte Hitlers neuer Botschafter „die endgültige Klärung gegenüber Großbritannien"[86]) erreichen.

Hitlers Skepsis hinsichtlich der britischen Verständigungsbereitschaft mußte sich durch die Haltung der britischen Regierung zum Spanischen Bürgerkrieg weiter intensivieren. Es läßt sich dokumentarisch nicht belegen, ob Hitler damals noch ernsthaft eine gemeinsame Aktion der beiden Mächte Deutschland und England gegen den bolschewistischen Hauptfeind, der nun auch auf der iberischen Halbinsel Fuß zu fassen suchte, erhofft hatte. Ein Vorgehen dieser Art hätte jedenfalls Hitlers Vorstellungen von der erwünschten deutsch-britischen Partnerschaft entsprochen[87]). Die antibolschewistische Komponente der Werbung und Warnung an die englische Adresse kam nun

---

[82]) Veröffentlicht von Wilhelm Treue, VfZg 3, 1955, S. 204—210.
[83]) Vgl. Gerhard Meinck, Hitler und die deutsche Aufrüstung 1933–1937, Wiesbaden 1959, S. 164 ff.
[84]) Vgl. Dieter Petzina, Autarkiepolitik im Dritten Reich, Der nationalsozialistische Vierjahresplan, Stuttgart 1968, S. 49.
[85]) J. von Ribbentrop, Zwischen London und Moskau, S. 93.
[86]) Vgl. Hildebrand, Weltreich, S. 491.
[87]) Vgl. Aigner, Ringen um England, S. 302.

auch in größtem Maße zum Tragen[88]). Die Gefahr der Bolschewisierung ganz Europas, der besonders demokratisch regierte Völker ausgesetzt seien, konnte den Engländern von Hitler nicht deutlicher vor Augen geführt werden[89]). Ungeachtet dessen suchte die Londoner Regierung ihr Heil in der kollektiv organisierten Nichteinmischung. Diese in nationalsozialistischen Augen „theatralischen Diplomatievorgänge"[90]) verhinderten Hitlers Meinung nach eine entschlossene Gegenaktion der „völkisch"-nationalen Kräfte Europas und dienten damit — für Hitler sicherlich ein erneuter Beweis für die Identität von Demokratie und Marxismus — ganz im Sinne ihrer Haupturheber der „roten" Sache in Spanien[91]). Entsprechend konnte die deutsche Mitarbeit im Londoner Nichteinmischungsausschuß niemals mehr als allenfalls formelle Zustimmung sein, meist aber sich in hinhaltender und verzögernder Taktik erschöpfen, allein schon deswegen, weil das Komitee sich notwendig gegen die faktische Intervention Italiens und des Reiches wenden mußte. So entwickelte sich die Spanienfrage zur bis dahin stärksten Belastung des deutschenglischen Verhältnisses[92]). Die im Hinblick auf die deutsche Spanienpolitik besonders erfolgreich von der britischen Presse betriebene Polarisierung zwischen Demokratie hier und faschistischer Diktatur dort[93]) tat sicherlich ein Übriges, um Hitler zu überzeugen, daß Großbritannien für das deutsche

---

[88]) Vgl. dazu Kuhn, Hitlers Programm S. 196 ff. Gegen Kuhns These, daß die Antibolschewismus-Propaganda lediglich taktisch zu werten sei, muß jedoch eingewandt werden, daß gerade hier die Verschmelzung von Taktik und grundsätzlicher Überzeugung offenkundig wird. Als taktisches Manöver ist zweifellos die Steigerung der antikommunistischen Propaganda anzusehen. Der Antibolschewismus selbst war jedoch nicht nur Mittel zum Zweck, sondern vielmehr die ideologische Grundlage der von Hitler erstrebten deutsch-britischen Partnerschaft, wie sich aus Hitlers Weltanschauung in „Mein Kampf" und dem „Zweiten Buch" schlüssig ergibt. Damit verknüpft ist die machtpolitisch-rationale Grundsatzüberlegung, daß in Hitlers Augen die deutschen und britischen Interessen nirgendwo kollidierten.

[89]) Vgl. dazu etwa Hitlers Ausführungen auf dem Nürnberger Parteitag 1936: „Die Demokratie zersetzt die europäischen Staaten zusehends... Sie ist der Kanal, durch den der Bolschewismus seine Giftstoffe in die einzelnen Länder fließen und dort solange wirken läßt, bis diese Infektion zu einer Lähmung der Einsicht und der Kraft des Widerstandes führt." Zit. nach Die Reden des Führers am Parteitag der Ehre 1936, München 1936, S. 78. Diese Mahnung ging deutlich an die Adresse Englands.

[90]) Frank, Im Angesicht des Galgens, S. 212.

[91]) Vgl. Ribbentrops rückschauende Ausführungen zum spanischen Botschafter Vidal y Saura am 2. 12. 1942. Dort charakterisierte der Reichsaußenminister den Nichteinmischungsausschuß als „eine Art Völkerbund ... lediglich um unter der Maske eines internationalen Anstrichs die nationalen Bestrebungen des Generals Franco zunichte zu machen". Ribbentrop verwies ferner auf die gemeinsame Frontstellung Edens und des sowjetischen Botschafters in London Maiski gegen die deutschen Vertreter. PA Bonn, Büro RAM, F 7, 409 ff.

[92]) Vgl. ebd., sowie Aigner, Ringen um England, S. 302. Zur britischen Haltung im Spanischen Bürgerkrieg vgl. demnächst die in Vorbereitung befindliche Dissertation von B. Johannes (Berlin).

[93]) Vgl. Aigner, ebd., S. 256.

Verhalten, das ja gerade auch eine Frontstellung der national-„völkischen"
Staaten gegenüber jüdisch-bolschewistisch Interessen verdeutlichen sollte,
eine völlige Verständnislosigkeit an den Tag legte. Eine Zusammenarbeit
mit den Westmächten konnte er auf dieser Basis nicht befürworten, ja, es
gibt, Hinweise, daß Hitler vom Auswärtigen Amt eine weitaus kompromiß-
losere Haltung des Reiches im Ausschuß verlange[94]. Die mehrfache Beschießung deutscher Kriegsschiffe durch republikanische Einheiten im Frühsommer 1937 lieferten ihm dann den willkommenen Vorwand, die Beteiligung
Deutschlands vorerst einzustellen[95]. Darüber hinaus war ihm die Reaktion
der Briten auf die Vorfälle im Mittelmeer ein besonderer Anlaß zu Enttäuschung und Empörung. Konnte er auch nicht erwarten, daß in London seine
tiefe Entrüstung über die „rot"-spanischen Angriffe[96] gänzlich geteilt würde,
so hatte man deutscherseits doch gehofft, „daß die englische Regierung nunmehr ihre bisherige wohlwollende Haltung gegenüber den roten Machthabern
in Valencia ändere"[97], worunter Hitler sicher verstehen mochte, England
werde nun endlich ganz oder teilweise auf seine Linie einschwenken. Doch,
aus Hitlers Perspektive gesehen geschah weder das eine noch das andere;
stattdessen brachte man jenseits des Kanals nicht einmal deutschen Gegenmaßnahmen, wie der Beschießung von Almeria, Verständnis entgegen. Hitler
revanchierte sich, indem er den geplanten Besuch seines Außenministers
Neurath in London vorläufig absagen ließ[98]. Insofern verlief auch der Test-
fall Spanien für Hitler negativ, wenn man ihn unter dem Gesichtspunkt der
Möglichkeit eines deutsch-britischen Zusammengehens betrachtet. Ob infolge
der daraus resultierenden wachsenden antibritischen Einstellung Hitlers der
Einsatz der „Legion Condor" mehr und mehr die zusätzliche Bedeutung er-
langte, daß ein deutschfreundliches Franco-Spanien eine strategische Basis

[94]) Vgl. z. B. François-Poncets Bericht an Delbos v. 11. 12. 1936, DDF, 2, IV, Nr. 130:
      Hitler selbst habe sich weiter heftig gewehrt, die von der Wilhelmstraße vorge-
      schlagene relativ günstige Antwort auf die britische Friedensinitiative in der
      Spanienfrage zu akzeptieren.
[95]) Siehe ADAP, D, III, Nr. 268, Neurath an Botschafter in London v. 30. 5. 1937,
      und: Woermanns Telegramm an das AA v. 31. 5. 1937: PA Bonn, Staatssekre-
      tär, Nichteinmischung, 1. Zu den Zwischenfällen und den sich anschließenden
      diplomatischen Verhandlungen siehe Manfred Merkes, Die deutsche Politik
      gegenüber dem spanischen Bürgerkrieg 1936—1939, Bonn 1961, erweiterte
      Neuauflage Bonn 1969, S. 274 ff.
[96]) Zu Hitlers Empörung über die Zwischenfälle vgl. William L. Shirer, A Berlin
      Diary, London 1941, S. 65: Aus Hitlers nächster Umgebung sei berichtet wor-
      den, Hitler habe vor Wut geschäumt und sei nur mit Mühe von Armee und
      Marine von unüberlegten Handlungen zurückgehalten worden. Hitlers Haltung
      spiegelte sich auch in der auffallend „scharfen Sprache" und dem „offensiven
      Ton" der deutschen Presse wider: BA Koblenz, ZSg 101/9, Brammer, Anwei-
      sung 31. 5. 1937.
[97]) Siehe Aufzeichnung Neuraths über Unterredung mit Botschafter Henderson
      v. 31. 5. 1937: ADAP, D, III, Nr. 271.
[98]) Vgl. dazu Abschnitt 3c dieses Kapitels.

auch gegen Großbritannien bieten würde[99]), mag dahingestellt bleiben. Eine solche Konstellation konnte bereits durch ihre Existenz den möglichen britischen Widerstand gegen die deutschen Pläne im Osten verhindern helfen, zum andern aber auch im konkreten Fall einer deutsch-englischen Auseinandersetzung unschätzbare Dienste leisten[100]). Die Einbeziehung des Wirtschaftspotentials der Pyrenäenhalbinsel in die Vorbereitungen der Expansionspolitik würde sich in jedem Fall günstig auswirken, auch wenn — wie Hitler weiterhin primär erstrebte — das Hauptangriffsziel im Osten lag[101]).

Hingegen ließ sich ebenfalls nicht übersehen, daß die Engländer trotz der gezeigten Haltung sich letztlich doch nicht zu einem aktiven Eingreifen gegen die Intervention der Diktatoren aufraffen konnten[102]). Mochte sich, mit Hitlers Maßstäben gemessen, die Haltung Englands zur deutschen Politik diplomatisch und propagandistisch versteift haben, seinen Ambitionen in Spanien konnte Hitler dennoch nahezu ungestört nachgehen. Selbst in Fällen, die sich moralisch nicht so leicht rechtfertigen ließen wie die Rheinlandbesetzung und militärische Operationen deutscher Verbände weit außerhalb der Reichsgrenzen am Atlantik und im Mittelmeer einschlossen, zeigte sich England zwar nicht zum offenen Einverständnis, so doch auch nicht zum aktiven Widerstand bereit. Hitler durfte mit einiger Berechtigung die Hoffnung hegen, daß sich England nicht anders verhalten würde, wenn die nächsten

---

[99]) Vgl. Hildebrand, Deutsche Außenpolitik, S. 50.

[100]) Insofern waren zeitgenössische britische Vermutungen, Deutschland wolle sich in Spanien strategische Vorteile für den künftigen Krieg im Westen sichern, (vgl. Aigner, a.a.O., S. 302) nicht ganz abwegig. Solche Prophezeiungen beruhten hingegen nicht auf einer differenzierten Analyse des Hitlerschen „Programms", sondern wohl auf Erwägungen, daß man nach der Rheinlandbesetzung und angesichts der deutschen Intervention in Spanien nicht mehr so recht an deutsche Ziele im Osten glauben konnte, sondern in Hitler den übersteigerten antiwestlichen Imperialisten wilhelminischer Prägung zu sehen neigte, dessen grundsätzlicher Hauptgegner das meerbeherrschende Empire sei.

[101]) Über die wirtschaftlichen Motive der faschistischen Intervention vgl. vor allem Marion Einhorn, Die ökonomischen Hintergründe der faschistischen deutschen Intervention in Spanien 1936–1939, Berlin 1962. Einhorn sieht dabei aus marxistischer Sicht die Spannungen zwischen Deutschland und England als Zuspitzung der imperialistischen Gegensätze und den deutschen Versuch, den ökonomischen und politischen Einfluß Frankreichs und vor allem Englands in Spanien zurückzudrängen, als die eigentliche Ursache der deutschen Intervention zugunsten Francos, aus der dann die Einbeziehung Spaniens in die Kriegsvorbereitungen Hitlerdeutschlands resultierten. (Vgl. S. 1 ff.) Mochte die deutsch-britische Wirtschaftsrivalität für starke wirtschaftsexpansionistische Kräfte faktisch und objektiv der tiefere Grund des Spanienunternehmens gewesen sein, für unsere Fragestellungen bleiben solche Erwägungen irrelevant, da wir uns auf Hitlers Perspektive beschränken und Hitler sich, so weit wir sehen können, nicht aus antibritischen, sondern hauptsächlich aus antibolschewistischen Motiven zur Intervention entschloß.

[102]) So hatte ein Großteil der britischen Presse zeitweilig gefordert: vgl. Aigner, Ringen um England, S. 256 ff. Unberücksichtigt bleibt, ob die englische Regierung eine solche Möglichkeit überhaupt jemals erwog. Vgl. auch Hildebrand, Deutsche Außenpolitik, S. 50.

deutschen Aktionen — wie geplant — sich östlich und südöstlich der Reichsgrenzen abspielten. Wenn auch das Bündnis mit Großbritannien immer unwahrscheinlicher wurde, eine ernsthafte Gefahr für die Verwirklichung seines
„Programms" schien weder vom Völkerbund[103]) noch von England auszu-
gehen.

Die Hoffnung auf eine *Partnerschaft* war im Laufe des Jahres 1936 immer mehr geschwunden. Jenseits des Kanals warnten die Verständigungs-
gegner lauter denn je vor der Gefahr, die dem Land vom nationalsozialistischen Deutschland drohte, und Hitler glaubte jetzt in Churchill, Eden und Duff
Cooper die Hauptexponenten jener Strömungen zu erkennen, die eine Verständigung zwischen beiden Völkern hintertrieben. Churchill zeichnete die
deutsche Aufrüstung in grellsten Farben, wobei er, wie die deutsche Botschaft dem Auswärtigen Amt in Berlin meldete, selbst im Unterhaus vor
Zahlenmanipulationen nicht zurückschreckte[104]). Seine Zeitungsaufsätze, wie
der vom 3. April 1936 im „Evening Standard" unter dem Titel „Stop it
Now"[105]), sowie die berühmte „Balance-of Power"-Rede im Mai 1936, in der
der konservative Politiker von der notwendigen „Zerstörung des neuen Kar-
thago" sprach[106]), dürften Hitlers Aufmerksamkeit kaum entgangen sein.
Aus ihnen und anderen symptomatischen Anzeichen[107]), die aus England
herüberkamen, mußte der deutsche „Führer" entnehmen, daß ein von diesen
Kreisen geführtes England nicht allein eine Allianz mit Deutschland ablehnte,
sondern auch jede Hegemonialbildung auf dem Kontinent bekämpfen
würde[108]). Einen Höhepunkt der innerenglischen Kampagne gegen die deutsche Aufrüstung bildete der von Außenminister Eden gesammelte Akten-

---

[103]) Vgl. Jacobsen, Außenpolitik, S. 422.
[104]) PA Bonn, Handakten Schmidt 23, Politisches 3, Tel. v. 24. 4. 1936 an das AA:
Churchill habe „zum Beispiel Straßenbaukosten glattweg unter Rüstungsausgaben rubriziert".
[105]) PA, Bonn, Pol II, England-Deutschland 3.
[106]) Siehe Fritz Hesse, Das Spiel um Deutschland, München 1953, S. 69.
[107]) In seinem Jahresbericht für 1936 stellte Botschafter Phipps am 12. 1. 1937 eine
Liste all jener Ereignisse und Äußerungen zusammen, die Hitler als Provokation von englischer Seite empfunden habe: PRO London, FO 371/20743, C/
357/357. Es finden sich hier vor allem Reden Duff Coopers und Äußerungen
des kommunistischen Unterhausabgeordneten Gallacher.
[108]) Nach Hesse, Spiel um Deutschland, S. 69, soll Hitler auf Churchills Rede im
Mai 1936 mit den Worten reagiert haben: „Wenn die traditionelle englische
Politik wirklich darin besteht, durch Allianzen mit den Schwachen die stärkste
Macht des Kontinents einzukreisen, dann muß ihre Politik sich gegen uns
wenden." Es sind dies erste Zweifel an Hitlers These von der „imperialen"
Gleichgewichtspolitik. Zur Einschätzung Churchills durch Hitler vgl. auch
Frank, Im Angesicht des Galgens, S. 371; danach bezeichnete Hitler im Januar
1940 Churchill als „eine Art verspäteten Clemenceau..." und „den Toten-
gräber Englands". Beachtenswert ist, daß Hitler im Januar 1940 Churchill nicht
mit England identifiziert, sondern in Übereinstimmung mit seinem ursprünglichen Englandbild in ihm den Politiker sieht, der wider Großbritanniens echte
Interessen handelt und damit den Untergang des Empire bereitet.

dossier mit dem Titel „Die deutsche Gefahr", der über den italienischen Botschafter in London, Dino Grandi, in Mussolinis Hände geriet und von Außenminister Ciano anläßlich seines Deutschlandbesuches im Herbst 1936 – aus leicht erklärbaren Motiven[109]) – Hitler als Präsent überreicht wurde[110]). Für Hitler stellte sich die deutschfeindliche Richtung damit nicht mehr nur als eine Angelegenheit einer privaten, wenn auch noch so einflußreichen Gruppe dar, sondern als Bestandteil der offiziellen britischen Politik[111]). Seine Reaktion auf die Aktensammlung, welche zumeist aus warnenden Berichten der britischen Botschafter in Berlin von Frühjahr 1933 bis Ende 1935 bestand, die Außenpolitik des nationalsozialistischen Deutschlands als Zerstörung der europäischen Friedensordnung geißelte und die sofortige intensive eigene Aufrüstung forderte, gestaltete sich zu den bis zu jener Stunde heftigsten antibritischen Ausfällen, während bislang eher Sorge und Resignation seiner Enttäuschung über die Haltung Großbritanniens entsprangen[112]). Über die ursprüngliche Bündniskonzeption verlor Hitler gegenüber Ciano kein Wort mehr, stattdessen erwog er, aus der bisherigen „passiven Haltung" heraus politisch „zum Angriff überzugehen". Es bestehe, so ließ er verlauten, nun kein Zweifel mehr darüber, daß England eines Tages Italien oder Deutschland oder auch beide angreifen werde[113]). Erneut begegnet uns Hitlers Gedanke, daß die Leiter der britischen Politik ein Ausgreifen des Reiches nach Osten und Südosten, und damit eine deutsche Hegemoniebildung auf dem Kontinent mit ziemlicher Sicherheit unter Einsatz aller Mittel verhindern würden. Der rückblickende Betrachter hat indessen keinen Anlaß, diese aus dem konkreten Augenblick heraus geborenen emotionalen Äußerungen überzubewerten. Wie aus den Akten hervorgeht, unterhielt man sich in Berlin mit dem italienischen Außenminister hauptsächlich über die Gegnerschaft beider Staaten zum Weltkommunismus und versuchte, eine gemeinsame

---

[109]) Vgl. dazu Colvin Vansittart, S. 115: Mussolini habe von Baldwins Absicht erfahren, mit Deutschland bessere Beziehungen als mit Italien herzustellen.

[110]) Vgl. Helmuth K. G. Rönnefarth, Die Sudetenkrise in der internationalen Politik, 2 Bde., Wiesbaden 1961, S. 14. Bereits im September 1936 erzählte Mussolini Hans Frank von der Dokumentensammlung (siehe Les archives sécrètes du Comte de Ciano, künftig: CAS, Paris 1948, S. 41, Unterredung Mussolini—Frank v. 23. 9. 1936), so daß anzunehmen ist, daß Hitler bereits von ihrer Existenz wußte, bevor sie ihm von Ciano am 24. 10. 1936 in Berlin überreicht wurde. (CAS, S. 56). Zum Inhalt des Dossiers siehe auch Fabry, Mutmaßungen über Hitler, S. 219.

[111]) Tatsächlich hatte der Aktendossier unter anderem dem britischen Kabinett vorgelegen: Siehe PRO London, CAB 13 (36), zit. in Wirth, Und London schweigt, Die WELT v. 25. 1. 1968.

[112]) Vgl. z. B. die allerdings mit Vorsicht zu benutzenden Erinnerungen Filippo Anfusos, Rom—Berlin im diplomatischen Spiegel, München 1951, S. 27. Danach habe sich Hitler während des Parteitages in Nürnberg geäußert, „mit den Engländern sei nichts mehr zu machen".

[113]) Siehe CAS, S. 56.

Linie in den laufenden Westpaktverhandlungen[114]) und in der Völkerbundsfrage abzustimmen[115]).

Die „Achse" Berlin-Rom, die sich mit dem Ciano-Besuch am politischen Horizont abzuzeichnen begann, sollte sich noch nicht gegen Großbritannien richten — wenn Außenminister Neurath in ihr auch ein „Gegengewicht gegen den englischen Einfluß im Mittelmeer" sehen mochte[116]) —, sondern vielmehr Hitlers unverändert vorherrschendem Wunsch entsprechend nach London verlängert werden[117]), wenn das irgendwie noch möglich erschien.

Indessen hatten die deutschen Vertretungen in Großbritannien bereits während des vorhergehenden Sommers bestätigt, daß Edens Schlußfolgerungen aus dem Aktendossier in die Tat umgesetzt wurden. Der ehemalige Außenminister Hoare hielt eine große Aufrüstungsrede[118]) und begab sich „mit bemerkenswerter Energie" an seine neue Aufgabe als Marineminister, „die englische Seemacht zu verstärken ... tatsächlich eine ganz neue Flotte zu bauen"[119]). Die konservative Opposition vertrat offen die Meinung, man solle die Sanktionen gegen Italien aufgeben, „um das nächste Mal einem Angreifer wirkungsvoller entgegentreten zu können", wobei „mit geradezu erstaunlicher Offenheit" Deutschland als nächster Angreifer genannt wurde[120]). Sprach man hier noch von vorsorglichen Maßnahmen für den Fall einer deutschen Aggression gegen England — und eine solche hatte Hitler ja weder damals noch vorher erwogen —, so besaßen in Hitlers Augen jene Berichte größeres Gewicht, die besagten, daß England, abgesehen von aller Abneigung gegen die Methoden der deutschen Außenpolitik und abgesehen von der Furcht vor einem deutschen Angriff, prinzipiell an einem Einvernehmen mit Deutschland nicht interessiert war. Praktisch erhielt Hitler mit solcher Art von Analysen die definitive Bestätigung dessen, was er aus all den bisher geschilderten „Signalen" folgern mußte: Sein Bündniskonzept mit England, in dessen Schatten er seinen Zug gen Osten durchführen wollte, ließ sich nicht verwirklichen, da die britische Regierung unter Mißachtung der wahren Interessen ihres Landes einen solchen Plan eindeutig zurückwies, ja, sogar einen erneuten Krieg gegen Deutschland in ihr Kalkül mit einbezog. Wieder

---

[114]) Vgl. z. B. PA Bonn, Staatssekretär, Besuch Cianos in Berlin, Vertrauliches Protokoll nicht zur Veröffentlichung, und ebd. Unterstaatssekretär, Besuch Graf Cianos, Rundtelegramm Neuraths, v. 23. 10. 1936.

[115]) ebd., Entwurf für das interne Protokoll, Punkt 2: Italiens Austritt aus dem Völkerbund würde die deutschen Angebote v. 7. und 31. 3. 1936 zum Wiedereintritt in den Völkerbund hinfällig machen.

[116]) So Neurath zum ungarischen Gesandten Sztojay, siehe Sztojays Bericht vom 30. 10. 1936: Ungarische Dokumente, I, Nr. 168.

[117]) Vgl. dazu besonders DDF, 2, III, Nr. 462, François Poncet am 10. 11. 1936 an Delbos: „Son ambition est plutôt de prolonger l'axe Rome-Berlin par Londres..." Vgl. auch DDF, 2, IV, Nr. 215 v. 5. 1. 1937.

[118]) PA Bonn, Handakten Schmidt 24, Politisches 4, DNB-Meldung v. 25. 6. 1936.

[119]) PA Bonn, Pol II, England, Allgemeine auswärtige Politik 1, Botschaft in London an AA v. 17. 7. 1936.

[120]) ebd., Botschaft in London an AA v. 24. 6. 1936, Bericht über die Unterhausdebatte vom gleichen Tag.

müssen wir offen lassen, welche Berichte Hitler im einzelnen wirklich gelesen hatte. Mit einiger Sicherheit darf jedoch angenommen werden, daß er die wichtigsten, besonders wenn sie eine solche Grundtendenz beinhalteten, vorgelegt bekam, zumal nicht allein Ribbentrop, sondern anscheinend auch Neurath den „Führer" von seinen Illusionen über England befreit sehen wollte[121]).

„Deutschland würde einen großen Fehler begehen, wenn es darauf rechne, Großbritanniens Freundschaft zu gewinnen", soll Hoesch nach Phipps Informationen bereits Ende März 1936 an seine Regierung berichtet haben[122]). Im Mai warnte Pressebeirat Hesse, „es sei falsch, wenn man auf dem Kontinent annehme, daß Großbritannien die Politik der kollektiven Sicherheit und des Völkerbundes aufgebe"[123]). Ja, ein großer Teil der Öffentlichkeit in England sei überzeugt, „ein Krieg sei über kurz oder lang unvermeidlich"[124]), meldete die deutsche Botschaft aus London im Juni. Selbst ein an sich unpopuläres Bündnis mit der Sowjetunion sei in Zukunft nicht ausgeschlossen, „sofern eben die Befriedigung Europas auf anderem Wege durch deutsche Sabotage und durch Deutschlands Fortentwicklung vom westlichen Zivilisationskreis ... hintertrieben werden sollte"[125]). Auch dürften freundliche Worte an die Adresse Deutschlands nicht darüber hinwegtäuschen, daß die Politik Edens und des Foreign Office „in keiner Zeit enger auf die französische Freundschaft aufgebaut war, als heute", hieß es im November ebenfalls aus London[126]). Eden selbst erschütterte Hitlers letzte Hoffnungen, mit England doch noch zu einer klaren Interessenaufteilung zu kommen, als er Mitte Dezember in Bradford erklärte, „England könne sich ... nicht in diesem oder jenem Teil der Welt für uninteressiert erklären in der vagen Hoffnung, daß dieses Gebiet England nicht berühren werde"[127]). Konsequent

[121]) Mit ähnlichen Worten äußerte sich Neurath über die Zweckmäßigkeit der britischen Aktensammlung und ihrer Wirkung auf Hitler, zit. nach Rönnefarth, Sudetenkrise, S. 14.
[122]) Ott, Phipps, S. 211, Beilage 30, Bericht Phipps v. 19. 4. 1936 an das Foreign Office; er, Phipps, habe aus guter Quelle von dieser Meldung Hoeschs gehört. Aus den DGFP läßt sich Phipps Information allerdings nicht belegen.
[123]) PA Bonn, Pol II, England-Deutschland 1, Pressebeirat Hesse über Unterredung mit einer Person aus der Umgebung Baldwins v. 12. 5. 1936.
[124]) PA Bonn, Pol II, England, Allgem. auswärtige Politik 1, Botschaft in London (Bismarck) an AA v. 26. 6. 1936.
[125]) PA Bonn, Pol II, England-Deutschland 1, Bericht des Aufklärungsausschusses Hamburg-Bremen über das Gespräch eines V-Mannes mit einem Beamten des Foreign Office. Der Bericht wurde an die Adjutantur des Führers weitergeleitet.
[126]) PA Bonn, Pol II, England, Allgem. auswärtige Politik 2, Botschaft in London an das AA über die Unterhausdebatte v. 5. 11. 1936.
[127]) ebd., DNB-Meldung v. 14. 12. 1936. Dieser Tenor zieht sich auch durch Edens Reden im Jahre 1937. Vgl. z. B. ebd., DNB-Bericht v. 15. 10. 1937 über Rede in Llandudno vom gleichen Tag: England könne nicht ausschließliche Freundschaften schließen, andere Länder aber verschmähen; oder Unterhausrede v. 2. 11. 37, PA Bonn, Pol II, England-Deutschland 5, Botschaft in London an AA: „... daraus folgt, daß wir uns weder einem antikommunistischen noch einem antifaschistischen Block anschließen werde..."

notierte man im Auswärtigen Amt im November „daß grundsätzlich verschiedene Auffassungen über die Notwendigkeiten der europäischen Politik" zwischen Berlin und London bestünden, wobei — und das ist ein eindeutiger Seitenhieb gegen Hitlers Vorstellungen — ein „Festhalten am Völkerbund und seiner Ideologie sowie Ablehnung weltanschaulich bestimmter Frontenbildung auf englischer Seite" festzustellen sei[128]. Daß mit der unmißverständlichen Ablehnung einer engen Partnerschaft mit Deutschland gar eine Frontwendung gegen das Reich parallel lief, bestätigte Botschafter von Papen in einem Bericht vom 16. Dezember „an den Führer und Reichskanzler". „Die Entscheidung Großbritanniens sei bereits gegen Deutschland gefallen," so hatte, Papens Information zufolge, es in einer Meldung des österreichischen Gesandten in London von Franckenstein an das Bundeskanzleramt in Wien geheißen, und „die Londoner Diplomatie arbeite bereits faktisch auf eine Einkreisung Deutschlands hin"[129]. Als Eden im Unterhaus am 19. Januar 1937 befürchtete, Deutschland habe „die Rasse und den Nationalismus zu einem Glaubensbekenntnis erhoben, das mit derselben Inbrunst ausgeübt wird, wie es verkündet wird"[130]), so mußte Hitler darin mehr sehen als eine neuerliche grobe Einmischung in die inneren Angelegenheiten eines anderen Staates, wenn nicht gar die verschleierte Ankündigung eines zukünftigen antideutschen Kurses.

Eine zunehmende Bedeutung gewannen in diesem Zusammenhang die Meldungen des Botschafters von Ribbentrop. Er begnügte sich nicht allein damit, die englische Abneigung gegen Hitlers Bündnisidee und die wachsende Deutschfeindlichkeit in Großbritannien zu konstatieren, somit lediglich als Informant zu dienen, sondern zeigte Konsequenzen auf, drängte seinen „Führer" zur Aufgabe des Bündniskonzeptes, verstand sich also als ein lenkender Faktor in Hitlers Entscheidungsprozeß.

Nachdem er beispielsweise am 21. Mai 1937 in für ihn charakteristischer Überspitzung England vor die Alternative gestellt sah, „einerseits: Freundschaft Deutschlands unter voller Wahrung englischer Interessen ... und andererseits: nochmaliger Kampf auf Leben und Tod für eigentlich fremde Interessen", prophezeite er „eine weitere intensive Arbeit", die notwendig sei, um „England für ein klares Desinteressement im Osten zu gewinnen", womit Ribbentrop verdeutlicht, wo die „fremden Interessen" lagen, für die Großbritannien gegen Deutschland möglicherweise kämpfen würde. „Endet die Probe trotzdem negativ", schloß Ribbentrop, „so ist der Beweis des englischen Einkreisungswillens gegen Deutschland erbracht und man wird kom-

---

[128]) PA Bonn, Pol II, England-Deutschland 3, Notiz des AA über den Stand der deutsch-englischen Beziehungen. Diese „Notiz" wurde von Dieckhoff am 9. 11. 1936 angefordert.

[129]) PA Bonn, Pol II, England, Allgem. auswärtige Politik 2, Botschafter von Papen (Wien) „an den Führer und Reichskanzler" v. 16. 12. 1936.

[130]) Berber, Deutschland-England, Nr. 37.

promißlos die notwendigen Konsequenzen ziehen müssen"[131]). Die Formulierungen des Botschafters lassen erkennen, daß er selbst nicht mehr an einen günstigen Ausgang des Exempels glauben mochte, und diese seine Meinung samt den auf der Hand liegenden „kompromißlosen Konsequenzen" Hitler bereits zu suggerieren versuchte. Seine „Schlußfolgerungen" des 2. Januar 1938 gaben darüber nähere Auskunft. Wohl nicht zufällig bildeten die erwähnten Ausführungen einen Teil von Ribbentrops Bericht über die Krönungsfeierlichkeiten für Georg VI. Gerade in diesem Zusammenhang konnte der Botschafter beinah gewiß sein, eine antibritische Stimmung bei Hitler vorzufinden, setzte die Krönung im Mai 1937 doch den Schlußpunkt unter die britische Königskrise. An den Auseinandersetzungen um den Rücktritt Eduards VIII. glaubte Hitler mehr als aus anderen Erscheinungen zu erkennen — wie schon die auffallende Häufigkeit seiner diesbezüglichen Äußerungen durchblicken läßt —, daß Großbritannien nicht von jenen Kräften regiert wurde, mit denen allein er sein Bündnis abschließen konnte, sondern eben von den Vertretern antinationaler und probolschewistischer Belange.

Eduard VIII., schon als Prince of Wales bekannt für eine gewisse Deutschfreundlichkeit[132]), — wobei ein etwaiger diesbezüglicher Einfluß von Mrs. Simpson hier nicht diskutiert werden kann[133]) — galt bei Hitler als der Exponent einer antijüdisch-nationalbritischen, damit auch prodeutschen Richtung schlechthin. Vor Frontkämpfern hatte Prinz Eduard etwa im Frühsommer 1935 gemahnt, „die alten Gegensätze zu begraben ... die Freundschaft

---

[131]) PA, Bonn, Pol II, England-Deutschland 4, Ribbentrops Bericht über die Krönungsfeierlichkeiten v. 21. 5. 1937. Ribbentrops Zweifel an der Durchführbarkeit der Hitlerschen Bündnisvorstellungen beruhten auf der Grunderfahrung seiner Botschafterzeit, daß nämlich Großbritannien sich einem deutschen militärischen Ausbruch nach Osten entgegenstemmen würde. Vgl. dazu Ribbentrop, Zwischen London und Moskau, S. 96 ff., S. 112; Winston Churchill, Der zweite Weltkrieg, Bd. I, Hamburg 1948, S. 275 ff., und Hesse, Spiel um Deutschland, S. 45. Ribbentrops Einsicht basierte auf durchaus sachlichen, politischen Überlegungen, aus denen er in seiner „Notiz für den Führer" v. 2. 1. 1938 die notwendigen Konsequenzen aufzeigte, die gleichfalls, wenn wir moralische und völkerrechtliche Maßstäbe außer Acht lassen, durchaus im Rahmen machtpolitischer — wenn auch erschreckend skrupelloser — Logik lagen. Man sollte davon abgehen, den bekannten persönlichen Fehltritten des Botschafters für dessen politische Gedankengänge ein entscheidendes Gewicht einzuräumen. (Vgl. dazu Paul Schwarz, This Man Ribbentrop, His Life and Time, New York 1943, S. 198 ff., S. 204; Geyr von Schweppenburg, Erinnerungen, S. 116.) Sie bildeten zusätzliche, aber jedenfalls sekundäre Faktoren.

[132]) Vgl. etwa Channon, Diaries, S. 35: schon 1935 wurde in Kreisen der britischen Gesellschaft die Deutschfreundlichkeit des Kronprinzen diskutiert. In seinen Erinnerungen äußert sich hingegen der Herzog von Windsor aus erklärlichen Gründen sehr zurückhaltend über seine damalige Neigungen zu Deutschland: siehe Edward Duke of Windsor, A King's Story, London 1951, etwa S. 277.

[133]) Vgl. DDF, 2, IV, Nr. 108, François-Poncet an Delbos v. 7. 12. 1936: Der französische Botschafter war im Besitz von Informationen, denenzufolge enge Beziehungen zwischen Ribbentrop und Mrs. Simpson die Deutschfreundlichkeit des Königs erklärlich machten.

der Feinde von gestern zu untermauern"[134]). Sprache und Terminologie seiner Äußerungen entsprachen den Formulierungen, welche auch Hitler für sein Bündniswerben anwandte. Als der Kronprinz die Nachfolge seines verstorbenen Vaters Georg V. im Januar 1936 antrat, unterstrich Botschafter von Hoesch des neuen Königs Interesse für soziale Fragen, sein „volksnahes Wesen, seine frische, einfache Art ... seine tatkräftige Anteilnahme an allem Leid und aller Not", und – hier beruft sich Hoesch auf frühere Berichterstattung – „seine ganz allgemein warme Sympathie für Deutschland"[135]). Bereits im April 1935 hatte Hoesch Eduards kritische Haltung gegenüber „der einseitig antideutschen Haltung des Foreign Office" hervorgehoben[136]). All das waren Eigenschaften, die Hitler voll zu würdigen wußte, und wenn Ribbentrop sehr viel später, 1943, den ehemaligen britischen König als „eine Art englischer Nationalsozialist" bezeichnete[137]), so entsprach das auch Hitlers Ansicht[138]). Darüberhinaus vermutete nicht allein Hoesch, daß der neue Monarch seine Rolle nicht als eine rein passive verstehen würde, sondern „mit der Zeit einen gewissen Einfluß auf die Gestaltung der englischen Außenpolitik auszuüben geneigt sein könnte"[139]). Angesichts der immer zahlreicher werdenden pessimistischen Signale aus England ruhten Hitlers letzte Hoffnungen auf Eduard VIII.[140]) und es ist nicht unwahrscheinlich, daß er allein aus diesem Grunde seine alte Konzeption noch nicht verwarf, sondern mit der Entsendung Ribbentrops einen letzten großangelegten Versuch zur

---

[134]) Zit. nach Theodor Seibert, „Deutschland und England", in: Probleme britischer Reichs- und Außenpolitik, hrsg. von der Hochschule für Politik, Forschungsabteilung, Berlin 1939, S. 64–93; hier: S. 83.

[135]) BA Koblenz, R 43 II, Neue Reichskanzlei, 1435, Hoeschs Betrachtung zum Tode Georgs V. v. 12. 1. 1936.

[136]) Hoeschs Bericht v. 12. 4. 1935. zit. nach Donald C. Watt, Personalities und Policies, Studies in the Formulation of British Foreign Policy in the Twentieth Century, London 1965, S. 128.

[137]) So Ribbentrop am 19. 10. 1943 im Gespräch mit Prinz Cyrill von Bulgarien: PA Bonn, Handakten Schmidt, 8, Aufzeichnungen 1943 II.

[138]) So äußerte sich 1937 Botschaftsrat Woermann einem Informanten des Foreign Office (Dr. Jaeckh) gegenüber, „der Führer habe den ehemaligen König als einen Mann nach seinem Herzen angesehen (,as a man after his own heart") der das Führerprinzip verstanden habe und bereit gewesen sei, es in sein Land einzuführen". PRO London, FO 371/20734, C/448/270/18.

[139]) Hoesch am 12. 1. 1936, siehe Anm. 135, vgl. auch einen Hitler vorgelegten Bericht der deutschen Botschaft in Washington an das AA v. 21. 1. 1936, ebd., demzufolge der Leiter der westeuropäischen Abteilung im State Department einem amerikanischen Journalisten mitgeteilt habe, der neue König, der Deutschland sympathisch, Frankreich dagegen kühl gegenüberstehe, habe sich dahingehend geäußert, daß er, anders als sein Vater, in die Politik des Kabinetts eingreifen werde, falls er diese mißbilligen sollte.

[140]) Vgl. auch Phipps Jahresbericht für 1936 v. 12. 1. 1937: PRO London, FO 371/20743, C/357/357/18: „Die Thronbesteigung König Eduards wurde in Deutschland begrüßt, wo Seine Majestät bereits sehr populär war, nicht zuletzt aus dem Grund, weil ihm sympathische Zuneigungen für Deutschland nachgesagt werden."

Rettung seiner Englandvorstellungen unternahm[141]). Auch die englische Passivität während der Rheinlandkrise wollte Hitler auf den wachsenden positiven Einfluß des neuen Königs zurückführen[142]).

Um so schwerer mußte sich Hitler von der erzwungenen Abdankung Eduards getroffen fühlen. Er empfand sie, wie er wiederholt gestand, als einen „schweren Verlust", verursacht durch „dunkle deutschfeindliche Mächte ... die über den Gang der britischen Politik entschieden"[143]). In seiner Grundauffassung vom Ringen der national-„völkischen" Kräfte in England gegen die im Sold des internationalen Weltfeindes stehenden antideutschen Gruppierungen, in dem die letzteren nun in der Beseitigung des Königs einen entscheidenden Sieg davongetragen hatten, glaubte sich Hitler bestätigt. Im „Büro Ribbentrop" liefen tatsächlich „vertrauliche" Meldungen ein, die auf ein abgekartetes Spiel in der Königsaffaire schließen ließen[144]) und sicherlich in irgendeiner Form über Ribbentrop auch ihren Weg zu Hitler fanden. Die Berichterstattung der deutschen Presse über die Krönungsfeierlichkeiten für Georg VI. gestaltete sich indessen sehr ausführlich und verbarg ihre Bewunderung für die „glanzvolle Kundgebung der britischen Weltmacht" nicht[145]), wie es auch dem ursprünglichen Englandbild des „Führers" entsprach. Hitlers tiefgreifende Enttäuschung über den Ausgang der Königskrise in Groß-

---

141) Vgl. Ribbentrops rückschauende Schilderung während der Kriegsjahre; z. B. Unterredung mit Prinz Cyrill von Bulgarien v. 19. 10. 1943: siehe oben Anm. 137. Nur die Hoffnung auf Eduard VIII. hätten ihn veranlaßt, ein Arrangement noch einmal zu versuchen. „Dunkle Kräfte", das Foreign Office und andere antideutsche Kreise hätten dem König zunächst versprochen, daß Mrs. Simpson gekrönt werde. Als daraufhin Eduard Premierminister Baldwin erklärte, „no coronation without Simpson", hätten die Feinde des Königs darin das Signal zum Losschlagen gesehen und Eduard „mit Hilfe der Presse und des Whiskys" zur Abdankung gezwungen. Siehe auch Ribbentrops Unterredung mit Mussolini v. 10. 3. 1940, ADAP, D, VIII, Nr. 665, S. 701: Bei seiner Entsendung nach London habe er Hitler erklärt, „daß er ... einzig und allein in dem König Eduard eine gewisse Chance sähe", den möglichen deutsch-englischen Krieg abzuwehren. Vgl. J. v. Ribbentrop, Zwischen London und Moskau, S. 91 ff.
142) Siehe Speer, Erinnerungen, S. 86: „Endlich, der englische König greift nicht ein, er hält, was er versprochen hat." Eine solche Äußerung ließe, ganz wörtlich genommen, auf gewisse Absprachen zwischen Deutschland und England schließen. Vgl. Anm. 22 und François-Poncets diesbezüglichen Argwohn.
143) Siehe Speer, Erinnerungen, S. 86; Wiedemann, Feldherr, S. 152 und François-Poncets Bericht an Delbos v. 7. 12. 1936; DDF, 2, IV, Nr. 108: „Le Reich croit avoir perdu un ami" vgl. auch Ribbentrops Schilderung, Anm. 141: charakteristisch ist der Terminus „dunkle Mächte".
144) Vgl. PA Bonn, Büro Ribbentrop, Vertrauliche Berichte, 1,1, v. 17. 12. 1936: ein britischer Pressevertreter in Berlin habe „unverblümt" zugegeben, Eduards VIII. Rücktritt sei von Baldwin seit Monaten vorgesehen gewesen. Die Simpson-Affaire habe den willkommenen Anlaß geliefert.
145) IfZg München, Zeitungsausschnittsammlung, England, so lautete die Schlagzeile der „Berliner Börsen-Zeitung". Siehe auch BA Koblenz, ZSg 101/9 Brammer, Anweisung v. 8. 5. 1937: über die Festlichkeiten solle in Wort und Bild ohne Beschränkung groß berichtet werden.

britannien trat hingegen noch einmal voll zutage, als Eduard, nun als Herzog von Windsor, im Oktober 1937 auf dem Obersalzberg erschien[146]). Die persönliche Begegnung mit dem ehemaligen König hinterließ in ihm einen bleibenden Eindruck und harmonierte gänzlich mit seiner bisherigen positiven Einschätzung des herzoglichen Besuchers. Hitler äußerte sich nach der Unterredung in Tönen höchsten Lobes über seinen Gast[147]) und zeigte sich überzeugt, daß sich die ersehnte Allianz mit England hätte realisieren lassen, wenn Eduard VIII. König geblieben wäre[148]). Anstelle Mussolinis hätte er dann möglicherweise das Oberhaupt des britischen Empire zum Staatsbesuch empfangen können, so jedenfalls behauptete Unity Mitford es während Mussolinis Deutschlandreise im September 1937 von Hitler vernommen zu haben[149]). Damit deutete Hitler an, wie selbst im Herbst 1937 noch in seiner „Hierarchie" der Wünschbarkeiten die deutsch-englische Partnerschaft klar vor der „Achse" Berlin-Rom rangierte, wie unterschiedlich die Gewichte in dem anvisierten „programmatischen" Dreieck Berlin-London-Rom verteilt gewesen wären und schließlich, wie weit Hitlers Einsatz für die Freundschaft mit England über rein nüchtern-machtpolitische Motive hinausging. Welch bedeutende Rolle die Person Eduards VIII. in seiner Gedankenwelt spielte, gab Hitler noch 1944 zu erkennen[150]). In ihrer Vielzahl lassen all diese Äußerungen erahnen, welch große Hoffnung ihm im Winter 1936/1937 mit der Abdankung des britischen Monarchen genommen wurde, so

---

[146]) Hitler hatte dem Wunsch des Herzogs, anläßlich seiner Deutschlandreise den Reichskanzler sprechen zu können, „gern seine Zustimmung erteilt", PA Bonn, Staatssekretär, Aufz. über Nichtdiplomatenbesuche, Gespräch Mackensens mit Wiedemann v. 25. 8. 1937. Vgl. auch Wiedemann, Feldherr, S. 153. Allerdings sollte, Hitlers Willen entsprechend, der private Charakter des Besuches streng gewahrt bleiben: PA Bonn, Staatssekretär, Interne Angelegenheiten, Notiz Mackensens v. 16. 10. 1937. Zu große Presseaufmachungen, insbesondere Photos über den „Deutschen Gruß" des Herzogs wurden getadelt, da der Besuch dadurch „eine unerwünschte Bedeutung bekommen" habe: BA Koblenz, ZSg 101/10, Brammer, Weisung v. 12. 10. 1937 sowie ebd., Rundruf v. 22. 10. 1937. Zur Unterredung selbst siehe Schmidt, Statist, S. 376. Ob der Herzog bei dieser Gelegenheit, wie Hitler später behauptete, die Besiedlung Nordaustraliens durch Deutschland vorschlug, läßt sich weiter nicht belegen. Siehe Hitlers Lagebesprechungen, S. 172 v. 5. 3. 1943 und Eintrag v. 13. 5. 1942. Vgl. auch Hildebrand, Weltreich, S. 519, der die Ansicht vertritt, daß dieser Vorschlag mehr der Gedankenwelt Hitlers von 1942/1943 entsprang.
[147]) Wiedemann, Feldherr, S. 155 f.
[148]) ebd., und Hoffmann, Hitler was my friend, S. 79.
[149]) PRO London, FO 371/21176, R/6687/200/22, Bericht des britischen Generalkonsuls in München über Unterredung mit Unity Mitford. Zwar war Unity Mitford, nach Ansicht des Generalkonsuls, nicht ganz vertrauenswürdig, doch zweifelt er nicht an der allgemeinen Richtigkeit dieser Information.
[150]) Siehe van Oven, Mit Goebbels bis zum Ende, S. 220. Zu den deutschen Bemühungen, nach dem Einmarsch der deutschen Truppen in Frankreich 1940 den Herzog innerhalb des deutschen Machtbereiches zu behalten, vgl.: Walter Schellenberg, Memoiren, Köln 1959, S. 108 ff.

daß mit einiger Berechtigung von einem Wendepunkt in Hitlers Einstellung zu England gesprochen werden könnte. Angesichts des in seinen Augen entscheidenden Erfolges der jüdisch-bolschewistischen Hintermänner im demokratischen England schien die Basis einer Allianz mit dem nationalsozialistischen Deutschland nicht mehr gegeben zu sein[151]). In der seit etwa 1935 sich verdichtenden Verschränkung von aktivem Bündniswerben und Zweifel an dessen Wirksamkeit waren nun die negativen Momente zu den dominierenden geworden. Das Jahr 1937 sollte erweisen, welche Folgen dieser Umschlag für Hitlers Englandpolitik zeitigen würde.

3. DIE „AUFGEZWUNGENE" REVISION DER BÜNDNISPOLITIK 1937

a) Annäherungsversuche und latente Bündnisbereitschaft

Trotz der ständig steigenden Anzahl von Symptomen, die eine unvermindert abweisende Haltung der Engländer signalisierten, trotz wachsender Skepsis auf Hitlers Seite, hatte sich die deutsche *Politik* gegenüber England im Grundsätzlichen nicht geändert. Oberste Zielvorstellung war nach wie vor die „programmatische" Allianz mit Großbritannien als wichtigste Voraussetzung für die in „Mein Kampf" proklamierte Expansion auf dem östlichen Teil des europäischen Kontinents, die nach der gegenwärtig noch andauernden Phase der abschirmenden Revisionspolitik in Angriff genommen werden sollte. Gerade die Entsendung Ribbentrops als Botschafter nach London in einer Zeit, als die Anzeichen und Prognosen aus England an Hitlers Vorstellungen gemessen immer ungünstiger wurden, zeigte doch, daß Hitler seine Idee weiterhin ernsthaft und aktiv in die Tat umzusetzen versuchte.

Im Jahre 1937 trat hier eine entscheidende Änderung ein. Der Wunsch zur deutsch-britischen Partnerschaft rangierte zwar noch immer in Hitlers Skala seiner Zielvorstellungen ziemlich oben — das blieb bis zu seinem Lebensende so. Indessen, nach seinem Berater von Ribbentrop hielt nun auch der „Führer" selbst dieses Vorhaben für nicht mehr realisierbar, wie wir schon den erwähnten resignierenden Äußerungen anläßlich des Windsor-Besuches entnehmen konnten[1]). Die Englandpolitik im Jahre 1937 zeigte immer deutlicher werdende Symptome dieser Überzeugung. Im Gegensatz zu früheren Jahren lag ihr ganz überwiegend nicht mehr der Bündnisgedanke als Basis zugrunde. Dieser hatte sich als undurchführbar erwiesen, folglich war es zwecklos, ihn weiter intensiv zu verfolgen. Die seit 1935 sich vorbereitende Einsicht in die „Unvernunft" der britischen Regierung führte 1937 zu handgreiflichen, in der deutschen Politik deutlich sichtbaren Auswirkun-

---

[151]) Vgl. van Woerden, Hitler faces England, S. 154 f.
[1]) Siehe oben S. 68.

gen²). Von entscheidender Wichtigkeit gestaltete sich nun das Problem, wie das in Hitlers Schriften der zwanziger Jahre skizzierte „Programm", besonders dessen Hauptstufe, die Eroberung des in den Weiten Rußlands gelegenen Lebensraumes für das deutsche Volk, verwirklicht werden sollte, ohne daß die wichtigste Prämisse, das Zusammengehen mit dem maritim orientierten Britischen Empire, gegeben war. Auch auf diese Frage glaubte Hitler am Ende des Jahres eine Antwort gefunden zu haben.

Indessen wäre es verfehlt, eine klare gradlinige Entwicklung zu diesem Ergebnis hin für das Jahr 1937 bei Hitler zu suchen. Der deutsche „Führer" bezeugte noch mehrfach, daß er weiterhin nicht nur an dem Gedanken der Freundschaft mit Britannien festhielt, sondern diesen auch aktiv zu realisieren strebte. „Meine Politik will ich so und so führen, aber Sie können alle versichert sein, ich habe das Bestreben, immer mit England zusammenzugehen", sagte er noch im November zum Staatssekretär im Reichsluftfahrtministerium, Erhard Milch, nachdem dieser ihm seine sicherlich optimistischen Eindrücke vom Besuch einer Luftwaffendelegation in England geschildert hatte³). Vielleicht war es auch nur die augenblickliche Hochstimmung infolge von Milchs Bericht, die Hitler diese Äußerung tun ließ. Immerhin, sie genügte, um noch im Spätjahr 1937 Hitler wieder an seine alte Politik denken

---

²) Hitler selbst hat später das Jahr 1937 als „Jahr der Erkenntnis" betrachtet. Vgl. Frank, Im Angesicht des Galgens, S. 340 f. Hitler 1940: „Da wußte ich etwa seit 1937 schon, daß wir jetzt wieder an der Reihe sind, von England auf den von diesen Seeräubern zur Sicherung ihres Raubes für notwendig gehaltenen „Normalrang" zurückgeschraubt zu werden." In anderen Rückblicken, besonders bei Ribbentrop, legte man sich nicht genau auf eine Jahreszahl fest. In unserer Darstellung wurde ja auch gerade zu zeigen versucht, daß sich Hitlers Erkenntnis, aus mannigfachen Quellen gespeist, allmählich ab 1935 bildete, ihren sichtbaren Niederschlag in der grundsätzlichen Englandpolitik dann 1937 fand. In diesem Sinn ist auch Hitlers Wort „etwa ab 1937" zu werten.

³) Vgl. Milchs Aussage in Nürnberg; IMT IV, S. 61. Dazu neuerdings David Irving, Die Tragödie der Deutschen Luftwaffe. Aus den Akten und Erinnerungen von Feldmarschall Milch, Frankfurt/Main–Berlin–Wien 1970. Danach sagte Hitler: „Seien Sie ohne jede Sorge, ich werde niemals gegen England gehen" (Irving S. 109). Es ist nicht auszumachen, ob der für unsere Betrachtung nicht unwesentliche Unterschied „Immer mit England" — „niemals gegen England" auf einen Erinnerungsfehler Milchs in Nürnberg oder eine nicht genaue Übersetzung Irvings beruht. Auch Göring hielt im Anschluß an Milchs Besuch in England einen Krieg zwischen beiden Völkern für „unausdenkbar". („inconceivable to imagine"): PRO London, FO 371/20750, C/7604/4400/18. Hendersons Bericht über Unterredung mit Göring vom 3. 11. 1937. Zum Besuch der Luftwaffendelegation vgl. Irving S. 108. Bereits im Januar 1937 weilte eine Abordnung der RAF in Deutschland. Auch auf anderen Gebieten wurde das in den Jahren des deutschen Werbens um England intensivierte deutsch-englische Begegnungsprogramm im Jahre 1937 fortgesetzt. Vgl. dazu PA Bonn, Pol II, England-Deutschland 5 passim und z. B. BA Koblenz, R 43 II, 1436, England, mit optimistischem Bericht des Reichsportführers Hans von Tschammer und Osten über eine Englandreise. (…„das Maß der Aufmerksamkeit ging weit über die normale Höflichkeit hinaus!")

zu lassen und zeigt — wie auch eine streng chronologische Aneinanderreihung von Hitlers Äußerungen bezüglich England —, daß auch noch zu dieser Zeit Hitlers Haltung zu England nicht stetig blieb, sondern weiterhin starken Schwankungen unterworfen war. Der Wunsch, seinen „Grundplan" und die bevorzugte Konstellation eines Bündnisses mit England zu verwirklichen, kollidierte mit der nüchternen Einsicht, daß eben dieses nicht möglich war, wobei einmal ersteres, ein anderes Mal letzteres die Oberhand gewann. Dennoch könnte man von einer bestimmten Entwicklungstendenz insofern sprechen, als die pessimistische Beurteilung — die seit der Königskrise sowieso schon vorherrschte — im Laufe des Jahres sich bis zu dem Maße durchsetzte, daß sie am Jahresende Hitler endgültig zur Modifizierung auch seiner Politik gegenüber England bewog, ohne daß die latente Bereitschaft, das alte Konzept gegebenenfalls wieder aufzunehmen, vollständig ausgeschaltet worden wäre. Einer Mitteilung des Danziger Gauleiters Forster an den Völkerbundskommissar Carl Jacob Burckhardt zufolge hatte sich Hitler im Frühsommer sogar dafür ausgesprochen, trotz der Fehlschläge immer wieder zu versuchen, die Beziehungen zu England zu verbessern: „Ich versuche es einmal, und wenn es nicht gelingt, werde ich es erneut versuchen; und sollte ich wieder scheitern, werde ich es ein drittes Mal versuchen. Dazu bin ich fest entschlossen[4]."

So offerierte Hitler seinen auch 1937 noch zahlreichen Besuchern aus England die alte Bündnis- und Freundschaftsidee und erzielte damit — bis auf einige Ausnahmen — den seit Jahren bekannten tiefen Eindruck[5]. Der

---

[4]) PRO London, FO 371/20711, C/3893/3/18. Bericht Außenminister Edens aus Genf (Mai 1937), wo ihm Burckhardt von seinen Begegnungen mit dem Danziger Gauleiter Forster und Neurath erzählt hatte. Nach Forster habe Hitler gesagt: „I shall try once and if I fail I shall try again and if I fail again I shall try a third time. On this I am absolutely determined."

[5]) Vgl. Londonderrys Aufzeichnung über seinen Besuch bei Hitler im Februar 1937, gedruckt bei Martin Gilbert, Britain and Germany between the wars, London 1964, S. 102: „Aus des Führers eigenem Munde erfuhr ich von seinem großen Wunsch nach Freundschaft mit England." Londonderry empfahl deshalb, man soll diese Offerte „in eben dem Geist annehmen, in welchem sie gemacht worden sei," und nicht mit der skeptischen Auffassung, mit der das Foreign Office in seinem „gallischen Vorurteil" („gallic bias") sie zu behandeln scheint. Ebenso beeindruckt wie Londonderry schien gar der britische Labour-Politiker und Pazifist George Lansbury zu sein, als Hitler ihm im April eine Unterredung gewährte: „Er war überhaupt nicht so wie gemeinhin gesagt wird. Ich denke, er will wirklich Frieden." (Zitiert nach Keith Robbins, München 1938, S. 133, der sich auf die unveröffentlichten Lansbury-Papers stützt). Dies, obwohl Dolmetscher Schmidt einen schlechten Eindruck von dem Gespräch hatte und sich wunderte, daß Lansbury die Reichskanzlei befriedigt verließ: Paul Schmidt, Statist auf diplomatischer Bühne, S. 343 f. Immerhin blieben Lansburys positive Äußerungen über seinen Besuch, für die er sich einen Tadel der deutschen Exil-SPD einhandelte, (Ursachen und Folgen, Vom deutschen Zusammenbruch 1918 und 1945 bis zur staatlichen Neuordnung Deutschlands in der Gegenwart. Hrsgg. von Herbert Michaelis und Ernst Schraepler, Bd. 11, S. 390) in England wohl nicht ohne Echo, so daß

Traum von der Allianz, die 120 Millionen der wertvollsten Menschen der Welt umfassen und — eventuell sogar noch um die Vereinigten Staaten bereichert — den ewigen Frieden garantieren würde, war auch Hauptgegenstand eines Interviews mit dem Vertreter der „Daily Mail"[6]. Im Oktober sagte er einem prominenten Gesprächspartner, dem Aga Khan, er hoffe auf ein „friedliches Übereinkommen mit England" in der Kolonialfrage, wobei er „gegen Kompensationen" bereit sei, auf Ostafrika zu verzichten[7]. Welche „Kompensationen" aber gemeint waren, verriet der „Führer" einem „ausländischen Industriellen": Kolonien würden ihn nicht kümmern, wenn England das nur begreifen würde. Sogar auf eine Handelsflotte zu verzichten, wäre er bereit, wenn England ihm „im Osten freie Hand ließe"[8]. Die Bedingungen, unter denen Hitler sein Bündnis abgeschlossen wissen wollte, blieben also unverändert. Eine Modifizierung hätte Sinn und Zweck der geplanten Allianz ja auch hinfällig gemacht, wie es sich bei der Begegnung der Hitlerschen Auffassungen mit der verstärkten Appeasement-Politik unter der im Mai 1937 gebildeten Regierung Chamberlain erweisen sollte.

Besonders deutlich veranschaulichen die letzten Zitate die von K. Hildebrand grundlegend herausgearbeitete Funktion kolonialer und maritimer „Sanktionsdrohungen" als seit 1935 zunehmend angewandtes Druckmittel, um Englands Einlenken in ein Bündnis unter Hitlerschen Vorzeichen zu erzwingen. Überhaupt zeichnete sich Hitlers Werben um England in diesem Jahr 1937 dadurch aus, daß es ständig von immer weiter hochgespielten, nichtsdestoweniger aber unpräzise bleibenden kolonialpolitischen Forderungen begleitet mit äußerstem Druck versucht wurde und somit den Charakter eines verbissenen Ringens annahm. Die Phase „des konzessionslosen Verzichts", mit der das Bündnis zunächst mehr erschmeichelt als erkämpft werden sollte, war längst vorbei[9]. Versteckte und auch offene Drohungen und

---

nach Ansicht der deutschen Botschaft in London die Reise, wenn auch ohne politisches Ergebnis, doch „ein beachtlicher Erfolg gewesen ist". (PA Bonn, Pol II, England-Deutschland 4, Woermann am 26. 4. 1937 an das AA). Indessen zeigte sich General Ironside nach seiner Begegnung mit Hitler im September eher enttäuscht als beeindruckt. (Gilbert, Britain and Germany, S. 103). Neben dem bereits erwähnten Herzog von Windsor fanden auch Lord Lothian (siehe unten S. 81 ff.) und der Aga Khan (siehe unten Anm. 7) den Weg zum deutschen Führer. Ende Mai hatte Ribbentrop empfohlen, die Besucherliste noch um Stanley Baldwin, Lord Derby und Verteidigungsminister Inskip zu erweitern, ja selbst Churchill sei „für eine Umwandlung in einen Deutschenfreund" noch nicht verloren. (PA Bonn, Pol. II, England-Deutschland 4, Tel. Ribbentrops an AA v. 28. 5. 1937.)

[6]) Zitiert nach James V. Compton, Hitler und die USA, Oldenburg–Hamburg 1968, S. 33.

[7]) Aufzeichnung des Aga Khan vom 20. 10. 1937. PRO London, FO 371/20712, C/7431/3/18. Sie bestätigt also im wesentlichen den bisher als einzige Quelle vorliegenden Bericht bei Paul Schmidt, Statist, S. 382, auf den sich auch Hildebrand, Weltreich, S. 518, stützt.

[8]) Otto Strasser, Hitler und ich, Konstanz 1948, S. 245.

[9]) Hildebrand, Weltreich, S. 516.

Einschüchterungsversuche mischten sich nunmehr in jedes Angebot; schon dieses ein Zeichen dafür, daß es Hitlers „letzter Versuch" war, und er die Klärung mit dem Inselreich unter allen Umständen erzwingen wollte. Nicht Selbstzweck waren die Forderungen auf kolonialem Sektor, sondern ein Pressionsmittel, das — wenigstens schien Hitler so zu glauben — um so wirksamer und gewichtiger war, je häufiger es angewandt wurde, besonders wenn es jetzt auf Männer wie Chamberlain und Halifax gemünzt war, von denen man in Deutschland annahm, daß sie Englands Interessen wieder mehr im Empire als auf dem europäischen Kontinent begründet sahen[10]).

Jedoch erwies sich nicht einmal Botschafter von Ribbentrop geeignet, die koloniale Waffe in diesem Sinne wirksam einzusetzen. Als er Hitlers Auftrag, mit England den letzten Versuch zu machen, am 14. Februar in einem Gespräch mit dem damaligen stellvertretenden britischen Außenminister Halifax erneut auszuführen versuchte[11]), präsentierte er Hitlers altbekannte Gedanken vom Ausgleich auf der Basis einer klaren Interessenaufteilung in einer „eigentümlichen Mischung" mit eigenen kolonialpolitischen Vorstellungen, die die Forderungen auf dem kolonialen Sektor nicht als Köder und Druckmittel, sondern als ernstgemeinte Ziele in sich erscheinen ließen[12]). Was Ribbentrop von den Engländern beanspruchte, war nichts weniger als koloniale Revision und *dazu* noch britisches Desinteresse bei deutschen Aktionen östlich und südöstlich der Reichsgrenzen[13]). Damit ging er — bewußt oder unbewußt — über Hitlers Auftrag weit hinaus, nach dem koloniale Avancen nur als taktisches quid pro quo — gegen die britische Zustimmung zur deutschen Ostexpansion — präsentiert werden sollten. Kein Wunder, daß Hitler auf eine „Offerte", die in dieser von ihm kaum beabsichtigten Form übermittelt wurde, keine positive Reaktion von jenseits des Kanals vernahm[14]). Wenn Ribbentrop so taktierte — ohne in irgendeiner Form Kompromißbereitschaft auf dem kolonialen Sektor erkennen zu lassen — erwies er sich, anders als Hitler geglaubt hatte, nicht als der beste, sondern der denkbar schlechteste Interpret der Hitlerschen Intentionen. In britischen Augen mußte der deutsche Botschafter — nicht zu Unrecht also — als Hitlers Scharfmacher er-

---

[10]) Zu dieser Beurteilung Chamberlains, der so allerdings nur in den Mutmaßungen von Journalisten existierte, vgl. Hildebrand, Weltreich, S. 508.

[11]) Ribbentrops Bericht für Hitler über dieses Gespräch ist teilweise abgedruckt bei Hildebrand, Weltreich, S. 898, Dok. Nr. 57. Vgl. auch Hildebrands Ausführungen, S. 502 ff.

[12]) Hildebrand, Weltreich, S. 505. Dort auch S. 505 ff. zum prinzipiellen Unterschied der Konzeptionen Hitlers und Ribbentrops.

[13]) Vgl. ebd. S. 507.

[14]) Vgl. ebd. Treffend führt Hildebrand aus, daß zwischen den Auffassungen Edens und Halifax' kein Unterschied prinzipieller Art bestand, sondern höchstens formale und inhaltliche Nuancen. Beide waren sich darin einig, — und das ist hier entscheidend —, daß die Frage der Kolonien nur im Rahmen eines allgemeinen „Settlement" zusammen mit allen anderen strittigen Punkten erörtert werden sollte. Vgl. dazu auch Edens negative Reaktion auf Ribbentrops Vorschläge am 11. 3. 1937. Hildebrand, ebd. S. 509.

scheinen; gesellte sich doch nun zur alten deutschen Forderung nach kontinentaler Revision und Expansion noch der Wunsch, alle ehemaligen Kolonien konzessioslos wieder zu übernehmen[15]). Aber nicht nur Ribbentrop, auch andere deutsche Stellen vermochten den Stellenwert der kolonialen Forderungen in Hitlers Dispositionen nicht einzusehen. An die deutsche Presse ergingen Weisungen, die koloniale Propaganda auf ein gewisses Maß zurückzuführen, um sie damit ihrer richtigen, d. h. der ihr von Hitler zugeordneten Funktion dienstbar zu machen[16]). Man könnte sich fragen, warum Hitler, an den doch Ribbentrops Bericht persönlich gerichtet war, seinen Botschafter weiter in dieser Form agieren ließ, die doch, will man an Hildebrands These festhalten, seinen eigenen Vorstellungen strikt zuwiderlief und ein Scheitern auch des „letzten Versuches" ziemlich sicher machte. Vielleicht aber glaubte er schon damals nicht mehr an eine echte Chance, die Engländer verständigungsbereit in seinem Sinne zu machen, und hatte nichts dagegen einzuwenden, daß sich eine endgültige Klärung im negativen Sinne anbahnte, wobei er die eigentlich doch voraussehbare Mißdeutung seiner Kolonialwaffe im In- und Ausland einkalkulierte[17]).

Hier läge der Ansatzpunkt zu einer grundlegenden Kritik an der von K. Hildebrand vertretenen These. War die Politik der kolonialen Sanktionsdrohungen nicht das denkbar ungünstigste Instrument, um die Briten gefügig zu machen? Würde sie die Kluft zwischen beiden Ländern nicht im Gegenteil noch weiter vertiefen? War es nicht auch für Hitler einsehbar, daß sie fehlgedeutet und nur als zusätzliches Erschwernis für die Beziehungen beider Staaten interpretiert wurde? Indessen, wäre sie richtig, nämlich als Druckmittel, durchschaut worden, hätte sie auch gleichzeitig ihre Wirksamkeit im Hitlerschen Sinne verloren. Sie konnte ihre Funktion nur dann erfüllen, wenn die kolonialen Forderungen ernst genommen wurden. Insofern hatte Ribbentrop nicht völlig falsch taktiert[18]). Ob er nun den letzten Zweck dieser Taktik erkannte oder nicht — wie es tatsächlich der Fall war —, war für Hitler und die Sache selbst zweitrangig. Schließlich war als Folge der deutschen Kolonialagitation eine gewisse Konzessionsbereitschaft in den westlichen Ländern doch zu erkennen[19]). Allerdings betraf sie nicht, wie Hitler sich erhoffte, Ost- und Mitteleuropa, sondern eben die ehemaligen Kolonien des Reiches. Hitlers Erwartungen, daß England auf die Anheizung der kolonialen Propaganda nachgiebig reagieren würde, bestand also nicht ohne Grund; seine Berechnungen jedoch, daß imperiale Interessen die Londoner Regierung zur Aufgabe ihrer Positionen auf dem europäischen Kontinent veranlassen könnten, erwiesen sich als unzutreffend.

---

[15]) Vgl. z. B. Ivone Kirkpatrick, Im inneren Kreise, Berlin 1964, S. 510.
[16]) Vgl. z. B. BA Koblenz, ZSg. 110/5, Traub, Presseanweisungen v. 12. 5. 1937; dazu auch Hildebrand, Weltreich, S. 510.
[17]) Zu den Fehldeutungen im Ausland vgl. Hildebrand, Weltreich, S. 514 ff.
[18]) Vgl. ebd., S. 506.
[19]) Dazu ebd., S. 498 ff. passim.

Doch zurück zu anderen Symptomen, die Hitlers latente Bereitschaft verdeutlichten, auf seine alte Bündnisidee zurückzugreifen, wann immer nur es ihm möglich erschien. Wie schon im Zusammenhang mit dem Besuch des Herzogs von Windsor auf dem Obersalzberg angedeutet, war selbst die triumphale Deutschlandreise des anderen Wunschpartners Mussolini und die bei dieser Gelegenheit demonstrativ aller Welt zur Schau gestellte „Achse" Berlin-Rom für Hitler kein Hindernis, der Allianz mit England ausdrücklich Priorität einzuräumen. Wenn er „bis jetzt nur einen einzigen brauchbaren Menschen in England gefunden hätte, wäre das deutsch-britische Bündnis schon abgeschlossen", äußerte sich der Achsenpartner Hitler noch nach Mussolinis Abreise[20]. Bereits Ende Februar hatte der „Führer" dem amerikanischen Journalisten von Wiegand vertraulich mitgeteilt, er „halte die Sache mit Rom nicht von Beständigkeit und werde eines Tages das die Achse Rom-Berlin haltende Steuer nach England umwerfen"[21]. Nur notgedrungen und mit einem bedauernd-resignierenden Seitenblick auf das Beiseitestehen Englands schien Hitler sich für die ausschließliche Bindung an das faschistische Italien entschlossen zu haben. Am 3. Oktober, also kurz nach Mussolinis Besuch, proklamierte Hitler noch einmal auf dem Bückeberg bei Hameln seine alte Bündniskonstellation. Er hoffte noch immer, er könne genau wie die Italiener auch Großbritannien auf seine Seite bringen[22]. Vor allem Göring und Vertreter des Auswärtigen Amtes, beides Befürworter einer ausgesprochen pro-englischen Richtung, wobei England als Partner einer friedlichen Wirtschaftsexpansion und Revisionspolitik ausersehen war, bemühten sich zur gleichen Zeit, jenseits des Kanals den Eindruck zu konservieren, als ob Hitler weiterhin an seiner Politik des Bündniswerbens festhalte. In einem Interview mit Ward Price bekräftigte Göring am 3. März, Deutschland würde England im Westen jede Garantie hinsichtlich der Integrität Belgiens, Hollands und auch Frankreichs geben. Ebenfalls sei es bereit, sich für die territorialen und wirtschaftlichen Interessen des Empire einzusetzen, falls — und das sind wieder Hitlers bekannte Bedingungen — England seinerseits Deutschlands beherrschende Rolle auf dem europäischen Kontinent („dominant position") anerkennen würde[23]. Botschaftsrat Woermann

[20]) Zitiert nach Strasser, Hitler und ich, S. 246.
[21]) PA Bonn, Büro Ribbentrop, Vertr. Berichte 1,1: Bericht vom 24. 2. 1937.
[22]) Nach Hildebrand, Weltreich, S. 516. Wieder ließ Hitler seinem „Angebot" koloniale Sanktionsdrohungen folgen.
[23]) Aufz. Ward Price v. 3. 3. 1937: PRO London, FO 371/20710, C/1907/3/18. Görings Rolle als Repräsentant einer mehr auf wirtschaftliche Expansion als auf territorialen Erwerb im Osten gerichteten Politik, die er am liebsten im Verein mit England, zumindest aber nicht gegen Großbritannien verfechten wollte, bedarf einer gründlichen Untersuchung. Siehe dazu nun Hildebrand, Deutsche Außenpolitik 1933–1945, wo diese Frage aufgerissen und Ansätze ihrer Beantwortung gezeigt werden. Als Anhänger oder gar Motor der von Göring vertretenen Richtung könnte auch Schacht gelten. Vgl. dazu Ian Colvin, Vansittart, S. 152: Nach Informationen von Goerdeler erstrebten die Gruppe um Schacht, die Banken und die Industrie eine friedliche Regelung über Kolonien und Rohstoffe mit den Westmächten.

von der deutschen Botschaft in London ließ gar verbreiten, daß die deutsch-britische Freundschaft unverzichtbare Vorbedingung für jede deutsche Aktion in Mitteleuropa sei[24]. Inoffizielle Kontakte zwischen von Papen, dem deutschen Botschafter in Wien, und britischen Industriellen des Unilever-Konzerns über Kolonien und die wirtschaftliche Durchdringung Südosteuropas durch das Reich mit britischer Billigung hatten im Februar Hitlers Placet gefunden, wie von Papen seinen Gesprächspartnern versicherte[25]. Ebenso erging es Schachts kolonialpolitischer Aktivität, die mit einem Gespräch zwischen Schacht und Leith-Ross, dem Wirtschaftsberater der britischen Re-

[24]) PRO London, FO 371/20709, C, 474/3/18. Aufzeichnung des Foreign Office vom 12. 1. 1937 über eine Information Dr. Jäckhs, derzufolge Woermann gesagt hatte, „Germany would not attempt this adventure in Central Europe until she had made friends with Great Britain". Diese Äußerung entsprach der Grundauffassung maßgebender Beamter des Auswärtigen Amtes. Vgl. dazu Weizsäckers Aufzeichnung vom 10. 11. 1937: „Einen Krieg mit England als Gegner können wir auf lange hinaus nicht mehr ins Auge fassen. Was wir von England wollen, können wir uns nicht gewaltsam holen, sondern müssen es uns einhandeln." (ADAP, D, I, Nr. 21) Noch deutlicher drückte sich Weizsäcker als Staatssekretär während der Sudetenkrise aus: „Ein im Osten Deutschlands gelegenes Ziel ist außenpolitisch nur dann erreichbar, wenn die Entente dieses Vorgehen duldet. Griffe sie ein, so hätte unsere Politik versagt..." (ADAP, D, II, Nr. 259, undatiert) Aus diesen programmatischen Erklärungen ließe sich als Grundeinstellung zu England umreißen: 1. Streben nach Zusammenarbeit mit Großbritannien, um eine Revision der in Versailles geschaffenen Ostgrenzen des Reiches und wohl auch einige Kolonien einzuhandeln. Mit der Regierungsübernahme durch Chamberlain schien eine solche Politik erfolgversprechend zu werden; 2. jede Politik zu bremsen oder zu verhindern suchen, die — wie es Ribbentrops Konzeption war — Deutschlands Ziele auch gegen England und unter dem Risiko eines militärischen Eingreifens der Briten zu erreichen glaubte. Den Versuch, eine konstruktive Politik der Partnerschaft mit England zu propagieren, galt es also mit einem hemmenden Einwirken auf Aggressionspläne der eigenen Regierung zu kombinieren. (Vgl. dazu G. A. Craig–F. Gilbert, The Diplomats 1919–1939, Princeton 1953, S. 477.) Für die Verwirklichung beider Intentionen war England eine doppelte Rolle zugedacht. Einerseits sollte die Appeasement-Taktik Chamberlains und Halifax als Lockmittel zu Verständigungsbemühungen genutzt werden, andererseits bot sich die Hervorhebung der Macht und Entschlossenheit des Empire als ernüchterndes Gegengewicht gegen eine deutsche Risikopolitik an.

[25]) Vgl. Papens Brief an Mr. Ryken vom Unilever-Konzern: PRO London, FO 371/20735, C/1575/(G)/270/18. Dort auch der Vorgang über die im November 1936 begonnenen und am 9. 2. 1937 in Wien fortgesetzten Kontakte, für welche Papen die Erlaubnis Hitlers und Görings einzuholen versprochen hatte, die er mit diesem Brief vorweisen konnte. In der Unterredung vom 4. 11. 1936 hatte Papen den Plan unterbreitet, „England and France should agree to leave the economic development of Eastern Europe to Germany", wobei territoriale Ambitionen ausgeschlossen werden sollten. (ebenda C/2058/270/18) Wie aus den „Minutes" (Kommentaren) des Foreign Office zu Papens Brief hervorgeht, wurden die kaum angebahnten Verhandlungen von Vansittart schnell unterbunden.

gierung, im Februar in Badenweiler fortgesetzt[26]) wurde. Schließlich gelangten im Sommer 1937 die Verhandlungen über ein deutsch-britisches Zusatzabkommen zum Flottenvertrag von 1937 zum erfolgreichen Abschluß; ein Ereignis, das das Auswärtige Amt als „wichtigen Beweis für Deutschlands Willen zur Zusammenarbeit" gesehen wissen wollte[27]), und nach außen wohl den Eindruck erwecken konnte, daß zwischen beiden Ländern alles in bester Ordnung sei.

b) Anzeichen einer bevorstehenden Neuorientierung der Englandpolitik

Die geschilderten Symptome einer latent bei Hitler vorhandenen Bündnisbereitschaft dürfen nicht darüber hinwegtäuschen, daß im Jahre 1937 jene Anzeichen, die auf eine kommende Revision des ursprünglichen Englandkonzeptes hindeuteten, dem Bild von Hitlers Verhältnis zu Großbritannien die entscheidenden Konturen verliehen.

Die Nachrichten aus England hatten sich weiter verschlechtert. Edens programmatische Rede in Leamington vom 20. November 1936 erteilte Deutschlands Werben um freie Hand im Osten eine weitere Absage[28]). Seit dem Spätherbst 1936 vollzog sich überdies infolge der verstärkt einsetzenden Agitation britischer Linkskreise und der Churchill-Gruppe ein antideutscher Stimmungsumschwung in breiten Schichten der britischen Bevölkerung, der zu Mißklängen, ja bis zu eindeutigen Feindschaftsbekundungen führte[29]). Botschafter von Ribbentrop, sichtlich deprimiert über die für ihn allerdings nicht unerwartete Entwicklung, mußte Hitler zum Jahreswechsel in Berlin

---

[26]) Vgl. dazu PRO London, FO 371/20735, C/270/18. Memorandum des Foreign Office über die von Schacht seinem Gesprächspartner unterbreiteten Vorschläge. Danach hat Schacht betont, daß seine Anregungen Neuraths und Hitlers Ansicht repräsentierten. Das ist um so bemerkenswerter, als Schacht — ganz im englischen Sinne — für ein britisches Entgegenkommen in der Kolonialfrage als Gegenleistung deutsche Konzessionen in Europa anbot, während Hitler ja bekanntlich das Gegenteil forderte. Hildebrand, Weltreich, S. 491, vermutet wohl mit Recht, daß Schachts Aktivitäten, wie auch seine Gespräche im Sommer 1936 in Paris, eher seine private Angelegenheit blieben.

[27]) PA Bonn, Pol I-M, Flottenverhandlungen mit England 1, Rundschreiben des AA vom 26. 7. 1937 über den Vertragsabschluß. Das Abkommen enthielt eine qualitative Vereinbarung über Schiffsgrößen und Bestückung, eine Ergänzungserklärung zum Abkommen von 1935 sowie einen Notenwechsel, der die Baufeierzeit für große Kreuzer betraf. DNB-Bericht vom 17. 7. 1937 in PA Bonn, Pol I-Völkerbund, England-Deutschland 1. Zur Ausführung des Vertrages vgl. PA Bonn, Pol I-M. Flottenverhandlungen mit England, Bd. 2. Dort der ständige deutsch-britische Nachrichtenaustausch über Bauprogramme und Fertigstellung der beiden Flotten mit Zusatzprotokollen vom 30. 6. 1938 über Änderung der Höchsttonnagebegrenzung. Zum gesamten Komplex des Verhältnisses Hitlers zur Marine vgl. Dülffer, Hitler und die Marine.

[28]) Vgl. Aigner, Ringen um England, S. 309. Siehe unten S. 102 f.

[29]) ebd.

melden, „die Aufgabe, eine Annäherung an Großbritannien zustandezubringen, gestalte sich weitaus schwieriger als vorherzusehen war" und kehrte entmutigt an die Themse zurück[30]). Auf Edens bereits erwähnte öffentliche Kritik an innerdeutschen Erscheinungen[31]) antwortete Hitler am 30. Januar 1937 vor dem Reichstag mit ausgesprochen primitiver antibritischer Polemik — wobei er bezeichnenderweise den alten Wunsch nach „aufrichtiger herzlicher Zusammenarbeit" nicht unerwähnt ließ — und drohte Deutschlands Rückzug aus den internationalen Wirtschaftsverflechtungen, also autarkistische Bestrebungen, an[32]). Am 24. Februar steckte er in München deutlich die Grenzen seiner so oft beschworenen Friedensliebe ab und wies einen Verzicht auf „auch nur das geringste unserer Lebensrechte" von sich[33]). Auch zugunsten eines Bündnisses mit England würde er demnach niemals willens sein, Deutschlands „vitale Belange", die ja im Osten lagen, aufzugeben. Seine Zuhörer und die Weltöffentlichkeit mochten dabei lediglich an Österreich und die Revision der Ostgrenzen, allenfalls noch an das Sudetenland denken. Eine Übereinkunft unter englischen Vorstellungen, die nach den bisherigen Erfahrungen höchstens geringfügige Veränderungen des Status

---

[30]) Siehe Phipps Tel. an Eden vom 4. 1. 1937. PRO London, FO 371/20709, C/109/3/18. „Herr von Ribbentrop has returned in a very depressed and chastened frame of mind...". Zur Reihe der von Hitler tatsächlich oder wahrscheinlich so empfundenen britischen „Provokationen" vgl. auch DDF, 2, IV, Nr. 450: François-Poncet an Delbos v. 16. 2. 1937: die britischen Rüstungsausgaben verursachten in Deutschland „une impression pénible"; weiter die bereits im Sommer 1937 anlaufende Briefaktion von Stephen King-Hall, (die im Sommer 1939 ihren Höhepunkt erleben sollte) „The K.-H.-News Letter Service", in der Großbritannien zur Aufrüstung gegen die Bedrohung der Zivilisation durch Deutschland aufgerufen wird. Die deutsche Botschaft in London berichtete darüber laufend an das AA: PA Bonn, Pol II, England-Deutschland 5. Erwähnenswert in diesem Zusammenhang sind ebenfalls die Petitionen George Lansburys für Ernst Thälmann und andere politische Häftlinge, die im Juni 1937 direkt an Hitler gerichtet wurden: BA Koblenz, R 43 II/1436, England: Lansburys Schreiben an Hitler v. 19. 6. 1937. Ähnliche Vorkommnisse lassen sich das ganze Jahr über in den Akten verfolgen: PA Bonn, Pol II, England-Deutschland 5, passim, (z. B. Brief Herbert Morrisons an das deutsche Volk) und ebd., England, Allgem. auswärtige Politik 2, passim (z. B. eine Erklärung des National Council of Labour), die sämtlich die gleiche Grundtendenz beinhalteten und von Hitler als grobe „gouvernantenhafte" Einmischung in seinen Staat aufgefaßt wurden oder werden konnten.
[31]) Siehe oben S. 64. Berber, Deutschland-England, S. 111 ff.; BA Koblenz, R 43 II, 1435 a, England, DNB-Meldung v. 20. 1. 1937.
[32]) Max Domarus, Hitler, Reden und Proklamationen 1932–1945, kommentiert von einem deutsche Zeitgenossen, 2 Bde., Würzburg 1962/63, S. 664 ff., bes. S. 668 ff. Vgl. auch Berber, Deutschland-England, S. 114 ff., sowie Berbers Kommentar zur „höchst charakteristischen, grundsätzlichen Auseinandersetzung zwischen Eden und dem Führer", ebd., S. 111.
[33]) Es spricht der Führer, Sieben exemplarische Hitlerreden, hrsg. und erläutert von Hildegard von Kotze und Helmut Krausnick, Gütersloh 1966, S. 91.

quo und die Einbeziehung des Reiches in ein gesamteuropäisches Friedenssystem beinhalteten, war somit inakzeptabel[34]).

Die Unvereinbarkeit der deutschen und englischen Außenpolitik ergab sich aus den verschiedenen Grundkonzeptionen beider Seiten. Dem Zeitgenossen, der um 1937/38 in Hitler nur einen radikaleren, aber erfolgreicheren Brüning oder Stresemann erblickte, konnte sie nicht einsichtig sein[35]). Das Bewußtsein breiter Volkskreise in Deutschland registrierte denn auch meist, daß die von Hitler angeblich so oft ausgestreckte Freundschaftshand – die sich vor allem in der freiwilligen Selbstbeschränkung im Flottenbau gezeigt hatte – von Großbritannien zurückgewiesen worden war, daß die Regierung in London Deutschland nur widerstrebend einen gleichberechtigten Platz unter den Völkern zuerkannte, die Herausgabe der angeblich geraubten Kolonien strikt verweigerte und von einer gemeinsamen Frontstellung gegen den sowjetischen Bolschewismus nichts hielt. „Wieder beginnt es bei den Deutschen zu dämmern", vermerkte Phipps im April 1937 sehr treffend, „daß von allen europäischen Ländern Großbritannien vielleicht das unangenehmste ist"[36]). Erstmals trafen britische Deutschlandreisende auf unverholen antienglische Gefühle in allen Schichten der Bevölkerung[37]), ja, das Inselreich wurde bereits als potentieller, wenn nicht gar Hauptgegner des Reiches angesehen. Selbst Göring stimmte am 9. April anläßlich von Phipps' Abschiedsbesuch in diesen Chor ein. „Wann immer Deutschland versuche, eine Blume zu pflücken", so ließ Göring verlauten, „würde ein englischer

---

[34]) PRO London, FO 371/20710, C/3428/3/18: Bericht des britischen Generalkonsuls in München über ein Gespräch mit dem Kommandanten des Wehrbereichs München, General von Reichenau, der die gleiche Überlegung von Hitler gehört haben wollte und abschließend feststellte, aus diesem Grunde „halte Hitler die Verständigung mit Großbritannien von Tag zu Tag für schwieriger". Vgl. auch weitere zahlreiche englische Berichte, die Hitlers Enttäuschung über die Verschlechterung der deutsch-englischen Beziehungen vermerkten: z. B. Phipps an FO v. 15. 2. 1937: PRO London, FO 371/20709, C/1444/3/18. (Als Quelle nennt Phipps eine deutsche Dame mit engen Beziehungen zu Hitler: vielleicht Viktoria von Dirksen?), und ebd. FO 371/20719, C/2081/37/18: Edens Aufzeichnung über sein Gespräch mit Ribbentrop v. 13. 3. 1937 („ . . . if he was to be frank that the chancellor was feeling discouraged").

[35]) Vgl. Hildebrand, Deutsche Außenpolitik, S. 60.

[36]) PRO London, FO 371/20710, C/2857/3/18. Phipps Schlußbericht über seine Botschaftertätigkeit. Diese Fassung stimmt nicht wörtlich mit der bei Ott, Phipps, als Beilage 43, S. 227 ff. abgedruckten Version überein.

[37]) Vgl. z. B. PRO London, FO 371/20733, C/3481/165/18: Eindrücke von Besuchen in München und Berlin im Auftrag des Royal Institute of International Affairs 26. 3. – 10. 4. 1937: „I was impressed – and depressed – by the extent of anti-English feeling in Germany"; sowie ebd. FO 800/296, Cranborne-Papers: Vertraulicher Bericht eines Industriellen über einen Deutschlandbesuch im Juli 1937: Früher habe England als Freund gegolten, heute werde es als potentieller Feind, ja, sogar als Hauptgegner angesehen; schließlich ebd., FO 371/ 20711, C/5150/3/18: Memorandum des britischen Generalkonsuls in München v. 7. 7. 1937: „The sense of disappointment and frustration grows steadily in Germany and is undoubtedly chiefly directed against Great Britain."

Stiefel darauf treten; und das selbst in Gegenden, wo keine britischen Interessen auf dem Spiele stünden." (Dabei ließ sich der Oberbefehlshaber der Luftwaffe allerdings nicht darüber aus, wie Phipps klug kommentierte, in welchem Garten er seine Blume zu pflücken wünschte.) „Eine solche Macht", folgerte der deutsche Gesprächspartner, „könne bald als Feind par excellence betrachtet werden"[38].

Auch die deutsche Presse änderte ihre Tonart gegenüber England in einem solchen Maße, daß der neue Botschafter Sir Nevile Henderson ihre Grundhaltung als „ausgesprochen antibritisch" empfand[39], und sogar das Propagandaministerium, um „unnötige Empfindlichkeit" zu vermeiden, „die die deutsche Politik gegenüber England noch stärker belastet, als dies schon der Fall ist", „eine gewisse Reserviertheit" empfahl[40]. Die Verurteilung der deutsche Repressalien im Mittelmeer (Guernica, Almeria) durch die englische Öffentlichkeit, sowie britische Rüstungsanstrengungen, die in deutschen Augen nicht zur Sicherung eigener Interessen anliefen, sondern sich gegen das Wiederentstehen eines starken Staates im Herzen Europas richtete[41], und natürlich auch die Ausweisung von deutschen Journalisten aus England[42], — ein Ereignis, das in den deutschen Blättern einen Sturm der Entrüstung auslöste, während man zwei Jahre früher bei gleichgelagerten Fällen noch Stillschweigen gewahrt hatte[43], all das lieferte der Presse nahezu täglich Material, um die „großen Demokratien" letztlich als „Stützpfeiler lebensfeindlicher Beharrung", als „Reaktion gegen die Erneuerung" darzustellen[44]. Es entsprach genau dem Hitlerschen Englandbild vom andauernden Ringen zwischen nationalen und anti-nationalen Kräften, wenn in deutschen Zeitungen für England die Alternative aufgezeigt wurde, entweder in die „Front völkischer Selbstbehauptung" einzuschwenken oder aber dem Bolschewismus zu verfallen[45].

---

[38]) PRO London, FO 371/20726, C/2840/78/18. Phipps' Aufz. über die Begegnung. Vgl. auch Görings Bemerkung zu Phipps' Nachfolger Henderson im Sommer 1937: England sei der Feind auf Deutschlands Weg („enemy in Germany's path"), die das Foreign Office zu diplomatischen Rückfragen veranlaßte: ebd. FO 371/20711, C/5314/270/18.

[39]) Nevile Henderson, Fehlschlag einer Mission, Basel 1940, S. 71; zum gesamten Komplex der Presse vgl. wiederum Aigner, Ringen um England, S. 310 ff.

[40]) BA Koblenz, ZSg. 101/9, Brammer, Anweisung v. 16. 3. 1937; beispielsweise sollte die jüdische Abstammung des britischen Kriegsministers Hore-Belisha nicht mehr erwähnt werden, wie auch Karikaturen über Eden für unerwünscht erklärt wurden; (ebd., Rundruf v. 28. 5. 1937) Siehe auch Aigner, Ringen um England, S. 312, „Volk, Krone und Regierung galten als tabu".

[41]) Siehe PRO London, FO 371/20735, C/2185/270/19: Phipps an FO v. 16. 3. 1937.

[42]) Vgl. zu dieser Affaire, die deutscherseits mit der Ausweisung britischer Korrespondenten aus Deutschland beantwortet wurde, die Aktenstücke des FO: ebd., FO 371/20742, C/5607, 5678, 5726/305/10, und Aigner, ebd., S. 312 ff.

[43]) Aigner, ebd., S. 312 ff.

[44]) Völkischer Beobachter v. 30. 1. 1938, zit. nach Aigner, ebd., S. 313.

[45]) Vgl. Aigner, ebd., S. 314. Die Übereinstimmung der Presseartikel mit Hitlers Grundanschauung läßt auf eine sehr direkte Linie Hitler-Goebbels-deutsche Presse schließen.

Die veränderte Situation spürte Lord Lothian[46]), als er Anfang Mai 1937 der deutschen Führungsspitze einen Besuch abstattete. In einem zusammenfassenden Memorandum[47]) bezeichnete Lothian Hitlers und Görings revidierte Einstellung zu England als das neue Element der deutschen Politik. Nicht, daß die beiden Politiker die Freundschaft mit Großbritannien nicht mehr wünschten oder das Empire nicht mehr als „hervorragendes Erzeugnis der nordischen Rasse" bewunderten; jedoch sie begännen zu glauben, verzeichnete Lothian als Fazit, „es sei Großbritannien, das letztlich Deutschland daran hindert, das zu erlangen, was sie als Gerechtigkeit und Deutschlands rechtmäßige Position in der Welt erachteten". Man frage sich in der deutschen Führung fortgesetzt: „Warum betreibt England keine britische anstelle einer antideutschen Politik?" Es gäbe keine Überschneidung grundsätzlicher deutscher und englischer Interessen, Deutschland würde eine Politik zum Schutze der Belange des Empires also wohl zu verstehen wissen. Dennoch stelle sich Hitlers Meinung nach die Londoner Regierung allen legitimen deutschen Ansprüchen entgegen und unterstütze alle Feinde und Gegner des Reiches. Würde dieser Entwicklung nicht Einhalt geboten, so käme es schließlich zur Wiedererstehung der alten Bündnisrivalität mit Deutschland als Zentrum der einen Allianz und Großbritannien als Haupt der anderen. Das führe dann zum gegenseitigen Selbstmord und zum Triumph minder zivilisierter Rassen.

Lothians Analyse des Hitlerschen Englandbildes vom Mai 1937 deckt sich ziemlich genau mit der von uns bisher beobachteten Wandlung des früheren Bündnisgedankens. Würde England eine wahrhaft britische Politik treiben, so schien es Hitler, wäre ein Einvernehmen zwischen beiden Nationen schnell geschaffen, da keine realen Interessengegensätze bestanden. Da man in London dennoch eine antideutsche Linie verfolgte, die zur Rivalität mit dem Reich und zur endlichen Selbstvernichtung führen muß, so vertrat man damit die Sache niederer Rassen, die allein aus dem möglichen Konflikt triumphierend hervorgehen würden; mit anderen Worten: dann besorgte die englische Regierung die Geschäfte des internationalen jüdischen Bolschewismus, keineswegs aber die der eigenen Nation. Zwar blieb Hitlers Wunsch zur Freundschaft ungeschmälert vorhanden. Doch war die Aussicht, ihn jemals erfüllt zu sehen, weitgehend zusammengeschrumpft[48]), weil England eben keine britische, sondern antideutsche Politik im Dienste antinationaler Anliegen führt. Das war Hitlers „Erkenntnis" der vergangenen Jahre.

Ein Blick auf die Aufzeichnung der Gespräche selbst vermag den bereits bei der Betrachtung von Lothians Zusammenfassung gewonnenen Einblick in Hitlers Grundhaltung im Frühsommer 1937 zu erhärten[49]). Gleich zu Anfang

---

[46]) Zu Lord Lothian siehe die bereits erwähnte Biographie von J. R. M. Butler, Lord Lothian.

[47]) PRO London, FO 371/20735, C/3621/270/18, dort auch die folgenden Zitate.

[48]) Vgl. Ribbentrops Äußerung zu Eden am 13. 3. 1937, siehe oben Anm. 34.

[49]) Das englische Protokoll der Besprechung, verfaßt von Conwell-Evans, findet sich in den Akten des Foreign Office: siehe Anm. 47, und ist abgedruckt bei Butler, Lothian, S. 337 ff.

vermerkt das englische Protokoll Hitlers „grave mood", „die Spuren von Bitterkeit, wenn nicht gar Desillusion" in seinen Worten, aber auch den „ernsten Wunsch", während der zweieinhalb Stunden dauernden Besprechung das deutsch-englische Verhältnis zu verbessern. Ein zweites Mal zeigt sich, wie wenig Hitler im Hinblick auf Großbritannien ein skrupelloser, rein opportunistischer Machtpolitiker gewesen ist. Mochte seine Option für England in den frühen zwanziger Jahren zunächst vorwiegend machtpolitischen Überlegungen entsprungen sein[50]), die Abwendung vom Bündnisgedanken war in seinen Augen eine ihm von der englischen Politik aufgezwungene Entscheidung, die ihm weit mehr bedeutete als die Modifizierung eines politischen Kurses, die deshalb niemand aufrichtiger bedauerte als er selbst. Von einer kühlen, distanzierten Einsicht, daß Großbritanniens abweisende Haltung machtpolitische Konsequenzen notwendig mache, konnte nicht die Rede sein. Zu häufig beklagte er die „Unvernunft" der englischen Regierung, zu lange versuchte Hitler das Bündnis trotz offensichtlich fehlender Erfolgschancen doch noch zu erzwingen, zu oft bedauerte er im Nachhinein die Wendung der Dinge, als daß ausschließlich rein rationales, machtpolitisches Kalkül als Basis seiner Englandpolitik anzunehmen wäre. Konnte Hitler in anderen Bereichen „eiskalt" Entscheidungen treffen, bezüglich England vermochte er es jedenfalls nicht. Mit Recht kann man daher am Terminus „Lieblingsidee" zur Bezeichnung seiner Bündniskonzeption festhalten. Sollte die deutsch-englische Freundschaft für unsere Begriffe auch höchst verwerflichen, unmenschlichen Zielen dienen, war es schließlich auch Hitler selbst, der durch sein maßloses, mit radikalen rassenideologischen Momenten verquicktes Expansionsprogramm die ablehnende Haltung der Engländer und den erneuten Kampf mit dem Empire verschuldete, in Hitlers Denkschema stellte sich die Frontstellung vom 3. September 1939 bis weit in die Kriegsjahre hinein als eine „verkehrte" dar[51]).

Hitler ließ sich im Gespräch mit Lothian nun näher über die Gründe aus, die angeblich zur Verschlechterung der deutsch-englischen Beziehungen geführt hätten. Seiner Meinung nach lagen sie hauptsächlich im Verhalten der Engländer im Abessinienkonflikt und im Spanischen Bürgerkrieg. Anstatt am Tana-See mit zwei oder drei Bataillonen britische Interessen zu verteidigen, habe die Londoner Regierung den „Völkerbund mit dem bolschewistischen Rußland als führendem Mitglied" angerufen. In dieser Situation hätte jedoch eine Niederlage Mussolinis die Gefahr der Bolschewisierung ganz Italiens heraufbeschworen, ähnlich wie zum gegenwärtigen Augenblick Spanien das gleiche Schicksal zu erleiden drohte. Um das zu verhindern, gewähre er Franco Unterstützung, und es sei unverständlich, warum Großbritannien seinem Beispiel nicht folge. Statt dessen erschienen in der englischen Presse „phantastische" Geschichten zu angeblichen deutschen Aktionen in Guernica. Die Enttäuschung des „Führers" über die zwiespältige Haltung

---

[50]) Dazu Kuhn, Hitlers außenpolitisches Programm, Teil I, Kap. IV, passim.
[51]) Hillgruber, Deutschlands Rolle, S. 98.

der englischen Regierung im Spanienkonflikt — wie wir sie bereits früher aufzuzeigen versuchten[52]) — verbarg sich hinter diesen Ausführungen. Was das Kolonialproblem betraf, so erschien es Hitler „absolut unerträglich", daß man aus Gründen der Volksernährung allen möglichen Völkern Kolonien zubilligte, Deutschland jedoch nicht. Die „rein negative" Einstellung der Engländer, ihre „Sturheit" und „Unvernunft" habe die deutsche Seite verbittert. Im Anschluß daran zeichnete Hitler warnend und in düsteren Farben die Vision einer künftigen neuen Auseinandersetzung zwischen den beiden rassisch verwandten Völkern, die „bis zum Ende ausgefochten werden würde" und einem Selbstmord gleichkäme.

Als man sich dann mittel- und osteuropäischen Problemen zuwandte, ließ Hitler an der Konstanz seiner alten Auffassungen keinen Zweifel. Er verlangte nach wie vor von England freie Hand in diesem Bereich. Wie Ägypten und Belgien Gebiete seien, die Großbritannien direkt angingen, so gäbe es in Europa Regionen, die für das Deutsche Reich von eben der gleichen Bedeutung seien. Ein weiteres Mal stellte Hitler also das altbekannte Prinzip der eindeutigen Interessenaufteilung zur Diskussion. Wenn Baldwin Englands Grenze an den Rhein verlegt habe, so könne Deutschland mit gleichem Recht behaupten, daß die Reichsgrenze ein gutes Stück weiter östlich verlaufe, falls die Tschechoslowakei nicht aufhöre, „ein Sektor des russischen Staates zu sein". Deutschlands vitale Belange würden außerdem in Memel und in Österreich berührt. Damit hatte Hitler sein Aktionsfeld für die nähere Zukunft abgesteckt, natürlich nicht ohne seine Absicht zu betonen, möglichst eine friedliche Lösung anzustreben.

Abschließend beschwor der „Führer" nochmals die deutsch-englische Freundschaft. „Die vereinte Kraft von 120 Millionen Germanen würde eine unwiderstehliche Macht bilden." Die britische Seemacht und die unübertreffliche deutsche Armee könnten zusammen eine kraftvolle Garantie für den Frieden abgeben. Hitlers alte Lieblingsvision manifestiert sich hier in ihrer ganzen Intensität und Bildhaftigkeit.

So enthüllte Hitler in der Unterredung mit Lothian und Conwell-Evans nahezu die gesamte Entwicklung, die seine Haltung zu England seit 1935 durchlaufen hatte: der weiter latent vorhandene Wunsch, mit England eine Allianz zu schließen, das Werben um das englische Bündnis mit dem Druckmittel der „kolonialen Sanktionsdrohung", die Erkenntnis der „antinationalen", am Völkerbund orientierten Politik der britischen Regierung anläßlich des Abessinien- und Spanienkrieges und damit verbunden die wachsenden Zweifel an der Durchführbarkeit seines Bündniskonzeptes, die sich mitunter zu gänzlicher Hoffnungslosigkeit verdichteten. Als zusätzliches Fazit aus Hitlers Ausführungen ergibt sich, daß Hitler für den Fall, daß seine Bündniskonzeption tatsächlich scheitert, noch keine Alternativvorstellungen zur Rettung seines „Programms" anzubieten hatte. Die Aussicht auf eine selbstmörderische Auseinandersetzung zwischen beiden Völkern ist ja eher

---

[52]) Vgl. Abschnitt 2 dieses Kapitels.

mit Ausweglosigkeit gleichzusetzen. Allein, übersehen wir nicht, daß der deutsche Diktator in dieser Situation, in der er sich nicht allein an Lord Lothian wandte, sondern durch ihn auch die Londoner Regierung ansprach, aus taktischen Gründen — um die maßgeblichen Kreise im günstigen Sinn zu beeinflussen — die mögliche Alternative in den schwärzesten Farben schilderte und seine Bündnisvorstellung als die einzig denkbare erscheinen ließ.

Wenige Tage später erfuhr auch die englische Regierungsspitze, Baldwin und Eden, von Reichskriegsminister von Blomberg am Rande der Londoner Krönungsfeierlichkeiten, daß Hitler viele Hoffnungen und Erwartungen, die er in England gesetzt hatte, nunmehr aufgegeben oder doch stark reduziert hatte. Deutscherseits gewinne man den Eindruck, so führte Blomberg aus, „England lege auf die deutsche Freundschaft keinen allzugroßen Wert"[53]. In seiner Antwort sprach sich der englische Außenminister erneut gegen bilaterale Abmachungen aus, da „der Friede nicht in einzelne Abteilungen aufgeteilt werden könne"[54]. Hitler dagegen vertrat beim Besuch des kanadischen Premierministers Mackenzie-King Ende Juni 1937 weiter die Ansicht, daß England die wahre Bedeutung des Kommunismus nicht erkannt habe. Kollektive Sicherheit — und für diese hatte Eden ja Blomberg gegenüber erneut plädiert — würde aus lokalisierbaren Angelegenheiten einen europäischen Krieg entstehen lassen[55], in dem — so können wir Hitlers Gedankenkette verlängern — nur Judentum und Bolschewismus profitierten, Großbritannien und andere wertvolle Nationen jedoch untergingen. In großer Zahl finden sich während des Sommers 1937 in London einlaufende Informationen, die Hitlers Enttäuschung und Resignation über den Fehlschlag seines Englandkonzeptes übereinstimmend bestätigen[56], wobei immer häufiger anklang, daß Hitler angesichts der englischen Grundeinstellung weitere Freundschaftsangebote, die ja doch nur zurückgewiesen würden, nicht mehr der Mühe wert erschienen[57]. Die Periode des aktiven Bündniswerbens neigte sich infolge von Hitlers Erfahrungen mit England offenbar dem Ende zu.

---

[53]) Vgl. PA Bonn Pol II, England-Deutschland 4, Aufz. der Unterredung Blomberg-Baldwin v. 13. 5. 1937. Edens Aufzeichnung siehe PRO London, FO 371/20735, C/3555/270/18; Edens Eindruck, daß Blomberg seine Instruktionen von Hitler selbst erhielt, dürfte wohl der Wahrheit entsprechen.

[54]) PA Bonn, ebd.

[55]) Nach einer englischen Aufz. des Gespräches, die Mackenzie-King dem Foreign Office zukommen ließ: PRO London, FO 371/20750, C/5187/5187/18. v. 29. 6. 1937.

[56]) Anstelle vieler: PRO London ebd., Göring zu Mackenzie-King: England habe Hitler schwer enttäuscht; PRO London, FO 371/20736, C/6206/270/16: Schacht zu Henderson im August: „Hitler was still profoundly discouraged".

[57]) ebd., FO 371/20711, C 6301/3/18: Woermann zu Dr. Jäckh, im gleichen Sinne äußerte sich Gesandter von Bismarck während des Nürnberger Parteitages, wobei der Berichterstatter, der britische Generalkonsul in München, vermerkte, daß Hitler vor Journalisten die gleichen Ausführungen gemacht habe: PRO London, FO 371/20750, C/6664/4222/18.

c) Hitlers „neue" Haltung zu England und der Beginn von Chamberlains Appeasement-Politik: Die Verschiebung des Neurath-Besuches

In seinen Erinnerungen bezeichnete Botschafter Sir Nevile Henderson die Einladung der britischen Regierung an den deutschen Außenminister Neurath, im Juni 1937 zu einem Besuch an die Themse zu kommen, als den ersten Schritt „einer beabsichtigten Serie von genau festgelegten und planmäßigen Versuchen Mr. Chamberlains", die deutsch-englischen Beziehungen zu verbessern[58]. Hatten wir bisher den Schwerpunkt der Darstellung auf die gleichbleibende Richtung der Entwicklung der Hitlerschen Englandvorstellungen gelegt, so müssen wir nun auf die Tatsache eingehen, daß mit dem Amtsantritt der Regierung Chamberlain — im Gegensatz zu den verflossenen Jahren — Zeichen wachsenden Verständigungswillens über den Kanal nach Deutschland kamen. Man hat es „eine grausame Ironie der Geschichte" genannt, daß der neue britische Premierminister seine „Politik des Appeasements ... zum gleichen Zeitpunkt einleitete, als Hitler die Hoffnung aufgegeben hatte, sich noch mit England verständigen zu können"[59]. Das Zusammentreffen zweier entgegenlaufender Tendenzen komplizierte das Verhältnis Deutschlands zu England um eine weitere Stufe und vermag zu manchen Mißdeutungen Anlaß zu geben. Es bedarf daher einiger Mühe, das Geflecht von Meinungen, Thesen, Analysen, Wahrheiten und Halbwahrheiten, die sich um den Terminus „Appeasement" gerankt haben, zu entwirren und die Grundpositionen beider Regierungen herauszukristallisieren. Die Konfrontation von britischer Verständigungsbereitschaft einerseits und Hitlers wachsender Skepsis andererseits vollzog sich konkret erstmals in den Auseinandersetzungen um den geplanten Neurath-Besuch in London, setzte sich mit der Reise Halifax' nach Deutschland im November 1937 fort und mündete in die intensiven Bemühungen Großbritanniens um verstärkte Kontakte mit Hitlers Deutschland im Winter 1937/38.

Wenn die Umschreibung „grausame Ironie der Geschichte" impliziert, Chamberlain habe ab 1937 genau das beabsichtigt, was Hitler seit 1933 erstrebte und ihm von den damaligen Regierungen in London verweigert wurde, worauf Hitler nun seinerseits keinen Wert mehr legte, als man es ihm englischerseits konzedieren wollte, dann reiht sich eine solche Interpretation allerdings nur in die große Zahl der bereits bestehenden Fehldeutungen ein. Ohne in die noch keineswegs abgeschlossene Diskussion um Wert und Unwert oder gar um Schuld und moralische Verwerflichkeit der von Chamberlain 1937 intensiv begonnenen Politik einzugreifen[60], dürfen wir als

---

[58]) Henderson, Fehlschlag einer Mission, S. 75.
[59]) Siehe E. Anchiere, „Die europäischen Staaten und der Aufstieg des Dritten Reiches 1933—1939", in: Das Dritte Reich und Europa. Bericht über die Tagung des Instituts für Zeitgeschichte in Tutzing, Mai 1956, München 1957, S. 61 f.
[60]) Einen guten Einblick in den Stand der „Appeasement"-Diskussion gibt der Literaturbericht von Gottfried Niedhart, „Weltmacht, Anspruch und Wirklich-

gesichert festhalten, daß Hitler nach 1933 auch mit den „Befriedigungspolitikern" nicht zu einem Bündnis unter seinen Vorstellungen gelangt wäre, daß ihm eine Regierung Chamberlain im Prinzip die gleiche Enttäuschung bereitet hätte, die er ab 1935 zunehmend tatsächlich erfuhr. Seine Englandkonzeption wäre im gleichen Maße revisionsbedürftig geworden, wie sie es nun im Jahre 1937 war. Denn, ebenso wie Vansittart und Eden zeigten sich Chamberlain und später Lord Halifax in keiner Phase ihres Wirkens bereit, Hitler das unabdingbare konstitutive Element seiner Allianzvorstellungen zu liefern, nämlich das britische Einverständnis zu einer schrankenlosen Expansion Deutschlands auf Kosten seiner östlichen und südöstlichen Nachbarstaaten zu geben, mochte man auch in der Downing Street dem bolschewistischen Rußland sehr wenig Sympathie entgegenbringen. Die Appeasementpolitik nuancierte und modifizierte die englische Grundhaltung, keineswegs änderte sie diese im Prinzip. Sie bot ein neues Mittel an, um in einem gesamteuropäischen Friedenssystem eine uneingeschränkte Hegemonie des Reiches auf dem Kontinent — für Hitler bekanntlich das Ziel der Kontinentalphase seines Programms — zu verhindern, ebenso wie Churchill, Cooper, Vansittart und Eden aus Furcht um den Bestand des Empire eine bedrohliche deutsche Vormachtsstellung — mit einem anderen abschreckenderen Instrumentarium allerdings — abzuwenden wünschten. Die Unüberbrückbarkeit zwischen Hitlers „Programm" und den Grundzügen der englischen Politik war durch die Strategie des „Appeasement" nicht beseitigt. Sie wurde allerdings für den Zeitgenossen nicht mehr einsehbar, der von Hitlers langfristigen Zielen nichts wußte[61]), oder an sie nicht glauben mochte, der das Spezifische an Hitlers Politik, das ihn von Stresemann und Brüning unterschied und die „Diskontinuität" der deutschen Außenpolitik von Bismarck bis Hitler ausmachte[62]), nicht erkennen konnte.

Zu der bereits zitierten Information des Generals Reichenau[63]) vermerkte Vansittart, „zum x-ten Male" sei nun offensichtlich geworden, daß sich Deutschland auf Kosten seiner Nachbarn notfalls mit Gewalt ausbreiten wolle. „Obwohl wir gern zu einem Einvernehmen gelangen wollen, können wir doch niemals auf dieser Basis einig werden, ebenso wenig wie — zu-

---

keit, Zur britischen Außenpolitik im 20. Jahrhundert", in: NPL 13 (1968), Sp. 233–241. Vgl. auch die Übersicht bei Hildebrand, Weltreich, S. 578 f., Anm. 459. Zum Grundsätzlichen siehe immer noch Hans Herzfeld „Zur Problematik der Appeasement-Politik", in: Geschichte und Gegenwartsbewußtsein. Festschrift für Hans Rothfels zum 70. Geburtstag, Göttingen 1963, S. 161–197; sowie Manfred Schlenke „Die Westmächte und das nationalsozialistische Deutschland. Motive, Ziele und Illusionen der Appeasementpolitik," in: Mitteilungen der Gesellschaft der Freunde der Wirtschaftshochschule Mannheim 16 (1967), S. 35–43. Dazu nun Bernd-Jürgen Wendt, Economic Appeasement. Handel und Finanz in der britischen Deutschlandpolitik 1933–1939. Düsseldorf 1971.

[61]) Vgl. Hildebrand, Deutsche Außenpolitik, S. 60.
[62]) Dazu die grundlegenden Betrachtungen von Andreas Hillgruber, Kontinuität und Diskontinuität in der deutschen Außenpolitik von Bismarck bis Hitler, hier bes. S. 23.
[63]) Siehe oben S. 79, Anm. 34.

gegebenermaßen — Deutschland unsere Grundauffassung anerkennen kann. Was uns trennt, ist tatsächlich ein fundamentaler Unterschied in der Konzeption und in der Moral[64]." Diese grundsätzlichen Erwägungen stammen zwar von dem Exponenten einer ausgeprägt gegen Deutschlands Wiederaufstieg gerichteten Linie des Foreign Office, besaßen jedoch prinzipielle Gültigkeit für Churchill, Cooper und Eden ebenso wie für Chamberlain und Halifax. Auch letztere dachten niemals daran, ein deutsches Ausbrechen nach Osten zu unterstützen oder hinzunehmen. Wenn aber Chamberlain dennoch versuchte, die von Vansittart und der Gruppe um Churchill für unüberwindbar gehaltene Kluft zu Hitlerdeutschland zu überbrücken, so konnten dafür mehrere Gründe maßgebend sein.

Zum einen mochte er ähnlich der Mehrzahl seiner Zeitgenossen „die Dynamik wie die Konsequenz der Politik Hitlers" falsch einschätzen[65]), den trennenden Graben nicht in seiner ganzen Tiefe ermessen. Zum anderen glaubte er — möglicherweise in ernster Würdigung der in „Mein Kampf" skizzierten Ziele Hitlers — dem von Vansittart und Churchill für einzig gangbar erachteten Weg der bedingungslosen Aufrüstung und antideutschen Koalitionsbildung eine eigene, konstruktivere Konzeption entgegensetzen zu können, die Hitler ebenfalls zur Aufgabe seiner Intentionen bewegen würde: Durch gewisse, auch territoriale Revisionen der Versailler Vertragsbestimmungen, die allerdings friedlich ausgehandelt werden mußten, und mit Konzessionen im kolonialen Bereich sollte Deutschland als gleichberechtigter Partner zusammen mit Italien, Frankreich und Großbritannien in eine das Versailler System ablösende Viererordnung fest eingefügt werden. Diese bot gleichermaßen Schutz gegen Sowjetrußland und verhinderte — durch zusätzliche wirtschaftliche Klammern verstärkt — Hitlers Ausbruch nach Osten[66]). Ein Krieg gegen das Reich würde in diesem Konzept solange wie nur eben möglich verhindert werden. Er war nur als ultima ratio für den Fall eingeplant, daß Hitler trotz Zugeständnissen und Revisionen den „Marsch nach Osten" antrat und eine auch das Empire bedrohende Hegemonialstellung erringen würde. Chamberlain konnte jedoch nicht recht einsehen, warum Deutschland auf sein Angebot nicht eingehen sollte, wie er es im Spätjahr 1937 in einem Privatbrief formulierte: „Gebt uns befriedigende Zusagen, daß Ihr gegenüber Österreich und der Tschechoslowakei

---

[64]) ebd. „Minute" Vansittarts.

[65]) Hillgruber, Deutschlands Rolle, S. 80.

[66]) Hillgruber, Deutschlands Rolle, S. 81; vgl. auch ders., „Zum Kriegsbeginn im September 1939", in: Österreichische Militärische Zeitschrift 7 (1969), S. 357–361, hier: S. 358. Die Geschichtsschreibung der Sowjetunion und anderer osteuropäischer Staaten vertritt die These, daß Chamberlain Hitler bewußt nach Osten habe ablenken wollen, also — im Gegensatz zu unserer Deutung — Hitler zur Realisierung seines „Programms" gerade zu verhelfen suchte, um dann einen „fetten Bissen" der gemeinimperialistischen Beute abzubekommen. Appeasement habe eine imperialistische Verschwörung propagiert, deren Höhepunkt dann die Münchener Konferenz 1938 wurde. Vgl. etwa Heinz Königer, Der Weg nach München. Über die Mai- und Septemberkrise im Jahre 1938 und ihre Vorgeschichte, Berlin 1958.

keine Gewalt gebrauchen werdet, und wir werden Euch versichern, jede Veränderung, die Ihr haben möchtet, nicht mit Gewalt zu verhindern, wenn Ihr sie mit friedlichen Mitteln erhaltet[67]).“ Hier lag indessen Chamberlains Irrtum, der das Scheitern seines Konzeptes letztlich bedingte. Hitler *mußte* einem solchen Handel seine Zustimmung verweigern, wollte er den Kern seines „Programms“ nicht gänzlich aufgeben. Und dazu war er — entgegen Chamberlains Annahme — niemals bereit. Mit den Politikern der Weimarer Republik als Partnern wäre eine solche Politik erfolgversprechend gewesen, gegenüber Hitler, der auf der Realisierung seiner ideologischen und machtpolitischen Zielsetzungen beharrte, war sie zum Scheitern verurteilt[68]). Für Hitler war es von untergeordneter Bedeutung, ob ihm die Londoner Regierung eine friedliche Revision gewisser Versailler Grenzziehungen samt kolonialen Zugeständnissen in Aussicht stellte oder gar nichts. Eine zum Ausgreifen nach Osten berechtigende eindeutige Abgrenzung der Machtsphären wurde weder im einen noch im anderen Fall angeboten. Chamberlains und Halifax' Annäherungsversuche bedeuteten ihm lediglich die mildere Variante ein und derselben Politik, die darauf hinauslief, ihn von seinen Ostzielen abzubringen. Nachdem er bisher vergeblich versucht hatte, die Engländer für seine Partnerschaftsidee zu erwärmen, so ergab sich nun die Aufgabe, den britischen, vom deutschen Auswärtigen Amt eifrig empfohlenen[69]) Annäherungsversuchen auszuweichen.

Mit großer Zurückhaltung wurden in Deutschland denn auch erste Anzeichen einer bevorstehenden Modifizierung der britischen Politik empfangen — schon deshalb, weil man sie noch nicht recht einzuordnen wußte. Bereits April 1937 löste Sir Nevile Henderson den bisherigen Botschafter Sir Eric Phipps in Berlin ab[70]). Hitler hielt Phipps für „restlos vertrottelt“[71]), konnte

---

[67]) Chamberlain im November 1937 in einem Brief an seine Schwester, zit. nach Francis L. Loewenheim, Peace or Appeasement? Hitler, Chamberlain and the Munich Crisis, Boston 1965, S. XVIII.

[68]) Vgl. Gilbert, The Roots of Appeasement, S. XII.

[69]) Siehe zu den „Aktionstypen“ des Auswärtigen Amtes Anm. 24 dieses Abschnitts. Für das Konzept der friedlichen Revision im Einvernehmen mit England schienen die britischen Verständigungsbemühungen natürlich die große Chance zu sein. Kaum ein größerer Bericht der deutschen Botschaft enthielt in der kommenden Zeit bis zum Kriegsausbruch nicht die Empfehlung, auf die englischen Fühler einzugehen. Hatte sich bisher im Englandkonzept eine gewisse Parallelität zwischen dem Auswärtigen Amt und Hitler ergeben — beide wollten die britische Partnerschaft, wenn auch zu verschiedenen Zwecken —, so zeigte sich nunmehr in der verschiedenartigen Reaktion auf die Verhandlungsbereitschaft der Engländer die prinzipielle Differenz zwischen beiden Grundeinstellungen, so daß Weizsäcker, Kordt u. a. in zunehmendem Maße die Gefährlichkeit der Hitlerschen Politik erkannten.

[70]) Zur Person Nevile Hendersons siehe allgemein Rudi Strauch, Sir Nevile Henderson. Britischer Botschafter in Berlin von 1937 bis 1939. Ein Beitrag zur diplomatischen Vorgeschichte des Zweiten Weltkrieges, Bonn 1959. Zur Verschiedenartigkeit der Persönlichkeiten Phipps und Hendersons vgl. Ott, Phipps, S. 7.

[71]) Picker, Tischgespräche, S. 350; vgl. auch Ott, Phipps, S. 70.

seinen Anblick, Ribbentrop zufolge, nicht ertragen und hatte schon längst seine Ablösung durch einen „modernen Diplomaten" mit einem „gewissen Verständnis für die Wandlungen in Deutschland" gewünscht[72]). Lassen wir unentschieden, ob der Botschafterwechsel auf eine von Ribbentrop und englischen Verständigungsanhängern eingefädelte Intrige zurückging[73]) oder ob sich gar Vansittart selbst für die Berufung Hendersons einsetzte, da er dessen politische Ansichten falsch einschätzte[74]). Jedenfalls hätte Hitler allein schon in der Entfernung Phipps' und bereits in der Person des neuen Botschafters[75]) ein positives Signal sehen können, daß die bislang mehr private Verständigungstätigkeit der Lothian, Rothermere und anderer[76]) endlich ihr Pendant auf Regierungsebene gefunden hatte. Hendersons ausgesprochen deutschfreundliche Rede vor der Deutsch-Englischen Gesellschaft am 1. Juni 1937 eignete sich denn auch gut, die Hoffnungen der Beamten der Wilhelmstraße und der übrigen Vertreter einer traditionellen, konservativen Großmachtpolitik zu stärken. Hitler hingegen mußte aus den Worten des Botschafters: „Garantieren Sie uns den Frieden und eine friedliche Entwicklung in Europa und Deuschland wird sehen, daß es keinen aufrichtigeren ...

[72]) So äußerte sich Ribbentrop zu Londonderry, zit. nach Schwarz, This Man Ribbentrop, S. 188 f., vgl. Ott, ebd.

[73]) Vgl. Ott, Phipps, S. 77 ff., S. 80 f.; Angeblich hatten Thomas Jones und Anhänger der von ihm besonders intensiv propagierten deutschfreundlichen Politik Phipps' Abberufung und dessen Ablösung durch „someone bigger than Phipps" durchgesetzt.

[74]) Zu dieser Ansicht vgl. Aigner, Ringen um England, S. 147 und S. 382, Anm. 53.

[75]) Nach Connell, The Office, S. 247, galt Henderson von vornherein als ausgesprochener Befürworter einer konzessionsbereiten Politik gegenüber Hitler; Vgl. auch Ursachen und Folgen, Bd. IX, S. 393, Nr. 2558 d: Bericht des österreichischen Gesandten in Berlin Tauschnitz an Außenminister Guido Schmidt v. 29. 5. 1937: „In hiesigen diplomatischen Kreisen glaubt man übrigens, daß Henderson ein Versuch mit anderen als den bisherigen Mitteln wäre, mit Deutschland ins Reine zu kommen."

[76]) Vgl. z. B. Lothians Rede v. 29. 6. 1937 vor dem Royal Institute of International Affairs, in der er vor einer Verteidigung der gegenwärtigen Grenzen in Europa warnte und u. a. ausführte, um einen Weltkrieg zu verhindern, sollte „Großbritannien seine Verpflichtungen in Europa auf ein für seine Sicherheit notwendiges Minimum reduzieren". Zit. nach Butler, Lothian, S. 219. Hitler selbst hätte seine Vorstellungen in England nicht besser propagieren können! Bereits am 24. 2. 1937 hatte sich Lothian vor dem Reformklub gegen die Identifizierung von Frieden und der Theorie der kollektiven Sicherheit gewandt: PA Bonn, Pol I, Völkerbund, England 1, DNB-Meldung v. 24. 2. 1937. In seiner „Daily Mail" setzte sich Rothermere nachdrücklichst und häufig für ein deutsch-englisches Bündnis ein, das den Frieden bedeute: BA Koblenz, RK 43 II/1436, DNB-Meldung v. 25. 5. 1937. Vgl. auch Aigner, Ringen um England, S. 313. Auch 1937 finden sich in den Akten des Auswärtigen Amtes zahlreiche Privatschreiben an Hitler aus allen Kreisen der englischen Bevölkerung, die bedingungslos für eine deutsch-englische Freundschaft eintreten; vgl. als Kuriosum z. B. PA Bonn, Pol II, England-Deutschland 2, wo am 2. 6. 1937 ein Leutnant der Royal Air Force die rassische Verwandtschaft beider Völker durch beigelegte Photos zu bekräftigen suchte. Es ist jedoch kaum anzunehmen, daß derlei Schreiben zu Hitler gelangten.

Freund auf der Welt hat als Großbritannien"[77]), lediglich entnehmen, daß auch eine neue Richtung der englischen Politik — sofern eine solche tatsächlich existierte — ebenso Wohlverhalten vom Deutschen Reich forderte wie ihre Vorgänger. Und gerade dafür vermochte Hitler und sein „Programm" keinerlei Gewähr zu bieten. Derartige Erwägungen könnten die Tatsache erklären, daß am Tage von Hendersons Empfang in Berlin eine DNB-Polemik gegen England, vertraulichen Berichten für Botschafter Ribbentrop zufolge, „von höchster Stelle durch Dietrich" angeordnet wurde[78]).

Betont reserviert zeigte man sich in Berlin, als im Mai 1937 der neue Premierminister Neville Chamberlain sein Amt antrat. Die deutsche Presse erhielt die Anweisung, „die neue englische Regierung zunächst zurückhaltend" zu beurteilen[79]). Einen Monat später stellte das Propagandaministerium dann bereits fest, „der neue Premier habe keine Besserung in den deutsch-britischen Beziehungen herbeigeführt — und die deutsche Presse solle im Verhältnis zu England absolut kurztreten"[80]). Zutreffend bewerteten Berliner Journalisten diese Sprachregelung als Indiz, daß deutscherseits kein größeres Gespräch mit London gewünscht wurde[81]). Vielmehr argwöhnte die Berliner Regierung, Chamberlain bezwecke mit seiner Verständigungspolitik die Spaltung der „Achse" Berlin-Rom[82]), wenn auch Ribbentrop aus London meldete, der italienische Botschafter Grandi habe in einem Gespräch mit dem neuen Regierungschef am 28. 7. 1937 den gegenteiligen Eindruck gewonnen und glaube tatsächlich, daß Chamberlain „ein anderer Mann als Baldwin" sei[83]). Von der Aufrichtigkeit des englischen Wunsches, „die Atmosphäre zwischen Deutschland und England zu verbessern", hatte sich Ribbentrop selbst während einer Unterredung mit dem König überzeugen können[84]). Ähnliche Analysen trafen nun in steigender Zahl in Berlin ein[85]) und wurden sicher in ihrer Quintessenz Hitler nicht vorenthalten. Allerdings ließen sie keinen Zweifel darüber offen, daß Chamberlain eine Bereinigung des deutsch-britischen Verhältnisses nur als Teil einer europäischen Gesamtregelung verstanden wissen wollte, für Hitler bekanntlich eine unannehmbare Bedingung, die in seinen Augen Chamberlains Bemühungen von vornherein ihren Wert nahm. So sickerten Informationen nach Berlin durch, daß man auf der Londoner Imperial Conference im Juli 1937 allgemein gefordert hatte,

---

[77]) Zit. nach Fabry, Mutmaßungen über Hitler, S. 221.
[78]) PA Bonn, Büro Ribbentrop, Vertr. Berichte, 1,1 Tel. v. Likus an Ribbentrop v. 19. 5. 1937. Allerdings wurde der vorliegende Text nicht abgesandt.
[79]) BA Koblenz, ZSg 101/9, Brammer, Anweisung v. 29. 5. 1937; vgl. auch Aigner, Ringen um England, S. 315.
[80]) Zit. nach Aigner, ebd.
[81]) ebd.
[82]) ebd., S. 316.
[83]) PA Bonn, Staatssekretär, Nichteinmischung 2, Tel. Ribbentrops v. 28. 7. 1937.
[84]) PA Bonn, Pol II, England-Deutschland, 5, Bericht Ribbentrops v. 23. 7. 1937.
[85]) Vgl. etwa PA Bonn, Presseabteilung, Propaganda 3, Vertr. Bericht des Aufklärungsausschusses Hamburg-Bremen v. 14. 8. 1937: Chamberlain werde „ernstlich versuchen ... innerhalb der nächsten 6 bis 9 Monate eine Entspannung des englischen Verhältnisses zu Deutschland und Italien herbeizuführen."

von der Reichsregierung eine Art grundsätzlicher Zusage zu erhalten, „daß Deutschland zur Durchsetzung seiner Forderungen gegenüber seinen östlichen und südöstlichen Nachbarn nicht den Weg der Gewalt beschreiten werde"[86]. Allerdings erklärte der stellvertretende südafrikanische Ministerpräsident Pirow dem deutschen Gesandten in Pretoria, England verlange nur deshalb von Deutschland, sich im Osten still zu verhalten, um den Eindruck zu verwischen, als ließe Großbritannien die Oststaaten fallen. Zumindest er, Pirow, sei der Meinung, „daß die in London beschlossene Politik des britischen Empire tatsächlich auf einen Westpakt mit freier Hand für Deutschland im Osten hinausläuft"[87]. Genau das wären die Voraussetzungen gewesen, unter denen Hitler auf Chamberlains anlaufende Sondierungen im günstigen Sinn reagiert hätte. Solche Berichte trafen allerdings zu selten ein oder spiegelten wie in diesem Fall nur sehr indirekt Chamberlains wirkliche Ansicht, als daß der „Führer" ernsthafte Hoffnungen aus ihnen hätte schöpfen können (immer unter der stillschweigenden Voraussetzung, daß er sie überhaupt gelesen hatte). Überdies beschränkte Pirow die definitive Gültigkeit seiner Interpretation auf die Dominions; allein die Haltung des Mutterlandes war jedoch für Hitler die maßgebliche. Außerdem galt der südafrikanische Staatsmann als ausgesprochener Exponent einer prodeutschen Politik; der Wert seiner Meinung — und er hatte in dem Gespräch lediglich seiner Meinung Ausdruck gegeben — war ebenso problematisch wie die Lothians, Londonderrys und des übrigen „Cliveden Set"[88].

Verfolgen wir nunmehr das Schicksal des ersten größeren Versuchs, mit dem die Chamberlain-Regierung Deutschland in ein umfassendes Gespräch über eine europäische Gesamtregelung hineinzuziehen hoffte: die Einladung an Reichsaußenminister von Neurath im Sommer 1937. Neurath selbst erklärte dem deutschen Botschafter in Rom, von Hassell, er sei von dem britischen Schritt überrascht worden, halte ihn auch „für nicht ganz zeitgemäß", könne aber ohne Verletzung der Höflichkeit wohl nicht absagen[89]. Wenn der deutsche Außenminister auch mit seinen von wenig Enthusiasmus zeugenden Erläuterungen in erster Linie eine beruhigende Wirkung auf die mißtrauischen Italiener erhoffte[90], so erstaunt es immerhin, daß solche

---

[86] PA Bonn, Pol II, England-Deutschland 5, Aufz. des deutschen Gesandten in Pretoria v. 27. 7. 1937 über eine Unterredung mit dem südafrikanischen Ministerpräsidenten General Hertzog, den der Gesandte gebeten hatte, sich für die deutschen Auffassungen in London einzusetzen.

[87] ebd.; Unterredung mit dem stellvertretenden südafrikanischen Ministerpräsidenten Pirow. Diese Passagen des Berichtes wurden vom Sachbearbeiter im AA unterstrichen.

[88] Zur Gruppe der Verständigungsanhänger, die sich häufig auf dem Landsitz der Astors, Cliveden, trafen, vgl. allgemein Aigner, Ringen um England, S. 109 ff.

[89] ADAP, D, III, Nr. 319: Tel. Neuraths an Hassell v. 14. 6. 1937.

[90] Zum Mißtrauen der Italiener siehe ebd., Nr. 306: Hassell am 12. 6. 1937 an AA über Unterredung mit Mussolini; ebd., Nr. 318, Aufz. von Mackensens über eine Unterredung mit Attolico v. 14. 6. 1937 und Nr. 320, Hassells Gespräch mit Ciano v. 14. 6. 1937.

Beschwichtigungsversuche überhaupt für notwendig erachtet wurden. Schon einige Monate vor Italiens Beitritt zum „Antikominternpakt" zog Hitler offenbar vor, den „Spatz" Italien in der Hand zu behalten, als die unerreichbare „Taube" England weiter vergeblich zu locken; dies selbst, wenn Großbritannien zur Zeit mehr und mehr Annäherungswillen erkennen ließ[91]). „Von der programmatischen Einleitung einer neuen Ära im deutsch-englischen Verhältnis könne keine Rede sein", führte Neurath weiter aus[92]). Damit stand von vornherein die Ergebnislosigkeit des in Aussicht stehenden Besuches fest. Zumindest wurde einem etwaigen Resultat bereits jetzt jeder entscheidende Wert genommen. Noch ein Jahr zuvor wäre es kaum denkbar gewesen, daß der um Englands Gunst werbende Hitler eine solche Geste der britischen Regierung von Anfang an mißachtet hätte. Nicht allein hatte er nun seine eigenen Bemühungen um das englische Bündnis eingestellt, selbst Versuche der britischen Regierung, nun ihrerseits an Deutschland heranzutreten, waren ihm lästig. Zwar erklärte er sich grundsätzlich mit dem Gedanken der Reise einverstanden[93]), aber es deutet nichts in den Akten darauf hin, daß er die Gelegenheit einer deutsch-englischen Aussprache begrüßte. Allenfalls bot sie Anlaß — und hierin schien Hitler den einzigen Nutzen zu sehen — der britischen Führungsspitze den Katalog der deutschen Gravamina gegen England in seinem ganzen Umfang aufzublättern.

Das vom damaligen Leiter der Politischen Abteilung im Auswärtigen Amt, Freiherr von Weizsäcker, zusammengestellte Gesprächsmaterial dürfte auch Hitlers Vorstellungen entsprochen haben: „Wir begegnen englischem Widerstand überall auch da, wo unserer Ansicht nach kein eigenes englisches Interesse vorliegt. Würde England uns da gewähren lassen, wo überwiegend deutsche Interessen vorliegen und englische unberührt sind, ... so wäre die deutsch-englische Zusammenarbeit gesichert[94])." Indessen war die scheinbare Übereinstimmung der Ansichten Hitlers und Weizsäckers nur partieller Natur — genau wie das beiderseitige Streben um ein deutsch-englisches Einvernehmen in früherer Zeit nur äußerlich identisch schien. Beinhaltete der Terminus „überwiegend deutsche Interessen" für die Beamten des Auswärtigen Amtes vorwiegend eine friedliche Revision der Versailler Ostgrenzen und allenfalls die wirtschaftliche Durchdringung des deutschen Vorfeldes in Südosteuropa, so war für Hitler damit die „programmatische"

---

[91]) Auch eine genaue Betrachtung des Neurathschen Telegramms macht nicht genau einsichtig, ob es Neuraths eigene Ansichten enthält oder indirekt Hassell über Hitlers Meinung informieren will. Eigentlich hätte es der Linie der „Wilhelmstraße" entsprochen, den englischen Fühler bereitwilliger zu ergreifen. Vgl. Anm. 24 und 69 dieses Abschnittes. Auch eine allzugroße Rücksichtnahme auf Mussolinis Empfindsamkeit war von hier nicht zu erwarten.

[92]) ADAP, D, III, Nr. 319.

[93]) ADAP, D, III, Nr. 288: Aufz. des Staatssekretärs von Mackensen über ein Gespräch mit Henderson v. 10. 6. 1937. Henderson gibt vor, er habe diese Information von Neurath persönlich.

[94]) ADAP, D, III, Nr. 317; Aufzeichnung Weizsäckers v. 14. Juni 1937.

Expansion zur Gewinnung deutschen Lebensraumes in den Weiten Rußlands gemeint. Obwohl Weizsäcker — bemüht, das deutsch-englische Gespräch in Gang zu bringen — einige mögliche Verhandlungspunkte aufgeführt hatte, ließ Neurath verlauten, er würde ohne ein definitives Programm an die Themse reisen[95]). Der Mißerfolg der Gespräche stand offenbar von vornherein fest. Die Epoche, in der sich Hitler tatkräftig um jede deutsch-britische Aussprache bemühte, war endgültig verstrichen. Vor diesem Hintergrund erscheint es verständlich, daß ein Vorwand zur Absage der Neurath-Reise Hitler nicht unwillkommen sein würde.

Die Gelegenheit ergab sich, als am 18. Juni 1937 „rot"-spanische U-Boote angeblich den deutschen Kreuzer „Leipzig" nördlich von Oran torpedierten[96]), und Ribbentrop im Londoner Viermächteausschuß vergebens eine „gemeinsame alsbaldige Flottendemonstration vor Valencia"[97]), worauf Hitler persönlich bestand[98]), sowie die Auslieferung aller U-Boote der republikanischen Streitkräfte an die Überwachungsmächte durchzusetzen versuchte. Die deutsche Regierung zog daraufhin ihre Marineeinheiten aus dem Kontrollsystem zurück[99]) und ließ außerdem wissen, daß die Lage „infolge der wiederholten rotspanischen Attentate auf deutsche Kriegsschiffe zur Zeit (die) Abwesenheit (des) Reichsministers aus Berlin nicht gestattet"[100]). Hitler blieb bei diesem Entschluß auch, als Henderson in einer persönlichen Démarche den Besuch doch noch zu retten versuchte. In jedem Augenblick, erklärte er dem Botschafter, könne es zu einem neuen Zwischenfall kommen, so daß es ihm unmöglich sei, seinem Außenminister zu erlauben, das Land zu verlassen[101]).

Hatte sich Hitler über die allgemeine Haltung der Briten im Spanien-Konflikt bereits enttäuscht gezeigt, so mußte ihn um so tiefer die erneute englische Weigerung treffen, der offenen Provokation der „bolschewistischen Machthaber" eine gebührende gemeinsame Antwort zu erteilen. Das galt um so mehr, als deutscherseits die Zusage zu Neuraths Besuch sowieso von einer im deutschen Sinne befriedigenden Regelung des vorausgehenden Ibiza-Zwischenfalls um das Panzerschiff „Deutschland" abhängig gemacht worden

---

[95]) Unterredung Neuraths mit Lipski v. 19. 6. 1937: Jozef Lipski, Diplomat in Berlin 1933—1939. Papers and Memoirs, eb. by Waclaw Jedrzejewicz, New York und London 1968.

[96]) Zur diplomatischen Aktivität um den Zwischenfall vgl. den Vorgang im PA Bonn, Staatssekretär, Beschießung des Kreuzers „Leipzig".

[97]) Vgl. ADAP, D, III, Nr. 341. Ribbentrop an „Führer und Reichskanzler und Reichsaußenminister" v. 19. 6. 1937.

[98]) Siehe ADAP, D, III, Nr. 344; Aufzeichnung Neuraths über die Ergebnisse der Besprechung Hitler-Blomberg-Raeder-Neurath v. 21. 6. 1937.

[99]) ADAP D, III, Nr. 354; Neurath an Ribbentrop v. 23. 6. 1937. Vgl. dazu bes. Merkes, Spanischer Bürgerkrieg, S. 290 ff.

[100]) ADAP, D, III, Nr. 349. Staatssekretär Mackensen an die Botschaften in London, Paris, Rom, Salamanca, Warschau, Washington und Moskau, v. 21. 6. 1937.

[101]) PRO London, FO 371/20749, C/4488/3976/18. Henderson an FO v. 21. 6. 1937 über die Unterredung mit Hitler.

war[102]). Insofern war der Angriff auf die „Leipzig" und die englische Reaktion in Hitlers Augen tatsächlich eine schwerwiegende, unerhörte Herausforderung, die der „Führer" nicht allein als taktischen Vorwand benutzte, sondern äußerst ernst nahm[103]). Seine Empfindlichkeit für derlei Vorfälle hatte sich überdies unter dem noch frischen Eindruck der Bestattungszeremonien für die Opfer der „Deutschland" extrem erhöht[104]). Die britische Regierung verharrte indessen weiter im Rahmen des Nichteinmischungskomitees, das, Hitlers Meinung nach, „nichts tun würde, außer Notizen zu Papier zu bringen"[105]). „Davon aber kann man in London überzeugt sein", zog Hitler in der Würzburger Rede vom 27. Juni die Bilanz der vergangenen Ereignisse, „die Erfahrung, die wir dieses Mal gemacht haben, sind für uns eine Belehrung, die wir niemals vergessen werden". Von „Redensarten im Parlament" würde er sich „in Zukunft nicht mehr einnebeln" lassen. Von der Wirksamkeit der kollektiven Sicherheit sei er „geheilt für immer"[106]). Deutlich genug ließen die Worte durchblicken, in welcher Weise Hitler künftig Chamberlains Verständigungsanstrengungen begegnen würde, die Deutschland ja doch nur in das Kollektivsystem einreihen sollten. Folglich bewies man deutscherseits weder Eile noch Interesse, den offiziell nur verschobenen Ministerbesuch zu einem späteren Zeitpunkt nachzuholen. Dies sei nur möglich, kommentierte das Deutsche Nachrichtenbüro dahingehende Anregungen Chamberlains, wenn die Reise politisch fruchtbar würde; zum gegenwärtigen Zeitpunkt sei das jedoch nicht der Fall[107]). Botschafter von Ribbentrop sah eine Chance für ein „umfassendes Gespräch" nur dann gegeben, wie er Chamberlain Ende Juli sagte, „wenn es den gegebenen politischen Realitäten Rechnung trüge, und wenn man an es von beiden Seiten mit der großzügigen Konzeption herantreten werde, die es unbedingt erfordere"[108]). Die deutsche Presse hatte auf „allerhöchste Weisung" jede eng-

[102]) Vgl. ADAP, D, III, Nr. 190; Brief Hendersons an Mackensen, in dem Henderson darum bittet, Deutschland möge seine Vorbedingung fallenlassen.
[103]) Vgl. Wiedemann, Feldherr, S. 157, der lediglich vom „willkommenen Vorwand" spricht; dagegen Merkes, Spanischer Bürgerkrieg, S. 290: „Es konnte kein Zweifel daran bestehen, daß er (= Hitler) den Zwischenfall sehr ernst nahm und unter dem Eindruck von Ibiza zu energischem Auftreten entschlossen war." Auch Henderson war davon überzeugt, daß „Herr Hitler's indignation in regard to Leipzig incident" für die Absage primär verantwortlich war: PRO London, FO 371/20711, C/4666/3/18; Henderson Tel. v. 26. 6. 1937 an FO.
[104]) Vgl. Merkes, Spanischer Bürgerkrieg, S. 289 und Hendersons Bericht an FO v. 21. 6. 1937, vgl. Anm. 101, Neurath habe ihm gesagt, seit der Bestattung der „Deutschland"-Opfer befinde sich Hitler in diesem emotionalen Zustand. Vgl. auch Shirer, Berlin Diary, S. 65.
[105]) PRO London, FO 371/20711, C/4666/3/18, vgl. Anm. 103.
[106]) Zit. nach Berber, Deutschland-England, Nr. 43. Siehe auch Hendersons Bericht über die Rede v. 27. 6. 1937, PRO London, FO 371/20711, C/4697/3/18.
[107]) PRO London, FO 371/20749, C/5023/3976/18, Henderson an Eden v. 10. 7. 1937.
[108]) PA Bonn, Staatssekretär, Besuch Reichsminister in London, Tel. Ribbentrops v. 28. 7. 1937 über Unterredung Ribbentrops mit Chamberlain.

liche Erinnerung an die Einladung zu ignorieren[109]). Ein mögliches Treffen Neuraths mit Eden auf der Brüsseler Fernostkonferenz im Oktober 1937 vereitelte Hitler, indem er sich gegen die deutsche Beteiligung an der Konferenz entschied[110]).

Begleitet wurden die Ereignisse um den geplanten Außenministerbesuch von heftigen antibritischen Zeitungspolemiken[111]), die auch in Zukunft beibehalten werden sollten[112]). Tendenzen „gewisser Kreise . . ., die immer noch auf eine Verständigung mit England spekulieren", hieß es in einem Informationsbericht für die Presse, gäben mit Sicherheit „nicht die wirklichen Absichten unserer Staatsführung wieder". Im Augenblick bestünde nicht die Neigung, „mit England in ein größeres politisches Gespräch zu kommen"[113]). In diesem Punkt erwies sich der Berichterstatter also ausgezeichnet informiert.

d) Die „Achse" und die Umwertung des Antikominternpaktes

Bereits bei der Vorbereitung des Neurath-Besuches hatte sich gezeigt, daß Hitler auch im Bereich der Englandpolitik italienische Emotionen und Wünsche nicht mehr unbeachtet ließ[114]). Zwar befand sich ein Bündnis mit dem faschistischen Italien innerhalb der in „Mein Kampf" aufgezeigten Konstellation, hatte also „programmatischen" Charakter. Aber die bilaterale „Achse" Berlin-Rom, die sich ab 1937 im zunehmenden Maße am politischen Horizont abzeichnete, da eine Einbeziehung Großbritanniens immer unwahrscheinlicher wurde, muß vorwiegend als *Reaktion* auf die britische Absage an Hitlers Allianzprojekt gedeutet werden. Zahlreiche Darstellungen über die Entwicklung des deutsch-italienischen Verhältnisses unterstreichen nahezu übereinstimmend den kausalen Zusammenhang zwischen „Achsen"bildung und der Erkaltung der Beziehungen zwischen London und Berlin. Walter Hewel, Ribbentrops ständiger Verbindungsmann bei Hitler, bekannte Ende Oktober 1937 einem englischen Gesprächspartner (Sir Ph. Gibbs): „Herr Hitlers Italienpolitik resultiert geradewegs aus Großbritanniens Weigerung,

---

[109]) Aigner, Ringen um England, S. 317.

[110]) Vgl. Otto Stenzl, Die anglo-französische Politik gegenüber Deutschland und Italien 1937—1938. Diss. phil. Wien 1956, S. 19. Siehe auch: ADAP, D, I, Nr. 13 und 505.

[111]) BA Koblenz, ZSg. 110/5, Traub, v. 23. 6. 1937: gegen die englische Presse solle mit „großer Schärfe" polemisiert werden.

[112]) ebd., v. 26. 6. 1937: „Wir dürfen nicht so tun, als ob alles wieder in bester Butter sei... Wir müssen eine scharfe Tonart auch weiterhin beibehalten."

[113]) BA Koblenz, ZSg. 101/30, Brammer, v. 26. 6. 1937.

[114]) Siehe oben S. 91 f.; vgl. auch Aigner, Ringen um England, S. 316: Bereits Ende Mai 1937 erging eine persönliche Weisung Hitlers an die Presse, den engen, freundschaftlichen Charakter des deutsch-italienischen Verhältnisses besonders stark herauszustellen.

Sympathien gegenüber Deutschland zu zeigen[115]).“ Mussolinis Beitritt zum „Antikominternpakt“ im November 1937 formte dessen ursprüngliche anti-bolschewistische Grundtendenz in eine zunehmend antiwestliche, sprich: antibritische Stoßrichtung um[116]). Vor allem entsprach diese Veränderung Ribbentrops Intentionen, der das noch lockere deutsch-japanisch-italienische Abkommen als Keimzelle einer weltweiten antibritischen Blockbildung ver-stand, wie er sie zur Jahreswende 1937/38 in seiner bekannten „Notiz für den Führer“ in ihren Grundzügen proklamierte[117]). Als Reichsaußenminister vertrat Ribbentrop durchaus seine frühere Auffassung, als er im August 1939 Stalin erzählte, der „Antikominternpakt“ sei, so paradox das klingen mag, weniger gegen Moskau als gegen die westlichen Demokratien konzipiert gewesen[118]). Hitler hingegen folgte im Herbst 1937 seinem Botschafter in London noch nicht so weit, in der losen Dreiergruppierung den Beginn einer *Kriegskoalition* gegen Großbritannien zu sehen. Vielmehr billigte er aus-drücklich noch im Juli 1937 einen vom Auswärtigen Amt vorgelegten Entwurf für eventuelle Verlautbarungen anläßlich des bevorstehenden Mussolini-Besuches, in dem u. a. für „die westeuropäischen Fragen, die den Frieden und die internationale Verständigung berühren“, in erster Linie eine gemein-same Beratung mit den Regierungen von Großbritannien und Frankreich ins Auge gefaßt wurde[119]).

Während des Mussolini-Besuches im September 1937 waren sich, wenn wir vertraulichen Berichten für Ribbentrop Glauben schenken, Hitler und der „Duce“ darüber einig, „daß Deutschland und Italien zu gegebener Zeit in geeigneter Form mit England in ein besseres Verhältnis treten müßten“[120]). Es verwundert nicht, daß besonders das Auswärtige Amt sich bemühte, nach außen hin die „Achse“ als „kein gegen Dritte gerichteten Block“ erscheinen zu lassen, sondern als eine „Solidarität der Interessen“, der die „konstruktive Zusammenarbeit mit allen europäischen Staaten“ am Herzen lag[121]).

---

[115]) PRO London, FO 371/20712, C/7597/3/18. Memorandum für das FO. Die nähere Beschreibung des nicht genannten Informanten läßt leicht auf Hewel schließen.
[116]) Vgl. Theo Sommer, Deutschland und Japan zwischen den Mächten 1935—1940. Vom Antikominternpakt zum Dreimächtepakt. Eine Studie zur diplomatischen Vorgeschichte des Zweiten Weltkrieges, Tübingen 1962, S. 4; Robertson, Pre-War Policy, S. 99 ff.; Johanna M. Meskill, Hitler and Japan, New York 1966, S. 5; Hildebrand, Weltreich, S. 520 f., bemerkt treffend, daß alle drei Mächte in ihren Expansionsrichtungen nicht von der Sowjetunion, sondern von Eng-land blockiert wurden; vgl. auch Bernd Martin, „Zur Vorgeschichte des deutsch-japanischen Kriegsbündnisses“, in: Geschichte in Wissenschaft und Unterricht (GWU) 21 (1970), S. 606—615, hier: S. 613.
[117]) Siehe unten S. 122 ff.
[118]) ADAP, D, VII, Nr. 213.
[119]) PA Bonn, Staatssekretär, Mussolini-Besuch, Anlage zu Weizsäckers Brief an Neurath v. 25. 7. 1937.
[120]) PA Bonn, Büro Ribbentrop, Vertr. Berichte 1,1 v. 8. 10. 1937. Die Information stützt sich auf Äußerungen des Legationsrates Braun von Stumm.
[121]) ADAP, D, I, Nr. 1, Rundtelegramm Neuraths an alle diplomatischen Missionen.

Dennoch, die ursprünglich mit einem zum Beitritt einladenden Seitenblick auf England geschlossene antibolschewistische Interessenvereinigung[122]) hatte diese Funktion, nämlich Großbritannien die Annäherung an die „jungen Staaten" zu erleichtern, endgültig verloren[123]). Seit vier Jahren verschloß sich die Londoner Regierung Hitlers Werben, also sah sich der deutsche „Führer" nach anderen, wenn auch nicht so attraktiven Partnern um. Etwas vereinfacht, aber im Kern zutreffend, interpretierte Ribbentrop in seiner Geheimrede vor Generalen Ende Januar 1939 die Option für Italien einzig unter diesem Aspekt. Der „Führer" habe angesichts der englischen Haltung „nicht einen Augenblick gezögert, hieraus die einzige richtige Konsequenz zu ziehen, nämlich seine Freunde und Bundesgenossen unter den Mächten zu suchen, die zu einem solchen Zusammengehen bereit waren"[124]). Einem von Mussolini stets befürchteten deutsch-englischen Alleingang ohne Italien, dem Hitler zuvor bedenkenlos zugestimmt hätte und dessen Nichtzustandekommen er nochmals zur Zeit der Besuche Mussolinis und des Herzogs von Windsor ausdrücklich bedauerte, war nun jedenfalls ein Riegel vorgeschoben worden[125]).

Die ursprünglich „programmatisch" oder in Erweiterung des „Programms" gedachte Annäherung an Italien und Japan erhielt nun in ihrer zunehmend antibritischen Tendenz den Charakter eines Ausweges aus dem Dilemma, das die völlig „unprogrammgemäße" Haltung der Briten heraufbeschworen hatte. Hinzu kam als nicht unwichtige Nebenwirkung, daß die sich bildende Dreieckskombination als Druckmittel gegen Großbritannien

---

[122]) Sommer, Deutschland und Japan, S. 32.
[123]) Vgl. Lipski-Papers, S. 518. Die neuerdings von A. Kuhn vorgetragene These, Hitler habe 1936 mit der Heranziehung Japans die Bildung eines Vierecks Deutschland-England-Italien-Japan im Auge gehabt (Kuhn, Hitlers außenpolitisches Programm S. 191 ff.) ist an sich nicht uninteressant, kann aber von Kuhn nicht schlüssig belegt werden. In den veröffentlichten und unveröffentlichten Akten findet sich kein Hinweis auf eine solche Konstellation, auch nicht in den Foreign Office Dokumenten; und das, wenn man bedenkt, daß das Foreign Office bei der Analyse möglicher deutscher Absichten eine Unzahl von Memoranden herausbrachte und auch alle denkbaren Möglichkeiten durchspielte. Es ist an eine solche Idee auch deshalb schwer zu glauben, weil Hitler sie gerade zu einer Zeit ernsthaft verfolgt haben soll, als sich der britisch-italienische und der britisch-japanische Gegensatz auftat und auch Hitlers Glaube an Englands „Vernunft" ins Wanken geriet (vgl. Hildebrand, Weltreich, S. 520). Es scheint, daß die Heranziehung Japans Ende 1936, vollends die enge Bindung an Italien 1937 bereits sehr früh von Hitler als Gegenmaßnahme gegen Englands Weigerung, mit Deutschland abzuschließen, verstanden wurde, was nicht ausschließt, daß Hitler einen Beitritt Englands zu einem Viererpakt, den er jedoch bekanntlich ab Ende 1936 für sehr unwahrscheinlich hielt, begrüßt hätte.
[124]) BA/MA Freiburg, frdl. Hinweis von J. Dülffer.
[125]) Vgl. die überaus vorsichtige Formulierung in Neuraths Rundtelegramm: ADAP, D, I, Nr. 1: „Mit Vorstehendem ist, sofern einer der Partner sich England mehr als bisher nähern sollte, sichergestellt, daß Nutzen hiervon dem anderen Partner gleichermaßen zugute käme."

angewandt werden konnte, sei es, um London doch noch zum „Kommen" zu veranlassen, sei es, was wahrscheinlicher erschien, jede Einmischung der Briten in die Ausführung der Hitlerschen Ziele durch die Aussicht auf einen „Dreifrontenkrieg" zu verhindern[126]). Allein in diesem Punkte besaß das Projekt auch bei Hitler eine gewisse antienglische Färbung und hierauf mußte sich Ribbentrop konzentrieren, um sein viel weiter gehendes Konzept der antienglischen Militärkoalition bei Hitler mit einiger Aussicht auf Erfolg propagieren zu können.

Die im Februar 1938 erfolgte Abberufung Botschafter von Hassells aus Rom deutet gleichfalls darauf hin, daß Hitler die enge Anlehnung an Italien mit einer weiteren Abwendung von England verband und sich damit teilweise in der von Ribbentrop vorgezeichneten Richtung bewegte. Hassells politische Berichte, die immer wieder von einer zu weit gehenden Bindung an die Italiener und einer „Blockpolitik gegen die Westmächte" warnten, hatten Hitlers persönliche Mißstimmung hervorgerufen[127]).

Letztlich blieben auch die persönlichen Begegnungen der beiden Diktatoren anläßlich der glanzvollen und demonstrativen Staatsbesuche im September 1937 und Mai 1938 nicht ohne Folgen. Hitler ließ sich von der Persönlichkeit Mussolinis nachhaltig beeindrucken. Ein Bündnis mit dieser „Führernatur" verlor in seinen Augen das Merkmal des „faute de mieux" und stieg ständig im Kurs. Im gleichen Maß übernahm er Mussolinis Einschätzung der Engländer, die überdies nur seine eigenen Vermutungen bestätigten. Er ließ sich endgültig vom „Duce", der am Abessinienkonflikt direkt beteiligt war, zu der Überzeugung bringen, „die Engländer seien eine sterbende Nation und nicht mehr bereit, für den Bestand des Empire zu kämpfen", während zuvor der deutsche Militärattaché in Rom, General von Rintelen, von Hitler „ganz andere Worte über die Bedeutung des britischen Weltreiches gehört" hatte[128]).

---

[126]) Vgl. auch Ribbentrops Äußerungen zu Prinz Cyrill von Bulgarien am 19. 10. 1943: „Der ... Antikominternpakt habe den Sinn gehabt, eine klare antibolschewistische Linie festzulegen, und die Absicht verfolgt, auf England einen Druck auszuüben, damit es sein Verhältnis zu Deutschland in vernünftiger Weise regele, indem ihm seine wahren Interessen vor Augen geführt wurde." PA Bonn, Handakten Schmidt 8, Aufzeichnungen 1943 II; siehe auch Jacobsen, Nationalsozialistische Außenpolitik, S. 377: durch die Unterstützung der italienischen Ambitionen im Mittelmeer sollte die Aufmerksamkeit der britischen Regierung in dieses Gebiet abgelenkt werden, um somit die in der „Hoßbach"-Besprechung aufgezeigte Konstellation eines britisch-italienischen Gegensatzes in Südeuropa vorzubereiten.

[127]) Vgl. Rintelen, Mussolini als Bundesgenosse, S. 39. Siehe auch die bereits zitierte eventuelle Verlautbarung anläßlich des Mussolini-Besuches (Anm. 119), die später in eine von Hassell vorgeschlagene neue Fassung gebracht wurde: „Im besonderen bestätigen sie ihr gemeinsames Bestreben, sich in Fragen, die ... Westeuropa berühren mit England und Frankreich zu verständigen." PA Bonn, Staatssekretär, Mussolini-Besuch.

[128]) Rintelen, ebd., S. 46. Vgl. dazu auch PRO London, FO 371/21176, R/6800/200/22: Memorandum Ward-Prices über seine Eindrücke zum Mussolini-Besuch. Danach könnte die Behandlung des Fernost-Problems „die Überzeugung ver-

Alle diese Einzelerscheinungen verdichteten sich zusehends zur Tendenz, der deutsch-italienschen Zusammenarbeit die in „Mein Kampf" konzipierte Frontstellung — im Verein mit England gegen Sowjetrußland — zu nehmen, und sie so anzulegen, daß sie gegebenenfalls unter Einbeziehung Japans „wesentlich eine Funktion der antiwestlichen, in erster Linie antibritischen Politik Hitlers während der beiden letzten Vorkriegsjahre" erhalten konnte[129]).

e) Das neue Konzept: „Ohne England"

Von einer ausgesprochen gegen England gerichteten Politik, wie sie Ribbentrop vorschwebte, war Hitler jedoch noch ziemlich entfernt. Er hatte definitiv eingesehen, daß mit den Engländern ein Bündnis unter seinen Bedingungen nicht realisierbar war. Der Schweizer Völkerbundskommissar in Danzig, Carl Jacob Burckhardt, konnte sich am 20. September 1937 davon überzeugen, wie ungern sich Hitler von seiner Lieblingsidee trennte. Sein Leben lang habe er, Hitler, England und die Engländer geliebt. „Ich habe nie aufgehört, ihnen die Freundschaft Deutschlands anzubieten, die Freundschaft eines großen ... ehrlichen, arbeitsamen Volkes". Aber, und an diesem Punkt wurde Hitlers Stimme nach Burckhardts Erinnerung überlaut, „sie haben mich zurückgestoßen ... purer Wahnsinn, Wahnsinn, aus dem die größten Katastrophen entstehen können". Aus dieser gegebenen Sachlage müsse er nun die Konsequenzen ziehen, denn er könne den Zorn seines „beleidigten Volkes nicht mehr eindämmen"[130]). In den vorhergehenden Gesprächspassagen hatte der „Führer" schon verdeutlicht, worauf sich sein und seines Volkes Ärger vor allem bezog: Mit Zeichen heftigster Erregung wandte er sich gegen die Einmischung der Londoner Regierung in seine Angelegenheiten, z. B. in die Frage der Danziger Verfassungsänderung. „Mit bitterer Verachtung", wie Burckhardt protokollierte, warf er dem englischen Parlament und der öffentlichen Meinung jenseits des Kanals vor, all das zu übertreiben und zu kritisieren, „was innerhalb der deutschen Sphäre sich ab-

---

stärkt haben, ... daß eine Demokratie unfähig sei, wirksam mit einem großen Problem fertig zu werden". Ward-Price stellte eine definitive Änderung der Gefühle gegenüber England fest und glaubte, daß Goebbels, Hess(!) und Himmler, die einen Krieg mit England ins Auge faßten, mehr und mehr Einfluß auf Hitler gewännen, „der sich bisher geweigert habe, auch nur die Möglichkeit eines Krieges mit Großbritannien in Erwägung zu ziehen".

[129]) Sommer, Deutschland und Japan, S. 98.

[130]) Burckhardt, Meine Danziger Mission, S. 97 ff. Charakteristisch ist Hitlers Selbstverständnis als Vollstrecker des Willens seines Volkes. Gleichzeitig läßt Hitler durchblicken, daß er eigentlich wider Willen sein Englandkonzept revidieren muß — ein erneuter Beweis, wie eng sich Hitler mit ihm verbunden fühlte.

spielt"[131]). Hier war der springende Punkt, der Hitlers bedauernde Klage in Zorn umschlagen ließ und manchen Beobachter veranlaßte, anzunehmen, daß im Augenblick mit Hitler eine Diskussion über England zwecklos sei[132]). Nicht allein hatte Großbritannien Hitlers Freundschaftshand ausgeschlagen, es verhielt sich überdies genau so, wie Hitler es unter allen Umständen vermeiden wollte. Es stellte sich deutschen Ambitionen dort in den Weg, wo es nach Hitlers Auffassungen von der eindeutigen Interessenabgrenzung nichts zu suchen hatte. Sollte England diese Politik tatsächlich und nachdrücklich verfolgen, würde es nicht nur kein Wegbereiter, sondern Haupthindernis auf Deutschlands „Marsch" nach Osten sein.

Indessen, mochte Hitler im Spätjahr 1937 mitunter tatsächlich diesen Eindruck von der englischen Politik gewinnen und somit Großbritannien als „Feind Nr. 1" betrachten[133]), bisher hatte die Regierung in der Downing Street immerhin den Beweis angetreten — in Abessinien, beim Rheinland-Einmarsch und in Spanien —, daß sie zwar sehr wenig geneigt war, die Absichten der jeweiligen Agierenden zu fördern, sich aber letztlich zu aktivem Widerstand gegen den Angreifer nicht entschließen wollte.

Genau dies war ja Hitlers zweite Grunderfahrung der Jahre 1935 bis 1937 gewesen: Die Bündnisidee ließ sich zwar nicht in die Wirklichkeit umsetzen, aber angesichts der nun auch von Mussolini bezeugten Schwäche des einst so mächtigen Weltreiches hatte sich erwiesen, daß die in Hitlers Schriften der zwanziger Jahre als Voraussetzung für die Verwirklichung des „Programms" geforderte Allianz mit England kaum notwendig war. Mit guten Gründen konnte Hitler annehmen, daß das in Verhandlungen und Gesprächen englischerseits betonte Interesse für Angelegenheiten innerhalb der deutschen Einflußsphäre sich letztlich auf Reden und Deklamationen zur Bewahrung des Prestiges beschränken würde. Blieb die aktive, militärische Intervention gegen deutsche Aktionen aus, was nach all den Erfahrungen der verflossenen Jahre zu erwarten war, dann bestand für Hitler kein Anlaß, die geplante Inangriffnahme der dynamischen, auf territoriale Änderungen drängenden Außenpolitik zu verzögern oder sie gar gänzlich zurück-

---

[131]) Burckhardt, ebd.; eine französische Version der Aufzeichnung siehe PRO London, FO 371/20758, C/7394/5/55. Im November 1937 äußerte sich Burckhardt gegenüber dem britischen Vizekonsul in Danzig, er glaube, daß Hitler viele Dinge in der Absicht ausgesprochen habe, sie in England bekannt zu machen: PRO London, FO 371/20733, C/8364/165/18. Offensichtlich hoffte Hitler also weiterhin, durch Lockungen, Klagen und Drohungen die Engländer in seinem Sinn zu beeinflussen. Tatsächlich schnitt Hitler in seinen Gesprächen mit Burckhardt auffallend häufig das Thema „England" an, so daß er annehmen mochte, durch Burckhardt zum Westen zu reden.

[132]) Vgl. französische Aufzeichnung PRO London, FO 371/20758, C/7394/5/55, über Burckhardts Gespräch mit Weizsäcker: „A l'heure actuelle il n'y a pas moyen d'aborder le sujet avec lui."

[133]) Vgl. z. B. Speer, Erinnerungen, S. 539 an Hitlers Rede v. 23. 11. 1937 in Sonthofen, als Hitler den versammelten Kreisleitern der NSDAP „unvermittelt, gänzlich ohne rednerische Vorbereitung zurief: Unser Feind Nr. 1 ist England".

zustellen. Nicht mehr *mit* England, wie es das „Mein-Kampf"-Konzept plante, sondern einfach *ohne*, aber möglichst *nicht gegen* England, gedachte Hitler fortan sein „Programm" zu verwirklichen. Das bereits im November 1936 von François-Poncet für seinen Außenminister sehr klug umschriebene Ziel der deutschen Englandpolitik: „Gagner l'Angleterre ou, du moins, la dés-intéresser, la neutraliser"[134]) hatte sich auf seinen zweiten Teil reduziert, da die bevorzugte Intention, „gagner", sich als nicht realisierbar herausgestellt hatte. Ribbentrop, der künftige Außenminister, schlug dagegen am 2. 1. 1938 in seiner „Notiz" eine radikale Verkehrung der Fronten gegen England vor. Für ihn besaßen Hitlers Ostziele mehr oder weniger den Wert einer natio-nalsozialistischen Pflichtideologie, die man wohl oder übel zu übernehmen hatte. Hitler dagegen blieb auch in Anbetracht der englischen Verweigerung seinem kontinentalen Hauptziel treu; lediglich die Prämisse, unter der er es ursprünglich zu∙erreichen wünschte, hatte sich modifiziert. Die entscheidende Differenz zwischen der antibritischen, wilhelminischen „Allerweltskonzep-tion" Ribbentrops und dem rasseideologischen „Programm" Hitlers mani-festiert sich anschaulich am Vergleich des Stellenwertes, den der Faktor „England" in den Auffassungen beider angenommen hatte[135]).

Berichte, die Hitlers Auffassung, daß er mit einer direkten Gegnerschaft der Engländer nicht zu rechnen brauchte, bestätigten, finden sich in größerer Zahl. So glaubte selbst Ribbentrop, der sonst bevorzugt und der Wahrheit entsprechend die betonte Zurückhaltung der englischen Regierung hinsichtlich der Hitlerschen Bündniswünsche unterstrichen hatte, England und Frank-reich würden „trotz der derzeitigen Taktik der Scharfmacherei (die) Dinge nicht auf die Spitze treiben", und die deutsche Regierung könne „unbeein-flußt und ungestört (ihre) zukünftigen Entschlüsse fassen"[136]). Vielfache kleinere Meldungen aus innerbritischen Kreisen deuteten in die gleiche Rich-tung. England und Frankreich würden in einem deutsch-russischen Krieg neutral bleiben, wußte die deutsche Botschaft in London aus verschiedenen Quellen zu berichten[137]). Nahezu ununterbrochen versicherten Artikel des „Observer", daß das englische Volk „unter gar keinen Umständen" wegen Österreich und der Tschechoslowakei oder infolge sonstiger Angelegenheiten „auf der anderen Seite Europas" zum Kriege schreiten werden[138]). Auch

---

[134]) DDF, 2, III, Nr. 462: François-Poncet an Delbos v. 10. 11. 1936.

[135]) Vgl. auch Hildebrand, Weltreich, S. 505, der die grundlegende Differenz zwi-schen Hitlers und Ribbentrops Englandkonzeption an Hand der Ribbentrop-schen Unterhaltung mit Eden am 14. 2. 1937 aufzeigt. Vgl. auch oben S. 73 f.

[136]) ADAP, D, III, Nr. 376. Ribbentrops Bericht v. 4. 7. 1937.

[137]) PA Bonn, Pol II, England-Deutschland 5, Deutsche Botschaft in London v. 3. 8. 1937 über Unterredung eines Gewährsmannes mit dem früheren US-Bot-schafter Houghton, der nach Gesprächen mit britischen Kabinettsmitgliedern zu diesem Schluß gekommen war.

[138]) Z. B. am 22. 11. 1937: zit. nach Kieser, Aufstieg des Dritten Reiches, S. 82. Bereits zu diesem Zeitpunkt warf man das Argument in die Debatte, es ver-stoße gegen britische Prinzipien, wegen der Unterstützung der Gewaltherr-schaft von 7 Mill. Tschechen über 3,5 Mill. Sudetendeutschen das Britische Weltreich aufs Spiel zu setzen.

Lothians Äußerung während der Begegnung mit Hitler im Mai 1937, wonach England keine primären Interessen in Osteuropa habe und bezüglich Österreich bestimmt kein Hemmschuh sein würde[139]), festigten Hitlers Überzeugung, daß London seiner Expansion nach Osten letztlich doch — wenn auch „zähneknirschend" — zusehen würde.

Höher noch als ähnliche Anhaltspunkte, die ja zumeist mehr oder weniger deutschfreundlichen Quellen entstammten, bewertete Hitler sicherlich jene Indizien, die den Stempel amtlicher englischer Stellen trugen. Bereits am 20. November 1936 hielt Außenminister Eden seine Rede in Leamington, deren entscheidende Passagen später bei zahlreichen Anlässen zur Erläuterung der britischen Politik zitiert wurden und somit einen beinahe programmatischen Charakter annahmen. Damals hatte Eden die militärische Intervention der Streitkräfte seines Landes außer zur Verteidigung des Mutterlandes und des Commonwealth auch zum Schutze der Unabhängigkeit Frankreichs und Belgiens angekündigt. Dieses Recht war Hitler von jeher bereit gewesen, der englischen Regierung einzuräumen, befanden sich doch die genannten Gebiete eindeutig innerhalb der englischen Interessensphäre. Wenn nun Eden darüberhinaus englische Hilfe *möglicherweise* auch für andere Opfer einer Aggression in dem Fall in Aussicht stellte, „in dem es nach unserer Auffassung die Bestimmungen des Völkerbundes verlangen, so zu handeln"[140]), so zeigte das Hitler zunächst zwar erneut, daß England weiter auf der Ebene der kollektiven Sicherheit verblieb, also in Hitlers Augen nicht bündnisfähig war. Andererseits umgab der britische Außenminister dieses Versprechen mit derartig vielen Einschränkungen, daß am Schluß nicht mehr viel davon übrig blieb. Er wiederholte ein zweites Mal nachdrücklichst die „Möglichkeitsform" seiner Aussage („ich sage ausdrücklich: kann") und schloß jede automatische Verpflichtung zu militärischen Aktionen — außer zur Verteidigung vitaler Interessen — unmißverständlich aus. Die deutsche Seite konnte aus diesen Formulierungen und Einschränkungen den Schwerpunkt der „Leamington-Formel" gerade nicht im britischen Engagement, sondern im Gegenteil in der Distanzierung von jeder Einmischung in Mittel- und Osteuropa sehen[141]). Damit erging, will man es überspitzt aus-

---

139) Vgl. Butler, Lothian, S. 341, 343. Es ist verständlich, daß solche Äußerungen nicht Vansittarts Beifall fanden: vgl. PRO London, FO 371/20735, C/3621/270/ 18: mit Vansittarts Randbemerkungen, wie: „I wish that unauthorized people should not talk like this", oder „not very wise".

140) Zit. nach Eden, Angesichts der Diktatoren, S. 554; vgl. auch Dokumente der Deutschen Politik und Geschichte von 1848 bis zur Gegenwart, hrsg. von Johannes Hohlfeld, Bd. IV, Nr. 128, Berlin 1953.

141) Zu dieser Interpretation kommt ebenfalls H. A. Arnold, Neville Chamberlain und Appeasement. Die Wurzeln der Chamberlainschen Appeasement-Politik, ihre theoretische Formulierung und ihre Umformung in die Praxis, Würzburg 1965, S. 23. Es sollte nicht übersehen werden, daß Edens Formulierungen — zumal sie nicht isoliert zu betrachten sind; am 19. 1. 1937 folgte eine eindeutigere Rede — auch die entgegengesetzte Interpretation zulassen, daß also England eine Intervention nicht ausschließt. Entscheidend ist jedoch wiederum

drücken, von offizieller Seite eine Einladung an das Reich, seine antisowjetischen Lebensraumpläne ohne Englands Bündnisbeistand, aber mit Großbritanniens Neutralität zu verwirklichen, — zumindest konnten Edens Worte von Hitler so gedeutet werden. Als im März 1938 deutsche Truppen in Österreich einmarschiert waren und die Schatten der „Sudetenkrise" sich am Horizont abzeichneten, berief sich Premierminister Chamberlain vor dem Unterhaus auf die Ausführungen seines ehemaligen Außenministers, um — genau wie Hitler es erwarten konnte — die Passivität seines Landes zu rechtfertigen[142]. Darüberhinaus verlangte Hitler von Herbst 1937 an nichts von Großbritannien. Es brauchte sich nicht mehr zu einem Bündnis unter seinen Vorzeichen bereit zu erklären, es sollte „nur nicht Deutschland in den Rücken fallen, wenn es im Osten angegriffen würde," wie sich Göring Henderson gegenüber ausdrückte und deutschen Aktionen im Osten bereits zum damaligen Zeitpunkt ihre spätere Legitimierung verlieh[143].

Es ist also verfrüht, bereits für 1937 von einer antibritischen Wendung der Hitlerschen Politik zu sprechen. Die Aufgabe des Bündnisgedankens implizierte ja in keiner Weise die radikale Frontverkehrung, wie sie Ribbentrop vorschlug. Die Priorität der Ostziele blieb unbestritten. Aus der Parole „Freundschaft und Partnerschaft" mit England war die Losung „keine Gegnerschaft" geworden. Die Änderung der Einstellung zu England sollte, so wünschte es Hitler, für die Erreichung der Hauptziele nur von untergeordneter Bedeutung sein.

Alle Anzeichen jedoch, die darauf hindeuteten, daß die Londoner Regierung wider Erwarten nicht nur keine Freundschaft mit Hitler erstrebte, sondern sich der Durchführung seines „Programms" mit allen militärischen Mitteln entgegenstemmen würde, ließen, wie bei der Unterredung mit Burckhardt im September zu beobachten war, Hitlers Bedauern über Englands „Unvernunft" in heftigsten Zorn umschlagen, wäre doch dann die Realisierung seiner kontinentalen Eroberungspläne ernsthaft gefährdet gewesen. Aus dieser vermeintlichen Doppelgesichtigkeit der englischen Einstellung resultierte die „Ambivalenz"[144], die Hitlers Haltung zu England ab 1937 prägte, obwohl er zu wissen glaubte, welches das wahre Gesicht der Briten war und er daran sein neues Konzept orientierte. Dieses ging davon aus, daß eine direkte militärische Auseinandersetzung mit England vermeidbar war — wie auch Blombergs Weisungen für die Kriegführung vom 24. Juni 1937 die englische Neutralität gebieterisch als Grundvoraussetzung jeder

---

nicht so sehr das, was Eden tatsächlich sagen wollte, sondern wie Hitler seine Worte auffaßte oder auffassen konnte.

[142] Auch Lothian hatte sich bei den oben zitierten Äußerungen auf Edens Leaminton-Formel berufen können; vgl. S. 102.

[143] PRO London, FO 371/20736, C/7027/270/18: Hendersons Bericht über einen Jagdausflug mit Göring nach Rominten (Ostpreußen) v. 4. 10. 1937.

[144] Vgl. Hillgruber, Deutschlands Rolle, S. 87.

aktiven Außenpolitik verlangten[145]) —, und wir sahen, daß Hitler gute Gründe hatte, diese Prämisse als sichere Größe in sein Konzept einschalten zu können. Indessen vermochte der „Führer" fortan nicht mehr die Möglichkeit einer kriegerischen Konfrontation mit dem Inselreich gänzlich auszuschließen. Diese würde dann unumgänglich sein, wenn die englische Gegnerschaft nur noch zu verhindern war, indem Hitler auf die weitere Verfolgung seines „Programms" verzichtete. Eben dazu, so scheint es, zeigte sich Hitler niemals bereit. Allein für diesen Fall, „daß England einmal seinen Plänen entgegentrete", erklärte er dem Oberbefehlshaber der Kriegsmarine, Admiral Raeder, schon Anfang 1938, müsse man nun Vorsorge treffen[146]). Luftwaffe[147]) und Marine[148]) erhielten zu dieser Zeit Anweisungen, vorbereitende Studien für den Kriegsfall auch mit England auszuarbeiten, was der bisher angenommenen Konstellation, die niemals eine Feindschaft mit England einbezog, entgegenstand. In Bezug auf Großbritannien gewann der Begriff „Risiko" erstmals eine gewisse Bedeutung in Hitlers Gedankenschemata.

Zusammenfassend ergibt sich als vorläufiges Ergebnis, daß sich Hitler ab Herbst 1937 auf einer Art „Zwischenkurs" befand, ohne dabei die Alternativen zu seiner neugefaßten Englandpolitik zu mißachten. Die lange Zeit mit dogmatischer Starrheit vertretene Idee der Allianz mit Großbritannien hatte er notgedrungen aufgeben müssen. An die neue, mehr als Ausweg denn als vollendete Konzeption ergriffene Linie gegenüber England wollte sich Hitler nicht mehr mit gleicher Beharrlichkeit heften. Alternativen wurden insgeheim mit durchdacht oder gar ansatzweise vorbereitet. Das unveränderte Ziel, die Kontinentalexpansion, sollte nicht mehr im Verein mit England, sondern ohne England angestrebt werden. Dabei ließ Hitler weiterhin erkennen, daß er jederzeit den alten Allianzgedanken wieder aufgreifen würde, falls England seine nach wie vor unabdingbaren Bedingungen der freien Hand im Osten akzeptierte. Gleichzeitig schloß Hitler für den entgegengesetzten Fall, daß England seine über friedliche Revision hinausgehende

145) Vgl. IMT XXXIV, C-175. S. 744 — Für einen Präventivschlag gegen die Tschechoslowakei galt die „Neutralität Englands als unumgängliche Voraussetzung". Für den Fall „Rot" („Zweifrontenkrieg mit Schwerpunkt West") glaubte man immer noch lediglich mit der Gegnerschaft Frankreichs rechnen zu müssen. Träte England auf die Seite der Gegner Deutschlands „würde unsere militärische Lage ... sogar bis zur Aussichtslosigkeit verschlechtert werden. Die politische Führung wird deshalb alles unternehmen, um ... vor allem England und Polen neutral zu halten." Vgl. dazu auch Peter Bor, Gespräche mit Halder, Wiesbaden 1950, S. 117 und Charles Burdick, „Die deutschen militärischen Planungen gegenüber Frankreich 1933—1938," in: Wehrwissenschaftliche Rundschau 6 (1956), S. 678—685.
146) Raeders Aussage in Nürnberg: IMT XIV, S. 182 f.
147) Siehe Karl Gundelach, „Gedanken über die Führung eines Luftkrieges gegen England bei der Luftflotte 2 in den Jahren 1938/39", in: Wehrwissenschaftliche Rundschau 10 (1960), S. 33—46, hier: S. 33: Am 18. 2. 1938 erfolgte eine „Vororientierung" für die Luftflotte 2 zur Kampfführung im Westen. Vgl. auch Gemzell, Raeder, Hitler, S. 178.
148) Dazu jetzt Salewski, Die deutsche Seekriegsleitung, Band 1: S. 38 ff.; zur Marinestrategie vor 1938 ebd., S. 20 ff.

Ambitionen gewaltsam zu verhindern suchte, den kriegerischen Konflikt mit den Briten in den Bereich des Möglichen ein, ohne diesen Fall jedoch zu erwarten, zu wünschen oder gar anzustreben. Die in nahezu jeder Studie zur Außenpolitik Hitlers herangezogene „Hoßbach-Niederschrift" über Hitlers Ausführungen vom 5. November 1937[149]) ist auch für unsere spezielle Fragestellung aufschlußreich und vermag die revidierte Einstellung des „Führers" zum ehemaligen Wunschpartner schlaglichtartig aufzuzeigen.

Den Spitzen der Wehrmacht und seinem Außenminister verkündete Hitler in der Reichskanzlei, daß er an der in „Mein Kampf" konzipierten Grundidee der gewaltsamen Eroberung des in Osteuropa gelegenen Lebensraumes festzuhalten und die ersten Etappen, nämlich die Einverleibung Österreichs und die Zerschlagung der Tschechoslowakei, nun in Angriff zu nehmen gedachte[150]). Von einem Bündnis mit England — hierin unterscheiden sich seine Ausführungen vom „Programm" der zwanziger Jahre — ist hingegen mit keinem Wort mehr die Rede. Sozusagen „ex cathedra" ließ Hitler damit durchblicken, daß er es aufgegeben hatte, seine Lieblingsidee weiterzuverfolgen. Vielmehr habe Deutschland „mit den beiden Haßgegnern England und Frankreich zu rechnen, denen ein starker deutscher Koloß inmitten Europas ein Dorn im Auge sei"[151]). Es erscheint unstatthaft, in der Formulierung „Haßgegner" von vornherein eine unversöhnliche Feindschaft Hitlers gegenüber den Westmächten erkennen zu wollen. Richtiger ist hier an die zweite Interpretationsmöglichkeit, „ein mit Haß gegen Deutschland erfülltes England", zu denken[152]). Genau dieses stimmte mit den Erfahrungen überein, die Hitler in den vergangenen zwei Jahren mit England gemacht zu haben glaubte: Die britische Regierung hatte in Verkennung der wahren nationalen Interessen des Landes die Freundschaftshand, die Hitler ihm bot, ausge-

---

149) ADAP, D, I, Nr. 19. Zur Forschungslage vgl. die gute Übersicht bei Hildebrand, Weltreich, S. 523 f., Anm. 269.

150) Davon zeugte besonders die Neufassung des Falles „Grün" vom 21. 12. 1937, die allgemein als die „logische Konsequenz der Ausführungen Hitlers vom 5. 11. 1937" angesehen wird. IMT XXXIV, C-175, S. 745–747 und ADAP, D, VII, App. III (K), (I), S. 547 ff. Zitat nach Jacobsen–Jochmann, Ausgewählte Dokumente zur Geschichte des Nationalsozialismus. Kommentar S. 99; vgl. auch Meinck, Hitler und die deutsche Aufrüstung, S. 186; Peter Graf Kielmannsegg, „Die militärisch-politische Tragweite der Hoßbach-Besprechung," in: VfZG 8 (1960), S. 268–275, hier: S. 269; sowie Jost Dülffer, „Weisungen an die Wehrmacht als Ausdruck ihrer Gleichschaltung", in: Wehrwissenschaftliche Rundschau 12 (1968), S. 651–655, 705–713, hier: S. 652.

151) und weitere Zitate: ADAP, D, I, Nr. 19.

152) Elizabeth Wiskeman, The Rome-Berlin Axis. A History of the Relations between Hitler and Mussolini, London 1949, verbesserte Auflage 1966, S. 86, Anm. 2, scheint mit der angebotenen Übersetzung „hate-filled enemies" eine treffende Interpretation zu geben; vgl. auch eine von nationalsozialistischer Seite gegebene Deutung eines ähnlichen Problems: „Wenn ‚Mein Kampf' von Frankreich als unerbittlichem Todfeind Deutschlands spricht, so ist dabei wesentlich an eine Feindschaft Frankreichs gegen Deutschland, nicht an eine Feindschaft Deutschlands gegen Frankreich gedacht." Rogge, Hitlers Versuche zur Verständigung mit England, S. 26, Anm. 21; ähnlich ließe sich also auch der Terminus „Haßgegner England" interpretieren.

schlagen, da, wie in Frankreich, nun auch in der englischen Staatsführung die jüdisch-bolschewistischen Elemente die Oberhand über die „völkischen" Kräfte errungen hatten und von diesen nur eine haßerfüllte Politik gegen das unter einer „nationalen" Regierung wiedererstarkende Deutschland erwartet werden durfte. Hitler hatte diese Entwicklung bedauernd und mitunter zornerfüllt zur Kenntnis nehmen müssen, von echtem Haß gegen England war in den vorliegenden Dokumenten jedoch nichts zu spüren gewesen. Vielmehr überwog die Klage, daß sich sein Traum von der Allianz zweier „rassisch hochwertiger", von „völkischen" Führern beherrschter Nationen nicht in die Realität umsetzen ließ.

Wenn damit auch eine prinzipielle Gegnerschaft Englands einkalkuliert werden mußte, so hatte freilich Hitler in den vergangenen Jahren ebenfalls erfahren, daß mit einem aktiven Eingreifen britischer Streitkräfte gegen einseitige Aktionen der Deutschen und Italiener auf Grund der Schwäche des Weltreiches nicht gerechnet zu werden brauchte. Die Zerfallserscheinungen des Empire zeichnete Hitler am 5. November denn auch in den grellsten Farben. „Die Auffassung, daß das Empire unerschütterlich sei, teile der Führer nicht, ... das Weltreich sei machtpolitisch auf die Dauer nicht zu halten," heißt es in Hoßbachs Niederschrift, wobei Hitler seine Meinung mit Hinweisen auf die Schwierigkeiten der Briten in Indien, Ostasien und im Mittelmeer abstützte. Folglich glaubte er, „daß mit hoher Wahrscheinlichkeit England ... die Tschechei bereits im Stillen abgeschrieben und sich damit abgefunden hätte, daß diese Frage eines Tages durch Deutschland bereinigt würde. Die Schwierigkeiten des Empire und die Aussicht, in einen langwährenden europäischen Krieg erneut verwickelt zu werden, seien bestimmend für eine Nichtbeteiligung Englands an einem Krieg gegen Deutschland." Darüberhinaus sei mit einer kriegerischen Verwicklung Großbritanniens mit Italien wegen des Spanischen Bürgerkrieges zu rechnen, die ein britisches Eingreifen gegen das Reich wegen der „Erledigung der tschechischen und österreichischen Frage vollends ausschlösse"[153]). Hitlers neues Englandkonzept, das wir bisher mosaikartig aus zahlreichen Dokumenten zusammensetzten, begegnet uns hier in seiner Ganzheit. Die Errichtung einer Kontinentalhegemonie war in jedem Fall in Angriff zu nehmen, jedoch nicht mehr im Bündnis mit England, sondern mit der — wenn auch widerstrebenden — Duldung der Engländer[154]). Der Wunsch, die *aktive* Gegnerschaft der Briten zu vermeiden, spricht auch aus Hitlers Ausführungen vom 5. November. Daß der „Führer und Reichskanzler" notfalls auch bereit war, den Marsch nach Osten gegen Englands Widerstand anzutreten, wird in

---

[153]) Bereits im April 1937 erreichte das Foreign Office in London eine Information, die auf einen ähnlichen Gedankengang bei Hitler schließen ließ: PRO London, FO 371/21158, R/2904/1/22: Hitler habe einem österreichischen General gesagt, „er halte einen Krieg zwischen England und Italien für unvermeidlich. Sollte er eintreten, würde Deutschland neutral bleiben, um seinen Ambitionen im Osten ungestört nachgehen zu können".

[154]) Vgl. Hildebrand, Deutsche Außenpolitik, S. 57: Hitler spekulierte auf Englands „neutrale Gegnerschaft".

Hoßbachs nachträglicher Aufzeichnung nicht explizit genannt. Das geschah dann im Dezember 1937, als die Wehrmachtsführung Hitlers grundsätzliche Darlegungen in der „Neufassung des Falles Grün" berücksichtigte[155]). Dieser Denkschrift zufolge war im Falle völliger Kriegsbereitschaft die Voraussetzung geschaffen, „die Lösung des deutschen Raumproblems auch dann zu einem siegreichen Ende zu führen, wenn die eine oder andere Großmacht gegen uns eingreift"[156]). Dazu zählte ohne Zweifel auch England. Versetzen wir uns jedoch noch einmal in die Situation der Besprechung vom 5. November zurück, so erscheint ebenfalls nicht ausgeschlossen, daß Hitler den Gedanken einer militärischen Intervention Englands, der unausgesprochen im Raume schwebte, für Neurath und die Militärs akzeptabler zu machen wünschte, indem er Englands Schwäche nachhaltig schilderte.

Mit diesem hier skizzierten Bild der Hitlerschen Englandeinstellung harmonieren auch die neuerdings von K. Hildebrand bei der Analyse der „Hoß-bach-Besprechung" unter kolonialpolitischen Gesichtspunkten gewonnenen Ergebnisse[157]). Die Abwendung von England als dem potentiellen Bündnispartner machte das seit 1935 angewandte Instrument der kolonialen Zugeständnisse und „Sanktionsdrohungen" überflüssig. Die Diskussion der Kolonialfrage wurde folglich zurückgestellt[158]), auf überseeische Gebiete indessen nicht gänzlich verzichtet. Vielmehr rückte Hitler sie „aus der Ebene seiner politischen Mittel in die der politischen Ziele"[159]). Denn wenn bereits die Errichtung eines starken deutschen „Kolosses" den Engländern ein Dorn im Auge war, so schien eine kriegerische Konfrontation zu dem Zeitpunkt ziemlich sicher, wenn das Reich den Kontinent beherrschen würde. Als Folge der siegreichen Auseinandersetzung mit England würde dann Deutschland Kolonien erwerben.

Damit war die Möglichkeit des deutschen Ausgreifens nach Übersee nicht mehr erst „in hundert Jahren" gegeben, sondern in größere zeitliche Nähe gerückt. Allein, für unsere Betrachtung bleibt zunächst von primärer Wichtigkeit, daß die *Bildung* der deutschen Kontinentalmacht, also die Erreichung der Stufe *vor* der Errichtung der Weltmachtstellung, zwar nicht mehr in der Allianz mit Großbritannien, aber möglichst ohne nennenswerten englischen Widerstand vonstatten gehen sollte[160]).

---

155) Vgl. oben Anm. 150 und die Bewertung bei Klaus Jürgen Müller, Das Heer und Hitler. Armee und nationalsozialistisches Regime 1933–1940, Stuttgart 1969, S. 248: „Das war der Übergang von dem bisher grundsätzlich defensiv gehaltenen militärischen Konzept zur konkreten Angriffsvorbereitung."

156) ADAP, D, VII, App. III (K), (I), S. 547 ff.

157) Hildebrand, Weltreich, S. 523 ff.

158) Siehe BA Koblenz, ZSg 101/10, Brammer, Sonderkonferenz der deutschen Presse v. 5. 11. 1937, dazu Hildebrand, ebd., S. 523.

159) ebd., S. 527.

160) ebd.; bei allen Spekulationen über Hitlers Fernziele sollte man nicht übersehen, daß sowohl inhaltlich als auch formal betrachtet Hitlers Ausführungen v. 5. 11. 1937 ganz eindeutig auf die kontinentale Phase des „Programms" zentriert waren, der Wert des Dokumentes also hauptsächlich in den Aussagen zu diesem Bereich zu sehen ist.

II.

Auf dem „Ohne-England"-Kurs nach München: 1938

1. HITLERS VERÄNDERTE HALTUNG UND DIE KONTAKTVERSUCHE DER CHAMBERLAIN-REGIERUNG: WINTER 1937/38

Es sollte nicht lange dauern, bis Hitler seinen neuen Kurs gegenüber England auch den Briten selbst verdeutlichen konnte, wenn auch nicht in der direkten Form, in der er seine Strategie den Oberbefehlshabern der Wehrmacht und ihrer Teilstreitkräfte sowie Außenminister von Neurath am 5. November dargelegt hatte.

Die erste Gelegenheit bot sich zwei Wochen nach jener Besprechung in der Reichskanzlei, als der Lordpräsident und stellvertretende Außenminister Lord Halifax den Besuch einer von Göring arrangierten Jagdausstellung in Berlin zu einem politischen Meinungsaustausch mit der deutschen Führung benutzte. Schon die Zeitgenossen waren sich darüber klar, daß die Reise des englischen Staatsmannes ein weiteres Glied jener Kette von Versuchen bildete, die Premierminister Chamberlain unternahm, um mit dem nationalsozialistischen Deutschland ins Gespräch zu kommen. Wohl war die Einladung selbst kaum von der englischen Regierung lanciert gewesen[1]), aber es war Chamberlains Werk, den privaten Besuch des britischen Jägermeisters in eine politische Mission umzuwandeln[2]). Nach außen hin gab man sich zwar auch in London zurückhaltend. In Erklärungen vor beiden Häusern (10. und 12. November 1937) unterstrichen Halifax und Schatzkanzler Simon den „völlig privaten und inoffiziellen" Charakter der Reise zur Jagdausstellung. Aber, so führte Halifax weiter aus, man werde „zweifelsohne die

---

[1]) Halifax erinnerte sich zwanzig Jahre später, daß er zu jener Zeit zufällig „Master of the Middleton Hounds" gewesen sei und in dieser Eigenschaft die von Göring initiierte Einladung zur Berliner Jagdausstellung erhalten habe. E. F. L. Earl of Halifax, Fulness of Days, London 1957, S. 184.

[2]) Insofern ist die auf den Schreibtisch deutscher Zeitungsredaktionen gelandete „vertrauliche Meldung aus London", „der Besuch von Lord Halifax in Berlin ist von Chamberlain veranlaßt und vorbereitet worden" zwar nicht wörtlich, aber doch, was die politische Seite der Reise angeht, im Kern zutreffend: BA Koblenz, ZSg 110/6; Traub, Schreiben an die Redaktionen v. 20. 11. 1937; vgl. auch die DNB-Meldung v. 11. 11. 1937: „Der diplomatische Korrespondent der Daily Mail schreibt, daß Chamberlain für diese neue wichtige Entwicklung der europäischen Diplomatie verantwortlich sei": PA Bonn, Staatssekretär, Halifax-Besuch.

Gelegenheit benutzen, um solche politische Fühlungnahme dort aufzunehmen, wo sie sich vielleicht als zweckdienlich ergeben würde"3). Simon konnte dann zwei Tage später noch einen Schritt weiter gehen und verkünden, Hitler habe auf Anfrage („after inquiry") zu verstehen gegeben, „daß er sich freuen würde, Lord Halifax ... zu sehen"4). Chamberlain erkannte wohl den richtigen Augenblick — nachdem der Besuch von Außenminister von Neurath im Sommer nicht zustande gekommen war —, erstmals seine Vorstellungen von einem umfassenden Ausgleich durch einen seiner engsten Gesinnungsgenossen Hitler zu unterbreiten. Gleichzeitig hoffte er zu hören, welche Forderungen Hitler nun eigentlich konkret anzumelden hatte. Trotz der bisher wenig günstigen Erfahrungen, die seine neue Politik mit dem sich immer spröder zeigenden Hitler erbracht hatte, konnte er nicht einsehen, warum sich Deutschland nicht zu einem starken, aber sich wohlverhaltenden Glied des europäischen Friedenssystems, das er anstrebte, entwickeln sollte, wenn Hitler einige Konzessionen in Mitteleuropa oder auch auf kolonialem Gebiet erhielt. Warum sollte der deutschen Regierung nicht versichert werden, so argumentierte Chamberlain, daß man in der Downing Street Veränderungen in Österreich und der Tschechoslowakei nicht gewaltsam verhindern werde, falls Deutschland den friedlichen Charakter seiner Absichten garantierte5)? Genau dieses war die Marschroute, die Halifax mit auf den Weg nach Deutschland bekam. Erneut zeigte sich ‚daß Chamberlain nicht daran dachte, Hitler als Ausnahmeerscheinung unter den Staatsmännern der Welt zu betrachten. Nur jemand, der nicht Politik als die Kunst des Möglichen, sondern „schrankenlose Expansion" auf seine Fahnen geschrieben hatte, konnte ein solches Angebot ausschlagen. Hieraus resultierten die aus britischer Perspektive gesehen berechtigten Hoffnungen, mit denen die maßgeblichen Männer in London der Begegnung auf dem Obersalzberg entgegensahen.

Hitler hingegen hatte noch kurz zuvor die Briten als die „haßerfüllten Gegner" dargestellt, von denen er höchstens widerwillige Neutralität, nicht aber Zusammenarbeit bei den künftigen deutschen Ostaktionen erwarten konnte. Er mußte also in jeder weiteren britischen Annäherung, falls sie ihm nicht eine völlige Kehrtwendung der englischen Politik in seinem Sinne ankündigt, einen ihm eher lästiger Versuch sehen, ihn auf gefügiges Wohlverhalten in Europa festzunageln, sich in seine Angelegenheiten einzumischen, seine langfristigen Zielsetzungen zu torpedieren. Noch am 2. November hatte Henderson dem Foreign Office gemeldet, Außenminister Neurath habe ihm zu verstehen gegeben, Hitler habe bisher so viele vergebliche Annäherungsversuche an Großbritannien gemacht, daß er nun keinen Grund sähe, jetzt eine Hand zu ergreifen („to jump at a hand") die ihm doch nur widerwillig

3) PA Bonn, Staatssekretär, Halifax-Besuch, DNB-Bericht v. 10. 11. 1937: Halifax' Erklärung vor dem Oberhaus.
4) ebd., DNB-Bericht v. 12. 11. 1937: Erklärung vor dem Unterhaus.
5) Keith Feiling, The Life of Neville Chamberlain, London, Neuaufl. 1970, S. 333, Chamberlains Notiz v. 26. 11. 1937.

entgegengestreckt würde[6]). Freilich, Göring schilderte Hitlers Stimmung bezüglich England dem Botschafter gänzlich anders. Er, Göring, habe Hitler sich selten enthusiastischer für eine deutsch-englische Verständigung aussprechen hören[7]). Göring hatte indessen auch allen Grund, vor den Engländern einen gewissen Zweckoptimismus an den Tag zu legen, war er doch sehr daran interessiert, daß das von ihm initiierte Treffen der Jägermeister eine möglichst große *politische* Bedeutung erlangen mochte, die er wohl schon ursprünglich mit seiner Einladung intendiert hatte. Der mehr als skeptische Hitler stand also einem zum Treffen drängenden Göring gegenüber! Erneut deutete Görings Haltung auf eine gewisse eigenständige Linie gegenüber England hin. Sein Handeln hatte die Halifax-Reise, deren politischen Anstrich er voraussah und auch wünschte, letztlich ermöglicht. Hitler dagegen verharrte weiter in seiner skeptischen Haltung und unternahm bezeichnenderweise nichts, um das Zustandekommen des Treffens zu erleichtern. Im Gegenteil! Indem er Henderson durch Neurath sagen ließ, daß er erst nach Ende der Ausstellung von Berchtesgaden nach Berlin kommen würde[8]), forderte er die britische Regierung geradezu auf, das Projekt einer Begegnung Hitlers mit Halifax fallenzulassen. Gegen die sich anbietende Möglichkeit, daß Halifax den deutschen „Führer" auf dem Obersalzberg aufsuchen sollte, meldete das Foreign Office in London dann auch die verständlichen Bedenken an, daß England damit in der Rolle eines Bittstellers erscheinen würde[9]). Nur Chamberlains persönlicher Einsatz sorgte dafür, daß man sich doch noch auf eine zusätzliche Reise des britischen Besuchers nach Berchtesgaden einigte und der ganze Plan nicht bereits zu diesem Zeitpunkt platzte[10]).

Doch bot sich Hitler schon bald ein weiterer Anlaß, das Besuchsprojekt in Frage zu stellen. Am 13. November glaubte die Londoner Zeitung „Evening Standard" zu wissen, Hitler würde in dem bevorstehenden Meinungsaustausch bereit sein, Deutschlands koloniale Forderungen zurückzustellen, wenn Großbritannien ihm als Gegenleistung freie Hand in Mitteleuropa konzedierte[11]). Auf diese Vermutungen, die zwar Hitlers bisher gehegten Absichten in der Tat sehr nahe kamen, wohl aber mehr auf freie Vermutungen denn auf handfeste Informationen aus Hitlers Umgebung beruht haben dürften, antwortete die „Nationalsozialistische Parteikorrespondenz" mit einer Zurückweisung, „die an ausfallender Schärfe alles in den Schatten

---

[6]) PRO London, FO 371/20751, C/7549/7324/18, Henderson an das Foreign Office v. 2. 11. 1937.

[7]) ebd., C/7668/7324/18, Henderson an Eden v. 7. 11. 1937 über Gespräch mit Göring.

[8]) PRO London, FO 371/20751, C/7730/7324/18.

[9]) ebd., C/7732/7324/18.

[10]) ebd.; Chamberlain teilte dem Foreign Office mit „that he was most anxious that the conversation should take place", da er schon in seiner Rede im Mansion House davon gesprochen habe.

[11]) Wortlaut des „Evening Standard"-Artikels englisch: PRO London, FO 371/20751, C/7798/7324/18; deutsch: PA Bonn, Presseabteilung, Propaganda England, 3; vgl. auch Aigner, Ringen um England, S. 317, Anm. 220.

stellt, was man bis dahin an antibritischer Polemik in deutschen Zeitungen vernommen hatte"[12]). Die Replik gipfelte in der „ernsten Frage, ob es nicht im Interesse der politischen Entspannung nützlicher wäre", den Besuch Lord Halifax' auf einen späteren Zeitpunkt zu verschieben, wenn sich die britische Presse wieder beruhigt habe. Botschafter Henderson vermutete, daß diese Aufforderung zur Absage der Halifax-Mission vom Reichspressechef Dietrich stammen müsse, der Hitler sehr nahe stünde[13]). Wir dürfen annehmen, daß der Reichskanzler selbst seine Hände im Spiel hatte, was, wie gezeigt wurde, durchaus seiner allgemeinen Haltung entsprach. Kam ihm jede britische Annäherung sowieso mehr als ungelegen, so gewährten ihm nun die wilden Spekulationen der britischen Presse über Rahmen und Inhalt des Gespräches – Vorkommnisse, die bekanntlich Hitler immer höchst empfindlich trafen – Grund zu einer heftigen, den Besuch gefährdenden Reaktion.

Zwar gaben die maßgebenden Stellen des Auswärtigen Amtes britischen Diplomaten gegenüber Hitlers Zorn über die Londoner Presse zu, versuchten aber, ängstlich bemüht, den sich anbahnenden deutsch-britischen Kontakt nicht abbrechen zu lassen, die Tragweite der deutschen Antwort abzuschwächen[14]). Staatssekretär von Mackensen ließ den britischen Geschäftsführer jedoch wissen, daß diese ohne Mitwirkung Neuraths und des Auswärtigen Amtes konzipiert sei und „offenbar unmittelbar von der obersten Stelle herrühre"[15]). Auch die deutsche Presse wurde am 15. November vertraulich informiert, daß der Artikel „im engsten Einvernehmen zwischen dem Führer und Dr. Dietrich zustande gekommen" war[16]). Der Wirklichkeit sehr nahe dürften auch Vermutungen der „Wilhelmstraße" sein, daß Hitler, der sowieso nur „dem Drängen Neuraths auf einen Empfang Halifax's mit einem gewissen Widerstreben gefolgt sei" durch den Artikel der Parteikorrespondenz „den Besuch auf Grund des Weltechos und seiner Erfahrungen mit Eden wieder inhibieren wollte". Der Kommentar sei erschienen „unter bewußter Beachtung des Risikos, daß dadurch unter Umständen die englische Regierung ihre Konsequenz ziehen und den Besuch absagen würde"[17]).

---

[12]) Aigner, ebd., S. 318. Der Artikel erschien im „Völkischen Beobachter" am 15. 11. 1937 unter der Schlagzeile „Unverschämte Lügenmanöver der Londoner Hetzpresse um den Halifax-Besuch"; dies, obwohl das Propagandaministerium noch am 12. 11. die Einstellung jeder Polemik gegen England in den deutschen Zeitungen verlangt hatte: BA Koblenz, ZSg 102/7, Sänger; vgl. auch ebd., ZSg 101/10, Brammer, „Vertrauliche Bestellung an die Redaktion" v. 12. 11. 1937.

[13]) PRO London, FO 371/20751, C/7828/7324/18, Henderson an Eden v. 15. 11. 1937.

[14]) ebd., C/7829/7324/18, Henderson an Eden v. 14. 11. 1937. Es ist für die Einstellung leitender Kreise des Auswärtigen Amtes aufschlußreich, daß, wie Henderson zu berichten weiß, weder der Staatssekretär noch Neurath mit dem Schlußsatz des NSK-Artikels, der den Besuch überhaupt in Frage stellte, einverstanden waren.

[15]) Unterredung Mackensen-Henderson v. 14. 11. 1937; ADAP, D, I, Nr. 25.

[16]) BA Koblenz, ZSg 101/31, Brammer, Vertr. Information v. 15. 11. 1937; vgl. auch Aigner, Ringen um England, S. 318; „auf Hitlers persönliche Weisung".

[17]) PA Bonn, Büro Ribbentrop, Vertr. Berichte 1,1 v. 19. 11. 1937.

Aber auch wenn letzteres nicht eintraf, so hatte Hitler mit der publizierten Antwort von vornherein klar gemacht, daß in einem Gedankenaustausch „an der politischen Realität der Achse Berlin-Rom und des Antikominternpaktes mit Japan nicht gerüttelt werden" könne. An einen Beitritt Großbritanniens zu diesen Abmachungen, was doch der früheren Wunschkonstellation Hitlers entsprach, und worüber zu sprechen eine solche Begegnung doch die geeignete Gelegenheit geboten hätte, dachte man in der Reichskanzlei offenbar nicht mehr, da dies doch für ausgeschlossen galt. Deutlich zeigen solche Überlegungen die grundsätzlich negative Einstellung Hitlers zu der Aussicht, mit den Engländern wieder ins Gespräch zu kommen. Er hatte sich für einen Kurs „ohne England" entschieden. Großbritannien hatte sich lediglich aus allen kontinentalen Angelegenheiten herauszuhalten, so daß, wie es in dem Artikel weiter hieß, „das Deutsche Reich von sich aus keine Veranlassung hat, sich nach einer solchen Aussprache zu sehnen"[18].

Es ist kaum verwunderlich, daß nach den Präliminarien dieser Art auf beiden Seiten die in die Halifax-Mission gesetzten Erwartungen stark zurückgeschraubt wurden[19]. Bezeichnenderweise hatte sich die deutsche Presse weisungsgemäß zu bemühen, den Eindruck zu verwischen, als ob der Reise allzu großes Gewicht beigelegt würde[20].

Es erübrigt sich hier, die oft beschriebene Aussprache am 19. November auf dem Obersalzberg noch einmal in ihren Einzelheiten zu beleuchten[21]. Versuchen wir nur, die große Linie der Hitlerschen Argumentation aufzuspüren und sie mit bisher beobachteten Grundprinzipien seines modifizierten England-Konzeptes zu vergleichen[22].

Auf den ersten Blick möchte man Hitlers einleitende Bemerkungen vom „Spiel der freien Kräfte", dem in den Beziehungen der Völker untereinander „eine höhere Vernunft" vorzuziehen sei, als vage nichtssagende Floskeln ab-

---

[18] Sicherlich hatte man mit der im Artikel angesprochenen Unantastbarkeit der „Achse" auch eine Beruhigung der Italiener bezweckt, die natürlich, wie auch dem geplanten Neurath-Besuch im Juni, diesem Projekt mißtrauisch gegenüber standen; vgl. dazu Tel. der deutschen Botschaft in Rom an AA v. 16. 11. 1937: ADAP, D, I, Nr. 26; dazu weiter das vom Gesandten Aschmann unterschriebene Memorandum des AA: „Die Lage beim Eintreffen Halifax (wie sie sich nach der internationalen Presse und anderweitigen Nachrichten darstellt)", in dem es nach einer Analyse der britischen Politik und des Stellenwertes der Halifax-Mission hieß: „England will die Front der Drei abtasten, um festzustellen, wo sie am schwächsten ist": PA Bonn, Unterstaatssekretär, Besuch Halifax.
[19] Vgl. ADAP, D, I, Nr. 29, Pressebeirat Hesse berichtet am 18. 11. 1937 über Äußerungen von Chamberlains Pressechef Stewart, der vor „übertriebenen Hoffnungen warnt". Das Original des Berichtes trägt den Vermerk „Der Führer hat Kenntnis": PA Bonn, Presse, Propaganda, England 2.
[20] BA Koblenz, ZSg 102/7, Sänger, Pressekonferenz v. 15. 11. 1937: Das Propagandaministerium rügte die zu große Vorankündigung des Besuches.
[21] Vgl. dazu die eingehende Beschreibung und Analyse bei Hildebrand, Weltreich, S. 531 ff.; dort, Anm. 291, auch eine Übersicht über die Quellenlage.
[22] Wenn nicht anders angegeben, sind die folgenden Zitate der deutschen Gesprächsaufzeichnung nach ADAP, D, I, Nr. 31 entnommen.

tun. Bei näherem Zusehen zeigt sich hingegen, wie H. A. Arnold darlegte[23]), daß Hitler bereits zu Anfang des Gesprächs dem englischen Politiker in etwas verschleierter Form eine Politik des „So oder so" andeutete.

Denn, ob „höhere Vernunft" oder „freies Spiel der Kräfte", in beiden Fällen war Hitler kaum bereit, die Ziele seiner Politik zurückzustecken oder gar auf die Durchführung seines „Grundplanes" zu verzichten. Wenn er Halifax die „vernünftige" Form der zwischenstaatlichen Beziehung empfahl, so konnte das, nach allem was wir von Hitlers Vernunftverständnis wissen, nur bedeuten, daß Großbritannien in nüchterner Erkenntnis der eigenen Interessen aber auch der eigenen Schwäche sich seinen kontinentalen Plänen nicht zu widersetzen habe[24]). Genau das war ja sein Hauptanliegen in dieser Begegnung, wenn sie nun schon zustandegekommen war: Der britischen Regierung sollten alle Zweifel darüber genommen werden, daß es eigentlich nichts über deutsche Interessen und Mittel- und Osteuropa mit Hitler zu diskutieren gab, und daß sie am besten daran täten, dem Reich „die Aktiv-Legitimation einer Großmacht" nicht zu verweigern, d. h. den deutschen Handlungsspielraum östlich der Reichsgrenzen nicht zu beschneiden. Andernfalls würde das „Spiel der freien Kräfte" zum Tragen kommen, als dessen Konsequenzen unausgesprochen eine deutsch-britische Konfrontation sich ankündigte, eben weil — auch wenn England sich in Hitlers Sinne „unvernünftig" zeigen würde — Hitler niemals von seinem „Programm" ablassen würde.

Indessen, Halifax' Ausführungen zeigten, daß England bereit war, Deutschland weiter entgegenzukommen als je zuvor. Angeboten wurden nicht nur Konzessionen auf dem Kontinent, — Änderungen des Status quo in Danzig, Österreich und der Tschechoslowakei –, sondern auch im kolonialen Bereich[25]). Allerdings stellte Halifax eine entscheidende Bedingung, wenn er „im Namen der englischen Regierung" betonte, „daß keine Änderungsmöglichkeit ausgeschlossen sein solle, daß aber Änderungen nur auf Grund einer vernünftigen Regelung erfolgen dürften"[26]). Diese Voraussetzung des „Weges friedlicher Evolution" wiederholte der britische Politiker ein weiteres Mal in unmißverständlicher Form und nannte für den gegenteiligen Fall „weitgehende Störung wie sie weder der Führer noch andere Länder wünschten" als unausbleibliche Konsequenzen[27]). Spätestens an diesem Punkt mußte Hitler vollends überzeugt werden, daß, an seinen Vor-

---

[23]) Arnold, Neville Chamberlain und Appeasement, Diss. Würzburg, S. 71 ff.

[24]) Vgl. ebd., S. 75.

[25]) Dazu bes. Hildebrand, Weltreich, S. 531 ff.

[26]) Peter Lundgreen, Die englische Appeasement-Politik bis zum Münchner Abkommen. Voraussetzungen, Konzeption, Durchführung, Berlin 1969, S. 67, sieht in Halifax' Ausführungen alle Wesensmerkmale der Appeasement-Taktik vereint: Friedenssicherung durch Verständigung der Großmächte untereinander, die Anerkennung legitimer deutscher Interessen, die Bereitschaft zur Veränderung des Status quo, das Bestehen auf einer friedlichen Regelung.

[27]) „England sei nur daran interessiert, daß diese Änderungen im Wege friedlicher Evolution zustandegebracht würden, und daß Methoden vermieden

stellungen gemessen, weitergehende Kontakte mit der Chamberlain-Regierung zwecklos und nur störend sein würden. Was nutzte es ihm, wenn Halifax auch Konzession in der Kolonialfrage ankündigte und Hitler um konkrete Vorstellungen zu diesem Problem bat, die Engländer aber nichts von freier Hand für Deutschland im Osten verlauten ließen[28])? Hitler hatte seine kolonialen Forderungen als Tauschobjekt gegen Handlungsfreiheit in Europas Osten gewertet, niemals aber, wie Halifax ihm nun anbot, die Diskussion darüber als Ansatz zu einer friedlichen „Gesamtlösung" betrachtet. Als konkrete Ziele präsentierten sich überseeische Besitzungen Hitler erst für die Zukunft, für die Phase nach der Errichtung eines deutschbeherrschten Festlandblocks in Europa.

Nichts lag dem Diktator also ferner, als jetzt eine Verhandlungsrunde über seine Kolonialforderungen zu beginnen, die ja durch die Konzessionsbereitschaft der Engländer ihre Funktion als Pressionsmittel überdies verloren hatten[29]). Was aber konnte das spezifische Entgegenkommen der Chamberlain-Regierung, nämlich überaus weit reichende Konzessionen im kontinentalen Bereich, dem deutschen „Führer" nützen, da sie nicht die absolut freie Hand für die deutsche Politik einschlossen und gar noch friedliches Wohlverhalten zur Vorbedingung machten? Gerade das, was die Engländer mit ihrem Angebot bezweckten, nämlich Deutschland zur Rückkehr in den Völkerbund und zu friedlicher Zusammenarbeit mit England, Frankreich und Italien zu bewegen, würde doch die weitere Verfolgung des Hitlerschen „Programms" hemmen, ja, unmöglich machen. Und wenn auch die Londoner Regierung Bereitschaft zeigte, sich einer friedlichen Lösung der Fragen um Danzig, Österreich und der Tschechoslowakei nicht zu widersetzen, so hatte sich Hitler die Bereinigung der Probleme — zumindest das der Tschechoslowakei — ganz anders und gar nicht friedlich vorgestellt. Zu einem weiteren deutschen Vordringen jedoch, wozu die Einbeziehung Öster-

---

würden, die weitgehende Störungen wie sie weder der Führer noch andere Länder wünschten, verursachen könnten." Vgl. dazu auch Halifax, Fulness, S. 186; auf die Differenz zwischen den amtlichen deutschen Aufzeichnungen und Halifax' Memoiren weist Hildebrand, Weltreich, S. 533, hin.

[28]) Insofern ist es nicht ganz zutreffend, wenn K. Hildebrand (ebd., S. 533) annimmt, „daß die Lösung der österreichischen, tschechischen und Danziger Frage Hitler englischerseits ohne koloniale Konzessionen zugestanden wurde", denn Halifax' „friedliche" Lösung hatte wenig mit dem zu tun, was Hitler darunter verstand. Zumindest die Regelung der tschechischen Frage hatte er sich ganz anders vorgestellt. Halifax' Angebot ging zwar überaus weit, für Hitler jedoch war es weit davon entfernt, umfassend genug zu sein. Chamberlains Politik bedeutete deshalb im Gegensatz zu der Meinung John Wheeler-Bennetts, Munich, Prologue to Tragedy, London 1948, S. 14, nicht eine Erfüllung des Hitlerschen Expansionsprogramm. Vgl. in Entsprechung zu Wheeler-Bennetts These auch Margarete George, The Warped Vision, British Foreign Policy 1933–1939, Pittsburgh 1965, S. 181 und erwartungsgemäß auch die Erinnerungen des damaligen sowjetischen Botschafters in London Ivan Maisky, Who Helped Hitler?, London 1964, S. 73, der Halifax' Ausführungen als „Londons Segen für die gewaltsame Eroberung des Lebensraumes" interpretiert.

[29]) Hildebrand, ebd., S. 533.

reichs und der Tschechoslowakei in den deutschen Machtbereich lediglich die strategische Ausgangsbasis schaffen sollte, würde man in London, das schien klar zu sein, Deutschland niemals ermuntern. Insofern mußte es Hitler sinnlos erscheinen, sich überhaupt auf die britischen Sondierungsbemühungen einzulassen. Nach wie vor hatte in seinen Augen die Politik jenseits des Kanals nur das Ziel, die Ausführung seiner Pläne zu bremsen, da, wie er meinte, nur „einige Kreise" nicht aber „die bestimmenden politischen Faktoren" realistisch, d. h. im Hitlerschen Sinne dächten[30]). Lediglich die Taktik der Londoner Regierung hatte Chamberlain modifiziert, indem er Hitler durch Befriedigung und Konzession auf den Typ des traditionellen, deutschen Normalpolitikers festzulegen versuchte, dessen Ziele sich in friedlicher Revision erschöpfen sollten. Hitler hatte also allen Grund, unter mancherlei Vorwänden Halifax' konkreter Aufforderung zu Regierungsgesprächen zwischen beiden Ländern auszuweichen.

Indessen war Halifax mit Drohungen für den Fall, daß der deutsche „Führer" sich nicht zufriedenstellen ließ und unbeirrt zur kriegerischen Expansionspolitik schreiten würde, recht sparsam umgegangen. Vielleicht aus Furcht vor Hitlers Empfindlichkeit gegen alle Versuche, die nach Einschüchterung aussahen, vermied er es, die Grenzen der britischen Konzessionsbereitschaft klar und unmißverständlich aufzuzeigen. Insbesonders überging er das Thema „Sowjetrußland" mit Stillschweigen, was zu vielsagenden Interpretationen Anreiz bieten konnte, zumal er Deutschlands Rolle als Bollwerk gegen den Bolschewismus ausdrücklich würdigte[31]). Zudem konnten allein schon die Tatsachen, daß Chamberlain trotz aller Vorkommnisse, die dem Besuch seines stellvertretenden Außenministers vorausgingen, die Reise nicht absagen ließ und Halifax überhaupt diese weitreichenden Zugeständnisse machen wollte, auf britische Schwäche hindeuten, die ein aktives Eingreifen gegen Deutschlands Ausbrechen nach Osten wenig wahrscheinlich machte.

Aus Hitlers Sicht ließ die Unterredung einen doppelten Schluß zu. Einmal schien es zwecklos, mit der Regierung in London zu verhandeln, da sie ja weiterhin nicht seine Bedingungen als Basis eines Einvernehmens zu akzeptieren geneigt war[32]). Andererseits jedoch brauchten die „weitgehenden Störungen", die Halifax für den Fall einer gewaltsamen deutschen Expansion

---

[30]) PA Bonn, Staatssekretär, Halifax Besuch, Tabellarische Zusammenstellung des Gesprächsverlaufes (siehe ADAP, D, I, Nr. 31, S. 46, Anm. 1.)

[31]) Vgl. Hildebrand, Weltreich, S. 532. An dieser Stelle sei die in sowjetischer Kriegsgefangenschaft gemachte Aussage von Hitlers SS-Ordonanz Otto Günsche erwähnt, derzufolge Hitler nach Halifax' Besuch erneut von den gemeinsamen antibolschewistischen Prinzipien Deutschlands und Englands überzeugt gewesen sei: siehe Lew Besymenski, Der Tod des Adolf Hitler, Hamburg 1968, S. 34. Dies ist allerdings die einzige Belegstelle für eine derartige Reaktion Hitlers, die zu erwarten gewesen wäre, wenn Hitler Halifax' Angebot so aufgefaßt hätte, wie Wheeler-Bennett, George, Maiski u. a. es interpretieren.

[32]) Vgl. auch Henderson, Fehlschlag einer Mission; S. 111: „Gute Beziehungen zu England bedeuteten für ihn nur die Einwilligung Englands zu seinen Plänen soweit sie die Neuaufnahme der mitteleuropäischen Landkarte bezweckten."

vorausgesagt hatte, nicht mit einem militärischen Eingreifen der englischen Streitkräfte gegen Deutschland identisch zu sein, so daß die britische Regierung — wenn auch voraussichtlich unter lautem Protest und sehr widerwillig — der Durchführung der kontinentalen Phase von Hitlers „Programm" zusehen würde. Zumindest für die Nahziele Österreich und Tschechoslowakei hatte man deutscherseits keinen Anlaß, sich allzugroße Sorgen zu machen[33]).

Der Besuch des englischen Lords hatte Hitler also die Richtigkeit der am 5. November 1937 proklamierten Linie seiner England-Konzeption vollauf bestätigt. Ein Zusammengehen mit Großbritannien ließ sich nicht verwirklichen, da die britische Führung nach wie vor unter einer Lösung der europäischen Probleme etwas entschieden anderes verstand als Hitler und kaum geneigt schien, den „Grundplan" des deutschen Diktators zu unterstützen. Die englische Partnerschaft war hingegen auch gar nicht notwendig[34]), da vieles darauf hindeutete, daß Großbritannien sich einer deutschen Expansion nicht aktiv widersetzen würde. Das war der Grundgedanke des „Ohne-England"-Konzeptes.

Gleichzeitig offenbarte sich damit bei der ersten bedeutenderen Begegnung zwischen Hitler und einem exponierten Vertreter der Appeasement-Politik, daß die neue britische Linie zwar lediglich die Fortsetzung der alten Grundsätze jeder englischen Deutschlandpolitik mit anderen Mitteln versuchte, daß sie aber angesichts der alle Maßstäbe des Herkömmlichen sprengenden Zielsetzung Hitlers scheitern mußte, da sie vom deutschen „Führer" als Schwäche ausgelegt wurde und ihn zur Fortsetzung seines „Programms" animierte. Die Unvereinbarkeit der Absichten der Appeasement-Politiker mit den Plänen Hitlers trat in der Unterredung zwischen den beiden so verschieden gearteten Männern[35]) erneut zu Tage, wie es auch Halifax selbst, wenn auch wohl nicht in letzter Klarheit, zum Bewußtsein kam[36]).

---

[33]) Vgl. auch Colvin, Vansittart, S. 160.

[34]) Vgl. auch Halifax' Bericht an das Foreign Office: Hitler „feels himself in a strong position": FO 371/20736, C/8094/270/18, sowie ebd. einen Kommentar des Foreign Office: „On the present occasion he has adopted the line that a general settlement is not practical politics, that immediate negotiations between Great Britain and Germany are unnecessary", woraus dann allerdings zu Unrecht geschlossen wird, daß eine Befriedigung der deutschen Kolonialansprüche die deutsch-britischen Beziehungen verbessern könnte. Diese Ausführungen finden sich wieder bei Eden, Angesichts der Diktatoren, S. 597. Vgl. auch die Erinnerungen Kirkpatricks, Inner Circle, S. 98; „He felt he was wasting his time and showed that he resented it." Offenbar sah Hitler die Wahl, entweder zuerst mit Großbritannien zu verhandeln oder sofort an die Verwirklichung seiner Pläne zu gehen, gar nicht als echte Alternative an. Vgl. dagegen jedoch Lipski-Papers, S. 318.

[35]) Vgl. Churchill, I, S. 307: „Man könnte sich kaum zwei Charaktere vorstellen, die weniger geeignet waren, sich zu verstehen." Der tiefreligiöse Aristokrat aus Yorkshire habe dem aus dem Abgrund der Armut aufgestiegenen, von Haß und Rachsucht verzehrten dämonischen Wesen gegenübergestanden. Es ist das für die damalige Zeit in England charakteristische Bild des antichristlichen Dämonen, das Churchill hier zeichnet, wobei zu fragen wäre, ob auch Churchill selbst diesem nachgegangen hat.

[36]) Vgl. Halifax, Fulness, S. 189: „Während der ganzen Zeit hatte man das Ge-

Sieht man davon ab, daß Hitler sich durch die Unterredung mit dem britischen Staatsmann in seiner Schwenkung gegenüber England vollauf bestätigt fühlte, und ihm die als zusätzliche Sicherung der britischen Neutralität bewertete Option für die italienische Bundesgenossenschaft ein richtiger Weg zu sein schien, der weiter beschritten werden müsse[37]), so war das unmittelbare Ergebnis der Halifax-Mission — gemessen an Hitlers Maßstäben — gleich Null. „Nicht viel" antwortete Außenminister v. Neurath wahrheitsgemäß auf Hendersons Frage, was Hitler als Resultat erwarte[38]), — eine glimpfliche Umschreibung dessen, was man an maßgeblicher Stelle in Deutschland tatsächlich dachte. Reichspressechef Dietrich und das Reichspropagandaministerium informierten die deutsche Presse in schonungsloser Offenheit über Hitlers wirkliche Meinung, die man zwei Tage später, am 21. November 1937, zusätzlich noch seiner Rede in Augsburg entnehmen konnte[39]). Der Führer stehe „mehr als skeptisch den Engländern und ihren Plänen gegenüber", hieß es in einem Informationsbericht für deutsche Zeitungen vom 22. November[40]), denn, so drückte sich Dietrich am 25. November präziser aus, Halifax habe seine Verständigung „nur im Rahmen des Völkerbundes" angeboten. „Aufgrund dieser alten Tour verlief die Aussprache in einer eisigen Atmosphäre, die auch ... ihre politischen Auswirkungen pressemäßig haben soll[41])." Die modifizierte Haltung Hitlers gegenüber England sollte damit auch vor der Öffentlichkeit nicht mehr geheimgehalten werden, nachdem sie Hitler bisher (am 5. und 19. November) nur jeweils einem beschränkten Kreis mitgeteilt hatte. Deutschland sähe, fuhr Dietrich weiter fort, „in der nächsten Zeit keine Möglichkeit..., mit England ernsthaft zu verhandeln", wie auch Hitlers Worte in Augsburg durchblicken ließen[42]). Dietrichs Fazit lautete dann: „Das einzige, worauf wir Wert legen, ist, daß man uns in Ruhe läßt." Über Danzig beispielsweise diskutiere man mit den Polen, „so daß sich Verhandlungen in einem großen Kreis irgendeiner An-

fühl, daß wir eine total verschiedene Wertvorstellung besaßen und in verschiedenen Sprachen zueinander redeten." Siehe auch Halifax' Bericht an das Foreign Office: PRO London, FO 371/20736, C/8094/270/18.

[37]) Vgl. Aigner, Ringen um England, S. 319, dort auch Hinweis auf die entsprechende Information für die deutsche Presse: BA Koblenz, ZSg 101/31, Brammer, v. 2. 12. 1937.

[38]) PRO London, FO 371/20737, C/8315/270/18: Hendersons Bericht an Eden über Unterredung mit Neurath v. 1. 12. 1937.

[39]) Vgl. zur Augsburger Rede Hildebrand, Weltreich, S. 335: Für Hitler habe die Kolonialfrage nun endgültig die Funktion als Pressionsmittel zu einem britisch-deutschen Einvernehmen verloren. In Augsburg habe Hitler überseeische Gebiete als Fernziele proklamiert, wie es der Schwenkung seiner Englandpolitik entsprochen habe. Zum Wortlaut der Rede siehe Domarus, I, S. 759 f. Vgl. auch BA Koblenz, ZSg. 101/31, Brammer, Information v. 22. 11. 1937.

[40]) So im Informationsbericht v. 22. 11. 1937, BA ebenda: „Die negative Beurteilung des Halifax-Besuches überwiegt also."

[41]) BA Koblenz, ZSg 101/31 Brammer, Informationsbericht v. 25. 11. 1937; vgl. dazu Aigner, Ringen um England, S. 318 f.

[42]) ebenda.

zahl von Mächten erübrigen"[43]). Etwas populär vereinfacht stimmte die Betrachtungsweise des Reichspressechefs genau mit der revidierten Englandkonzeption Hitlers überein. Ungestört wünschte Deutschland im Osten seine Interessen wahrzunehmen. Wenn die britische Regierung schon nicht bereit war, eine solche Politik in einer großzügigen Allianz zu unterstützen, so sollte sie sich zumindest neutral verhalten. Auch wenn sie, wie es jetzt der Fall zu sein schien, einer positiven Regelung gewisser Fragen nicht abgeneigt war, so gab es mit ihr doch nichts darüber zu verhandeln. Liquidiert, ob nun in Verhandlungen mit Polen oder in einem schnellen Feldzug gegen die Tschechoslowakei — so mochte sich Hitler zu diesem Zeitunkt eine „Lösung" anstehender Fragen vorstellen — wurde das jeweilige Problem allein mit dem unmittelbar Betroffenen. Und weil Deutschland an England noch keine direkte Forderung zu stellen hatte, wie es Dietrich bezeichnenderweise erneut unterstrich[44]), gab es folglich für beide Nationen keinen Diskussionsgegenstand, abgesehen davon, daß aus solchem Gespräch außer einigen kolonialen Streifen, auf die Hitler zu diesem Zeitpunkt ja wenig erpicht war[45]), „keinerlei konkrete positive Vorteile in der heutigen Situation" herausspringen würden[46]). Außerdem, und dies ist ein neuer, zwar sekundärer, im Hinblick auf Österreich jedoch nicht unwichtiger Gesichtspunkt, könne, wieder nach Dietrich, nur ein „Eisblock zwischen Berlin und London" Italien zur Mittelmeerpolitik treiben und die italienische Regierung „dafür in Mitteleuropa gegenüber Deutschland" zum Stillhalten veranlassen[47]). Wenn man nach Halifax' Besuch in der Weltpresse über mögliche Resultate rätselt, so war das aus deutscher Sicht betrachtet eine überaus negative Folgeerscheinung, und Dietrich wußte vertraulich zu berichten, daß man sich frage, „ob es nicht vielleicht besser gewesen wäre, daß Lord Halifax überhaupt nicht gekommen wäre"[48]).

Zur gleichen Zeit beschwor Hitler auf der Ordensburg Sonthofen vor versammelten Kreisleitern und Gauamtsleitern gar das Gespenst einer möglichen deutsch-britischen Auseinandersetzung[49]). Wie wir wissen, war Hitler damals zwar nicht auf einen ausgesprochen antibritischen Kurs eingeschwenkt, noch viel weniger erstrebte er gar eine solche Konfrontation. Aber immerhin: erstmals deutete er einem größeren Kreis mit seinen martialisch klingenden Drohungen jene Möglichkeit an, die er schon jetzt nicht mehr ausschloß. Sie war denkbar für den Fall nämlich, daß England — wenn auch

---

[43]) PA Bonn, Büro Ribbentrop, Vertr. Berichte 1,1 v. 25. 11. 1937. Der Bericht bezieht sich wohl auf dieselbe Ansprache Dietrichs, da er sich angeblich „vor einem sehr kleinen Kreis von Hauptschriftleitern" derartig äußerte.
[44]) ebenda.
[45]) Vgl. dazu Hildebrand, Weltreich, S. 535.
[46]) BA Koblenz, ZSg. 101/31, Brammer, v. 2. 12. 1937.
[47]) ebenda.
[48]) PA Bonn, Pol II, England — Halifax-Besuch, Aufz. des AA über eine Besprechung mit Dietrich v. 23. 11. 1937.
[49]) Vgl. Hildebrand, Weltreich, S. 536, dort auch (Anm. 296) Angaben über den Überlieferungsstand; siehe auch Speer, Erinnerungen, S. 539, Anm. 5.

wider Erwarten — es nicht bei einer „zähneknirschenden" Neutralität belassen würde, wenn Deutschland sich zu Eroberungen im Osten Europas anschickte[50]).

Noch in anderer Hinsicht ist Hitlers Rede in Sonthofen aufschlußreich. Wenn er in einem Gewaltritt durch die deutsche Geschichte „alle großen Heere", „Führer der Vergangenheit" ... „germanische und deutsche Kaiser" aufmarschieren ließ und folgerte, „dann muß England vor uns versinken", so wird augenscheinlich, daß die bisher gezeigte schrankenlose Bewunderung der Stärke und Macht des britischen Empire mit einem beträchtlichen Quantum Neid gepaart war. Wieder einmal, dieses Mal auf der psychologischen Ebene, schälte sich die Ambivalenz des Hitlerschen Englandbildes heraus. Der Modifizierung der Englandpolitik auf Grund einer — wie ihm schien — von der demokratisch-jüdischen Zersetzung des britischen Staates verursachten, mit Hitlers Zielen nicht zu vereinbarenden Haltung Großbritanniens folgte gleichzeitig eine Gewichtsverlagerung innerhalb von Hitlers persönlichem Englandbild. Nicht als ob eine gänzlich neue Vorstellung die ursprüngliche endgültig abgelöst hätte; vielmehr trat nur die probritische Komponente in den Hintergrund, lebte aber unterschwellig weiter fort, wie wir dies auch auf der politischen Ebene beobachten konnten. Zur Untermauerung machtpolitisch und ideologisch begründbarer Schwenkungen wird nun die Kehrseite des Hitlerschen Englandbildes immer stärker betont werden. Die Bewunderung verblaßte zugunsten neidischer Verächtlichmachung. Die zur Errichtung des Empire führende Politik der Briten, die bisher einer „Herrenrasse" für würdig befundene Herrschaftsform in den von England dominierten Teilen der Welt verloren ihre Vorbildlichkeit und wurden fortan mehr und mehr als Beispiele rücksichtslosen Weltmachtstrebens und brutaler Unterdrückung gebrandmarkt. Ebenso traten bei der Schilderung innerenglischer Zustände Charakterisierungen wie „aristokratische Herrenschicht" gegenüber Attributen wie „jüdisch-demokratisch zersetzt" zurück[51]). Für Goebbels mochte sich hier eine kühl durchkalkulierte Taktik anbieten, um der Bevölkerung die veränderte Haltung der deutschen Politik gegenüber England nahe zu bringen. Es fällt jedoch schwer, Hitlers Worten in Sonthofen einen bloß berechnenden Wert beizumessen, ebensowenig wie den über England handelnden Passagen in den Reden der folgenden Jahre. Vielmehr zeigte

---

[50]) Es ist wenig wahrscheinlich, daß Hitler seine Zuhörer damit bereits auf die doch noch in weiter Ferne liegende Auseinandersetzung mit den angelsächsischen Seemächten um die Weltherrschaft vorbereiten wollte. Vielmehr ließ die Heranziehung der Analogie des preußisch-österreichischen Vorherrschaftskampfes um Deutschland, der ebenso möglich war wie heute der Krieg zwischen England und Deutschland um die europäische Vormachtstellung, auf begrenztere, nämlich europäische Dimensionen schließen. Gemeint war eindeutig ein deutsch-britischer Konflikt während der Errichtung des Kontinentalimperiums.

[51]) Siehe dazu die vornehmlich im Herbst 1938 massiv einsetzende antibritische deutsche Propaganda, vgl. unten S. 202 f. und die einschlägigen Abschnitte bei Aigner, Ringen um England. Siehe besonders S. 334 ff.

sich an diesem Punkt erneut jene eigentümliche Mischung von machtpolitisch-rationalen und ideologischen und persönlichen Komponenten in Hitlers Denken, die — wie schon mehrfach gezeigt — gerade für seine Haltung zu England besonders charakteristisch war. Hinzu kam, daß diese auf machtpolitischen und ideologischen Erwägungen gleichermaßen beruhende Grundeinstellung zu Großbritannien zwei Pole besaß. Daß sich ab Ende 1937 eine zunehmende Akzentverlagerung zum negativen Schwerpunkt vollzog, bekundete Auswirkungen in allen, rationalen und irrationalen Teilbereichen.

In London ließ man sich durch das unfreundliche deutsche Echo auf Halifax' Reise nicht darin beirren, die einmal begonnene Linie des Ausgleichs mit Deutschland entschlossen fortzusetzen; ja, die Regierung von Whitehall zeigte sich über den Lauf der Dinge nicht unbefriedigt[52]). Man bemühte sich — offenbar um Hitler zu gefallen — die britische Presse und ihre Spekulationen in gewissem Maße zu zügeln[53]). Ob die Kaltstellung Vansittarts im Foreign Office ebenfalls in diesem Zusammenhang als Konzession an Deutschland gesehen werden kann, mag dahingestellt bleiben[54]). Indessen verkannte die deutsche Führung nicht, daß sich die britische Haltung im Grundsätzlichen nicht geändert hatte. Die französisch-britischen Minister-besprechungen, so berichtete Ribbentrop nach Berlin, hatten lediglich die „großen Schwierigkeiten" gezeigt, die einer Lösung der Probleme noch entgegenstanden[55]). In der Tat, wenn Briten und Franzosen nur koloniale Zugeständnisse an Deutschland als Preis für ein „general settlement" er-örterten, so mußte das in deutschen Augen sogar als gewisser Rückschritt gegenüber dem, was Halifax angeboten hatte, erscheinen. Von kolonialen plus kontinentalen Konzessionen, die Halifax hatte durchblicken lassen, war aus London kaum noch etwas zu vernehmen. Vollends überzeugte Chamberlains Unterhausrede vom 21. Dezember 1937, die zweiseitige Abmachungen wieder nur als ersten Schritt einer Gesamtregelung gesehen wissen wollte[56]), daß England weiter auf „jenem toten Gleis"[57]) kollektiver Abmachungen fuhr, das sich mit Hitlers weiterreichenden Plänen nicht vereinbaren ließ. Ob die britische Regierung nun wieder koloniale Konzession gegen deutsches

---

[52]) Vgl. Halifax' Brief an Henderson v. 24. 11. 1937: Sowohl Chamberlain als auch Eden seien mit dem Lauf der Dinge recht zufrieden. Der Premierminister wolle die Sache mit großer Entschlossenheit vorantreiben, so daß er, Halifax, mit einem schnellen Fortschritt rechne: PRO London, FO 800/268, Henderson-Papers.

[53]) ebd.; vgl. auch PA Bonn, Staatssekretär, Halifax-Besuch, DNB-Bericht v. 24. 11. 1937 über Chamberlains Unterhauserklärung, in der er Pressespekulationen über unerfüllbare deutsche Forderungen als „nicht nur unmoralisch, sondern auch höchst unrichtig" bezeichnete.

[54]) So Connell, The Office, S. 249.

[55]) ADAP, D, I, Nr. 47, Ribbentrop an das AA v. 30. 11. 1937.

[56]) Berber, Deutschland-England, Nr. 48; englischer Wortlaut: Neville Chamberlain, The Struggle for Peace, London 1939, S. 54.

[57]) Berber, Deutschland-England, S. 154. Kommentar zu den Begleitumständen des Halifax-Besuches.

Wohlverhalten in Mitteleuropa oder diese zusammen mit gewissen friedlichen Revisionen in Europa anbot, beides kam für Hitler nicht in Betracht,
immer vorausgesetzt, daß er an seinem „Programm" festhielt. Für ein England, das ihm nichts Günstigeres bieten konnte, war Hitler nicht mehr zu
sprechen[58]).

Die grundlegende Unvereinbarkeit zwischen Hitlers und Chamberlains
Auffassungen hinsichtlich der Ziele und der Form der Politik der europäischen Mächte lastete auf den weiteren Versuchen der englischen Regierung,
Hitlerdeutschland wieder in das traditionelle Konzert der europäischen
Mächte einzufügen und den Frieden für jene Zeit zu sichern. Auf diesem
Hintergrund erschien Ribbentrops berühmte „Notiz für den Führer"[59]) nur
als weitere Bestätigung dessen, was Hitler schon längst bekannt war, keinesfalls aber als ursächliches Moment seiner Abwendung von England oder gar
als Ausgangspunkt einer ausgesprochen antibritischen Konzeption[60]). Selbst
wenn sie bereits Anfang November 1937 Hitler vorgelegen hätte — wogegen
jedoch vieles spricht[61]) — würde sie Hitlers Englandauffassung zwar mit-
geformt, aber wohl kaum entscheidend bestimmt haben. Denn der Kern der
Denkschrift, die Bankrotterklärung der gescheiterten Verständigungsmission
des deutschen Botschafters in London, daß nämlich England sich nicht zum
Bündnis unter Hitlers Bedingungen bereit zeigte, war für den deutschen
„Führer" seit dem Spätjahr 1937 nichts Neues mehr; die Schlußfolgerungen
aber, die Ribbentrop zur Formulierung eines neuen England-Konzepts anbot, hatte Hitler ja eben nicht übernommen, weder am 5. November 1937
noch jetzt Anfang Januar 1938[62]). Ribbentrop empfahl „das traditionelle
Rezept aller jemals mit der britischen Seemacht in Konflikt geratenen Kon-
tinentalmächte"[63]), eine weltweite antibritische Koalition, basierend auf dem

[58]) Aigner, Ringen um England, S. 320.
[59]) ADAP, D, I, Nr. 93.
[60]) Dazu jetzt besonders Hildebrand, Deutsche Außenpolitik, S. 62.
[61]) Siehe Hans-Günther Sasse, 100 Jahre Botschaft in London. Aus der Geschichte
     einer deutschen Botschaft, Bonn 1963. Sasse vertritt auf Grund von Erinne-
     rungen ehemaliger Botschaftsangehöriger die Ansicht, daß Ribbentrop seinen
     umfangreichen Bericht in Antwort eines positiv gehaltenen Memorandums von
     Neurath zum Halifax-Besuch verfaßt hatte, als terminus post quem also Ende
     November in Frage käme. Damit würde sich Hildebrands Denkansatz (ebd.,
     S. 162, Anm. 24) erübrigen.
[62]) Dagegen erweckt Kuhn, Hitlers außenpolitisches Programm, S. 202, mit der
     Kapitelüberschrift den Eindruck, als sei Hitler nach dem Scheitern der Allianz-
     pläne direkt zur antibritischen Abschreckungstaktik übergegangen, obwohl
     Kuhn im „Fazit" (S. 219) dieser These selbst widerspricht. Siehe auch Jäckel,
     Hitlers Weltanschauung, S. 54: nach Ribbentrops Denkschrift sei in der deut-
     schen Englandpolitik unmittelbar die Abschreckung an die Stelle der Freund-
     schaftswerbung getreten. Lipski weist in seinen Aufzeichnungen (Lipski-Papers
     S. 519) auf Ribbentrops wenig später erfolgte Ernennung zum Außenminister
     hin und meint, daraus sei leicht zu erraten, wie Hitler auf die Ratschläge
     seines Abgesandten in London reagiert habe.
[63]) Hildebrand, Deutsche Außenpolitik, S. 62. Zu den Zitaten aus der Denkschrift
     selbst vgl. ADAP, D, I, Nr. 93.

Dreieck Berlin-Rom-Tokio. Diese würden den Westen „vor einem Eingreifen im Fall eines östlichen Konflikts Deutschlands" abhalten, da Großbritannien vor einem gleichzeitigen Kampf in Ostasien, im Mittelmeer und in Mitteleuropa zurückschrecken müsse. Allerdings werde England immer zum Kriege schreiten, falls die britische Front gegen das aufstrebende Deutschland stärker sei als der deutsche Bündnisblock, der folglich niemals mächtig genug sein könnte. Die gegenwärtigen Annäherungsversuche der Briten interpretierte der künftige Außenminister als „Erkundungs- und Verschleierungsmanöver", als „taktische Zwischenspiele"; denn es sei besonders nach Eduards VIII. Sturz nicht mehr zu erwarten, daß eine englische Regierung ihre antideutsche Politik wirklich aufgeben würde. Demgemäß, so folgerte Ribbentrop, solle man auf die britische Fühler zwar zum äußeren Schein eingehen, „in aller Stille" aber an der Bildung der mächtigen Konstellation gegen Großbritannien arbeiten. „Jeder Tag, an dem in Zukunft ... unsere politische Erwägung nicht grundsätzlich von dem Gedanken an England als unserem gefährlichsten Gegner bestimmt würde, wäre ein Gewinn für unsere Feinde."

Es ist nachgewiesen worden, wie sich in der „Notiz" erneut die von Hitlers „Programm der Bodenpolitik" im Osten elementar verschiedene, auf England als alleinigen Hauptgegner zentrierte wilhelminisch-imperialistische Konzeption Ribbentrops widerspiegelte[64]), die selbst Rußland stillschweigend in diesen von Deutschland geführten Bündnisblock einbezog[65]) und bereits zu diesem Zeitpunkt den Erwerb von Kolonien erstrebte. Wenn Ribbentrop die Vorschläge dennoch als Denkschrift seinem „Führer" anzubieten wagte, knapp zwei Monate später sogar Neurath als Reichsaußenminister ablöste, dann deshalb, weil Ribbentrops Schlußfolgerung in Hitlers Augen nicht als eigenständige, prinzipiell differierende Konzeption, sondern — durchaus seinem „Programm" untergeordnet — lediglich als eine Möglichkeit erschien, um den britischen Widerstand gegen die Verwirklichung seiner Pläne im Osten auszuschalten. Ribbentrop hatte ja wohlweislich nichts über die Rolle Rußlands verlauten lassen und sprach nur von einem „östlichen Konflikt Deutschlands", worunter Hitler seinen Rußlandfeldzug, Ribbentrop jedoch nur einen Revisionskrieg mit Polen und der Tschechoslowakei verstehen mochte.

Der Botschafter war also auf das Mittel einer aktiven antibritischen Politik verfallen, während Hitler zwar ganz im Sinne Ribbentrops nicht mehr „wegen einer ungewissen englischen Freundschaft ... sichere Freundschaften auszuschlagen" willens war, aber sich ansonsten England gegenüber eher passiv-defensiv, lediglich auf die britische Neutralität bedacht verhielt. Ribbentrop erteilte — unbewußt oder bewußt — einer solchen Haltung eine Absage, da er Englands Desinteresse an deutschen Aktionen nur für den Fall einer England ebenbürtigen oder überlegenen deutschen Bündniskonstel-

---

[64]) Hildebrand, Außenpolitik, ebenda.
[65]) Vgl. Hillgruber, Deutschlands Rolle, S. 87.

lation prophezeite. Denn sonst würde Großbritannien, so führte er aus, gegen ein „übermächtiges Deutschland in seiner Nähe" kämpfen.

Die oft gestellte Frage, ob Ribbentrop mit seinem Konzept England lediglich mit dem politischen Mittel der Abschreckung zur Anerkennung einer deutschen imperialen Weltmachtstellung zwingen wollte[66]), oder die aus einer antibritischen Blockbildung mit einiger Sicherheit zu erwartende deutsch-englische kriegerische Konfrontation einkalkulierte oder gar herbeizuführen wünschte, soll hier nur genannt werden. Von seinem „wilhelminischen" Grundkonzept her sollte man sich für die erstere Deutung entscheiden. Jedenfalls aber nahm er die Möglichkeit eines Krieges mit Großbritannien anders als Göring und das Auswärtige Amt bewußt in Kauf, ohne sich ernsthaft zu bemühen, die Wahrscheinlichkeit des Zusammenstoßes auf ein Mindestmaß herabzuschrauben. Persönliche aus seiner Botschafterzeit herrührende „Rachemotive" spielten jedoch weder im einen noch im anderen Fall eine *primäre Rolle*. Ribbentrops Folgerungen aus der sachlichen Einsicht in die Unrealisierbarkeit des Hitlerschen Bündnisgedankens zeugten durchaus von rationalem machtpolitischem Kalkül und fügten sich auch in den Rahmen starker Traditionsstränge deutscher Großmachtpolitik ein.

Hitler glaubte jedoch anders als sein künftiger Außenminister genügend Anzeichen dafür zu erkennen, daß er – vorläufig zumindest – der von Ribbentrop empfohlenen antibritischen Weltkoalition nicht bedürfe, um Englands Beiseitestehen zu sichern. Die gegenwärtige noch längst nicht gefestigte Bindung an Italien würde mit ihren mehr demonstrativen als von realer Partnerschaft zeugenden Merkmalen als zunächst ausreichendes, zusätzliches Druckmittel gegen England vollauf genügen.

Immerhin, für den Fall, daß sich die Anzeichen verdichteten, die auf Großbritanniens Widerstand gegen ein weiteres deutsches Angreifen im Osten mit allen, also auch militärischen Mitteln hindeuteten – eine solche Möglichkeit schloß Hitler bekanntlich nicht mehr gänzlich aus — konnte man auf die Ribbentropschen Empfehlungen zurückgreifen. Der Kern der vorgeschlagenen antibritischen Blockpolitik war ja bereits mit der „Achse" gebildet.

Es muß die Aufgabe einer Darstellung der britischen Deutschlandpolitik sein, die Versuche der Londoner Regierung, den eben begonnenen Dialog mit Deutschland fortzusetzen, in den einzelnen Phasen zu schildern[67]). Hier können lediglich in groben Strichen die Intentionen der Londoner Regierung skizziert werden. Dabei ist als ein Hauptmerkmal erkennbar, daß die englische Seite in deutlicher Reduzierung der weiterreichenden Vorschläge Lord

---

[66]) So Ribbentrop in seinen Nürnberger Aussagen: IMT X, S. 395; vgl. auch Annelies von Ribbentrop, Verschwörung gegen den Frieden. Studien zur Vorgeschichte des Zweiten Weltkrieges, Leoni am Starnberger See 1962, S. 128 ff.

[67]) Einen guten Überblick über die einzelnen englischen Initiativen und die entsprechenden Reaktionen auf der deutschen Seite bietet ein unveröffentlichtes umfangreiches Memorandum des Foreign Office vom 21. 4. 1938: PRO London, FO 371/20733, C/3775/184/18.

Halifax' die Erörterung der Kolonialfrage wieder nur als Köder auszuwerfen gedachte, um als deutsche Gegenleistung zu britischen Konzessionen in Afrika die Diskussion „solcher Fragen wie Abrüstung, die Rückkehr in den Völkerbund, Westpakt und der Position in Mittel- und Osteuropa"[68]) zu erreichen. Von einer Zusicherung a priori hinsichtlich einer friedlichen Änderung des Status quo in Österreich, Danzig und der Tschechoslowakei war in der Tat nicht mehr die Rede. Offenbar sollte auch darüber erst einmal verhandelt werden. Demnach hatte Lord Halifax in Berchtesgaden eigenmächtig — jedenfalls nicht mit der offiziellen Linie des Foreign Office übereinstimmend — seinen Konzessionsspielraum überschritten[69]). Jedoch schien Chamberlain nunmehr fest entschlossen zu sein, notfalls im Alleingang gegen alle Widerstände aus den eigenen Reihen[70]) in diesem gesteckten Rahmen das Gespräch mit Hitler zu versuchen. Dabei übersah er entweder die absolute Unvereinbarkeit der beiderseitigen Standpunkte, „die Unmöglichkeit, mit Hitler auf der üblichen Basis von Treu und Glauben zu einem Einverständnis zu gelangen", da für den deutschen Diktator die nach Chamberlains Auffassung sakrosankten Maßstäbe der traditionellen britischen demokratischen Verfahrensweise nicht galten, oder trachtete, sie zu überwinden[71]). Wenn auch die englische Annäherungsbereitschaft, zu der auch die Abschiebung Vansittarts und die Ablösung Edens als Außenminister zu zählen waren, in Deutschland aufgenommen und wohl auch verstanden wurden[72]), verharrte Hitler auf seiner unnachgiebigen Haltung. Über England sprach er sich in Unterredungen mit ausländischen Staatsmännern „sehr bitter aus"[73]). Nicht ungeschickt betonte er jedoch seine Bereitschaft, mit den Briten zu

---

[68]) ebd.

[69]) Das schließt nicht aus, daß auch Chamberlain zu ebenso weitreichenden Konzessionen bereit war wie Halifax, nur stellte er sie nicht von vornherein in Aussicht. Vgl. auch Chautemps Mitteilung an den US-Botschafter in Paris, Bullit, im Februar 1938, daß Chamberlain gar eine vollkommene deutsche Kontrolle über Österreich, die Tschechoslowakei, Ungarn und Rumänien erwäge. Dabei sei allerdings dahingestellt, was der Premierminister unter „Kontrolle" verstand, sicherlich eine Art Einflußnahme, bestimmt jedoch nicht Annexionen; Foreign Relations of the Unites States, Diplomatic Papers, 1938 Vol. I, S. 24.

[70]) Vgl. in diesem Zusammenhang die Meinungsverschiedenheiten zwischen Eden und Chamberlain über die Initiative Präsident Roosevelts im Januar 1938. Edens Ablösung als Außenminister Ende Februar 1938 allerdings hatte bekanntlich ihren eigentlichen Grund in der verschiedenen Einschätzung Italiens. Vgl. Edens eigene Darstellung, Angesichts der Diktatoren, S. 634 ff.

[71]) Vgl. auch Arnold, Neville Chamberlain und Appeasement, S. 76 ff., wo mit Recht festgestellt wird, daß allein schon mit Rücksicht auf Frankreichs Verpflichtungen in Osteuropa auch für Großbritannien ein völliges Disengagement in diesen Gegenden nicht in Frage kommen konnte. Einem möglichen Übereinkommen mit Hitler und dessen Bedingungen war damit bereits jede Basis entzogen.

[72]) Zur deutschen Reaktion auf die Ablösung Vansittarts vgl. PA Bonn, Büro Ribbentrop, Mitarbeiter Berichte 1, Aktennotiz Hesses v. 14. 1. 1938.

[73]) Siehe Hitlers Ausführungen zum polnischen Außenminister Beck v. 14. 1. 1938: ADAP, D, V, Nr. 29.

verhandeln, und zwar „in jedem auftretenden Interessenkonflikt mit England"[74]). Der über Hitlers Grundeinstellung informierte Betrachter erkennt hingegen gerade in dieser Formulierung die engen Grenzen von Hitlers Verhandlungsneigung. Denn — und dies mochte einem fremden Besucher nicht unbedingt klar werden und die Vorstellung vom „friedlichen Hitler" blieb unangetastet — unter die Rubrik „deutsch-britische Interessengegensätze" fielen nach Hitlers Auffassung keinesfalls anstehende Probleme in Mitteleuropa, etwa die deutsch-österreichische Frage. Letztere berührte ausschließlich die beiden unmittelbar betroffenen Staaten, eine britische Einmischung würde man, wie Neurath Henderson anzeigte, folgerichtig ablehnen[75]), wie deutscherseits überhaupt von Anfang an unmißverständlich geklärt wurde, daß man sich auf einen Handel kolonialer Zugeständnisse gegen das „absolute Versprechen" deutschen Wohlverhaltens in Europa keinesfalls einlassen würde[76]). Von Deutschland einen Verzicht auf die Vereinigung mit Österreich zu fordern, war illusorisch, selbst wenn man, wie Göring Henderson zu verstehen gab, dafür ganz Afrika anbieten würde[77]). Aber selbst Fragen des Westpaktes, wo britische Belange auch von der Reichsregierung anerkannt werden mußten, verhielt sich die deutsche Führung hemmend-ablehnend gegenüber[78]), ebenso wie Hitler an einer Erörterung der beide Länder direkt betreffenden Kolonialfrage nicht interessiert war, da deren Funktion als Sanktionsdrohung durch die britische Konzessionsbereitschaft untauglich gemacht worden war, als reales Ziel aber von Hitler augenblicklich noch keinesfalls zur Debatte gestellt werden sollte[79]).

---

[74]) ADAP, D, V, Nr. 163: Aufz. v. 17. 1. 1938 über Hitlers Unterredung mit dem jugoslawischen Ministerpräsidenten und Außenminister Stojadinovic.

[75]) ADAP, D, I, Nr. 108, Aufz. über Unterredung Neurath-Henderson v. 26. 1. 1938. Neurath fügte hinzu, er sei überzeugt, daß Hitler Henderson auch nicht mehr sagen würde.

[76]) Vgl. die Aufz. der Unterredung Neuraths mit Stojadinovic v. 15. 1. 1938: ADAP, D, V, Nr. 162, wonach der deutsche Außenminister ablehnte, „Freibriefe" an die Tschechoslowakei und an Polen auszugeben. Die Nennung Polens ist charakteristisch für jene Strömung innerhalb der deutschen Führung, die aus einer revisionistischen Grundhaltung heraus im Unterschied zu Hitlers Konzeption in Polen den eigentlichen Zukunftsgegner des Reiches erblickte. Vgl. weiter auch Neuraths Gespräch mit Henderson v. 26. 1. 1938: ADAP, D, I, Nr. 108.

[77]) PRO London, FO 371/21655, C/1119/42/18, Hendersons Bericht über ein Gespräch mit Göring v. 16. 2. 1938. Göring fügte allerdings bezeichnenderweise sofort hinzu, daß man in London davon abgesehen durchaus auf Hitlers Entgegenkommen hoffen dürfe. Daß England einer friedlichen Bereinigung der Österreich-Frage seine Zustimmung nicht verweigern würde, hatte bereits Halifax verlauten lassen. Insofern konnte Göring in seiner „gemäßigten", revisionistischen Strömungen angeglichenen Zielsetzung hier durchaus einen Ansatzpunkt für das von ihm gewünschte deutsch-britische Übereinkommen über territoriale Modifizierungen zugunsten Deutschlands sehen.

[78]) Siehe Lipski-Papers, S. 324 ff. Aufzeichnung über Lipskis Unterredung mit Neurath v. 13. 1. 1938.

[79]) Vgl. ebd. und Hildebrands grundsätzliche Ausführungen zu diesem Problem, Weltreich, S. 441 ff. passim.

An der Verbreitung von Nachrichten, „daß man in London eine amtliche Denkschrift über die deutsch-englische Verständigung ausarbeite, hatte die Reichsregierung kein Interesse"[80]), was symptomatisch für die allgemeine deutsche Haltung war.

Im engen Kreis zeigte sich Hitlers abweisende Haltung gegenüber England besonders deutlich, wobei das Hauptärgernis einmal mehr britische Pressespekulationen bildeten, diesmal über die Umbesetzung in der deutschen Staats- und Wehrmachtführung vom 4. Februar 1938[81]). Aufschlußreich für die Wandlung von Hitlers persönlicher Wertschätzung des Empire, wenn auch auf ihren Wahrheitsgehalt nicht überprüfbar, erscheinen englische Zeitungsberichte vom Frühjahr 1938, die sich auf Lord Lothian und einen „anderen britischen Profaschisten" beriefen, „der bei Hitler ... als sein enger persönlicher Freund gewohnt" habe. Diesem zufolge habe sich Hitler „offen über Großbritannien lustig gemacht und mit hämischer Freude Mussolinis Prahlereien wiederholt. „Chamberlain wird mich den Spanischen Krieg gewinnen lassen", habe er mehrfach ausgerufen, „und mir obendrein viel Geld geben, um meine Truppen zurückzuziehen"[82]). Offenbar glaubte Hitler sicherer denn je, die „Ohne-England"-Linie fortsetzen zu können, ohne also auf den von Ribbentrop vorgeschlagenen Kurs ausweichen zu müssen.

Damit die „von Halifax ein wenig aufgestoßene Tür sich nicht sofort wieder schlösse", erwog Chamberlain Mitte Februar 1938, einen neuen Vorstoß bei Hitler zu unternehmen, mit dessen Ausführung dieses Mal Botschafter Henderson betraut werden sollte[83]). Göring beurteilte ein solches Projekt recht optimistisch, da von seiner Warte britische Zugeständnisse in der Österreich-Frage genügen müßten, um eine gemeinsame Verständigungs-

[80]) BA Koblenz, ZSg 101/11, Brammer, v. 20. 1. 1938.

[81]) PRO London, FO 371/21655, C/1161/42/18: Hendersons Bericht v. 18. 2. 1938 über ein Gespräch mit Göring v. 16. 2. 1938.

[82]) PA Bonn, Staatssekretär, Halifax-Besuch, DNB-Meldung v. 9. 4. 1938 über „News Chronicle"-Artikel: „ ... das britische Königreich war in der Tat ein Thema, das viel Belustigung in Berchtesgaden hervorgerufen hat". Es ist nicht bekannt, ob Hitler seine Äußerungen vor oder nach dem „Anschluß" machte. Letzteres ist unwahrscheinlich, da Hitler in diesem Fall bestimmt Englands passive Haltung zu den Ereignissen in Österreich zur Sprache gebracht hätte.

[83]) Vgl. PRO London, FO 371/21655, C/995/42/18: Instruktionen für Botschafter Henderson, v. 12. 2. 1938: er solle Hitler aufsuchen und erkunden, welche konkreten Beiträge Deutschland für eine allgemeine Befriedung leisten wolle. Vgl. auch ebd. C/1287/42/18: Phipps, nun Botschafter Großbritanniens in Paris, meldet am 24. 2. 1938 dem Foreign Office die schweren Bedenken der französischen Regierung gegen die geplante Démarche. In Paris wünsche man, daß gleichzeitig zumindest eine unmißverständliche Warnung zur Österreich-Frage an Hitler ergehe, und man verlange sehr ernsthaft („earnest desire"), über alles eingehend unterrichtet zu werden. Auch deutscherseits schien man über den bevorstehenden Schritt der Engländer informiert zu sein: Vgl. PA Bonn, Büro Ribbentrop, Vertr. Berichte 1,1, v. 16. 2. 1938: Danach habe Henderson behauptet, im Besitz eines konstruktiven Verhandlungsangebotes zu sein.

basis zu finden[84]), was erneut für seine im Vergleich zu Hitler begrenzten, eher traditionell-revisionistischen Zielsetzungen sprach.

Bevor die neue Initiative der britischen Regierung in die Wirklichkeit umgesetzt wurde, hielt Hitler am 20. Februar 1938 vor dem Reichstag seine mit Spannung erwartete Rede. Sie bewies erneut, wie minimal sein Interesse an einer britisch-deutschen Annäherung jeglicher Art war. Er geißelt wie üblich, aber in einer deutlichen Verschärfung der Tonart die „zügellose Methode einer fortgesetzten Begeiferung und Beschimpfung unseres Landes und unseres Volkes" in der britischen Presse, kündigte unheildrohend an, daß Deutschland fortan „mit nationalsozialistischer Gründlichkeit antworten" werde[85]) und lehnte eine Rückkehr Deutschlands in den Völkerbund rundweg ab. Er denke nicht daran, „die deutsche Nation in Konflikte verwickeln zu lassen, an denen sie nicht selbst interessiert ist", was einer erneuten Absage an jede Art von kollektiven Abmachungen gleichkam, auf die England doch gerade abzielte. Weiter verbat sich Hitler – auch das stand von jeher im Katalog seiner Gravamina gegen England — „die Anmaßung, Briefe an ein fremdes Staatsoberhaupt zu schreiben, mit dem Ersuchen um Auskunft über Gerichtsurteile" und empfahl „den Abgeordneten des englischen Unterhauses" mit einer seinem veränderten Englandbild entsprechenden deutlichen Spitze gegen die britischen Kolonialmethode, „sich um die Urteile britischer Kriegsgerichte in Jerusalem zu kümmern" und nicht um Belange des deutschen Volkes. Das war Hitlers alte Ansicht von der eindeutigen Interessenabgrenzung; zugleich räumte er ein, daß die sehr großen Interessen des britischen Weltreichs von ihm „als solche auch anerkannt" würden. Über die britischen Verhandlungsvorstöße jedoch verlor er kein Wort[86]), wenn man nicht seine skeptische Haltung zu den angeblich von den Mißdeutungen durch die Presse sofort sabotierten „Konferenzen und Einzelbesprechungen" (— war damit der Halifax-Besuch gemeint? —) als indirekte Zurückweisung interpretieren möchte. Wenn Hitler nämlich anschließend die Meinung vertrat, „daß bis auf weiteres der Weg eines normalen diplomatischen Aktenaustausches der einzig gangbare ist," so mußte das als eine Absage an jede besondere Initiative aufgefaßt werden, vor allem wenn sie außerhalb des normalen Rahmens lag, wie es ja zweifellos beim Halifax-Besuch der Fall war. In die gleiche Richtung wiesen auch Hitlers Äußerungen über die Kolonien, dem seiner Meinung nach einzigen Grund für Differenzen zwischen

---

[84]) Siehe Görings Gespräch mit Henderson am 16. 2. 1938. PRO London, FO 371/ 21655, C/1119/42/18.

[85]) Siehe Berber, Deutschland-England Nr. 50; Schulthess Europäischer Geschichtskalender, hrsg. von Ulrich Thürauf, Bd. 79 (1938), München 1939, S. 35 ff., dort auch die folgenden Zitate aus der Rede; vollständiger Text: PA Bonn, Staatssekretär, Halifax-Besuch, DNB v. 21. 2. 1938, Nr. 241 ff.

[86]) Vgl. auch BA Koblenz, NS 10/97, Adjutantur des Führers, Allgemeine Presseberichte: „Das Auslandsecho der Führer-Rede am 20. 2. 1938", wo auf S. 2 vermerkt wurde, daß die „Times" Hinweise auf die britische Gesprächsbereitschaft in der Rede vermißt habe.

England und Deutschland. Da der deutsche „Führer" bekanntlich nur über echte Interessengegensätze zu sprechen bereit war, eine Kolonialdebatte zur Zeit nicht anstand, gab es für Hitler mit England nichts zu verhandeln, schon gar nicht über Probleme in Mittel- und Osteuropa[87]), die in dieser Rede erstmals vor der Öffentlichkeit bloßgelegt wurden. Wenn sich Großbritannien dieser Auffassung entsprechend verhielt, fehlte in der Tat „jeder Anhaltspunkt für einen auch nur irgendwie denkbar möglichen Konflikt" mit dem Inselreich. Also proklamierte Hitler nicht die aktive antibritische Linie Ribbentrops, sondern passive Indifferenz gegenüber Großbritannien! „Die Festlegung auf die Politik des Dreiecks", wie sie britische Journalisten aus der Rede lasen, war dabei als zusätzliches Druckmittel und als Ansatzpunkt einer ausgesprochen antibritischen Politik für den Fall eines möglichen Einschwenkens auf die Linie Ribbentrops nicht unwillkommen[88]) und zeugte vielleicht auch von einem gewissen Einfluß des neuen Außenministers.

Chamberlains Unterhausrede am Tage darauf war wohl geeignet, Hitlers Gedanken diese Richtung zu geben. Der britische Premier betonte seine permanente Bereitschaft zum Ausgleich mit Deutschland zwar weiterhin, stellte aber die Grenzen dieser konzilianten Haltung erstmalig deutlich heraus, indem er die Notwendigkeit einer verstärkten Rüstung seines Landes hervorhob[89]).

Sicherlich durch entsprechende Berichte oder eigene Vermutungen gewarnt, versuchte die Londoner Regierung nun etwas verspätet zu verhindern, daß ihre Kontaktinitiativen vom nationalsozialistischen Regime als Schwäche ausgelegt wurden. Es ist verständlich, daß Hitler fortan auf jedes Zeichen intensiver Rüstungsmaßnahmen empfindlich reagieren würde. Wenn sich England wirklich ernsthaft für einen Waffengang rüstete und nicht nur bluffte, so konnte das sein Konzept des „Ohne-England" gefährden, deutete das doch darauf hin, daß Großbritannien der Verwirklichung seines Kontinentalprogramms nicht nur nicht zusehen wollte, sondern es mit allen, auch militärischen Mitteln zu verhindern trachtete[90]).

---

[87]) Wenn Henderson in seinem Bericht nach London die Einstellung der Pressekampagne in England gegen das Reich für die einzige Bedingung hält, die Hitler vor Verhandlungen über alle anstehenden Probleme erfüllt sehen möchte, so zeugt das also von einer gewissen Kurzsichtigkeit des Botschafters: PRO London, FO 371/21655, C/1317/42/18. Hendersons Bericht v. 23. 2. 1938. Andererseits ist es natürlich nicht undenkbar, daß Hitler einen solchen Eindruck zu erwecken suchte, wohl wissend, daß die Einführung einer staatlichen Pressezensur in Großbritannien niemals realisierbar sein würde. Vgl. dazu Aigner, Ringen um England, S. 101 und die umfassende Analyse der Hitler-Rede durch das Foreign Office, in der Hendersons Ansicht diskutiert wird: PRO London, FO 371/21707, C/1180/1180/18.

[88]) Vgl. PA Bonn, Büro Ribbentrop, Vertr. Berichte, 1,1, Aufz. v. 20. 2. 1938; weiter heißt es dort: „Die englischen Journalisten ... empfinden die Rede als die schärfste bisherige antibritische Auseinandersetzung."

[89]) Hohlfeld, Dokument der deutschen Politik, Bd. 4, Nr. 161.

[90]) Die Aussicht auf eine solche Möglichkeit, die Hitler ja seit Herbst 1937 nicht mehr völlig ausschloß, beschäftigte den „Führer" auch im Frühjahr 1938

Vorläufig jedoch, nachdem die Affaire um die Ablösung Edens durch Halifax abgeklungen war — man hatte in Deutschland peinlichst vermieden, Partei gegen Eden zu ergreifen[91] —, erhoffte sich die Londoner Regierung einen merklichen Fortschritt von der Unterredung Botschafter Hendersons mit dem deutschen Reichskanzler am 3. März 1938, mit der die Halifax-Besprechung in englischen Augen ihre Fortsetzung erfuhr[92]. Die deutsche Presse allerdings erhielt die Anweisung, dieses Ereignis, dem die Engländer so viel Bedeutung beimaßen, vollständig zu ignorieren[93].

Hatte Henderson sich schon beim Vorgespräch mit dem Reichsaußenminister davon überzeugen können, daß die deutsche Regierung keinerlei Neigungen zeigen würde, den Ball aufzufangen, den ihr die Briten zuwarfen, und jedes Handelsgeschäft mit Kolonialkonzessionen weit von sich wies[94], so erhielt er, und damit die britische Verhandlungsinitiative, zwei Tage später von Hitler selbst eine noch ärgere Abfuhr[95]. Es nutzte wenig, daß der Botschafter, wohl eingedenk früherer Wünsche Hitlers, den bilateralen Charakter des gegenwärtigen Gesprächs unterstrich. Er betonte, daß dritten Mächten von dem, was er sagen möchte, noch nichts bekannt sei. Ebensowenig beeindruckte den „Führer", daß die Engländer dieses Mal einen kon-

---

weiterhin: vgl. PRO London, FO 371/21675, C/4370/132/18: Bericht des britischen Luftfahrtministers an das Foreign Office. Er habe vom deutschen Luftattaché in London, Wenninger, am 9. 5. 1938 erfahren, daß sich Hitler in einem Gespräch mit Wenninger gefragt habe, ob England jemals die Ziele seiner (Hitlers) Politik einsehen würde. Er, Hitler, begänne zu glauben, daß die Engländer an einen Krieg dächten. Sollte das der Fall sein, würde die britische Politik tatsächlich in einen Krieg führen: „If England demands war then I suppose they must have it."

[91] Vgl. bereits die Presseanweisung v. 22. 12. 1937 BA Koblenz, ZSg 102/7, Sänger, in der mitgeteilt wurde, „es sei nicht erwünscht, einen Gegensatz zwischen Eden und Chamberlain zu konstruieren". Hitler mochte es in der Tat gleichgültig sein, ob Eden oder Halifax, dessen Konzept er nun kannte, die britische Außenpolitik leiten würde. Insofern kann man in der Presseneutralität sowohl die Anwendung des Prinzips der Nichteinmischung als auch den Wunsch erblicken, Chamberlain und Halifax nicht durch die scharfe Kritik an Eden um so positiver hervortreten zu lassen. Dagegen sprachen sich die deutschen Diplomaten verständlicherweise eindeutig gegen Eden und für die Unterstützung Chamberlains aus: vgl. ADAP, D, I, Nr. 127: Woermann v. 25. 2. 1938 an das AA.
[92] Siehe ADAP, D, I, Nr. 117, Woermann an das AA v. 17. 2. 1938.
[93] BA Koblenz, ZSg 110/7, Traub, Pressekonferenz v. 4. 3. 1938.
[94] ADAP, D, I, Nr. 131: Aufz. über die Begegnung Ribbentrops mit Henderson v. 1. 3. 1938; vgl. dazu zur deutschen Verhandlungstaktik Arnold, Chamberlain und Appeasement, S. 83.
[95] Vgl. zum folgenden die deutsche Aufz. des Hitler-Henderson-Gespräches v. 3. 3. 1938: ADAP, D, I, Nr. 138. Siehe auch die britische Aufzeichnung in DBFP, 3, I, Nr. 218. Zum deutschen Protokoll vermerkte Henderson am 5. 3. 1938, es sei nur „eine milde Version" dessen, was Hitler tatsächlich ausführte: PRO London, FO 371/21656, C/1657/42/18. Zur Interpretation der Aussprache vornehmlich unter dem Aspekt der Kolonialfrage, vgl. Hildebrand, Weltreich, S. 556 ff.

kreten Vorschlag präsentierten[96]). Hendersons Forderung, daß zur englisch-deutschen Verständigung die „positive Mitarbeit Deutschlands zur Herstellung von Ruhe und Sicherheit notwendig" sei, und daß mögliche Veränderungen in Europa nur „im Sinne der ... höheren Vernunft erfolgen" könnten, mußte ihn überzeugen, daß sich an der „Unbelehrbarkeit" der Engländer nicht das mindeste geändert hatte, daß eine Erörterung der britischen Vorschläge, was immer sie auch enthalten mochten, nur Zeitverschwendung war. Mußte ihm nicht allein schon die Tatsache, daß Großbritannien beharrlich versuchte, eine Einigung über dieses Ansinnen zu erzielen, als unerbetene und hindernde Einmischung in seine Probleme und Pläne erscheinen?

Entsprechend gestaltete sich seine Entgegnung, in der er dem Botschafter seine alte Klage vorhielt, daß England sein Freundschaftsangebot „übel gelohnt" und ihn „schwerer vor den Kopf gestoßen" hätte als irgend jemand sonst. „Es sei daher zu verstehen, daß er sich nunmehr in eine gewisse Isolierung zurückgezogen habe, die ihm immer noch anständiger erscheine als ein Sichanbieten an jemand, der ihn nicht wolle und ihn dauernd zurückweise." Damit hatte Hitler persönlich dem Vertreter der britischen Regierung sein im Herbst 1937 ergriffenes England-Konzept vorgetragen und den britischen Bemühungen erneut die kalte Schulter gezeigt. Und als er etwas später drohte: „ ... und wenn sich England weiterhin dem deutschen Versuch widersetzt, hier (d. h. in Österreich) eine gerechte und vernünftige Regelung zu schaffen, dann würde der Augenblick kommen, wo gekämpft werden müßte[97])," so ließ er — in für diese Zeit noch überspitzter Form — auch die antibritische Alternative seines Konzeptes durchblicken. England, mit dem er sich nicht verständigen konnte, sollte gegenüber allen Problemen auf dem Kontinent strikte Neutralität bewahren. Denn Hitler beschwerte sich nicht allein über die westliche Einmischung in das deutsch-österreichische Verhältnis, kurz darauf schnitt er das Thema der Sudetendeutschen an und schloß stillschweigend den gesamten osteuropäischen Raum in die Zone des britischen Desinteresses ein.

Die Beziehungen des Reiches zu Österreich sei für jede englische Mitsprache genauso tabu wie Deutschland in keiner Weise Englands Verhältnis zu Irland zu beeinflussen suche. Analoge Gleichsetzungen dieser Art wurden zu einem Hauptmotiv späterer antibritischer Pressepropaganda. Die Forderung nach britischer Nichteinmischung durchzog in mannigfachen Varianten wie ein roter Faden Hitlers Ausführungen. England reagiere überall dort negativ, „wo Deutschland sich bemühe seine Schwierigkeit zu lösen. Auf einen Lösungsversuch nach Osten ertöne das englische Nein ebenso wie bei der Kolonialforderung." Eine Regelung letzteren Problems, das ja auch

---

[96]) Hitler hatte am 19. 11. 1937 Halifax besonders verübelt, daß er gleich zu Anfang betonte, er bringe keinerlei neue Vorschläge aus London mit und wolle nur die deutsche Ansicht zu einigen Problemen erkunden; siehe Schmidt, Statist, S. 377.

[97]) Siehe dazu auch DBFP, 3, I, Nr. 218.

nach seiner Meinung ein echtes Thema deutsch-britischer Gespräche sein könnte, stellte er hingegen erneut auf unbestimmte Zeit zurück; einmal weil er das von England beabsichtigte Junktim mit europäischen Fragen ablehnte, zum andern, da zum jetzigen Zeitpunkt, also vor der Vollendung der kontinentalen Phase seines „Programms", ihm realiter nichts an Kolonien gelegen war. Eine Antwort auf Hendersons konkrete Vorschläge, die auf ein Kondominat mehrerer Mächte über afrikanische Gebiete mit deutscher Beteiligung hinauslief, erfolgte demgemäß nicht[98]).

In konzentrierter Form brachte die Unterredung des 3. März noch einmal alle jene Grundzüge, die die Begegnung von Appeasement und Hitlers Englandhaltung charakterisierten. Sie ließ die grundsätzlichen Konzeptionen erkennen und offenbarte die Unvereinbarkeit der Standpunkte[99]). Als Fazit der Betrachtung der britischen Verhandlungsversuche und ihrer Zurückweisung durch Hitler halten wir folgendes fest. Ende 1937 stand Hitler an jenem Punkt, an dem innerhalb des Stufenplanes seines „Programms" nach der Zeit der Abschirmung nach außen nun die erste Phase der kontinentalen Ausdehnung des Reiches in Angriff genommen werden sollte: die Gewinnung der strategischen Ausgangsbasis durch die „Regelung" der österreichischen Angelegenheit, durch die notfalls gewaltsame Eroberung der Tschechoslowakei und die Einbeziehung Polens in die deutsche Machtsphäre, die Hitler durch Absprachen zu erreichen hoffte[100]). Zu eben dieser Zeit hatte sich nach dem Scheitern der Ribbentrop-Mission endgültig erwiesen, daß

---

[98]) Vgl. aber ADAP, D, I, Nr. 137, den Entwurf einer deutschen Antwortnote, der wohl von Hitler veranlaßt wurde. (Siehe ebd. Anm. 3), siehe auch Kordt, Wahn und Wirklichkeit, S. 91.

[99]) Darüber war man sich auch im Londoner Foreign Office klar. (Oder notierte man die Ergebnislosigkeit des Gespräches vor allem deshalb, um sie nun als Bestätigung der eigenen Politik gegen Chamberlains Taktik ins Feld zu führen?) Man erkannte, daß nicht allein deutsche Kolonialwünsche oder die britische Pressefreiheit, sondern vor allen Dingen die deutschen Mitteleuropapläne einer Einigung entgegenstünden: PRO London, FO 371/21656, C/1524/42/18: Unterlagen des Foreign Office für Halifax vor dessen Gesprächen mit Ribbentrop in London. Zutreffend schrieb Henderson am 9. 3. 1938 an Halifax, daß Hitler selbst bei besserer Laune kaum in der Sache entgegenkommender gewesen wäre. In der Tat handelte es sich nicht um eine Frage der Stimmung, sondern der prinzipiellen Konzeptionen. Hendersons Brief nach wurde auch über den Fall Niemöller gesprochen, was Hitlers Laune bestimmt nicht verbesserte. Er kündigte an, daß britische Bischöfe, die herüberkämen, um sich in innerdeutsche kirchliche Angelegenheiten zu mischen, in Zukunft an der Grenze zurückgeschickt würden: PRO London, FO 800/269, Henderson-Papers. Vgl. auch ebd. FO 371/21656, C/1474/42/18, Henderson berichtet dem Foreign Office über Hitlers Ärger wegen der Einmischung britischer Bischöfe, Parlamentsabgeordneter und Privatpersonen in innere Angelegenheiten des Reiches.

[100]) Einige Stufen der Arrondierung der strategischen Ausgangsbasis ließen sich noch gänzlich oder zumindest im Ansatz unter den Schirm traditioneller Revisionspolitik oder des Selbstbestimmungsrechtes bringen: Österreich, Danzig, Memel, Sudetenland als Hebel zur Ausschaltung des gesamten tschechoslowakischen Staates.

England sich prinzipiell weigern würde, das Offensivbündnis mit Deutschland unter Hitlers Vorzeichen einzugehen. Vor die Alternative gestellt, nun entweder mit der Appeasement-Regierung über die *friedliche* Regelung aller anstehenden Probleme zu verhandeln — was jedoch mit dem jahrelangen, wenn nicht endgültigen Verzicht auf die Durchführung seines „Grundplanes" identisch gewesen wäre, — oder aber England einfach unbeachtet zu lassen und das Programm in seiner ersten Phase zwar *nicht mit*, sondern *ohne* England, aber *nicht gegen* Großbritannien durchzuführen, entschied sich Hitler erwartungsgemäß für den zweiten Weg. Italiens Eroberungszug in Abessinien und seine eigene Aktion im Rheinland hatten nach Hitlers Meinung ja hinreichend die reale Durchführbarkeit dieser Möglichkeit aufgezeigt. Hitlers Entscheidung, wie er sie am 5. November in der Reichskanzlei verkündete, barg dennoch die Gefahr in sich, daß Großbritannien — entgegen allen Indizien zwar — die deutsche Eroberung im Osten nicht nur nicht wohlwollend in einer Allianz unterstützen, sondern dieser sich mit allen, notfalls auch militärischen Mitteln entgegenstemmen würde. Ribbentrop schätzte dieses Risiko höher ein als Hitler und empfahl deshalb im Rahmen einer eigenständigen Englandkonzeption eine aktive antibritische Politik, um für diesen Fall gerüstet zu sein oder seine Wahrscheinlichkeit zu vermeiden. Hitler dagegen hielt an seinem „Mittelkurs" der Indifferenz gegenüber England fest, glaubt ohne eine antibritische Koalition auszukommen, verkannte jedoch das Risiko einer möglichen deutsch-britischen Konfrontation schon auf seinem Wege nach Rußland nicht gänzlich.

Am 3. März 1938 ließ Hitler die englische Führung seine Entscheidung endgültig wissen: Er wollte seine Mittel- und Osteuropa-Pläne auch ohne britische Mitwirkung durchführen. Er lehnte folgerichtig Verhandlungen mit der Londoner Regierung über eine Lösung kontinentaler Fragen in englischem Sinn kategorisch ab, verbat sich im Gegenteil jede Einmischung Englands in seine Interessensphäre und drohte gar mit der Entschlossenheit, die Briten gegebenenfalls gewaltsam zu hindern, sich ihm in den Weg zu stellen. Letztere Drohung erfüllte natürlich vorrangig die Funktion eines abschreckenden Bluffs[101]), ohne daß an Hitlers wirklicher Bereitschaft zur gewaltsamen Auseinandersetzung prinzipiell zu zweifeln wäre.

Unter diesen Umständen besaßen die englischen Sondierungen, mit Hitler über eine friedliche Bereinigung der Probleme auf dem Kontinent ins Gespräch zu kommen, und Hitler zu einem „guten Europäer" zu machen[102]), von Anfang an keine Chance, ob sie nun mit dem Köder der kolonialen Konzession und territorialen Revisionsvorleistungen versehen wurden oder nicht. Hitler wünschte überhaupt keine Einmischung der Engländer, welcher Art sie auch immer sein mochte, also auch nicht in Form von Verhandlungen. Denn sie nahmen ihm von vornherein die wichtigste Voraussetzung für eine

---

[101]) So auch Vansittarts Kommentar zu Hitlers entsprechenden Drohungen: Colvin, Vansittart, S. 195.
[102]) Vgl. Lundgreen, Appeasement-Politik, S. 68.

erfolgreiche Verwirklichung seines „Programms“, die er auch gerade durch seinen Bündnisvorschlag gesichert haben wollte, die freie Hand im Osten. Wenn er sich hingegen nicht festlegen ließ und die Angebote aus London ignorierte, konnte er noch hoffen, daß die Engländer ihm wenn schon nicht zustimmend, so doch „zähneknirschend“ Handlungsfreiheit gewährten.

Ob Hitlers Rechnung wirklich aufging, mußte sich dann zeigen, wenn er erstmalig über die Grenzen des Reiches hinausgriff, besonders wenn die dabei angewandte Methode nicht so friedlich sein würde, wie sie Chamberlain und Halifax als Bedingung für die englische Zustimmung gemacht hatten. Es würde sich dann gleichzeitig erweisen, ob Chamberlain, dessen Konzept, Hitler durch Konzessionen und Verhandlungen festzulegen, am 3. März fürs erste gescheitert war, sein eigentliches Ziel nicht doch erreichte. Dieses bestand bekanntlich darin, zwar Revisionen und eine wirtschaftliche Vormachtstellung des Deutschen Reiches hinzunehmen, eine gewaltsame Expansion Hitlers jedoch möglichst ohne Krieg zu verhindern.

2. SCHEINBARE BESTÄTIGUNG UND SCHEITERN DES „OHNE-ENGLAND“-KURSES

a) Der „Anschluß“ und die Anfänge der Sudetenkrise

Die Eingliederung Österreichs in das Deutsche Reich im März 1938[1]) bestätigte nun tatsächlich Hitlers Hoffnung und Erwartung, daß England sich seinen Intentionen trotz aller papierenen Proteste faktisch nicht widersetzen würde. Allerdings wurde die Lösung des Österreich-Problems, wie sie auch immer ausfallen mochte, in Berlin und Berchtesgaden von vornherein am ehesten zu jenen Punkten gerechnet, die sich innerhalb der von Halifax im November aufgezeigten Konzessionsbereitschaft bewegten, und an deren Liquidierung die britische Regierung allenfalls die Art und Weise, niemals aber die Tatsache selbst kritisieren würde. Daß aber England allein wegen der Methode, die vielleicht[2]) nicht die friedlichen Züge tragen würde, wie sie

---

[1]) Zur „Anschluß“-Literatur vgl. als wichtigste Spezialstudien Ulrich Eichstädt, Von Dollfuß zu Hitler. Geschichte des Anschlusses Österreichs 1933–1938, Wiesbaden 1955; Jürgen Gehl, Austria, Germany and the Anschluß, 1931–1938, London 1963; Gordon Brook-Shepherd, Der Anschluß, Graz–Wien–Köln 1963; siehe dazu auch den Literaturbericht von Andreas Hillgruber, „Der Anschluß Österreichs 1938; in: NPL 9 (1964), Sp. 984–988.

[2]) Wie die Forschungsergebnisse zeigen, war sich Hitler ja im Frühjahr 1938 noch längst nicht über Gang und Ziele der hinsichtlich Österreichs geplanten Aktion klar. Bekanntlich fiel der Entschluß zur Annexion selbst erst unmittelbar vor, besser noch: während der März-Ereignisse, vgl. Hillgruber, NPL 9, Sp. 987, der in kritischer Analyse der vorliegenden Abhandlungen darauf hinweist, daß die Frage nach dem Zusammenhang von Hitlers Zurückhaltung und seinen langfristigen Zielsetzungen noch zu klären bleibt. Vgl. auch Robbins, München 1938, S. 157.

Halifax im Namen der Chamberlain-Regierung angeregt hatte, aktiv zur Rettung der Republik einschreiten würde, hatte man weder in der deutschen Führung noch in anderen europäischen Hauptstädten[3]) ernsthaft erwartet. Bereits Anfang Dezember des vergangenen Jahres konnte Ribbentrop nach einer Unterredung mit Außenminister Eden berichten, die englische Regierung habe während der Ministerbesprechungen in London ihren Ententte-Partnern aus Paris zu verstehen gegeben, daß das Schicksal Österreichs die Italiener weitaus mehr als die Engländer angehe[4]). In Hitlers Augen bedeutete ein solches Statement ein klares Indiz für Englands vorsorglichen Rückzug aus allen möglichen Verpflichtungen, welche die französische Regierung vielleicht von ihren Verbündeten erhoffen mochte. Wenn selbst Vansittart im November 1937 den Führer der Sudetendeutschen Partei, Konrad Henlein, wissen ließ, daß „England auf die Dauer den Zusammenschluß Österreichs mit Deutschland für unvermeidlich halte" und nur vor den Gefahren eines Putschversuchs warnte[5]), so mußte das schon früh Hitlers Meinung entscheidend festigen, daß England sich zumindest in dieser Frage kaum zu sehr engagieren würde. Halifax' Ausführungen anläßlich seines Deutschland-Besuches eigneten sich dann gut, diesen Glauben zu stützen[6]). Somit bluffte Hitler nicht nur, sondern äußerte zweifelsohne seine echte Überzeugung, als er am 12. Februar 1938 dem österreichischen Bundeskanzler Schuschnigg erklärte, England und Frankreich würden „keinen Finger für Österreich rühren"[7]), insbesondere von Großbritannien habe Schuschnigg „nichts zu erwarten"[8]). Im gleichen Zusammenhang erwähnte Hitler die Unterredung mit Halifax und ließ damit durchblicken, worauf sich seine Überzeugung gründete. Es ist verständlich, daß Schuschnigg von Äußerungen dieser Art in späteren Gesprächen mit dem britischen Gesandten in Wien Gebrauch machte, einmal um den Wahrheitsgehalt der Hitlerschen Behauptungen zu überprüfen, zum andern gewiß, um eine eindeutige Gegenerklärung aus London zu provozieren[9]). Indessen zögerten deutsche Kreise nicht, ihre der Wahrheit — zwar nicht in dieser Form, aber doch dem Inhalt nach — sehr nahekommende Version von der englischen Haltung möglichst weit zu verbreiten. Damit wurde einem britischen Dementi an die Adresse Wiens von vornherein ein

---

[3]) Vgl. z. B. Europäische Politik 1933–1938 im Spiegel der Prager Akten, Nr. 103: Bericht eines Agenten in Paris, daß man am Quai d'Orsay die englische Ansicht, nach der Österreich nicht zu retten sei, bedauere.

[4]) ADAP, D, I, Nr. 50, Ribbentrop an AA v. 2. 12. 1937.

[5]) Siehe ADAP, D, II, Nr. 14 (S. 26), Woermann an AA v. 9. 11. 1937, vgl. Herzfeld, Zur Problematik der Appeasement-Politik, S. 195.

[6]) Vgl. auch Robbins, München 1938, S. 153.

[7]) Kurt von Schuschnigg, Ein Requiem in Rot-Weiß-Rot. „Aufzeichnungen des Häftlings Dr. Auster", Zürich 1946, S. 42.

[8]) ebd., S. 43.

[9]) Vgl. PRO London, FO 371/21656, C/1324/42/18, Tel. des britischen Gesandten in Wien v. 15. 2. 1938 über eine Begegnung mit Schuschnigg: „Herr Hitler had told him that Lord Halifax had completedly approved of Germany's attitude towards Austria and Czechoslovakia."

gutes Stück seiner Wirksamkeit genommen und das Terrain zur diplomatischen Absicherung einer möglichen deutschen Aktion vorbereitet. Daß dabei auch Englands Kreditwürdigkeit und Vertrauen bei anderen Staaten in Mitleidenschaft gezogen wurde, sah man in Deutschland als willkommene Nebenwirkung an[10]. Aufschlußreich für Hitlers Fähigkeit, geschickt zu taktieren und die britische Neutralität als Voraussetzung seines Kurses zu sichern, ist in diesem Zusammenhang eine Äußerung Neuraths, derzufolge Hitler sich gerühmt habe, „Lord Halifax in dem Glauben gewiegt zu haben, daß zwischen Deutschland und Österreich eine unmittelbare, freundschaftliche Regelung bevorstehe und daher England sich mit dieser Frage nicht ernsthaft zu beschäftigen brauche"[11]. Während Hitler der englischen Führung gegenüber also eine deutsch-österreichische Absprache andeutete, ließ er bei Schuschnigg später den Eindruck einer deutsch-britischen Einigung über dasselbe Problem entstehen.

Nach dem Berchtesgadener Kanzlertreffen schärfte der deutsche „Führer" Botschafter Henderson erneut ein, daß es für andere Nationen zwecklos sei, „sich in die Angelegenheiten zweier deutscher Staaten einzumischen"[12], obwohl sein britischer Gesprächspartner zuvor versichert hatte, daß England der letzte Staat wäre, der sich einer friedlichen Lösung widersetzen würde. Damit machte Hitler erneut deutlich, wie wenig ihm auch an einer wohlwollenden Mitsprache der Briten in kontinentalen Problemen jeglicher Art gelegen war.

Indessen gab es unter den in Berlin einlaufenden Berichten und auch aus anderen Informationsquellen keinerlei Hinweise, die Hitler ernsthaften Anlaß zu Befürchtungen in dieser Hinsicht bieten konnten[13]. Weder Chamber-

---

[10] Vgl. PRO London, FO 371/22313, R/2144/137/3: der britische Gesandte in Budapest meldete Halifax, die gleiche Behauptung, daß Halifax Hitlers Ambitionen in Österreich unterstützt habe, hätten der ungarische Ministerpräsident und Außenminister bei ihrem Besuch in Berlin vernommen. Zur deutschen Taktik, den Einmarsch selbst diplomatisch gegenüber anderen Staaten abzusichern, siehe ebd. FO 371/22315, R/2464/137/3: der britische Gesandte in Budapest berichtete am 12. 3. 1938, in der ungarischen Hauptstadt glaube man gar, daß England der deutschen Aktion nicht nur zugestimmt, sondern dazu ermuntert habe. Staatssekretär Mackensen habe dem amerikanischen Botschafter von einem deutsch-britischen Abkommen über Österreich erzählt. Die lakonische Antwort aus London lautete: „There is of course no foundation whatever for belief", ebd. Zu ähnlichen Vermutungen in Prag siehe Anm. 3 und: Abkommen von München 1938, Nr. 14: Vermerk des Prager Außenministeriums v. 15. 2. 1938 über einen Bericht des tschechoslowakischen Gesandten in Wien, der Hitlers These von der „Familienangelegenheit" zwischen Wien und Berlin, sowie den angeblich „völligen Einklang" der deutschen Haltung mit den Halifax-Gesprächen betont.
[11] PRO London, FO 371/22313, R/1888/137/3: Der britische Gesandte in Wien übermittelt am 22. 2. 1938 eine entsprechende Aufzeichnung eines deutschen Journalisten, der mit Neurath enge Beziehungen („in close touch") pflege.
[12] PRO London, FO 371/22311, R/1371/137/3: Henderson an das Foreign Office v. 16. 2. 1938.
[13] Vgl. z. B. ADAP, D, I, Nr. 119, Tel. Woermanns aus London v. 18. 2. 1938 über Grandis Eindrücke aus Gesprächen mit Chamberlain und Eden.

lains offizielle Erklärung vom 2. März, die zwar „eine deutliche Zunahme des Interesses an Zentraleuropa" erkennen ließ, aber weit davon entfernt war, in Berlin als Warnung aufgefaßt zu werden[14]), noch Hendersons Unterhaltung mit Hitler am 3. März 1938 vermochte daran etwas Entscheidendes zu ändern[15]). Vielmehr verwies die deutsche Seite weiterhin – auch in Gesprächen mit Staatsmännern und Diplomaten anderer Länder – auf alle tatsächlichen und angeblichen Zeichen, die auf ein britisches Desinteresse hindeuteten. Mit einiger Sicherheit durfte Hitler annehmen, „daß die Westmächte nichts unternehmen werden"[16]), und schon gar nicht ein deutsches Vorgehen in Österreich als Kriegsvorwand benutzen würden[17]).

 Als zusätzliche Sicherung der englischen Neutralität kann Ribbentrops Anwesenheit in London während der österreichischen Ereignisse gewertet werden. Es muß allerdings unentschieden bleiben, ob Ribbentrops Rolle bereits von vornherein so eingeplant war, oder aber ob — worauf der improvisierende Charakter der deutschen Aktion in Österreich schließen läßt — der ursprüngliche Abschiedsbesuch des früheren Botschafters erst im Laufe der Ereignisse die besagte Bedeutung erhielt[18]). Jedenfalls konnte allein die Tatsache, daß sich der Reichsaußenminister auf Reisen befand, während deutsche Truppen sich gerade anschickten, die Reichsgrenzen zu überschreiten, dazu beitragen, die Tragweite der Ereignisse abzuwerten und — ganz im Sinne Hitlers — den Charakter des deutschen Unternehmens als eine Familienangelegenheit zu unterstreichen, womit sich ein Reichsaußenminister nicht zu befassen habe. Zusätzlich mochte beabsichtigt sein, die unmittelbare Reaktionsfähigkeit der englischen Regierung durch Ribbentrops Anwesenheit zu lähmen[19]). Tatsächlich blieb der Außenminister „auf Weisung Hitlers

---

[14]) Eichstädt, Von Dollfuß zu Hitler, S. 350; zur Reaktion in England über die Berchtesgadener Absprachen siehe ebd., S. 345 ff.

[15]) Vgl. in diesem Zusammenhang Ungarische Dokumente, I, Nr. 394: Ribbentrops Ausführungen zu Sztojay v. 4. 3. 1938, daß Eden Englands Desinteresse an Österreich bekundet habe, und ebd., Nr. 397: Sztojays Bericht an das Budapester Außenministerium v. 5. 3. 1938: „Amtliche deutsche Kreise verweisen ... auf die Desinteressement-Äußerungen Edens und Halifax."

[16]) So äußerte sich Göring zum ungarischen Gesandten Sztojay: Allianz Hitler-Horthy-Mussolini. Nr. 24, S. 168, Sztojays Bericht v. 12. 3. 1938.

[17]) Siehe Dieter Wagner, Gerhard Tomkowitz, „Ein Volk, ein Reich, ein Führer!" Der Anschluß Österreichs 1938, München 1968, S. 87, über die Besprechung Hitlers mit Beck, Keitel und Manstein v. 10. 3. 1938 zur militärischen Vorbereitung des Einmarsches. Vgl. auch Eichstädt, Von Dollfuß zu Hitler, S. 363 f.

[18]) Vgl. die Presseanweisung des Propagandaministeriums v. 6. 3. 1938, BA Koblenz, ZSg. 101/33, Brammer; die bevorstehende Reise Ribbentrops sei ohne größere Bedeutung und „keinesfalls als ein Teil der deutsch-englischen Verhandlungen zu betrachten". Damit trat man von vornherein der Vermutung entgegen, als sei die Kette Halifax-Besuch, Henderson-Besprechung v. 3. 3. 1938 um ein weiteres Glied verlängert worden und Deutschland ginge schließlich doch auf die englischen Kontaktversuche ein. Vgl. auch Hesse, Spiel um Deutschland, S. 104 f.

[19]) Siehe Churchill, I, S. 332; dagegen Ribbentrop, Zwischen London und Moskau, S. 133 ff.

absichtlich über die Vorgänge" in Österreich in Unkenntnis, so daß er wahr-heitsgemäß in London seine Ahnungslosigkeit bezeugen konnte[20]). Seinem Wunsch, nach Berlin zurückzukehren, wurde nicht stattgegeben[21]). Anderen Vermutungen zufolge dienten Ribbentrops eingehende Gespräche mit der britischen Regierungsspitze vornehmlich dazu, bei den Italienern, deren Wohlwollen für Erfolg oder Mißerfolg der deutschen Aktion gegen Öster-reichs Unabhängigkeit mindestens ebenso entscheidend wie die englische Haltung war, den warnenden Eindruck eines deutsch-englischen Einverneh-mens zu hinterlassen[22]).

Ribbentrops Verhalten an der Themse[23]) sowie die Reaktion seiner Ge-sprächspartner entsprachen indessen voll Hitlers Erwartungen. England würde wegen Österreich keinen Krieg wünschen, berichtete der Minister seinem „Führer"[24]). Im Gegenteil, Chamberlain sei nach der Regelung der Österreich-Frage weiter zu deutsch-englischen Verständigungen bereit[25]). Es ist daher verständlich, daß Ribbentrop von Chamberlain „einen wirklich ganz ausgezeichneten Eindruck" erhielt[26]). Ribbentrop selbst erging sich in den üblichen wenig präzisen Phrasen über den deutschen Wunsch zur Freund-schaft mit England, der allerdings erst nach der Regelung solcher Probleme wie Österreich, der Tschechoslowakei und — für Ribbentrop bezeichnend — auch der Kolonien verwirklicht werden könne[27]). Konkreter wurde der Reichsaußenminister, als er Halifax drohte, „keine Macht der Welt könne die Zwangsläufigkeit dieser Entwicklung (gemeint war die Frage der Selbst-bestimmung in Österreich und der Tschechoslowakei) im deutschen Sinne hemmen[28])," und damit die Inferiorität der deutschen Freundschaftsabsichten im Vergleich zu den vorrangigen Zielen in Mitteleuropa kennzeichnete.

Obwohl es also keine Andeutung gab, daß Großbritannien „für Österreich allein hätte zum Krieg greifen können"[29]), ließ sich Hitler weiter vor und während der deutschen Aktion sehr ausführlich über die Stimmung und

---

[20]) So Wiedemann, Feldherr, S. 121 f.

[21]) Vgl. DBFP, 3, I, Nr. 31 über eine entsprechende Mitteilung Neuraths an Hender-son v. 11. 3. 1938.

[22]) Vgl. dazu Kordt, Nicht aus den Akten, S. 195; auch in Kreisen ausländischer Journalisten in Berlin hegte man ähnliche Vermutungen; PA Bonn, Büro Rib-bentrop, Vertr. Berichte 1,1 v. 14. 3. 1938.

[23]) Über Ribbentrops Londoner Besprechungen vgl. die ausführliche Darstellung bei Eichstädt, Von Hitler zu Dollfuß, S. 383 ff.; siehe ADAP, D, I, Nr. 145, 146, 147, 149.

[24]) Eichstädt, ebd.

[25]) ebd., S. 385.

[26]) Ribbentrops Telephonat mit Göring, IMT 31, S. 376; vgl. Schuschnigg, Re-quiem, S. 100.

[27]) ADAP, D, I, Nr. 145, Anlage, S. 215. 2. Teil der Unterredung Halifax-Ribben-trop v. 10. 3. 1938.

[28]) ADAP, D, I, Nr. 147. Ribbentrops Aufz. der Unterredung v. 10. 3. 1938.

[29]) Robbins, München, 1938, S. 160.

voraussichtliche Reaktion in England unterrichten[30]). Es sollte sich indessen zeigen, daß es keinen Grund zur Besorgnis gab. Wenn auch die britische Presse mit wenigen Ausnahmen die Annexion als „The rape of Austria" einhellig verurteilte[31]) und die deutsche Botschaft über Massendemonstrationen der Linken auf dem Trafalgar Square am 13. März berichten mußte[32]), so war es doch augenscheinlich, daß sich die Kritik der Presse hauptsächlich gegen die Methoden, nicht aber gegen den „Anschluß" selbst richtete, den man in England früher oder später doch erwartet hatte[33]). Hinzu kam, daß der Jubel der Österreicher über die Wiedervereinigung mit dem Reich seine Wirkung auch jenseits des Kanals nicht verfehlte. An entscheidender Stelle, in der Downing Street, enthielt man sich aller massiven Drohungen und Forderungen nach Wiederherstellung des Status quo ante[34]). Zwar kündigte die britische Regierung zusammen mit Frankreich am 11. März in gleichlautenden Noten „schwerwiegende Rückwirkungen" bei einem gewaltsamen deutschen Vorgehen in Österreich an[35]), ließ jedoch gleichzeitig Bundeskanzler Schuschnigg mitteilen, daß sie es nicht verantworten könne, dem Kanzler zu irgendwelchen Schritten zu raten, da sie keinerlei Schutz gegen daraus entstehende Gefahren bieten wolle[36]). Demnach hatte sich England bereits mit dem Verlust der österreichischen Unabhängigkeit abgefunden. Die Leiter der britischen Außenpolitik glaubten vor der Alternative „Hinnahme oder Krieg" zu stehen[37]). Die Entscheidung fiel im Fall Österreich noch nicht schwer, so daß Halifax bereits am 16. März im Oberhaus öffentlich die vollzogenen Annexionen anzuerkennen gezwungen war[38]). Gleichzeitig gab Chamberlain im Unterhaus zu, daß die Kontaktversuche seiner Regierung

---

[30]) Vgl. Schellenberg, Erinnerungen, S. 51; demnach beruhten Hitlers Informationen auf den Berichten eines „hochqualifizierten Vertrauensmannes" in England; siehe Thomas W. Nagle, A Study of British Opinion and the European Appeasement Policy 1933–1939, Diss. Genf 1957, S. 120 ff. über die Reaktion der britischen Presse und Öffentlichkeit.

[31]) Hierzu Aigner, Ringen um England, S. 323, der die Kritik am lautstärksten auf der äußersten Rechten und äußersten Linken findet und auf das eine wichtige Rolle spielende Klischee vom liebenswürdigen Österreich und der preußischen Brutalität der Okkupanten hinweist.

[32]) BA Koblenz, R 58/608.

[33]) Vgl. Stenzl, Anglo-französische Politik gegenüber Deutschland, S. 90; dazu ADAP, D, I, Nr. 359 und PA Bonn, Pol II, England-Deutschland 7, Tel. Deutsche Botschaft London an das AA v. 13. 3. 1938 über die Anerkennung des fait accompli des Ausschlusses durch die britische Presse.

[34]) Vgl. Eichstädt, Von Dollfuß zu Hitler, S. 437 f.

[35]) Ebd., S. 411. Vgl. zur britischen Note ADAP, D, I, Nr. 355, 356 und DBFP, 3, I, Nr. 39, 46, 47.

[36]) DBFP, 3, I, Nr. 25.

[37]) Vgl. Halifax' Tel. an Henderson v. 12. 3. 1938, DBFP, 3, I, Nr. 59.

[38]) PRO London, FO 371/22317, R/2862/137/3: Oberhaus-Debatte v. 16. 3. 1938, Hansard-Report. Am 30. 3. 1938 informierte das Foreign Office Henderson, daß die britische Gesandtschaft in Wien in ein Generalkonsulat umgewandelt worden sei, womit die Annexion auch de jure anerkannt wurde: PRO London, FO 371/22318, R/3159/137/3. Siehe auch ADAP, D, I, Nr. 400: Henderson erkannte am 2. 4. 1938 gegenüber Ribbentrop den Anschluß formell an.

mit Hitler vorläufig gescheitert seien[39]), schloß aber die Anwendung von Gewalt als Gegenmittel gegen die deutsche Aggression sehr deutlich aus[40]). Botschafter Henderson sah ebenfalls ein, daß es hoffnungslos sei, an der bisherigen Linie des „Junktims" zwischen kolonialer Konzession und friedlicher gemeinsamer Regelung in Europa festzuhalten[41]). Weder war es der Chamberlain-Regierung gelungen, Deutschland an den Verhandlungstisch zu bringen, noch hatte sie es vermocht, Hitler vom ersten einseitigen Schritt seiner territorialen Machterweiterung abzubringen. Die doppelte Zielsetzung der Appeasement-Politik war vorläufig nicht erreicht. Allerdings wäre eine Lösung der Österreich-Frage wohl die erste gewesen, die Chamberlain in den möglichen Verhandlungen — zwar nicht in dieser Form — Hitler zugebilligt hätte. Insofern fehlt jeder reale Grund, die Politik der Zugeständnisse in legitimen Ansprüchen bei unbedingter Vermeidung von Gewaltanwendung[42]) prinzipiell einzustellen. Allerdings verlagerte sich das Schwergewicht der britischen Verständigungspolitik zunächst einmal auf die Beziehungen zu Italien[43]).

Wie bewertete nun Hitler die soeben skizzierte Reaktion der Engländer auf den deutschen Einmarsch und die Annexion Österreichs?

Die Antwort der Reichsregierung auf die britische Protestnote bewegte sich gänzlich in jenem Rahmen, der von deutscher Seite für die Diskussion des österreichischen Problems mit dritten Ländern gesteckt war. Wahrheitsgemäß ließ Neurath Henderson wissen, Deutschland habe England „niemals darüber im Zweifel gelassen, daß die Gestaltung der Beziehungen zwischen dem Reich und Österreich lediglich als eine dritte Macht nicht berührende innere Angelegenheit des deutschen Volkes angesehen werden kann". Also könnten „gefährliche Rückwirkungen" nur auftreten, wenn andere Nationen sich dem Selbstbestimmungsrecht des deutschen Volkes entgegenstellten[44]). Im Grunde gehörte der britische Protest zu den Schritten, die Hitler in Kauf nahm. Er hoffte nicht mehr auf Unterstützung seiner Pläne, sondern erwar-

---

[39]) PA Bonn, Pol II, England, Allgem. Außenpolitik 4, DNB-Meldung v. 16. 3. 1938.

[40]) ebd. Siehe auch Zitat bei Gilbert, Britain and Germany, S. 108.

[41]) DBFP 3, I, Nr. 121, Henderson an Halifax v. 1. 4. 1938.

[42]) Siehe Lundgreen, Appeasement-Politik, S. 69. Vgl. auch die Erklärung von Unterstaatssekretär Butler v. 22. 4. 1938 zu Botschaftsrat Woermann, daß die österreichischen Ereignisse nichts an Chamberlains und Halifax' Willen zum Ausgleich geändert hätten.

[43]) Siehe Stenzl, Anglo-französische Politik, S. 253. Am 16. April 1938 wurde das britisch-italienische Abkommen geschlossen, das jedoch erst nach der Regelung der spanischen Frage und der Anerkennung der italienischen Souveränität über Aethiopien durch England in Kraft treten sollte. Die Reichsregierung hatte sich über die Entwicklung der Verhandlungen zwischen London und Rom fortlaufend unterrichten lassen: vgl. z. B. PA Bonn, Büro RAM, F 14, 7—6, F 20, 131—140. Siehe auch Leslie Hore-Belisha, The Private Papers, hrsg. von R. J. Minney, London 1960, S. 114 ff.

[44]) Berber, Deutschland-England, Nr. 51, DBFP, 3, I, Nr. 56, vgl. auch ADAP, D, I, Nr. 366.

tete allenfalls eine widerstrebende Neutralität seitens der Engländer, ja es gibt Berichte, nach denen er sich gerade durch diese Note in seiner Auffassung bestätigt fühlt[45]). Direkte Auswirkungen auf die deutsch-britischen Beziehungen würden die Ereignisse in Österreich seiner Meinung nach nicht nach sich ziehen, erklärte er in einem Interview mit Ward-Price[46]), eine These, die seiner Vorstellung von Englands Rolle in der europäischen Politik vollkommen entsprach und in dieser Formulierung gleichzeitig die Briten zur entsprechenden Haltung in der gegenwärtigen Krise bewegen sollte. Überzeugung und Taktik lagen in Hitlers Worten eng beieinander. Deutsche Zeitungen erhielten dann auch die Anweisungen, nicht zu berichten, daß die deutsch-englischen Beziehungen gefährdet seien[47]). Es konnte also nicht so sehr die in dieser Form erwartete Reaktion der britischen Regierung sein, sondern vor allem die leicht moralisierende Berichterstattung der britischen Presse, welche Hitlers Unmut über die englische Haltung schließlich doch noch entfachte. Daß man es jenseits des Kanals überhaupt wagte, sich vor aller Öffentlichkeit über den „Anschluß", vor allem über die Methode, in der er sich vollzog, sehr kritische Gedanken zu machen, mußte ihm bereits als eine Einmischung erscheinen, die — an seiner Konzeption gemessen — absolut unzulässig war. Ob Hitlers plötzliche Abreise aus Wien am 15. März mit seiner Verstimmung über die Haltung der Engländer im Zusammenhang stand, können wir nicht entscheiden[48]). Drei Tage später geißelte der Führer des nunmehr „Großdeutschen" Reiches in seiner Rede vor dem Reichstag die „teils unbegreifliche, teils verletzende" Reaktion der „demokratischen Weltbiedermänner", die „ohne zu erröten ... tiefste Empörung heucheln, wenn einem jüdischen Hetzer seine geschäftlichen Grundlagen entzogen werden", sich aber seit 1919 — also längst vor dem Aufkommen des Nationalsozialismus — um den freien Willen von über sechs Millionen Menschen wenig gekümmert hätten. Erneut fiel das Wort von den „überall interessierten frommen Weltgouvernanten"[49]). Sehr anschaulich spiegelt diese Terminologie

---

45) Vgl. Hitlers angebliche Äußerungen zu Parteigenossen am 13. 3. 1938 in Linz: „England hat mir eine Protestnote geschickt. Eine Kriegserklärung würde ich verstanden haben, auf einen Protest werde ich nicht einmal antworten." (Rückübersetzung) Zit. nach F. S. Northedge, The Troubled Giant. Britain among the Great Powers, London 1966, S. 494. Die Parallelität zu Hitlers Ansicht über die englische Haltung im Abessinienkonflikt liegt auf der Hand. Im Grund bestätigte sich erneut Hitlers These, daß ein Bündnis mit Großbritannien nicht notwendig war.

46) Hitlers Interview mit Ward-Price am 12. 3. 1938 in Monatsheften für Auswärtige Politik (künftig: MAP) 5 (1938), S. 341.

47) BA Koblenz, ZSg 102/9, Sänger, Pressekonferenz vom 13. 3. 1938.

48) PRO London, FO 371/22316, R/2659/137/3: Bericht des britischen Geschäftsträgers in Wien vom 15. 3. 1938 an das Foreign Office, der eine entsprechende Meldung aus zweiter Hand erhielt.

49) Alle Zitate der Rede nach Domarus, I, 2, S. 831 f. Auch Göring beklagte sich bei Henderson über die englische Reaktion auf den Anschluß Österreichs: PRO London, FO 371/21675, C/3325/132/18, Henderson über ein Gespräch mit Göring von 20. 4. 1938. Bezeichnend ist Görings Bemerkung, daß nur Italien zu Widersprüchen berechtigt gewesen wäre. Auch Hitler hatte die italieni-

die Wertverschiebung auch im gefühlsmäßig-irrationalen Bereich des Hitler-
schen Englandbildes wider. Wiederum scheint es nicht vertretbar, in solchen
Ausführungen nur berechnende Propagandamittel zu sehen. Begleitet wurden
Hitlers scharfe Vorhaltungen an die Adresse Londons von einer zunehmen-
den Polemik in der deutschen Presse gegen die britische Reaktion auf die
Ereignisse in Österreich[50].

Hitlers auffallende Gereiztheit[51] mag erstaunlich scheinen, da die maßgeblichen Kreise in Whitehall das fait accompli der Annexion eigentlich
niemals in Frage stellten und dem Diktator das Wesentliche dessen, was er
erreichen wollte, ohne weiteres konzedierten. Chamberlain erklärte am
8. April ganz im Sinne Hitlers: „Ich glaube nicht, daß die Bevölkerung dieses
Landes den Wunsch haben könnte, hemmend einzugreifen, wenn zwei Staaten sich zu vereinigen wünschen[52]." Allerdings verurteilte der britische
Regierungschef bei der Gelegenheit erneut die „schockierende" Methode der
deutschen Aktion. Darüber hinaus gab die Regierung in London jedoch zu
verstehen, daß zwar eine gewisse Zeit vergehen müsse, bevor sie ihren abgebrochenen Sendungsversuch würde aufnehmen können[53], daß sie aber
„nach wie vor an dem Gedanken einer wirklichen Verständigung mit Deutschland festhielt"[54]. Die Eingliederung Österreichs in den deutschen Herrschafts-
bereich hatte sich also ohne Komplikationen abgespielt. Allerdings hatte sich
England ja in der österreichischen Frage schon seit jeher konzessionsbereit
gezeigt. Außerdem war der „Anschluß" letztlich noch halbwegs friedlich und
mit begeisterter Zustimmung eines großen Teils der unmittelbar betroffenen

schen Interessen in den Alpenländern anerkannt. Entsprechend groß und
zweifellos aufrichtig war seine Dankbarkeit gegenüber Mussolini, die sich in
den bekannten Worten äußerte, daß er das Verhalten des Duce niemals vergessen werde: Tel. an Mussolini vom 13. 3. 1938. Dokumente der deutschen
Politik (DDP), Reihe: Das Reich Adolf Hitlers, hrsg. von F. A. Six, Band VI,
1, Berlin 1940, Nr. 29. Vgl. auch Görings Telephonate mit dem Prinzen von
Hessen in Rom am 12. 3. 1938: ADAP, D, VII, Anl. III, B (I), b und d.

[50] Vgl. Hendersons Beschwerde über die fortgesetzte antibritische Pressekampagne am 22. 3. 1938: PRO London, FO 371/22319, R/3185/137/3. und andere
Aktenstücke im gleichen Aktenbündel.

[51] Vgl. dazu auch Dirksen, Moskau-Tokio-London S. 209. Hitler empfing Dirksen
vor dessen Amtsantritt in London im April 1938 und übte heftige Kritik „an
der Haltung der britischen Regierung und ihrem Mangel an Verständnis für
die berechtigten deutschen Forderungen..."

[52] Chamberlains Rede am 8. 4. 1939 in Birmingham. Auszug bei Berber, Deutschland-England, Nr. 52; vollständig in PA Bonn, Pol II, England, Allgem. Außen-
pol. 4.

[53] ADAP, D, I, Nr. 400: Henderson zu Ribbentrop am 2. 4. 1938; vgl. auch Chamberlains Unterhauserklärung vom 4. 4. 1938, in der sich der Premierminister
gegen die Einberufung des Völkerbundes und für zweiseitige Verhandlungen
aussprach: PA Bonn, Pol. II, England, Allgem. Außenpolitik 4, Bericht der
Londoner Botschaft vom 8. 4. 1938 an das AA. Zit. auch bei Lundgreen, Appeasement-Politik, S. 61.

[54] Siehe die bereits erwähnte Aussprache des Unterstaatssekretärs Butler mit
Botschaftsrat Woermann vom 22. 4. 1938: ADAP, D, I, Nr. 750.

Bevölkerung vollzogen worden. Würde Hitlers Rechnung hinsichtlich der britischen Haltung jedoch auch in Zukunft aufgehen, wenn die nächste deutsche Aktion auf dem Wege zur Hegemonialstellung auf dem Kontinent weder hinsichtlich ihrer Legitimierung noch in ihrer Methode den britischen Vorstellungen so weit entgegenkäme wie im Falle Österreichs? Hitler mußte dies bezweifeln, wenn sich die englische Öffentlichkeit bereits bei diesem Unternehmen so kritisch aufführte, wenn schon die „Bereitung des österreichischen Omletts ... das Zerbrechen mancher Eier in London unvermeidlich gemacht hatte"[55].

Bewies nicht gerade die beinah unveränderte Bereitschaft Chamberlains und Halifax', mit Hitler über Mittel- und Osteuropa zu sprechen auch, daß Großbritannien sich längst nicht an allen Angelegenheiten dieser Regionen desinteressierte? War die Durchführbarkeit des „Ohne-England"-Konzeptes trotz des offenkundigen Erfolges nicht nach wie vor gefährdet? Vielleicht mag hier der tiefere Grund für Hitlers überraschende Verbitterung über Englands Haltung während der März-Ereignisse 1938 gesucht werden.

Hitlers Sorgen erscheinen erklärlich, wenn wir unser Augenmerk auf sein nächstes Vorhaben richten, mit dem er die strategische Ausgangsbasis zur Eroberung des „Lebensraumes" im Osten zu arrondieren gedachte. Halifax hatte zwar zugesichert – und viele andere Anzeichen deuteten es gleichfalls an –, daß auch eine friedliche Regelung der „Sudetenfrage" nicht am britischen Widerstand scheitern werde; aber Hitler hatte bereits am 5. November 1937 in der Reichskanzlei „deutlich ausgesprochen, daß nicht nur das Sudetenland als völkisch-nationale Revisionsforderung, sondern die territoriale Einverleibung der Tschechoslowakei das Ziel war"[56]. Zur territorialen Machterweiterung des Reiches trat die strategische Komponente, daß mit der Beherrschung des böhmisch-mährischen Raumes das Gelenk einer möglichen sowjetisch-französischen Ost-West-Zange zerbrochen wurde[57]. Erstmalig schien Hitler also ein kriegerisches Vorgehen ins Auge zu fassen[58], der Ein-

55) Diese Formulierung benutzte Albrecht Haushofer in einem Brief vom 2. 4. 1938 an den neuernannten deutschen Botschafter in London Herbert von Dirksen: BA Koblenz, Nachlaß Haushofer, HC 833.

56) Bracher, Deutsche Diktatur, S. 336.

57) Helmuth K. G. Rönnefarth, Deutschland und England. Ihre diplomatischen Beziehungen vor und während der Sudetenkrise (November 1937 – September 1938), Diss. phil. Göttingen 1953, S. 651.

58) Vgl. Lothar Gruchmann, Der Zweite Weltkrieg. Kriegführung und Politik, München 1967, S. 10; Hans Bernd Gisevius, Adolf Hitler, München 1963, S. 421. Grundsätzlich ist sich die Forschung einig, daß Hitlers eigentliches Ziel im Sommer 1938 die militärische Zerschlagung der Tschechoslowakei war: vgl. Hermann Graml, „Zur Diskussion über die Schuld am Zweiten Weltkrieg", in: Aus Politik und Zeitgeschichte, Beilage zur Wochenzeitschrift „Das Parlament", 1964 B 27/64 vom 1. 7. 1964, S. 3–23, hier: S. 18; H. K. G. Rönnefarth, „Die Sudetenkrise 1938. Entstehung-Verlauf-Bereinigung", in: Zeitschrift für Ostforschung 4 (1955), S. 1–47; sowie die Standardwerke zur Sudetenkrise: Rönnefarth, Die Sudetenkrise in der internationalen Politik; Boris Celovski, Das Münchner Abkommen 1938, Tübingen 1958; Robbins, München 1938. Vgl. weiterhin Hildebrand, Weltreich, S. 572 f.; Kuhn, Hitlers außenpolitisches Pro-

zug als siegreicher Feldherr in die Hauptstadt einer ihm persönlich verhaßten Nation war einer seiner Träume[59]), der tschechische Staat, „eine Schande für Europa", mußte von der Bildfläche verschwinden[60]).

Das Selbstbestimmungsrecht der sudetendeutschen Bewohner erhielt damit die Funktion, den legitimen Ansatzpunkt zu liefern, von dem aus in bewährter Taktik, immer mehr zu fordern als für die tschechische Regierung annehmbar war[61]), ein gerader Weg in die Krise und den siegreichen Krieg führen sollte. Gleichzeitig lag für Hitler in diesem Ansatz die berechtigte Chance begründet, die tschechische Krise innerhalb jenes Bereiches zu halten, der die britische Konzessionsbereitschaft umfaßte. Die Anliegen der sudetendeutschen Bevölkerung konnten England als einem der Hüter des Selbstbestimmungsprinzips die Begründung liefern, dem deutschen Standpunkt nicht ohne Wohlwollen gegenüberzustehen und, — falls die Krise vielleicht infolge tschechischer Intransigenz zum Kriege auswuchs und damit die von den Briten zugestandene Toleranzbreite überschritt — Hitlers Vormarsch nach Prag dennoch zu dulden. Es mochte dem deutschen Diktator überhaupt fraglich erscheinen, ob England prinzipiell dem tschechoslowa-

gramm, S. 227 ff. mit der unserer Meinung nach nicht berechtigten Einschränkung, daß Hitler als Alternative die Konferenzlösung seit der Berchtesgadener Besprechung vom 15. 9. 1938 ernsthaft erwogen habe, so auch Alan Bullock, Hitler and the Origins of the Second World War, Oxford 1967, S. 276, und Churchill, I, S. 343, der Hitlers Willen, „alle Deutschen in einem Reich zu vereinigen", als für den Verlauf der Krise maßgeblich werten möchte. Churchill sah in Hitler also weniger den Schöpfer eines radikalen Expansionsprogrammes, sondern den „normalen" traditionellen Verfechter einer deutschen Großmachtpolitik, die es zu verhindern galt.

[59]) Der Traum sollte sich dann allerdings erst am 15. März 1939 erfüllen, vgl. Wagner-Tomkowitz, Ein Volk ..., S. 81.

[60]) Vgl. eine entsprechende Presseanweisung vom 17. 9. 1938, zit. bei Walter Hagemann, Publizistik im Dritten Reich. Ein Beitrag zur Methode der Massenführung, Hamburg 1948, S. 365. Es wäre angesicht dieser Teminologie lohnend, hier eine Betrachtung über die Vermischung machtpolitisch-rationaler und irrationaler Denkweisen bei Hitler anzuschließen, die sich besonders bei einem Vergleich der Einschätzung Polens und der Tschechoslowakei durch Hitler anbietet. Auf der einen Seite steht eine kaum verhüllte unversöhnliche — vielleicht aus der österreichischen Herkunft begründbare — Animosität gegen die Tschechen, deren Staat er mit Gewalt zu vernichten trachtete, während er Polen, daß vom strategischen Standpunkt aus für Hitlers Ausgreifen nach Osten zumindest das gleiche Gewicht besaß, jetzt und später „friedlich" in seine Machtsphäre einbeziehen wollte. Gleiche, machtpolitisch nicht erklärbare Differenzen ergeben sich auch bei den Pressekampagnen in der Sudeten- und in der Polenkrise. Während der tschechoslowakische Staat und Benesch als direkte Zielscheibe massiver deutscher Propaganda während des ganzen Sommers 1938 fungierten, wurden die Polen bis zum 11. August 1939 weitgehend geschont und höchstens — wie noch zu zeigen sein wird — als naive Werkzeuge des britischen Einkreisungswillens kritisiert. Vgl. Aigner, S. 353 ff. Ein Jahr zuvor galt bezeichnenderweise Benesch als der eigentliche Kriegstreiber, der die Kurzsichtigkeit der Engländer für seine finsteren Pläne ausnutzte.

[61]) Vgl. dazu ADAP, D, II, Nr. 109, Anlage 1, Niederschrift über die Besprechung im AA vom 29. 3. 1938.

144

kischen Staat gegen einen deutschen Angriff zu Hilfe eilen würde. Konrad Henlein hatte ihm schon im Herbst 1937 nach einem Besuch in London diese Frage verneint[62]). Dennoch empfahl es sich nach den Erfahrungen mit den britischen Kontaktversuchen im Winter 1937/38 umso mehr, die englische Neutralität dadurch zu sichern, daß die eigentliche Intention sich hinter dem schirmenden Deckmantel der legitimen Belange sudetendeutscher „Volksgenossen" verbarg. Eine solche Linie bot sich auch auf Grund zweier Grundsatzerklärungen des britischen Premierministers unmittelbar nach der Österreichkrise an. Bereits am 16. März bekannte sich Chamberlain vor dem Unterhaus zu den Verpflichtungen seines Landes gegenüber der Tschechoslowakei, zu Verpflichtungen allerdings, die sich lediglich aus der Mitgliedschaft beider Staaten im Völkerbund ergaben[63]). Noch enger begrenzte der Regierungschef seine Beistandsbereitschaft, als er am 24. März Edens bekannte „Leamington-Formel" als Richtmodell auch auf das Verhältnis Londons zu Prag angewandt wissen wollte[64]), dabei also ausdrücklich unterstrich, daß eine britische Hilfeleistung möglich, aber keinesfalls von vornherein sicher sei, eine automatische Verpflichtung schließlich strikt zurückwies. Immerhin, so gut solche Formulierungen in Hitlers Ohren klingen mochten, und tatsächlich in nationalsozialistischen Kreisen als eine Absage an alle „kollektivistischen Ideologien einer abstrakten Automatik" zugunsten des entscheidenden Kriteriums der wahren britischen Lebensinteressen[65]) gewertet werden konnten, so hatte Chamberlain dennoch keinen Zweifel daran gelassen, daß seine Regierung bei einem Aufrollen der sudetendeutschen Frage zumindest nicht desinteressiert abseits stehen würde. Denn, so fuhr Chamberlain fort, „wo es um Krieg und Frieden geht, sind legale Verpflichtungen nicht allein ausschlaggebend, und wenn ein Krieg ausbricht, wird er sich wahrscheinlich nicht auf die beschränken, die solche Verpflichtungen eingegangen sind"[66]). Mit diesen Worten kündigte der Premierminister den zukünftigen Kurs der Mitte „zwischen der Scylla tschechischer Intransigenz und der Charybdis einer deutschen Aggression"[67]) an, der sich aber nicht auf eine negative, rein defensive Aufgabe beschränkte, sondern in dem Bestre-

---

[62]) Siehe Robbins, München 1938, S. 146.

[63]) PA Bonn, Pol. II, England. Allgem. Außenpolitik 4, DNB-Bericht vom 16. 3. 1938.

[64]) Chamberlains Erklärung vom 24. 3. 1938 in Keesings Archiv der Gegenwart 1938, Sp. 3486; siehe auch Hoare, Neun bewegte Jahre, S. 271; zur Interpretation Arnold, Neville Chamberlain und Appeasement, S. 23 f.

[65]) So Berbers Kommentar, Deutschland-England, S. 60. Dem Gedanken einer kollektiven Verteidigung der Tschechoslowakei im Bunde mit der Sowjetunion hatte Chamberlain bereits eine Absage erteilt, als er nach dem „Anschluß" Litwinows Plan einer großen Allianz „sehr von oben herab" zurückwies: Michael Freund (Hrsg), Geschichte des Zweiten Weltkrieges in Dokumenten, Band 1, Freiburg 1953, S. 9.

[66]) Zit. nach Hoare, Neun bewegte Jahre, S. 271.

[67]) Formulierung nach Lundgreen, Englische Appeasement-Politik, S. 86 f. Vgl. auch Robbins, München 1938, S. 164.

ben, gerade die „Sudetenfrage" und ihre friedliche Lösung als Ausgangspunkt für eine doch noch zu erreichende umfassende gesamteuropäische Regelung zu nutzen, ein konstruktives Wesensmerkmal gewann[68]).

In Hitler mußte diese britische Grundhaltung den gleichen zwiespältigen Eindruck erwecken, der auch seine Reaktion auf die Verständigungsbereitschaft der Engländer im vorhergehenden Winter bestimmte. Einmal empfand er sicher Genugtuung, daß Chamberlain der tschechoslowakischen Regierung kein automatisch wirksam werdendes Beistandsversprechen erteilte. Er konnte die Richtigkeit seiner Politik dazu in einem Bericht des deutschen Botschafters in London über die französisch-englischen Gespräche bestätigt finden, wonach England nur in einer „groben" Behandlung der tschechoslowakischen Frage durch Hitler den Frieden bedroht sehe[69]), ihm also prinzipiell große Handlungsfreiheit zubilligte. Falls ihm die von Görings „Forschungsinstitut" mitgehörten Berichte des tschechoslowakischen Gesandten in London, Jan Masaryk, vorgelegt wurden[70]), bot die darin mehrfach geschilderte defätistische Haltung der Engländer dem Reichskanzler Anlaß zu ähnlichen Vermutungen.

Andererseits jedoch hatte Hitler nach wie vor keinerlei Interesse daran, sich mit der britischen Regierung — wie diese wünschte — über eine friedliche Lösung der anstehenden Probleme zu einigen, so daß ihm Avancen, wie die vom Unterstaatssekretär Butler am 22. April und von Außenminister Halifax am 29. April, als von britischer Seite in nahezu nationalsozialistischer Ausdrucksweise deutsch-britische Gemeinsamkeiten infolge der Gleichartigkeit des Blutes beider Völker aufgezeigt wurden[71]), höchst ungelegen kom-

---

[68]) Besonders Botschafter Henderson wurde nicht müde, auf diese Chance, die sich angeblich mit der Sudetenfrage bot, hinzuweisen. Freilich, so ließ er durchblicken, würde man sie nur nützen können, wenn die Regelung im deutschen Sinne erfolgte: Vgl. z. B. DBFP, 3, I, App. I, Henderson an das Foreign Office vom 7. 4. 1938 und für spätere Krisenphasen: ADAP, D, II, Nr. 302, als sich Henderson am 19. 7. 1938 zu Weizsäcker in dieser Richtung äußerte. Damit machte sich Henderson in wohl mehr unbewußter als bewußter Verkennung der wahren Ziele Hitlers zum Anwalt der deutschen Sache, die er auf die Wahrung des Selbstbestimmungsrechtes reduziert sah. Zu Hendersons Berichten über die angebliche deutsche Friedensliebe vgl. etwa DBFP, 3, I, Nr. 218, 234, 380, 419, 535; II, Nr. 551, 574—581, erst ab August 1938 machten sich dann gewisse Zweifel an der Richtigkeit seiner Auffassung bemerkbar. Vgl. zum konstruktiven Moment der britischen Politik Gilbert, Britain and Germany, S. 107.

[69]) ADAP, D, I, Nr. 757. Es ist möglich, daß Hitler von dem in der „New York Herald Tribune" am 14. Mai 1938 veröffentlichten Unterhaltung Chamberlains mit amerikanischen und kanadischen Journalisten erfuhr, wobei der Premierminister andeutete, die Tschechoslowakei könne in der gegebenen Form nicht erhalten werden: siehe Wenzel Jaksch, Europas Weg nach Potsdam. Schuld und Schicksal im Donauraum, Köln 1967, S. 306. Jaksch meint, daß die Unterhaltung in Deutschland durchgesickert war.

[70]) Jaksch, a.a.O., S. 336.

[71]) ADAP, D, I, Nr. 750 (Butler-Woermann vom 22. 4. 1938), ADAP, D, II, Nr. 139 (Halifax zu Theo Kordt vom 29. 4. 1938).

men mußten, selbst wenn Chamberlain am 4. April ganz Hitlers früheren Wünschen entsprechend bilateralen Verhandlungen auch mit autoritären Regimen der Konferenzmethode kollektiver Sicherheitssysteme den Vorzug gegeben hatte[72]). Er wünschte keinerlei Einmischung der Engländer, auch keine gutwillige[73]), dies, obgleich die Londoner Regierung sich anschickte, die zuständigen Stellen in Prag zu einer konzilianteren Haltung gegenüber den deutschen Forderungen zu überreden, notfalls gar zu zwingen[74]). Aufmerksame Beobachter des Geschehens konnten dennoch mehrfach den Eindruck gewinnen, als ob Hitler das Gespräch mit London suchte, da Sonderbeauftragte den Kanal überquerten. Heute wissen wir, daß Hitler dabei lediglich beabsichtigte, das völlige Desinteresse Londons an dem böhmisch-mährischen Raum sicherzustellen, da es ihm auf Grund der Chamberlainschen Erklärungen nicht genügend garantiert zu sein schien. Keineswegs aber gedachte er, konstruktive Verhandlungen über das Sudetenproblem einzuleiten. So beauftragte der deutsche Reichskanzler bereits Ende März 1938 den sudetendeutschen Führer Konrad Henlein, seinen Einfluß in London in dieser Richtung geltend zu machen[75]). Daß Hitler solche Maßnahmen, zu denen auch

[72]) Vgl. Anm. 53, Chamberlains Unterhauserklärung am 4. 4. 1938. Zur englischen Bereitschaft, auch bilateral mit Diktaturen zu verhandeln, vgl. ADAP, D, I, Nr. 753: der deutsche Botschafter in Rom von Mackensen über Andeutungen des englischen Kriegsministers Hore-Belisha vom 24. 4. 1938. Siehe auch Chamberlains Rede am 13. 5. 1938 vor einer konservativen Frauenvereinigung in der Albert-Hall: BA Koblenz NS 10 (Adjutantur des Führers), 97, Allgem. Presseberichte, in der Chamberlain sich für freundschaftliche Verhandlungen einsetzte.

[73]) Vgl. Dirksens grundsätzliche Ausführungen während seines Antrittsbesuches am 3. 5. 1938 bei Halifax, der erneut Zusammenarbeit zwischen England und Deutschland bei der Lösung der tschechischen Frage anregte: „Die sudetendeutsche Frage sehe die Deutsche Regierung indessen als eine Frage an, die von den Sudetendeutschen in Verhandlungen mit der Tschechoslowakischen Regierung gelöst werden müsse. Eine Beteiligung an diesen Verhandlungen wünschen wir nicht und eine Garantierung ihres Ergebnisses müßten wir ablehnen.": ADAP, D, II, Nr. 145. Vgl. auch den Entwurf für ein Antwortschreiben Hitlers an Londonderry vom 30. 4. 1938: Hitler bittet darin Londonderry, von einem Besuch Abstand zu nehmen, da es zweifelhaft sei, ob der Besuch in allernächster Zeit „irgendeinen Beitrag für die Verständigung zu leisten vermag", und man auch nicht wüßte, wie eine Zusammenkunft „zur Zeit von der englischen Öffentlichkeit aufgenommen werden würde": BA Koblenz, NS 10 – Adjutantur des Führers, Zuschriften von Privatpersonen.

[74]) Bei den englisch-französischen Ministerbesprechungen im April war beschlossen worden, in diesem Sinne bei der Prager Regierung vorstellig zu werden; siehe Rönnefarth, Sudetenkrise, S. 567.

[75]) Vgl. ADAP, D, II, Nr. 107; Colvin, Vansittart, S. 207 ff., Jaksch, Europas Weg, S. 285, W. V. Wallace, „The Making of the May Crisis of 1938", in: Slavonic and East European Review 41 (1962–1963), S. 368–390, hier: S. 387. Bei der Ausführung des Auftrages hatte Henlein – wie auch später Wiedemann – die etwas delikate Aufgabe, mit führenden englischen Persönlichkeiten zu sprechen, ohne Bereitschaft erkennen zu lassen, daß Deutschland über die Sache selbst diskutieren wolle.

die spätere Mission des Hauptmanns a. D. Wiedemann zu rechnen ist, für notwendig erachtete, zeigt, daß er die alle Modifikation seiner Englandpolitik überdauernde axiomatische Abhängigkeit seines „Programms" von der Haltung Großbritanniens durchschaute[76]), besagte aber auch, daß Hitler seine auf die Neutralität Englands spekulierende Linie konsequent weiterverfolgte. Es war neben der Verfolgung des eigentlichen Zieles Prag, „die Situation so vorzubereiten, und ein solcher Zeitpunkt zu wählen, daß Großbritannien draußen gehalten werden konnte"[77]), so umriß Botschaftsrat Woermann in London im privaten Gespräch Hitlers Marschroute. Dabei blieb offen, welche Konsequenzen Hitler ziehen würde, falls diese Aufgabe sich nicht als lösbar herausstellen würde[78]).

Damit war für beide Seiten der Spielraum abgesteckt, in dem sie in den kommenden Monaten agieren würden. Am 21. April erging an das OKW die Weisung, den „Fall Grün", die militärische Zerschlagung der Tschechoslowakei generalstabsmäßig vorzubereiten, wobei das Fernbleiben Englands und Frankreichs vorausgesetzt wurde und durch blitzartiges Handeln auf Grund eines Zwischenfalls gesichert werden sollte[79]). Mehr als vorsorgliche Maßnahme denn als Zeichen erhöhter Bereitschaft, auch das militärische Eingreifen des Westens einzukalkulieren, ist die Anweisung zu werten, daß auch der Fall „Rot" — der Krieg im Westen — „jederzeit anlaufen können" müsse.

Gemäß der zwischen Daladier und Chamberlain im April in London getroffenen Vereinbarungen orientierten Anfang Mai die Repräsentanten Großbritanniens in Berlin die deutsche Regierung über den Plan der Westmächte, in Zusammenarbeit mit Deutschland zunächst die „Sudetenfrage" und davon ausgehend weitere umfassendere Probleme zu lösen. Zunächst kündigte Botschafter Henderson am 7. Mai dem neuen Leiter der politischen Abteilung des Auswärtigen Amtes, Woermann, einen bevorstehenden gleich-

---

[76]) Siehe auch Jaksch, Europas Weg, S. 306.
[77]) Siehe Woermanns Ausführungen in einem Gespräch mit Dr. Jaeckh in London vom 23. 3. 1938, in denen der deutsche Diplomat überdies Hitlers Absichten bezüglich der Erledigung und Aufteilung der Tschechoslowakei richtig interpretiert und auch die Möglichkeit eines neuen Weltkrieges aufzeigt, wenn Hitler die zitierte Aufgabe nicht lösen kann: PRO London, FO 371/21714, C/ 2288/1941/18. Vgl. auch Ungarische Dokumente II, Nr. 196: Woermann, nun Leiter der Politischen Abteilung des Auswärtigen Amtes, sagte am 14. 5. 1938 dem ungarischen Gesandten, daß der „Führer" sich mit Rücksicht auf Empfindlichkeit der Engländer vor jeder Provokation zurückhalte.
[78]) Im Gegensatz zu Woermann (siehe vorige Anm.) vertrat Ewald von Kleist-Schmenzin im Mai 1938 bei einem Gespräch mit Vansittart die Ansicht, daß Hitler auf Grund der unzureichenden Vorbereitung der Wehrmacht und des halbfertigen Westwalles vor einem Krieg zurückschrecken werde, falls Großbritannien eine feste Haltung einnähme, die Hitler, wie er selbst zugegeben habe, „wie die Pest" fürchte: siehe Colvin, Vansittart, S. 211.
[79]) ADAP, D, II, Nr. 133.

zeitigen diplomatischen Schritt seiner Regierung in Prag und Berlin an[80]). Drei Tage später erläuterte Botschaftssekretär Kirkpatrick dem Gesandten von Bismarck das englische Konzept. Nach der Bereinigung des schwelenden Sudetenproblems sei der Weg für weitergehende Verhandlungen zwischen Deutschland und England über Kolonien und Rüstungsbeschränkung offen[81]).

Am 11. Mai schließlich präsentierte Henderson das amtliche Memorandum seiner Regierung, in dem eine friedliche Regelung der sudetendeutschen Rechtsansprüche in deutsch-britischer Kollaboration vorgeschlagen wurde[82]). In seiner Antwort ließ Ribbentrop allerdings keinen Zweifel, daß seiner Regierung nach wie vor nichts an dieser Art von Zusammenarbeit gelegen war. Schroff lehnte er es ab, auf die Sudetendeutsche Partei mäßigend einzuwirken, ließ mit dem Terminus „fauler Kompromiß" durchblicken, was man in Berlin überhaupt von einer Verhandlungslösung hielt, schließlich bekräftigte der Außenminister seine unnachgiebige Haltung durch die martialischen Drohungen, Hitler werde, „falls Prag nicht Vernunft annehme", selbst „vor einem europäischen Krieg nicht zurückschrecken" in dem dann das ganze deutsche Volk „wie ein Mann sich erheben" werde[83]).

Reduzieren wir Ribbentrops Auslassungen auf ihren Kern, so bleibt einmal mehr als Grundsatz der Hitlerschen Politik, daß Englands Angebot zur Mitarbeit bei der Lösung mitteleuropäischer Probleme — von Hitlers Standpunkt aus nicht ganz zu Unrecht — als Einmischung zu interpretieren sei, die es mit Drohungen (Ribbentrop) und Überredungskunst (Henlein, Wiedemann) auszuschalten gelte. Es sollte damit sichergestellt werden, daß Hitler die Form des Handelns ganz allein bestimmen konnte. Nur dann schien ihm die Erreichung seiner eigentlichen, auf sein „Programm" hin orientierten Ziele gewährleistet zu sein. Recht wirklichkeitsnah verdeutlichte Freiherr von Weizsäcker, seit April Staatssekretär im Auswärtigen Amt, im Gespräch mit dem japanischen Botschafter Oshima die Position seiner Regierung: „Ich gab zu, daß wir mit den Engländern in einem gewissen Kontakt bleiben würden; uns aufs Verhandeln einzulassen, läge jedoch kein

---

[80]) ADAP, D, II, Nr. 150, Aufz. über Unterredung Henderson-Woermann vom 7. 5. 1938; deutlicher ist Hendersons Bericht: DBFP, 3, I, Nr. 187.

[81]) PA Bonn, Pol. II, England-Deutschland 7, Aufz. von Bismarcks vom 10. 5. 1938; vgl. Hildebrand, Weltreich, S. 567; ders., Deutsche Außenpolitik, S. 71. Wenn Hildebrand (S. 568) die britische Bereitschaft zu weitreichenden Vorleistungen in Mitteleuropa unterstreicht, so sollte man betonen, daß diese Konzessionen niemals bedingungslos angeboten wurden, sondern immer als friedliche, unter Mitwirkung Englands gefundene Lösung verstanden wurden – hieran ließ die britische Regierung niemals einen Zweifel. Damit aber wäre Hitler über eine Konzession, die nach außen als britische Vorleistung erscheinen mochte, zumindest ansatzweise wieder als Mitglied des Konzerts der europäischen Mächte zurückgewonnen und ein wesentliches Endziel der englischen Politik erreicht worden. Keinesfalls wurde erwogen, Hitler in der Tschechoslowakei vollständig freie Hand zu lassen, und nur dann wäre Großbritannien für Hitler als Gesprächspartner wieder interessant geworden.

[82]) ADAP, D, II, Nr. 154, Anlage.

[83]) ADAP, D, II, Nr. 154.

Grund vor[84])." Es ist denkbar, daß Weizsäcker mit dem „Kontakt" in erster Linie Henleins Besprechungen in London meinte, die ja gerade das englische Beiseitestehen sichern helfen sollten[85]), ohne in die von der Londoner Regierung anvisierten Verhandlungen über die Probleme im Sudetengebiet einzumünden. Der Bericht, den der Führer der Sudetendeutschen Partei dem deutschen Reichskanzler erstattete, war indessen „höchst ermutigend"[86]), so daß Hitler weiterhin auf das britische Desinteresse spekulieren und damit auf den Erfolg seines England-Konzeptes hoffen durfte.

b) Die erste Erschütterung: Maikrise 1938.

Schneller als erwartet stellte sich für Hitler ernsthaft die Frage, welche Konsequenzen sich anbieten würden, wenn England bei einer von Deutschland einseitig vorgenommenen Erledigung der tschechoslowakischen Frage keine widerstrebende Neutralität einnahm, sondern eine bewaffnete Intervention gegen das Reich ankündigte und seine Drohung vielleicht auch wahr machte. Wie sollte er reagieren, wenn sich eine weitere Befolgung des „Ohne-England"-Kurses als undurchführbar herausstellte, da die wichtigste Voraussetzung, das Beiseitestehen Großbritanniens, nicht länger gegeben war?

Am 20. Mai nahm die Prager Regierung Gerüchte über deutsche Truppenkonzentration an den Grenzen zur Tschechoslowakei zum Anlaß, um die Mobilmachung der Streitkräfte des Landes zu verkünden[87]). Entbehrten die Vermutungen wirklich jeder Grundlage[88]), so mochte Hitler hoffen, daß die Westmächte wegen der seiner Meinung nach unerhörten Provokation der

---

[84]) PA Bonn, Staatssekretär, Aufz. über Diplomatenbesuche 2, Aufz. vom 12. 5. 1938.

[85]) Vgl. oben Anm. 75 und Ungarische Dokumente II, Nr. 203, aus dem ebenfalls hervorgeht, daß Henlein mit Hitlers Zustimmung in London weilte.

[86]) Wallace, May Crisis, S. 387; vgl. Robbins, München 1938, S. 185.

[87]) Die Diskussion über den wahren „Schuldigen" der „Wochenendkrise" scheint immer noch nicht abgeklungen; vgl. neben den entsprechenden Passagen bei Rönnefarth, Sudetenkrise, und Celovsky, Münchner Abkommen, G. L. Weinberg, „The May Crisis 1938", in: Journal of Modern History 29 (1957), S. 213–225, Wallace, May Crisis (vermutet eine Intrige Henleins), Aigner, Ringen um England, S. 326 (Urheberschaft des Foreign Office in London), Kurt Rabl, „Neue Dokumente zur Sudetenkrise", in: Bohemia, Jahrbuch des Collegium Carolinum, Bd. 1, München 1960, S. 312 ff., (interpretiert S. 319 f. die Mobilmachung als tschechische Maßnahme zur Beeinflussung der Gemeinderatswahlen); als marxistische Version vgl. Heinz Königer, Der Weg nach München, S. 118: England habe sich deshalb gegen einen deutschen Angriff, also für eine Entschärfung der Krise eingesetzt, da es eine sichere Vernichtung des Faschismus im Kampf gegen eine antifaschistische Einheitsfront mit allen Mitteln zu verhindern suchte.

[88]) So z. B. Weizsäcker, Erinnerungen, S. 164, und Kordt, Nicht aus den Akten, S. 224.

Tschechen die Republik endgültig ihrem Schicksal überließen, ihm also endlich die erwünschte „freie Hand" wenigstens für den „Marsch nach Prag" gewährten. Wenn er statt dessen auf eine unerwartete Solidarität des Westens mit der Regierung Benesch traf[89]), so mußte seine Enttäuschung um so größer sein. Sein Unmut steigerte sich zu heftigen Zornanwandlungen, als die britische Presse zu allem Überfluß das deutsche Dementi als feiges Zurückweichen und als Erfolg einer entschlossenen britischen Diplomatie und der Idee der kollektiven Sicherheit verbuchte[90]).

Auf dem Hintergrund einer allenthalben in den Hauptstädten Europas spürbaren Kriegspsychose, die besonders durch den panikartigen Aufbruch von Angehörigen der britischen Botschaft in Berlin eine hektische Steigerung erfahren hatte[91]), erschien dieser vermeintliche Triumph um so großartiger. Henderson sprach am 21. Mai gleich zweimal bei Ribbentrop vor, um die akute Krise durch eine offizielle deutsche Gegenerklärung, die er wohl vom Reichsaußenminister zu erhalten hoffte, zu entschärfen und gleichzeitig erneut einen Ansatzpunkt für die Zusammenarbeit beider Länder bei der end-

---

[89]) Vgl. Weinberg, May-Crisis, S. 215.

[90]) Zu den britischen Presseberichten vgl. Aigner, S. 326 ff., Colvin, Vansittart, S. 210, und auch BA Koblenz, NS 10/97, Adjutantur des Führers, Allgemeine Presseberichte, vom 24. 5. 1938: Es ist demnach anzunehmen, daß Hitler sich über das Zeitungsecho eingehend informieren ließ. Vansittart unterstreicht in einem Memorandum für Halifax vom 26. 5. 1938 die „heilsame Wirkung" der tschechischen Maßnahmen auf Hitler und knüpft daran die Hoffnung, daß weder die Engländer noch die Franzosen die Prager Regierung „zu sehr tadeln" würden: PRO London, FO 371/21723, C/5260/1941/18. Diese Formulierung läßt darauf schließen, daß selbst Vansittart die Rechtmäßigkeit der tschechischen Maßnahmen in Zweifel zog, sie aber dennoch willkommen hieß. Es fragt sich, ob sich hieraus eine partielle Bestätigung für Aigners These ableiten ließe. Auch im übrigen Ausland gewann man aus den Vorgängen den besagten Eindruck: vgl. für die USA, PA Bonn, Staatssekretär, Schriftwechsel mit Beamten, 2 Privatbrief Botschafter Dieckhoffs in Washington an Weizsäcker vom 31. 5. 1938: „. . . aber leider ist der Eindruck zurückgeblieben, als ob wir böses geplant und nur deshalb von der Invasion in das friedliche Land der demokratischen Tschechen Abstand genommen hätten, weil uns plötzlich klar geworden sei, daß wir nicht nur auf tschechischen Widerstand, sondern auf die englisch-französische Allianz ... stoßen würden." François-Poncet fürchtete, daß Hitler „vom 21. Mai den Eindruck mitgenommen hat, er habe gekniffen" und deshalb vielleicht unüberlegte Entscheidungen treffen werde: PA Bonn, Staatssekretär, Pol. Schriftwechsel 2, Aufz. vom 3. 8. 1938 über das Gespräch eines „V-Mannes" mit François-Poncet.

[91]) Zu den Vorfällen in der britischen Botschaft vgl. PA Bonn, Staatssekretär, Schriftwechsel mit Beamten, Brief Weizsäckers an Dirksen vom 11. 6. 1938, sowie Hendersons Brief an das Foreign Office vom 1. 6. 1938: PRO London, FO 371/21657, C/6514/42/18: Henderson erklärt, daß die Abreise einiger Botschaftsangehöriger schon seit längerer Zeit vorgesehen war. Lediglich die Mitnahme von Kindern sei auf die ernste Situation zurückzuführen gewesen; vgl. weiterhin PA Bonn, Büro Ribbentrop, Vertr. Berichte 1,1, vom 23. 5. 1938: Methodisch habe die Berliner Botschaft Großbritanniens eine Panikstimmung erzeugt.

gültigen Bereinigung des tschechischen Problems zu suchen[92]). Die Promptheit und Beharrlichkeit, mit der Großbritannien in die Ereignisse eingriff, ließ bereits vermuten, was Außenminister Halifax in einem von Henderson verlesenen Telegramm andeutete[93]) und am nächsten Tag Botschafter Dirksen persönlich einschärfte, daß nämlich England bei einem Einmarsch deutscher Truppen in die Tschechoslowakei aller Voraussicht nach nicht unbeteiligt beiseite stehen würde[94]). Überdachte Hitler all diese Symptome, so mußte er prüfen, ob er sich bislang nicht über die britische Haltung prinzipiell getäuscht hatte. Die Londoner Regierung würde keine Gewaltlösung hinnehmen[95]), ja, es war für Hitler nicht undenkbar, daß die augenblickliche Krise sogar von den Briten mit eingefädelt worden war[96]). Damit hätte sich — seiner Auffassung nach — erwiesen, daß die englische Führung nicht nur eine deutsche Invasion in der Tschechoslowakei nicht dulden würde, sondern darüber hinaus eine militärische Auseinandersetzung mit dem wiedererstarkten Deutschen Reich suchte und eine erneute Zertrümmerung des deutschen Machtstaates beabsichtigte. „Wenn sie aus Anlaß einer so infamen Lügenmeldung, wie der tschechischen, mobilisieren — ja was werden sie erst dann tun, wenn ich tatsächlich zu mobilisieren gezwungen bin?", soll Hitler in Ribbentrops Gegenwart ausgerufen haben. „Wenn sie erst ihre Rüstung fertig haben, werden sie über mich herfallen und Deutschland ohne Gnade kurz und klein schlagen[97])."

Wir haben uns nun zu fragen, welche Konsequenzen Hitler aus dieser Erfahrung zog, die seine kurz- und langfristigen Dispositionen besonders hinsichtlich der Englandpolitik prinzipiell gefährdet erscheinen ließ.

---

[92]) Hendersons Unterredungen mit Ribbentrop vom 21. 5. 1938: ADAP, D, II, Nr. 184, 185. Ribbentrops Taktik, anstatt die Krise mit einem der Wahrheit entsprechenden Dementi zu entspannen, diese noch durch seine strikte Weigerung, „irgend jemand Auskunft über die deutsche Armee zu geben", weiter anzuheizen, (— Weizsäcker hatte er getadelt, da dieser eine beruhigende Erklärung abgegeben hatte: Weizsäcker, Erinnerungen, S. 164 —) entsprach seiner Auffassung, daß, gemäß seiner antibritischen Linie, jede deutsch-englische Verhandlungsmöglichkeit über eine friedliche Beilegung von Problemen unter allen Umständen torpediert werden müsse; vgl. dazu Weizsäcker, Erinnerungen, S. 165 und Hesse, Spiel um Deutschland, S. 115, der freilich Ribbentrops Verhalten damit erklärt, daß der Außenminister über das Ausmaß der Krise noch nicht unterrichtet gewesen sei und deshalb Hendersons Anfragen als Unverschämtheit gedeutet habe.

[93]) ADAP, D, II, Nr. 185: 2. Unterredung Hendersons mit Ribbentrop am 21. 5. 1938.

[94]) ADAP, D, II, Nr. 191: Dirksen über sein Gespräch mit Halifax vom 22. 5. 1938.

[95]) Vgl. Wallace, May Crisis, S. 389.

[96]) Zur deutschen Auffassung von der Miturheberschaft Englands vgl. Berber, Deutschland-England, S. 138 und Aigner, Ringen um England, S. 326 f.

[97]) Hesse, Spiel um Deutschland, S. 126 f.: Hesse will die Information von Ribbentrop selbst erhalten haben. Vgl. auch Hitlers Äußerung, „England, das werde ich Dir nicht vergessen", die von der Reichskanzlei nahestehenden Kreisen bezeugt wurde: Zit. in Colvin, Vansittart, S. 214. Daß Hitler aus den Ereignissen gut die von Hesse überlieferten Folgerungen ziehen konnte, glaubt auch Aigner, Ringen um England, S. 327.

Bekannt und unbestritten ist, daß Hitler seinen „unabänderlichen Entschluß, die Tschechoslowakei in absehbarer Zeit durch eine militärische Aktion zu zerschlagen", unter dem Eindruck der Maikrise faßte[98]). Zahlreiche nachträgliche Äußerungen Hitlers und Ribbentrops – vor der Öffentlichkeit und im kleinen Kreise – bekräftigen diese These[99]), ohne daß das Argument, Hitler habe seine Pläne dadurch nachträglich legitimieren wollen, völlig außer Acht bleiben sollte. Weit davon entfernt, infolge der in jeder Hinsicht negativen britischen Haltung zurückzustecken und sich mit den Engländern über die Tschechoslowakei zusammenzuraufen, trat Hitler die Flucht nach vorn an. Die erneute Abweisung der Verhandlungsfühler aus London hatte ihm bereits Ribbentrop in den Begegnungen mit Henderson am 21. Mai in unmißverständlicher Form besorgt[100]). Als neues Element der Sprachregelung gegenüber England trat nun hinzu, die britischen Drohungen zu bagatellisieren – „jede Drohung eines Eingreifens Dritter ließe uns eiskalt"[101]) – und schärfstens von sich zu weisen – „ehe fremde Hilfe käme, würde es in diesem Staat bestimmt kein Lebewesen mehr geben, darüber müßten sich die Herren Tschechen klar sein"[102]) –.

Am 28. Mai 1938 enthüllte Hitler seine weitergehenden Gedanken über die mögliche Zukunft der deutsch-britischen Beziehungen. Vor einem größeren Kreis versammelter Offiziere und Beamter erläuterte er zunächst seinen

---

98) Siehe ADAP, D, II, Nr. 221: „Endgültige Neufassung des Falles Grün", während es im Entwurf vom 20. 5. 1938 noch hieß, daß ein unprovozierter Angriff in naher Zukunft nicht in Hitlers Absichten läge: ADAP, D, II, Nr. 175.

99) Vgl. Hitlers Aufzeichnung für Mussolini vor der Münchner Konferenz: ADAP, D, II, Nr. 415; Ribbentrops Äußerung zum neuen tschechoslowakischen Außenminister Chvalkowsky am 13. 10. 1938: ADAP, D, IV, Nr. 55, Hitler in seiner Geheimrede vor der deutschen Presse am 10. 11. 1938: veröffentlicht von Wilhelm Treue, VfZg 6 (1958) S. 175–191, hier: S. 182 ff.; Ribbentrops Rede vor Generalen vom 24. 1. 1939: MA Freiburg, freundlicher Hinweis durch J. Dülffer; Hitlers Reichstagsrede vom 30. 1. 1939: Schulthess 1939, S. 19. Es ist bemerkenswert und für Hitlers Stimmung nach „München" aufschlußreich, wie oft und unmißverständlich die ursprünglich militärische „Lösung" von Ribbentrop und Hitler zugegeben wurde. Auch in britischen Kreisen glaubte man den kausalen Zusammenhang zwischen der Maikrise und Hitlers Entschluß zur baldigen Gewaltanwendung erkannt zu haben: PRO London, FO 371/21746, C/12993/1941/18, Aufzeichnung des britischen Militärattachés in Berlin vom 26. 10. 1938 über die deutschen militärischen Maßnahmen, abgedruckt: DBFP, 3, III, App. III, S. 622 ff.

100) ADAP, D, II, Nr. 184, 185: Ribbentrop entwertete u. a. die britische Einflußnahme in Prag als Ermutigung für die Tschechen, „die Deutschen totzuschießen", und lehnte Hendersons Bitte, nun deutscherseits mäßigend auf die SdP einzuwirken, „kurzerhand als eine unmögliche Zumutung ab". Dirksens Versuche, entsprechend dem „Wilhelmstraßen-Konzept" die Annahme der britischen Verhandlungsbereitschaft zu empfehlen, waren damit zum Scheitern verurteilt: vgl. etwa Dirksens große Berichte vom Sommer 1938 wie ADAP, D, II, Nr. 244 (8. 6. 1938) und Nr. 389 (24. 8. 1938) und PA Bonn, Ha-Pol., Handakten Wiehl, Politik 1, Dirksens Tel. vom 23. 5. 1938.

101) ADAP, D, II, Nr. 184.

102) ebd. Nr. 185; vgl. auch ADAP, D, II, Nr. 204: Ribbentrop an Dirksen vom 24. 5. 1938.

„unerschütterlichen Willen", daß die Tschechoslowakei von der Landkarte verschwindet[103]). Für diesen Entschluß gab der „Führer" jedoch eine gänzlich neue Motivation. Der südöstliche Nachbarstaat müsse ausgelöscht werden, damit Deutschland den Rücken frei habe zum „Antreten gegen den Westen", gegen England und Frankreich[104]). Folgen wir den Erinnerungen seines damaligen Adjutanten Wiedemann, dann ging Hitler im Anschluß an den Vortrag auf die in einer Ecke zusammenstehenden Generale Keitel, Brauchitsch und Beck zu und sagte: „Also zuerst machen wir die Sache im Osten, dann gebe ich Euch drei bis vier Jahre Zeit, und dann wird die große Sache im Westen in Angriff genommen[105])." Wie wir sahen, hatte Hitler bereits im Februar 1934 den Gedanken an einen Westkrieg, der *vor* einem weiteren Ausgreifen nach Osten stattfinden würde, geäußert[106]). Der Widerspruch zu den nach Wiedemann zitierten Ausführungen Hitlers am 28. Mai 1938, wo die „Sache im Osten" *vor* dem Westkrieg rangierte, löst sich auf, wenn wir für den Terminus „Osten" im Weichs-Protokoll von 1934 „Rußland" und in Wiedemanns Erinnerungen „Tschechoslowakei" einsetzen. Letzteres würde mit den in den deutschen Akten abgedruckten Notizen Wiedemanns sowie mit Becks Aufzeichnungen übereinstimmen, nach denen Hitler lediglich die Ausschaltung der Tschechoslowakei als Voraussetzung für einen erfolgreichen Westfeldzug nannte[107]). Außerdem ergibt sich eine solche Interpretation aus dem Zusammenhang mit Hitlers vorhergehenden Ausführungen, die allein der Tschechoslowakei gegolten hatten[108]). Würde sich die „Sache im

---

[103]) ADAP, D, VII, Anh. III, H, (V), S. 544, notizenartige Aufzeichnung Wiedemanns, vgl. auch Kordt, Nicht aus den Akten, S. 460 und Otto Meissner, Staatssekretär unter Ebert, Hindenburg, Hitler. Der Schicksalsweg des deutschen Volkes von 1919 bis 1945 wie ich ihn erlebte, Hamburg 1950, S. 460.

[104]) ADAP ebd. Dazu auch Wolfgang Foerster, Ein General kämpft gegen den Krieg. Aus nachgelassenen Papieren des Generalstabschefs Ludwig Beck, München 1949, S. 88 ff.: Becks Aufzeichnung über Hitlers Ausführungen.

[105]) Wiedemann, Feldherr, S. 128.

[106]) Zum „Weichs-Protokoll" s. o. S. 37 f.

[107]) Foerster, Beck, S. 88 ff., Wiedemanns „Notizen" siehe Anm. 103. Zu unterscheiden sind Wiedemanns „Notizen" in den ADAP von seinen als Buch erschienenen Erinnerungen.

[108]) Hildebrand, Weltreich, S. 571 ff. stützt sich nur auf Wiedemanns Erinnerungen und folgert daraus, daß sich im Vergleich zum „Weichs-Protokoll" die „Folge der Fronten verkehrt" habe, und daß Hitler am 28. 5. 1938 gemeint habe, vor der „Sache im Westen" müsse bereits Rußland geschlagen, das Kontinentalimperium errichtet sein. Der anschließende Westfeldzug sei dann der globale Kampf um die Weltherrschaft. Zieht man jedoch Becks Aufzeichnung (auch über die von Hitler genannten Kriegsziele des evtl. Westfeldzuges) und Wiedemanns „Notizen" mit heran, und beobachtet man den Zusammenhang mit Hitlers vorhergehenden Ausführungen und seinen Erfahrungen der Maikrise, so ergibt sich eine andere zeitliche Stufenfolge. Offen bleibt, ob Hitler von einem möglichen Westkrieg nur nach dem Hauptvortrag (über die Tschechoslowakei) mehr privat zu den drei Generälen gesprochen hat, so in Wiedemanns „Erinnerungen", oder ob seine diesbezüglichen Äußerungen — wie Wiedemanns „Notizen" auf den ersten Blick glauben lassen — Teil der eigentlichen Rede waren.

Osten" auch auf die Sowjetunion beziehen, so wäre ein solcher Bedeutungs-
inhalt den angesprochenen Generälen unverständlich gewesen, wenn Hitler
vorher allein von der CSR und nicht auch von Rußland gesprochen hätte.

Somit ergab sich am 28. 5. 1938 für eine mögliche Auseinandersetzung
im Westen in Hitlers Denkschema der gleiche Stellenwert, der sich bereits
im Februar 1934 erstmalig angedeutet hatte: *vor* der Eroberung des „Lebensraumes" im Osten mußte eventuell die Gegnerschaft der Westmächte England und Frankreich ausgeschaltet werden. Gerade Großbritannien hatte in
der kaum abgeklungenen Wochenendkrise bewiesen, daß es sich jeder gewaltsamen Aktion des Reiches schon vor der eigentlichen Expansion in
sowjetrussischen Territorien entgegenstemmen würde[109]). War es da nicht
von Hitlers Warte aus gesehen verständlich, daß er auf Mittel und Wege
sann, den drohenden Widerstand der englischen Regierung ein für alle Mal,
also unter Einsatz auch militärischer Mittel, auszuschalten, bevor er in der
Verwirklichung seines „Grundplanes" fortfuhr? Mit der angedeuteten Möglichkeit des Krieges im Westen hatte Hitler noch *nicht,* wie Wiedemanns
Erinnerungen isoliert betrachtet glauben lassen, die endgültige Auseinandersetzung gegen die angelsächsischen Seemächte um überseeischen Besitz oder
gar um die Weltvorherrschaft gemeint[110]). Diese war weiterhin — wenn sie
sich dann noch als notwendig erweisen sollte — *nach* der Errichtung der
deutschen Hegemonie auf dem Kontinent vorgesehen. Hitler sah ja auch am
28. Mai für den Fall eines Krieges gegen die Westmächte nicht die Vernichtung des Empire vor, sondern lediglich, wie Beck überlieferte, „die Erweiterung unserer Küstenbasis"[111]). Ein solches Kriegsziel würde die Überrennung Frankreichs und die gewaltsame Verdrängung der Engländer vom
europäischen Kontinent implizieren — nicht jedoch die Erringung der Weltvorherrschaft. Beherrschte Deutschland die Küste am Kanal und am Atlantik,
konnte es marine- und luftstrategisch gesehen Großbritannien in Schach
halten und gegebenenfalls die errungene strategische Ausgangsbasis zu wei-
terem kriegerischen Vorgehen gegen die Weltmacht nutzen. Letzterer Perspektive kam besonders im Hinblick auf eine spätere globale Auseinandersetzung
mit dem Empire und den USA Bedeutung zu. Zunächst jedoch, so mochte es
Hitler scheinen, war nach einem „begrenzten" Blitzfeldzug im Westen eine
von England ungestörte Expansion des Reiches auf dem östlichen Kontinent
garantiert. Gleichzeitig würde — quasi als Nebenwirkung — die „programmatische" Forderung aus „Mein Kampf", Frankreich zu zerschlagen[112]), eingelöst werden. Die Konstellation des Sommers 1940 zeichnete sich erstmals

---

[109]) Auch diese Erwägung spricht gegen Hildebrands These, daß Hitler am 28. Mai
1938 glaubte, vor dem Antreten gegen den Westen würde er nicht allein die
Tschechoslowakei ausgelöscht, sondern sein gesamtes Ostprogramm verwirklicht haben.

[110]) Dies gegen Hildebrand, Weltreich, S. 571 f.; vgl. auch vorhergehende An-
merkung.

[111]) Foerster, Beck, S. 88.

[112]) Mein Kampf, S. 766 f.; vgl. auch zweites Buch, S. 218.

in Hitlers Ausführungen ab. Ende Mai 1938 zeigte der deutsche „Führer" die gleiche modifizierte Abfolge seines „Programms" auf, wie er sie ein gutes Jahr später, am 11. August 1939, auf dem Höhepunkt der Polenkrise dem Schweizer Völkerbundskommissar in Danzig, C. J. Burckhardt, ankündigen sollte[113]): Osten (begrenzte Feldzüge gegen die Tschechoslowakei, bzw. 1939 gegen Polen) — Westen (Zerschlagung Frankreichs, Verdrängung Englands vom Kontinent) — Osten (Eroberung der Sowjetunion, Errichtung der deutschen Kontinentalherrschaft) — Westen (Kampf um die Weltvorherrschaft gegen die Seemächte).

Nicht vertretbar ist die These, daß Hitler, wenn er — auch später — die Möglichkeit eines Krieges im Westen vor der Eroberung Rußlands in Betracht zog, an einen isolierten „programmatischen" Feldzug gegen Frankreich dachte[114]). Zum einen vermerken Wiedemanns „Notizen" ausdrücklich Frankreich und England; nach Becks Aufzeichnungen sprach Hitler vom „Krieg gegen die Westmächte"[115]).

Weiterhin sollte festgehalten werden, daß der Gedanke an den Westkrieg verstärkt nach einer antibritischen und nicht nach einer antifranzösischen Kursänderung auftritt. Vor allem aber mußte Hitler besonders nach den späteren Erfahrungen in der Endphase der Sudetenkrise wissen, und wußte es sicher bereits am 28. Mai 1938, daß England einen isolierten deutschen Feldzug gegen Frankreich noch viel weniger hinnehmen würde, als den Marsch nach Prag oder, wenn wir uns in die Situation des Sommers 1939 versetzen, nach Warschau. Hitler hatte darüber hinaus der britischen Regierung immer konzediert, daß eine Besetzung Frankreichs englische Lebensinteressen unmittelbar berühren würde. Daher sprach er nach 1933 gerade auch mit Blick auf das Allianzprojekt mit England wiederholt den feierlichen Verzicht auf

---

[113]) Siehe Burckhardt, Danziger Mission, S. 348; zur Interpretation dieser Hitlerschen Äußerung vgl. unten S. 277 f.

[114]) Diese Auffassung läßt noch Hildebrand, Deutsche Außenpolitik, S. 72, durchschimmern; vgl. auch ders., Weltreich, S. 570 f.: dort eben diese Deutung für die Konstellation im „Weichs-Protokoll", obwohl Hitler damals „entscheidende Schläge im Westen" für den Fall ankündigte, daß „die Westmächte" (Hervorhebung des Plurals durch den Vf.) Deutschlands Eroberung von „Lebensraum" nicht zuließen (zit. nach O'Neill, German Army, S. 40 ff.). Es dürfte klar sein, daß die deutsche Reaktion sich dann ebenfalls gegen beide Mächte richten mußte. Wäre allein Frankreich gemeint gewesen, hätte es Hitler bestimmt vermerkt. Hildebrands Auffassung, daß Hitler antiwestliche Überlegungen gar noch eine Partnerschaft Englands voraussetzen (Weltreich, S. 571), ist also nicht haltbar. Vielmehr galt die erwogene Disposition gerade für den Fall, daß die Partnerschaft nicht realisierbar war, was 1934 allerdings noch unwahrscheinlich schien.

[115]) Wiedemanns „Notizen": ADAP, D, VII, Anh. III, H, (V), S. 544; Becks Aufzeichnungen: Foerster, Beck, S. 88. Noch präziser und eindeutiger sind Becks originale handschriftliche Stichworte, auf die sich Foerster stützte: BA/MA Freiburg, Nachlaß Beck. Sie lauten an dieser Stelle: „Heute ist Ziel eines Westkrieges (F r a n k r e i c h und E n g l a n d – [Sperrung durch Vf.]) Erweiterung der Küstenbasis." Frdl. Hinweis von J. Dülffer.

im Westen Deutschlands gelegene Ziele (also auf Elsaß-Lothringen) aus. Er war zu jener Zeit um der Freundschaft mit England willen bereit, nicht nur Kolonien und maritime Ziele, sondern auch den Plan der Vernichtung Frankreichs aufzugeben[116]). Wegen der zu geringen Eigenständigkeit der französischen Politik und der im Prinzip noch funktionsfähigen Entente, die gerade im Juli 1938 beim Besuch des britischen Monarchen in Paris ihren demonstrativen Ausdruck fand, betrachtete Hitler — anders als zur Zeit der Abfassung von „Mein Kampf" — England und Frankreich weitgehend als eine politische Einheit, die von England und dessen Politik in ihren Handlungen geprägt wurde[117]).

Mit „Antreten gegen Westen" — und das gilt nicht nur für seine Ausführungen vom 28. Mai 1938 — meinte Hitler also vornehmlich die eben skizzierte „gesamtwestliche" Strategie: Niederwerfung Frankreichs plus gewaltsamer Verdrängung Englands vom Kontinent, wobei letzteres für die weitere Durchsetzung des „Programms" das weitaus wichtigere Ziel war. Die Zerschlagung Frankreichs diente nur als Mittel zu diesem Zweck, besaß aber nicht den eigenständigen Wert, den sie in „Mein Kampf" hatte. Die Auffassung von der politischen und strategischen Untrennbarkeit beider Länder ließ Hitler wohl häufig den Begriff „Westen" benutzen, während er sonst durchweg von „England" und „Frankreich" sprach, hier wie später

---

[116]) Vgl. etwa Hitlers Interview mit dem französischen Journalisten Bertrand de Jouvenel vom 21. 2. 1936, in dem er verkündete, er wolle die Korrektur seiner „Mein-Kampf"-Ideen gegenüber Frankreich „in das große Buch der Geschichte" eintragen: Ursachen und Folgen, Bd. 10, Nr. 2453b, S. 415; oder Hitlers Äußerung zu François-Poncet vom 2. 6. 1936: Nachdem das Saarproblem gelöst sei, gäbe es keine Gegensätze zwischen Deutschland und Frankreich mehr: DDF 2, III, Nr. 334 Annexe. Zwar sollte man nicht übersehen, daß solche Worte zur „Strategie der grandiosen Selbstverharmlosung" (Jacobsen, Außenpolitik, S. 328) gehörten, doch fällt es angesichts der von uns aufgeführten Argumente schwer, zu behaupten, daß Hitlers Ausführungen ausschließlich propagandistischen Wert besaßen. Überdies zeigte sich die Schwäche Frankreichs mehr und mehr, so daß es als gleichwertiger Rivale um die Vorherrschaft auf dem Kontinent anders als 1923/24 kaum mehr in Frage kam und sich eine militärische Ausschaltung erübrigte. Siehe auch Hitlers Äußerungen zu Burckhardt, vom 11. 8. 1939 bezüglich der Untrennbarkeit der beiden Westmächte: Burckhardt, Danziger Mission, S. 345: vgl. unten S. 277 f. Vgl. gegen unsere These Wilhelm Ritter von Schramm, „Hitlers psychologischer Angriff auf Frankreich", in: Aus Politik und Zeitgeschichte, Beilage zu „Das Parlament", B 5/1961, S. 45—58, hier: S. 64: „Die Vernichtung Frankreichs ist jedenfalls für Hitler seit der Konzeption von „Mein Kampf" das strategische Hauptziel gewesen, bevor er sich nach Osten wandte", weiterhin Eberhard Jäckel, Frankreich in Hitlers Europa, Stuttgart 1966, S. 18. Dagegen bezeugt auch Speer, daß Hitler noch 1938 keinerlei Revanchegedanken gegen Frankreich hegte: Erinnerungen S. 135. Zum Problem Elsaß-Lothringen in der deutschen Politik vgl. die Frankfurter Dissertation von L. Kettenacker (1968).

[117]) In seiner Rede vor Generalen und Admiralen am 24. 1. 1939 bestätigte Ribbentrop, daß Hitler die lebenswichtige Bedeutung Frankreichs für England eingesehen und er den Briten deshalb auch die Garantierung Frankreichs angeboten habe: Frdl. Hinweis von J. Dülffer.

also auch „Frankreich" gesagt hätte, wenn dieser Staat allein gemeint gewesen wäre.

Doch zurück zur Situation des 28. Mai 1938. In Hitlers Gedankengängen gewann die Zerschlagung der Tschechoslowakei nun offenbar eine doppelte Funktion: einmal als weitere Etappe auf dem Weg zu Kontinentalherrschaft, zum anderen — und dies ist neu — als Rückendeckung für den Fall des möglichen Krieges gegen die Westmächte. Und damit deutete Hitler bereits an, daß er dieses unveränderliche Nahziel, den Einmarsch in Prag, weiterhin auf dem Kurs erreichen wollte, der die englische Neutralität voraussetzte[118]). Dieses Konzept spiegelte auch die neue Fassung des „Falles Grün" vom 30. Mai wider. Im Entwurf für eine „Neue Weisung" vom 18. Juni wurde die Aktion gegen die Tschechoslowakei vom Stillhalten der Westmächte gar abhängig gemacht[119]). Hitler hatte als Folge der „Wochenendkrise" England als möglichen Gegner bei der *zukünftigen* Abwicklung seines Kontinental-„programms" erkannt, wobei es nach dem bisher Gesagten offenbleiben muß, ob er die „Sache im Westen" bewußt herbeiführen wollte, oder mit ihr wegen der angeblich unversöhnlichen Haltung der Briten nur — wenn auch mit Sicherheit — gerechnet werden mußte. Die naheliegende Konsequenz jedoch, daß bereits aus dem Krieg gegen die Tschechoslowakei die gleichzeitige Auseinandersetzung mit Großbritannien entstehen könnte, glaubt Hitler im Gegensatz zu den Beamten des Auswärtigen Amtes und den Militärs ausschließen zu können[120]). *Diese* Etappe seines „Programms" würde noch ohne Englands aktive Gegnerschaft abgeschlossen werden können. Wenn Ribbentrop verschiedentlich erklärte, man werde es notfalls *schon jetzt* „auf einen Krieg mit den Westmächten ankommen lassen"[121]), so gab er damit offenbar mehr seine eigene Auffassung zu erkennen als die wirklichen Intentionen seines „Führers".

Abgerundet wird das Bild, das wir von Hitlers Einstellung zu England auf Grund seiner Ausführungen vom 28. Mai gewonnen haben, durch eine Erinnerung des damaligen deutschen Botschafters in Tokio, Ott. Hitler habe

---

[118]) Vgl. Hewels Bericht über Hitlers Ausführungen bei Kordt, Nicht aus den Akten, S. 228.

[119]) Zur Weisung vom 30. 5. 1938: ADAP, D, II, Nr. 221 und Dülffer, Weisungen an die Wehrmacht, S. 706; zur „neuen Weisung" vom 18. 6. 1938: ADAP, D, II, Nr. 282; Dülffer, ebd., S. 707, unterstreicht freilich, daß der Entwurf nicht von Hitler stammte, sondern vom OKW mit Rücksicht auf Becks Besorgnisse wegen eines Zweifrontenkrieges in dieser Form verfaßt wurde. Vgl. auch die von I. Colvin überlieferte Information des Oberbefehlshabers des Heeres von Brauchitsch über eine Geheimkonferenz Hitlers vom 14. 7. 1938: Hitler wolle den Zeitpunkt zum Losschlagen gegen Prag so wählen, daß Großbritannien zu der Zeit in Palästina stark engagiert sein würde und kein Verlangen habe, auch noch in Mitteleuropa in Konflikte verwickelt zu werden: Colvin, Vansittart, S. 220. Diese Information gelangte auch in das Foreign Office: PRO London, FO 371/21731, C/8189/1941/18: Colvin teilte sein Wissen Lord Lloyd mit, der seinerseits Vansittart informierte.

[120]) Jodls Tagebuchnotizen vom 28. 5. 1938: IMT XXVIII, 1780-PS, S. 373.

[121]) Vgl. z. B. Weizsäcker, Erinnerungen, S. 166.

ihm Ende Mai (!) gesagt, „daß er trotz des Versuches, mit England zur Verständigung zu gelangen, bei seinem Bestreben, den deutschen Lebensraum im Osten zu erweitern, auf Großbritannien als Hauptgegner treffe. Da er auf die Landnahme in Osteuropa nicht verzichten könne, rechne er mit einem Krieg gegen England[122].“ Fragen wir uns schließlich, ob sich diese Erkenntnis nicht nur auf mündliche Äußerungen beschränkte, sondern auch in konkreten Maßnahmen ihren Niederschlag fand.

Hitler selbst ließ den Engländern über Wiedemann mitteilen, daß er den beschleunigten Ausbau des Westwalles als ein Ergebnis der Maikrise angeordnet habe[123]. Tatsächlich traf am 23. Mai ein Telegramm entsprechenden Inhalts aus Berchtesgaden bei Keitel ein[124]. Eine solche Maßnahme mochte gewiß dafür sprechen, daß Hitler in verstärktem Maße den Westen – England und Frankreich – als Gegner in seine Dispositionen einzusetzen begann. Eine spätere Offensive im Westen, die man hinter Hitlers Ausführungen vom 28. Mai als Intention entdecken konnte, würde durch ein solches Bauwerk jedoch kaum erleichtert. In noch stärkerem Maße wie der Westwall sicherlich als reales Instrument für eine mögliche, allerdings defensive Kriegführung im Westen gedacht war, diente er als Abschreckungsmittel gegen England und Frankreich, um den bevorstehenden isolierten Krieg gegen die Tschechoslowakei zu ermöglichen. Die Westbefestigungen sollten möglichst kurzfristig einen „vollkommenen Zustand der Sicherheit gegenüber dem Westen" schaffen, der im Ernstfalle ausreiche, „die tschechische Frage mit aller Entschlossenheit und Wirksamkeit anzupacken und in wenigen Tagen zu lösen", teilte Ribbentrop Ende Mai Journalisten vertraulich mit[125]; ein zusätzliches Mittel also, das die Handlungsfreiheit im Osten zu garantieren half[126].

---

[122] Zit. nach Sommer, Deutschland und Japan, S. 122, der sich auf eine persönliche Mitteilung Otts stützt. Erneut ist zu beachten, daß Hitler Englands Gegnerschaft schon während und nicht erst nach der Landnahme im Osten erwartete.

[123] ADAP, D, VII, Anh. III, H, (I), Richtlinien für Wiedemanns Reise nach London im Juli 1938 vom 15. 7. 1938. Vgl. auch ADAP, D, II, Nr. 415: Aufzeichnungen für Mussolini, und Hitlers Reichstagsrede vom 28. 4. 1939: Schulthess 1939, S. 97, und Ribbentrops Ausführungen am 24. 1. 1939, Hinweis von J. Dülffer. Auch auf französischer Seite glaubte man im Ausbau der Befestigungen ein direktes Resultat der „Wochenendkrise" zu sehen; vgl. den Bericht des tschechoslowakischen Gesandten Osusky in Paris an das Prager Außenministerium vom 4. 7. 1938: Abkommen von München, Nr. 100, S. 149; ebenfalls in britischen Kreisen: PRO London, FO 371/21658, C/12288/42/18: Hendersons Bericht über ein Gespräch mit Ward Price, der eine entsprechende Information von General Bodenschatz weitergab; siehe auch DBFP, 3, I, Nr. 479: Halifax an den britischen Botschafter in Paris, Phipps, vom 12. 7. 1938, wo gleichfalls Bodenschatz als Informant genannt wird.

[124] IMT XXV, 388-PS, S. 432; vgl. auch Dülffer, Weisungen, S. 706.

[125] BA Koblenz, ZSg 101/33 vom 28. 5. 1938, zit. bei Jacobsen-Jochmann, Ausgewählte Dokumente, Kommentar, S. 103.

[126] Nach Burckhardt beurteilte Danzigs Gauleiter Forster den Zweck des Westwalles ebenso: „,... um im Herbst die Hände nach Osten frei zu haben." PRO London, FO 371/21735, C/92611/1941/18. Hitler selbst bezeichnete im April 1938 auf einer Inspektionsreise die Befestigungen als Abschreckung, die

Hitlers Befehl zum Ausbau der Befestigungen an der Westgrenze über-schritt also durchaus nicht die seit November 1937 verfolgte Linie, welche die Neutralität der französischen und englischen Regierung voraussetzte. Es sprach auch gewiß für eine vornehmlich abschreckende Funktion des West-walls, wenn Göring Mitte Juni den Wunsch äußerte, das Ausland möge den Umfang der Arbeiten für noch größer halten, als er in der Tat sein würde[127].

Nicht kurzfristig für den bevorstehenden Krieg gegen die Tschechoslowa-kei, sondern durchaus im Hinblick auf die mögliche Gegnerschaft Englands in der Zukunft sind allerdings die Maßnahmen zu sehen, die ab Sommer 1938 in Marine[128] und Luftwaffe getroffen wurden. Auch für diesen Kom-plex scheint die Wochenendkrise eine entscheidende Zäsur, wenn nicht den auslösenden Faktor darzustellen, was wiederum Hitlers Ausführungen vom 28. Mai bestätigen und ihre Ernsthaftigkeit unterstreichen würde.

Ende Mai teilte Hitler dem Oberbefehlshaber der Marine mit, das Reich müsse trotz aller Bemühungen um einen Ausgleich mit Großbritannien wohl oder übel die Gegnerschaft Englands in seine Überlegungen mit einbezie-hen[129]. Im Anschluß daran begann die Marineführung auf Hitlers ausdrück-liche Weisung hin erstmals Überlegungen über beschleunigte und gesteigerte Rüstung der Seestreitkräfte anzustellen, um die Flotte auf eine mögliche Auseinandersetzung mit der britischen Seemacht vorzubereiten[130]. Das am 30. Juni 1938 zustandegekommene Protokoll über Schlachtschifftonnagebe-grenzung war rein technischer Natur[131]. Vorrangig blickte man fortan in der Marine auf die U-Boot-Parität mit England, auf den Bau neuer Schlacht-schiffe. Bereits im August führte diese Aktivität zur Errichtung eines be-sonderen Planungsausschusses, der die künftige strategische Ausrüstung der Marine zu untersuchen hatte[132]. In der Luftwaffe machte sich die veränderte Einschätzung der Rolle Englands gleichfalls im Sommer 1938 verstärkt be-

allerdings vornehmlich gegen die Franzosen wirksam werden sollte: Adolf Heusinger, Befehl im Widerstreit, Tübingen und Stuttgart 1950, S. 32 f.

[127] PA Bonn, Staatssekretär, Westbefestigungen, Aufz. Weizsäckers über eine von Göring geleitete Ressortsitzung vom 14. 6. 1938.

[128] Über den Gesamtkomplex der Marineplanung im Sommer 1938 vgl. Dülffer, Hitler und die Marine.

[129] Siehe Dönitz, Zehn Jahre und zwanzig Tage, S. 40; vgl. Robbins, München 1938, S. 194, D. C. Watt, „Anglo-German Naval Negotiations on the Eve of the Second World War", in: Journal of the Royal United Service Institution 103 (1958), S. 201–207, 384–391, hier: S. 384: Watt datiert die Mitteilung auf den 24. 5. 1938, was ausschließen würde, daß Raeder sich lediglich auf Hitlers Ausführungen vom 28. 5. 1938 beruft. Vgl. Gerhard Bidlingmaier, „Die strate-gischen und operativen Überlegungen der Marine 1932–1942", in Wehrwissen-schaftliche Rundschau 13 (1963), S. 312–331, hier: S. 315; Gemzell, Raeder, Hitler und Skandinavien, S. 79, und Salewski, Deutsche Seekriegsleitung, S. 41.

[130] Gemzell, Salewski, ebd. In allen früheren strategischen Überlegungen war die deutsche Marineführung niemals von der Gegnerschaft Englands ausgegangen.

[131] Salewski, ebd. S. 79.

[132] Gemzell, S. 84 f., führt auch diese Einrichtung auf die veränderte Feindlage zurück.

merkbar[133]), wobei der Generalstab der Luftwaffe den Fall eines Eingreifens von Frankreich und England auch in einen deutsch-tschechoslowakischen Krieg in die vorbereitenden Überlegungen mit einschloß[134]).

Als Fazit ergibt sich, daß all diese Maßnahmen in Heer, Marine und Luftwaffe nicht ausreichen, um auf eine planmäßige Vorbereitung der in Hitlers Worten vom 28. Mai anklingenden Konstellation schließen zu lassen. Sie zeugen allerdings von einer erhöhten Bereitschaft Hitlers, die Möglichkeit einer militärischen Auseinandersetzung mit in seine Planungen einzubeziehen, tragen jedoch ganz überwiegend die Merkmale vorsorglicher Schritte, die für alle denkbaren Fälle von Bedeutung sein konnten: als Abschreckung, um das unmittelbare Ziel, den Einzug in Prag, ohne Störung aus dem Westen zu erreichen, gleichzeitig auch als reale Vorbereitung für eine mögliche militärische Verdrängung der Briten vom Kontinent vor dem weiteren Ausgreifen nach Rußland, wie Hitler sie am 28. Mai für möglich hielt, — und schließlich — das galt besonders für die langfristigen Zielsetzungen der Marine — für den Kampf um die Weltmachtstellung mit den angelsächsischen Mächten in der weiteren Zukunft[135]). Damit ist den angedeuteten Vorkehrungen in den Wehrmachtteilen die gleiche vielschichtige Bedeutung beizumessen, wie auf außenpolitischem Gebiet der Intensivierung des deutsch-italienischen Zusammengehens, das im Mai — noch vor der „Wochenendkrise" — einen zweiten demonstrativen Höhepunkt erfuhr, als Hitler im Triumphzug durch Mussolinis Italien reiste. Zwar bemühte sich Ribbentrop nach Kräften, diese Gelegenheit im Sinne seines Konzeptes vom 2. Januar 1938 zu benutzen, um das noch lose Freundschaftsverhältnis in einen Militärpakt gegen England umzuwandeln[136]), — wie er im April „den Zeitpunkt für gekommen" sah, auch Francos Spanien für die antibritische Koalitionsbildung zu gewinnen[137]). Zwar beschwor Hitler in Trinksprüchen „den Block von 120 Millionen" der „im Kampf gegen eine Welt des Unverständnisses und der Ablehnung" seine „ewigen Lebensrechte" entschlossen wahren werde[138]).

---

[133]) So hatte der Chef der Luftflotte 2, der im Ernstfalle die Luftkriegführung im Westen oblag, eine Denkschrift über einen erfolgreichen Luftkrieg gegen England vorzulegen: Gundelach, Gedanken über die Führung eines Luftkrieges gegen England, S. 35; vgl. auch Ansel, Hitlers confronts England, S. 13.

[134]) Vgl. Studie der Abt. 5 des Generalstabes der Luftwaffe, Erweiterte Fassung des Falles „Grün": IMT, XXV, 375-PS.

[135]) Daß „weitere Zukunft" nicht mehr in der nächsten Generation lag, sondern in greifbare Nähe rückte, hat K. Hildebrand nachgewiesen, vgl. Weltreich, 6. Kap. passim.

[136]) Vgl. PA Bonn, Staatssekretär, Material zur Führerreise, Vertragsentwurf und Aufzeichnung Ribbentrops vom 28. 4. 1938. Siehe auch Sommer, Deutschland und Japan, S. 116 ff. und Aigner, Ringen um England, S. 321.

[137]) Vgl. Ribbentrops „Notiz für den Führer" im April 1938: ADAP, D, III, Nr. 558, und Tel. Ribbentrops vom 6. 4. 1938 an die Deutsche Botschaft in Salamanca ADAP, D, III, Nr. 560.

[138]) PA Bonn, Pol. IV, Italien, Führerreise, Hitlers Trinkspruch vom 7. Mai 1938 als Antwort auf Mussolinis Willkommensgruß.

Aber letztlich kam es doch zu keinem formellen Bündnis, wie Hitler am 6. April auch das Projekt des Beistandspaktes mit Spanien verworfen hatte[139]). Hitlers Hauptaugenmerk ruhte jetzt eindeutig auf der Tschechoslowakei. Seine einleitenden Bemerkungen zur Ausarbeitung des Falles „Grün" verdeutlichen, welcher primären Aufgabe der damals noch bevorstehende Besuch bei Mussolini dienen sollte, nämlich als zusätzliche Sicherung gegen eine Intervention der Westmächte[140]).

Wie wir bereits feststellten, vertraute Hitler auch nach der Wochenendkrise weiterhin auf den Erfolg seines „Ohne-England"-Kurses in der gegenwärtigen Krise, während die längerfristigen Perspektiven für den Weg zur Kontinentalherrschaft sich verschoben, — wenn auch wohl mehr momentan unter dem unmittelbaren Eindruck der Mai-Ereignisse als grundlegend oder endgültig, da keine präzisen, sondern nur vorsorgliche Maßnahmen folgten. Hatte nicht Henderson Staatssekretär Weizsäcker am 28. Mai noch mitgeteilt, daß England die Tschechoslowakei „ihrem Schicksal überlassen" werde, falls sie sich zu unerträglichen Provokationen hinreißen ließe[141])? Bot sich hier nicht die Chance, nach dem unblutigen Einmarsch in Österreich nun auch eine bewaffnete Aktion gegen den südöstlichen Nachbarn zu führen, ohne ein Eingreifen der Briten befürchten zu müssen?

c) München: kurzfristiges Scheitern des Konzeptes

Die Analyse der Maikrise hatte als Ergebnis erbracht, daß Hitler angesichts des Verhaltens der englischen Regierung zwar Zweifel am langfristigen Erfolg seines „Ohne-England"-Kurses hegte und momentan gar eine militärische Verdrängung der Briten vom Kontinent vor dem weiteren Ausgreifen nach Osten erwog, für das nächste Ziel, die Zerschlagung der Tschechoslowakei, jedoch nach wie vor auf den Erfolg dieses Konzeptes setzte. Fragen wir uns nun, ob und wie Hitler im weiteren Verlauf des Sommers 1938 diese Linie durchhielt, worauf er seine Hoffnungen stützte, welche Maßnahmen er ergriff, um die Wahrscheinlichkeit seiner Erwartungen noch zu erhöhen, und wie er auf Symptome und Ratschläge reagierte, die die Unrichtigkeit seiner Dispositionen verhießen.

Die Regierung in London gab zu verstehen, daß sie an einer friedlichen Beilegung der Krise um die Tschechoslowakei nach wie vor interessiert sei.

---

[139]) PA Bonn, Büro RAM, F 19/159 Vermerk über Hitlers Urteil über einen vorgelegten Vertragsentwurf: „Der Führer erklärt, daß er einen Handelsvertrag für besser hielte, als diese Sache."

[140]) IMT XXV, 388-PS, S. 414: „Frage Tschechei nur lösbar, wenn mit Italien eng verbunden, F(rankreich) und E(ngland) greifen nicht ein."

[141]) ADAP, D, II, Nr. 217: Aufz. über Weizsäckers Gespräch mit Henderson vom 28. 5. 1938; vgl. ebd. Nr. 233: Henderson informierte Weizsäcker am 1. 6. 1938, daß die Westmächte in diesem Sinne bei der Prager Regierung vorstellig geworden sind.

Vor allem Chamberlain selbst wurde nicht müde, bei jeder sich bietenden Gelegenheit zu erklären, trotz der gespannten deutsch-englischen Beziehungen könne die Regelung der „Sudetenfrage" im beiderseitigen Einvernehmen, zu der Großbritannien „nützliche Dienste" leisten werde, eine gute Ausgangsbasis für einen allgemeinen Ausgleich zwischen beiden Ländern schaffen[142]. An der Haltung der Appeasement-Regierung hatte sich also im Kern nichts verändert.

Selbstverständlich äußerte sich Außenminister Halifax in der gleichen Richtung[143]. Botschafter Dirksen bemühte sich in seinen Berichten die „Idee des europäischen Ausgleichs" herauszustellen, der sich Chamberlain „mit der ganzen Hartnäckigkeit, die seiner Familie eigen ist", verschrieben[144] habe. In Prag drängten die Vertreter Großbritanniens mit allem Nachdruck auf eine konziliante Haltung gegenüber den deutschen Forderungen[145]. Henderson scheute sich nicht, Ribbentrop gegenüber anzudeuten „wenn Benesch nicht zum Entgegenkommen bereit sei, dann werde England sich desinteressieren"[146]. Wachsendes Verständnis der Engländer für die deutsche Haltung stellte auch Dirksen fest, verdeutlichte dabei aber im Gegensatz zu Henderson die bekannte, für Hitlers Vorstellungen unannehmbare Einschränkung, daß bei der Erfüllung der deutschen Ansprüche kein Schuß fallen dürfte. Aus-

---

[142]) Vgl. besonders Chamberlains Ausführungen am 1. 6. 1938 vor der Presse: PA Bonn, Pol. II, England, Allgem. Außenpolitik 4, Bericht der deutschen Botschaft in London (von Selzam) an das AA („... Britain could render useful service in bringing about a better state of things in Central Europe"). Siehe weiter: Chamberlains Unterredung mit Dirksen vom 22. 6. 1938: ADAP, D, II, Nr. 266, („Der erste Schritt, der hierzu, d. h. zu einem deutsch-englischen Ausgleich getan werden müsse, sei die Beilegung der Tschechischen Krise."); Chamberlains Rede vor dem Unterhaus vom 26. 7. 1938: Gilbert: Britain and Germany, S. 111 („... if only we could find some peaceful solution ... I should myself feel that way was open again for a further effect for a general appeasement.") und PA Bonn Pol. II, England-Deutschland 8: Text der Rede: Chamberlain nennt das Flottenabkommen ein Vorbild für den weiteren Weg der Beziehungen beider Länder.

[143]) Rede vom 21. 6. 1938 vor dem Royal Institute of International Affairs: Text im PA Bonn, Presseabteilung, Allgem. England 6; u. a. trotz enger Beziehungen zu Frankreich werde England „immer versuchen" den Weg zu einem umfassenden Gefühl der Einigkeit auf dem Gebiet der internationalen Beziehungen zu finden.

[144]) ADAP, D, II, Nr. 281: Dirksens Bericht vom 5. 7. 1938. Dazu auch Thompson, Anti-Appeasers, Oxford 1971.

[145]) Chamberlain unterrichtete Dirksen von den englischen Demarchen in Prag: ADAP, D, II, Nr. 266, Aufz. über das Gespräch Chamberlain-Dirksen vom 22. 6. 1938 und ADAP, D, II, Nr. 309, Aufz. über die Unterredung vom 22. 7. 1938.

[146]) So in der Begegnung zwischen Henderson und Ribbentrop vom 3. 7. 1938: ADAP, D, II, Nr. 278. Über Runcimans Mission äußerte sich Henderson, sie könne bei einer unnachgiebigen Haltung der Prager Regierung Großbritannien das Alibi liefern, um einem deutschen Gewaltakt nicht entgegentreten zu müssen: Bericht des polnischen Botschafters Lipski an Beck: Lipski-Papers Nr. 89, S. 372.

maß und Begrenzung der britischen Konzessionsbereitschaft glaubte er in dem Schlagwort „Don't shoot Czechoslovakia, strangle her" auf einen Nenner bringen zu können[147]). Die Times eröffnete bereits am 3. Juni 1938 die Diskussion über eine mögliche Abtrennung der Sudetengebiete von dem tschechoslowakischen Staat, eine Lösung, für die sich in der Folgezeit namhafte englische Persönlichkeiten einsetzten[148]).

Hitler und seine Mitarbeiter konnten solche Nachrichten aus England als Bestätigung für ihre Meinung auffassen, daß England bei diesem Ausmaß von Konzessionsbereitschaft letztlich doch nicht zu den Waffen greifen werde, zumal wenn Benesch als intransigenter Provokateur hingestellt werden könnte. Aber dennoch galt es weiterhin, den britischen Bemühungen um eine gemeinsame Lösung auszuweichen, wollte Hitler vermeiden, daß seine erstrebten Interessensphären im Osten und Südosten des Reiches nach und nach in den Bereich eines multilateralen Sicherheitssystems gerieten, und damit der Weg zur weiteren „programmatischen" Ostpolitik blockiert sein würde. Vertrauliche Meldungen aus London besagten denn auch, daß England für die Zustimmung zur friedlichen Abtretung der Sudetengebiete Gegenleistung erwartete, die darauf hinausliefen, daß das Reich sich künftig in Europa als ein saturierter, normaler Staat verhielt[149]).

Eben damit konnte sich Hitler niemals einverstanden erklären, und Ribbentrop bedeutete dem französischen Botschafter François-Poncet, eine Verständigung erscheine ihm leichter, „wenn sich die Großmächte ... über die gegenseitigen Interessensphären einigten und diese Gebiete achten würden"[150]). Jeglicher Diskussion über Vorgänge in der „deutschen Interessensphäre" im Osten, die den böhmisch-mährischen Raum selbstredend einschloß, erteilte der Reichsaußenminister damit erneut eine klare Absage.

Besonders akut wurde für die deutsche Seite das Problem, die Krise auf der bilateralen Ebene zwischen Deutschland und der Tschechoslowakei zu belassen, als sich mit der Entsendung des englischen Vermittlers Runci-

---

147) ADAP, D, II, Nr. 244: Dirksens Bericht v. 8. 6. 1938. Indessen gibt es Belege, daß Hendersons eben zitierte Bemerkungen zu Ribbentrop sich nicht allzu weit von Erwägungen im britischen Kabinett entfernten; vgl. z. B. das Halifax-Memorandum für Außenminister Bonnet zu einem französischen in Prag überreichten Aide-Memoire v. 7. 7. 1938: DBFP, 3, I, Nr. 472: Halifax bedauert, daß die französische Note an Prag nicht die spezifische Warnung enthalte, daß Frankreich seine Verpflichtungen gegenüber der Tschechoslowakei überprüfen werde, falls die tschechische Regierung eine Regelung der sudetendeutschen Frage verhindern sollte. In seiner Antwort v. 16. 7. 1938 weist Bonnet Halifax' Ansinnen zurück: PRO London FO 371/21728, C/7244/1941/18.

148) „Times" v. 3. 6. 1938: vgl. PRO London, FO 371/21723, C/5359/1941/18; als positive Stellungnahme siehe z. B. Lord Noel-Buxtons „Letter to the Editor" in der „Times" vom 15. 7. 1938: PRO London, FO 371/21728, C/7207/1941/18.

149) z. B. PA Bonn, Büro Ribbentrop, Vertr. Berichte 1, 1: Vertrauliche Meldung vom 15. 6. 1938 (stammt vom Pressebeirat in London, Hesse).

150) ADAP, D, II, Nr. 264: Aufz. über das Gespräch vom 23. 6. 1938.

man die ganze Frage in den internationalen Bereich zu verschieben drohte[151]). Es war besonders schwierig, sich diesem englischen Vermittlungsversuch entgegenzustellen, da Hitler selbst nach außen hin die legitimen Selbstbestimmungsrechte der Deutschen in der Tschechoslowakei als Grund der gegenwärtigen Krise propagierte, und England nun nicht nur mit Worten, sondern auch mit konkreten Schritten daran ging, der Lösung eben dieses Problems naherzukommen, also den deutschen Reichskanzler auf sein Wort festzulegen versuchte. Chamberlain selbst hatte Hitler von seinem Vorhaben brieflich unterrichtet[152]).

Hitler ließ sein Unbehagen über den englischen Schritt durchblicken, als er Dirksen, der Chamberlains Schreiben überbringen sollte, eine Woche warten ließ, während die deutsche Presse bezeichnenderweise „größte Zurückhaltung" gegenüber der Runciman-Mission an den Tag legen sollte[153]). Äußerste Reserviertheit empfahl auch Reichsaußenminister von Ribbentrop dem deutschen Gesandten in Prag, mit der dieser der Tätigkeit des britischen Vermittlers begegnen sollte. Auf keinen Fall sollte er sich an irgendwelchen Dingen in Zusammenhang mit Runcimans Aktivität beteiligen[154]). Hatte Halifax in seinem Brief vom 28. Juli 1938 an den deutschen Amtskollegen die Hoffnung geäußert, „die deutsche Regierung werde Wege finden, das gegenwärtige Unternehmen zu ermutigen und zu unterstützen", auf daß die „große Gelegenheit", welche die gegenwärtige Situation biete, nämlich den lange gehegten Wunsch beider Länder zur Zusammenarbeit endlich zu realisieren, genutzt werden könne[155]), so zeigte die deutsche Führung also keinerlei Neigung, solchen Erwartungen auch nur im Ansatz zu entsprechen. Vielmehr nahm die deutsche Presse englische Lösungsversuche und Warnungen an Prag zwar mit „distanziertem Wohlwollen zur Kenntnis", wies jedoch — ganz im Sinne von Hitlers Konzeption — „eine Schiedsrichterrolle über deutsches Volkstum von einem Fremdstämmigen entschieden zurück"[156]).

Nur als zusätzlichen Schritt, um das britische Desinteressement zu sichern, verstand Hitler die im Juli stattfindende Reise seines Adjutanten Wiedemann in die britische Hauptstadt. Wenn im britischen Kabinett hier und da die Hoffnung gehegt wurde, daß Hitler mit der Entsendung Wiedemanns

[151]) Vgl. Stenzl, Anglo-französische Politik, S. 173. Zur Runciman-Mission siehe außer der zitierten Literatur über die Sudetenkrise Keith Eubank, Munich, Oklahoma 1963 und Rolf Seeland, Appeasement. Eine Methode zur Lösung internationaler Konflikte, Hamburg 1968, S. 71 ff.

[152]) IfZg München, Wilhelmstraßenprozeß, Affidavit Dirksens NG — 3604 vom 27. 8. 1947.

[153]) Dirksen-Affidavit ebd.; zur Presseanweisung siehe Hagemann, Publizistik im Dritten Reich, S. 355; vgl. auch BA Koblenz ZSg 102/11, Sänger, vom 26. 7. 1938: Es sei „angebracht ... den rein englischen Charakter dieser Angelegenheit zu beachten und demnach, sozusagen, die Finger davon zu lassen".

[154]) ADAP, D, II, Nr. 325, Anm. 1: Randbemerkung Ribbentrops zu Weizsäckers Instruktionen für Eisenlohr vom 29. 7. 1938.

[155]) ADAP, D, II, Nr. 323. Halifax' Brief an Ribbentrop vom 28. 7. 1938.

[156]) Aigner, Ringen um England, S. 330.

die von Halifax im Herbst 1937 begonnenen Kontakte zu erneuern beabsichtigte[157]), so entsprach das freilich nicht den Tatsachen. Es dürfte gesichert sein, daß Göring die Initiative zu dieser Aktion ergriff, um die Möglichkeit eines Besuches in London zu sondieren, während Hitler dem Unternehmen lediglich seine Zustimmung gab[158]).

Dennoch hielt es Hitler für angebracht, seinem Adjutanten bestimmte Instruktionen mit auf die Reise zu geben, die seine gegenwärtige Haltung zu England zusammenfassend markierten[159]). Hitlers latente Bereitschaft, trotz allem mit England lieber als mit „einem anderen Land, das ihm gesinnungsmäßig vielleicht näher steht", also Italien, zusammenzugehen, kam in den Richtlinien zum Ausdruck, ebenso aber auch jene Ursachen, die nach Hitlers Meinung seinem langgehegten Wunsch entgegenstanden, ja augenblick-

---

[157]) Vgl. PRO London, FO 371/21781, C/7345/7262/18, Tel. des Foreign Office an die Dominions vom 21. 7. 1938: Wiedemann „has been sent by Hitler ... to renew the contacts begun last year by Lord Halifax' visit to Germany..." Ähnliche Gedanken schienen auch die mißtrauischen Italiener zu hegen, und sie ließen sich von Weizsäcker „den rein privaten Charakter der Reise bestätigen": PA Bonn, Staatssekretär, Aufz. über Diplomatenbesuche 2. Aufz. über Weizsäckers Gespräch mit Attolico vom 21. 7. 1938; vgl. auch ADAP, D, II, Nr. 328: Attolico informiert Weizsäcker am 30. 7. 1938 telephonisch über die Gerüchte, die in italienischen Kreisen im Umlauf waren. In tschechischen Kreisen beargwöhnte man naturgemäß ganz besonders jedes Zeichen einer deutsch-britischen Annäherung: vgl. etwa: Abkommen von München, Nr. 109, S. 158, Osusky, tschechischer Gesandter in Paris, an das Prager Außenministerium vom 22. 7. 1938, mit Spekulationen über Sinn und Zweck der Wiedemann-Reise.

[158]) Vgl. Dirksen, Moskau-Tokio-London, S. 215 f., dort auch zu Görings Motiven, mit dessen Konzeption eine solche Aktion durchaus übereinstimmte; Wiedemann, Feldherr, S. 158 ff. Ein Vergleich zwischen Wiedemanns Angaben und den bisher unveröffentlichten britischen Dokumenten ergibt übrigens eine sehr weitgehende Übereinstimmung, was für den Quellenwert der Wiedemann-Erinnerungen spricht. Vgl. eine Aufzeichnung Halifax' v. 8. 7. 1938 über das Zustandekommen des Besuchsplanes; PRO London, FO 371/21781, C/7344/7262/18, aus der wie auch aus Wiedemanns Erinnerungen die Rolle der Prinzessin Hohenlohe hervorgeht. Unklar bleibt, ob die Idee eines Göring-Besuches, die zu Wiedemanns „Vor"besuch führte, in englischen Kreisen (wie Wiedemann meint) oder in Deutschland (Halifax-Memorandum) geboren wurde. Übereinstimmend wird unterstrichen, daß Göring, Wiedemann und die anderen deutschen Beteiligten Außenminister Ribbentrop aus dem Spiel zu lassen wünschten. Zur Haltung Hitlers siehe Vansittarts Notizen über ein Gespräch vom 6./7. 8. 1938 mit einem bekannten („distinguished") deutschen Wirtschaftsexperten" (möglicherweise Schacht) „man müsse richtiger sagen, Hitler habe Wiedemann erlaubt zu reisen und nicht Wiedemann sei als Hitlers Emissär gekommen"; PRO London, FO 371/21736, C/9591/1941/18. Vgl. schließlich die englische Aufzeichnung der Wiedemann-Gespräche: DBFP, 3, I, Nr. 510: Wiedemann sagte, er käme mit Hitlers Wissen („with Herr Hitler's knowledge"). Eine andere Version über das Motiv der Mission findet sich im Informationsbericht v. 20. 7. 1938 an deutsche Zeitungsredaktionen: BA Koblenz, ZSg 101/33, Brammer; danach habe Hitler den Westen über Wiedemann vom defensiven Charakter des Westwalls überzeugen wollen.

[159]) Siehe ADAP, D, VII, Anh. III, H, (I), S. 539 ff.

lich sogar jede Verhandlungen unmöglich machten. England müsse „die deutschen Lebensnotwendigkeiten einsehen lernen". Erst dann, wenn die „mitteleuropäischen Probleme gelöst seien", würde er mit England über die Kolonien reden, dann würde die Verständigung mit Großbritannien kommen. Das hieß mit anderen Worten wieder einmal, daß Deutschland über die *Tschechoslowakei* mit England nichts zu besprechen habe. Denn, so ließ er Wiedemann wissen, „was geht die Tschechoslowakei England an? Was ging Österreich die Engländer an?" Wiedemann solle Halifax mitteilen, daß die Tschechenfrage unter allen Umständen, notfalls auch mit Gewalt, gelöst würde[160].

Keineswegs suchte also Hitler auf diese Weise die Diskussion mit der englischen Regierung über die friedliche Beilegung der „Sudetenfrage", im Gegenteil, er lehnte solche Verhandlungen erneut kategorisch ab. Jedoch lockte er gleichzeitig die Londoner Regierung mit einem Angebot zum kolonialen Ausgleich *nach* der Lösung der derzeitigen Krise; einmal, um seine Zurückweisung in Sachen Tschechoslowakei abzumildern, weiter, um die Engländer zum Stillhalten in dieser Angelegenheit zu bewegen, dann aber auch, weil der globale Ausgleich nach wie vor seinem Wunsch entsprach und sein eigentliches Anliegen war. Es war dies die gleiche Taktik, die Hitler ein gutes Jahr später bei seinem Bündnisangebot vom 25. August 1939 einschlagen sollte: keine Diskussion *über* das akute Problem, sondern verlokkende, durchaus ernst gemeinte Angebote für die Zeit *nach* dessen „Lösung". Immerhin lassen die „Richtlinien" erkennen, daß die strategischen Überlegungen des 28. Mai 1938, die *nach* der Erledigung der Tschechoslowakei keine Verhandlungen mit England, sondern die „Sache im Westen" vorsahen, sich eher als ein Produkt augenblicklicher Emotionen nach den bitteren Erfahrungen der Maikrise erwiesen, denn als unwiderrufliche Festlegung. Ein Besuch Görings in England jedoch, der zum jetzigen Zeitpunkt den Eindruck deutscher Gesprächsbereitschaft auch über die Tschechoslowakei erwecken mußte, kam für ihn nicht in Frage, wie er seinem Adjutanten nach dessen Rückkehr aus England ziemlich schroff bedeutete[161]. Ob dabei auch der Gedanke eine Rolle spielte, daß Göring durch eine spektakuläre Reise nach England zum damaligen Zeitpunkt im In- und Ausland als Alternative zu Hitler erscheinen konnte, bleibt die Frage. Nähere Einzelheiten von Wie-

---

[160] Wiedemann, Feldherr, S. 160.
[161] Wiedemann, Feldherr, S. 166. Die britischen Aufzeichnungen der Gespräche in London zeigen, daß hauptsächlich über das Besuchsprojekt gesprochen wurde; auch dies ein Beweis, daß von einer Mission im Auftrag Hitlers über ein deutsch-britisches Zusammengehen in der Sudetenkrise nicht die Rede sein kann: DBFP, 3, I, Nr. 510, 511; in PRO London, FO 371/21781 findet sich eine umfangreichere Fassung der gedruckten Aufzeichnungen (C/7344/7262/18) die jedoch nichts wesentlich Neues mehr enthält. Es ist einsichtig, daß Botschafter Dirksen und Botschaftsrat Theo Kordt den Besuchsplan unterstützten und sich anboten, den begonnenen Faden in diplomatischen Kanälen weiterzuspinnen: vgl. DBFP, 3, I, Nr. 535.

demanns Gesprächen wünschte Hitler nicht zu erfahren[162]). Statt dessen zeigte er seine Verstimmung darüber, daß Wiedemanns Mission in der englischen Öffentlichkeit so ausgelegt wurde, als ob er, Hitler, die Initiative dazu ergriffen hätte und gar als Bittsteller gekommen wäre[163]). Offensichtlich verlangte er jedes Anzeichen zu vermeiden, das auf eine deutsche Bereitschaft schließen lassen könnte, mit den Briten über die Tschechoslowakei ins Gespräch zu kommen. In dieser Frage war er weiter zu militärischem Vorgehen entschlossen, nun mitunter sogar das Risiko eines Krieges im Westen mit in Kauf nehmend, an den er freilich nach wie vor nicht glaubte[164]). Allerdings gab es bekanntlich viele Persönlichkeiten, die nicht mehr die Ansicht des „Führers" teilten und Spekulationen auf Großbritanniens widerstrebende Neutralität bei einem deutschen Überfall auf die Tschechoslowakei für gefährlich hielten. Nur wenige von ihnen, wie den Danziger Gauleiter Forster, vermochte Hitler zu seiner Auffassung zu „bekehren"[165]).

Es wird schwierig sein, zu ermitteln, inwieweit warnende Stimmen aus dem In- und Ausland, die Englands Entschlossenheit beteuerten, bei einem kriegerischen Vorgehen Hitlers gegen die Tschechoslowakei dem Angegriffenen militärische Hilfe zu leisten, bis zu Hitler überhaupt vordrangen oder

[162]) Wiedemann, ebd. Dort auch Andeutungen, daß Hitler möglicherweise eine politische Aufwertung Görings befürchtete. Daß Hitler Wiedemann nach dessen Rückkehr nur einige Minuten anhörte, geht auch aus ADAP, D, VII, Anh. III, H, (II), S. 545, hervor. Erich Kordt, Nicht aus den Akten . . . , S. 234 erinnert sich, Wiedemann habe aus London die Bestätigung mitgebracht, „daß man in Großbritannien durchaus verhandlungsbereit sei, aber in einem Krieg kaum neutral bleiben werde". Es ist also fraglich, ob Wiedemann diese seine Erfahrungen seinem „Führer" überhaupt mitteilen konnte, abgesehen davon, daß der Einfluß seines Adjutanten bei ihm wohl ohnedies sehr begrenzt gewesen sein dürfte. (So auch Wiedemann, Feldherr, S. 73).

[163]) PRO London, FO 371/21658, C/8049/42/18: Hendersons Mitteilung an Halifax v. 5. 8. 1938 nach einem Gespräch mit Dirksen, der zur Zeit in Deutschland weilte. Hitlers Ärger dürfte bereits dadurch erregt worden sein, daß Wiedemanns Reise sehr früh in die Presse gebracht wurde. Deutsche Kontaktpersonen in England vermuteten, daß daran Vansittart die Hauptschuld trug, da ihm daran gelegen war, die Kontakte in einem frühen Stadium zu durchkreuzen: PA Bonn, Pol II, England-Deutschland 8, Vertr. Bericht v. 25. 7. 1938. Halifax' Erklärung vor dem Oberhaus v. 26. 7. 1938 bot gleichfalls Anlaß, ein gesteigertes Interesse für deutsch-englische Gespräche auch bei Hitler zu vermuten: PA Bonn, Presseabteilung, England, Allgemein 6: „it was evident that both nations were anxious to lose no opportunity of establishing better relations between the two countries."

[164]) Foerster, Beck, S. 106, nach einer Information Wiedemanns an Beck v. 28. 7. 1938.

[165]) ADAP, D, II, Nr. 307: Forster am 22. 7. 1938 zu Weizsäcker nach einem Gespräch mit Hitler über Forsters Eindrücke von seiner Englandreise. Dabei hatte Dirksen dem Gauleiter eingeschärft, Hitler die Stärke der britischen Streitkräfte deutlich vor Augen zu halten: IfZg München, Wilhelmstraßenprozeß NG-3969, Affidavit Dirksens v. 27. 8. 1947.

irgendwelchen Eindruck hinterließen[166]). Dirksen beispielsweise unterließ es kaum, seine Schilderung der britischen Verständigungsbereitschaft mit dem klaren Hinweis zu präzisieren, daß England bei einem deutschen Einmarsch in Prag ohne „jeden Zweifel an der Seite Frankreichs zum Kriege schreiten"[167]) werde. Seine Berichte dürften Hitler zwar vorgelegen haben[168]), aber oft mit entschärfenden, mündlichen oder schriftlichen Bemerkungen begleitet gewesen sein, wie Ribbentrop etwa die unmißverständlichen Warnungen des bekannten Memorandums von Albrecht Haushofer mit dem Zusatz „Secret Service Propaganda" entwertete[169]).

Allerdings zeigte sich Hitler bekanntlich selbst direkten Einwirkungsversuchen gegenüber verschlossen, mochten diese aus dem Auswärtigen Amt[170]) oder aus dem Generalstab[171]) kommen. Allenfalls faßte er sie als Bestätigung seiner vorgefaßten, nicht sehr hohen Meinung vom Geist der

---

[166]) Weizsäcker ließ z. B. Henderson wissen, er glaube, daß Ribbentrop Hitler sämtliche Informationen vorenthalte, die der These vom britischen Desinteresse zuwiderliefen: PRO London, FO 371/21735, C/9365/1941/18.

[167]) ADAP, D, I, Nr. 793: Dirksens Bericht v. 10. 7. 1938.

[168]) Mitunter ist dies ausdrücklich vermerkt; vgl. Notiz zu Dirksens Bericht v. 18. 7. 1938, daß dieser Hitler direkt zugesandt worden sei: BA Koblenz, R 43 II/1436. Man fragt sich allerdings prinzipiell, ob in Dirksens Meldungen die warnenden Passagen nicht allein schon durch die häufigen Stellen, die nachdrücklichst Englands Friedensbereitschaft hervorheben, neutralisiert wurden.

[169]) ADAP, D, II, Nr. 270. Haushofers Aufz. v. 26. 6. 1938 Ribbentrops Bemerkung bezog sich auf den Satz: „Ein deutscher Versuch die böhmisch-mährische Frage mit einem militärischen Handstreich zu lösen, würde unter den jetzigen Umständen für England den sofortigen Kriegsfall bedeuten." Bereits im April 1938 hatte Albrecht Haushofer in seiner Denkschrift „Die innere Entwicklung der britischen Außenpolitik seit 1936" diese Meinung vertreten: PA Bonn, Staatssekretär, Politischer Schriftwechsel 2.

[170]) Vgl. Weizsäckers Einwirkungsversuche auf Hitler anläßlich des Horthy-Besuches im August in Kiel: IfZg München, Wilhelmstraßenprozeß, Protokoll S. 7819 v. 8. 6. 1948 und Weizsäcker, Erinnerungen, S. 170.

[171]) Zu den bekannten Denkschriften Ludwig Becks siehe Foerster, Beck, passim; Bor, Gespräche mit Halder, S. 127 ff., Gert Buchheit, Ludwig Beck. Ein preußischer General, München 1964, S. 133 ff.; und kritisch K. J. Müller, Heer und Hitler, S. 300 ff. Über die Aktivität von Becks Nachfolger als Chef des Generalstabs des Heeres, Franz Halder, siehe Bor, ebd., Selbst die Marine fühlte sich in einer Denkschrift des Chefs des Marinekommandoamtes, Vizeadmiral Guse, verpflichtet, auf die Gefahr eines allgemeinen europäischen Konfliktes hinzuweisen. Es ist allerdings unwahrscheinlich, daß Hitler die Aufzeichnung je gelesen hat; siehe W. Lautemann und M. Schlenke, (Hrsg.), Geschichte in Quellen, Bd. V: Weltkriege und Revolutionen 1914–1945, München 1961, S. 382. Auf die Mission des Ewald von Kleist-Schmenzin sei hier nur hingewiesen, da sie Hitlers Entschlußbildung nicht berührte; vgl. Colvin, Vansittart, S. 228 und Bodo Scheurig, Ewald von Kleist-Schmenzin, Ein Konservativer gegen Hitler, Oldenburg 1968, S. 155 ff., sowie Roger Manvell, H. Fraenkel, The Canaris Conspiracy, London 1969, S. 34 ff., S. 41: nach Kleist fuhr noch ein anderer, diesmal von Halder gesandter Emissär nach London: Oberst Böhm-Tettelbach.

„Wilhelmstraße" und des Heeres auf[172]). So antwortete er mit Zeichen höchster Erregung, als neben Generalstabschef Beck auch andere hohe Offiziere des Heeres bei mehreren Gelegenheiten das Eingreifen der Westmächte bei einer deutschen Invasion in die Tschechoslowakei als sicher hinstellen und dabei auf die Unzulänglichkeit der Westbefestigungen hinwiesen[173]). Inwieweit Hitler tatsächlich von den Argumenten unberührt blieb, ist ungewiß. Nach außen gab er sich seiner Sache sicher. Er hob die wirtschaftliche und militärische Schwäche der Briten hervor[174]), unterstrich die abschreckende Wirksamkeit des Westwalls[175]) und schilderte am 10. und 15. August vor den Armeeführern „deutlich seine Absicht, aber auch sein Vertrauen, daß er das (also: die Regelung des Sudetenproblems) zuwege brächte, ohne daß ihm dabei Frankreich und England in die Arme fallen würden"[176]).

Mit dieser Haltung ging Hitler in den Höhepunkt der Krise. Konstante Größe in seiner Disposition blieb der isolierte Krieg gegen die Tschechoslowakei, zu dem er mit gesteigerter Entschlossenheit bereit war[177]).

---

172) IfZg München, Wilhelmstraßenprozeß, Protokoll S. 7424, Aussage Theo Kordts v. 4. 6. 1948.

173) So wandte General von Wietersheim nach Hitlers Ansprache am 10. 8. 1938 vor den Chefs der Generalstäbe ein, der Westwall halte nur für drei Wochen, Hitlers Antwort: „Dann taugt die ganze Armee nicht mehr": Bor, Halder, S. 119, siehe auch Winfried Baumgart, „Zur Ansprache Hitlers vor den Führern der Wehrmacht am 22. August 1939. Eine quellenkritische Untersuchung," in: VfZg 16 (1968), S. 120–149, hier: S. 142, Aufz. des General Liebmann mit Rückblick auf den 10. 8. 1938; danach bezichtigte Hitler Wietersheim der persönlichen Feigheit. Siehe weiter die Warnungen des Generals Adam anläßlich der Inspektion des Westwalls durch Hitler Ende August 1938 mit Hitlers Reaktion: „Ein Hundsfott wer diese Stellung nicht hält", Jodl-Tagebuch, IMT XXVIII, 1780-PS, S. 375 und ADAP, D, VII, Anh. III, K, (III), S. 553, Aufz. über die Inspektionsreise; Hermann Foertsch, Schuld und Verhängnis, Stuttgart 1951, S. 176 f.: Eidesstattliche Erklärung des Generals Adam; vgl. ferner: Wilhelm Keitel, Verbrecher oder Offizier, Erinnerungen, Brief-Dokumente des Chefs des OKW, hrsg. von Walter Görlitz, Göttingen-Berlin-Frankfurt/M., 1961, S. 194 und IfZg München, Wilhelmstraßenprozeß, Protokoll S. 7424, Aussage Erich Kordts.

174) Foertsch, Schuld und Verhängnis, S. 176 f. Das Argument der britischen Schwäche verwandte auch Göring in seinem Gespräch mit Lipski am 24. 8. 1938: Lipski-Papers, Nr. 91, S. 383.

175) ADAP, D, VII, Anh. III, K (III), S. 553 f. Inspektion der Westbefestigungen Ende August 1938.

176) Jodls Aussage in Nürnberg: IMT XV, S. 438. Vgl. zur Ansprache v. 10. 8. 1938 auf dem Berghof die Quellenangaben in Anm. 173, zum 15. 8. 1938 in Jüterborg: Foertsch, Schuld und Verhängnis, S. 173 ff., Helmut Krausnick, „Vorgeschichte und Beginn des militärischen Widerstandes gegen Hitler", in: Vollmacht des Gewissens, Bd. 1, Neudruck Frankfurt–Berlin 1960, S. 329; vgl. auch DBFP, 3, I, Nr. 658.

177) Vgl. Forsters Information an Burckhardt Ende August 1938: ADAP, D, II, Nr. 410 und Burckhardt, Danziger Mission, S. 176. Selbst nach außen hin wurde – wohl mehr zum Zweck der Einschüchterung (vgl. auch ADAP ebd. Anm. 1 Randbemerkung Ribbentrops) – die angebliche Kriegsentschlossenheit Deutschlands betont: vgl. die Botschaft der Reichsregierung an die in Bled versammelten

Eine Vermittlerrolle Englands ließ er durch seinen Außenminister am 21. August ein weiteres Mal scharf zurückweisen[178]), da er jede Einmischung Englands in seine Pläne ablehnte. Halifax' erneutes Anerbieten vom 11. August den Sudetendeutschen zu ihrem anerkannten Recht zu verhelfen[179]), sowie weitere vertrauliche Informationen über eine völlig negative Einstellung Londons gegenüber der Unabhängigkeit der Tschechoslowakei[180]) mußten Ribbentrop und Hitler trotz aller gegenteiligen Stimmen aus dem Auswärtigen Amt und der Wehrmacht in ihrer Überzeugung stärken, daß England sich nicht näher engagieren würde, zumal wenn die Regierung in Prag sich gegen eine von England befürwortete Regelung der Minderheitenprobleme sträubte[181]).

So glaubte Hitler seine Optimalvorstellung: Krieg gegen die Tschechen ohne Eingreifen Englands, sich verwirklichen zu sehen[182]). Eine Alternativkonzeption für den Fall, daß die Prämisse „englische Neutralität" nicht eintreten sollte, weigerte sich der „Führer", so schien es, ernsthaft in Erwägung

---

Außenminister der Kleinen Entente: PRO London, FO 371/21732, C/8635/1941/ 18: Übermittlung der Botschaft an das Foreign Office durch den französischen Botschafter in London am 22. 8. 1938. Als weitere Belege siehe z. B. Kirkpatrick, Inner Circle, S. 132 („ ... he was not only resolved on war but was actually looking forward to it) und Nicolas Horthy, Ein Leben für Ungarn, Bonn 1953, S. 199: Hitler forderte ihn am 23. 8. 1938 in Kiel zum „mitkochen" auf, um anschließend „mittafeln" zu können. (Vgl. dazu ADAP, D, II, Nr. 383, Aufz. Weizsäckers v. 23. 8. 1938) „Er schien zu Krieg entschlossen", wollte die Tschechoslowakei „zerschmettern", Prag notfalls zerstören und aus der Tschechoslowakei ein deutsches Protektorat machen. Vgl. auch Rönnefarth, „Sudetenkrise", Zeitschrift für Ostforschung 1954, S. 45 f., Zusammenstellung der Belegstellen, die Hitlers eigentliches Ziel, die militärische Ausschaltung der Tschechoslowakei, erhellen. Auch auf französischer Seite schien man sich Anfang September über Hitlers wahre Intentionen keinen Illusionen mehr hinzugeben, wie eine Botschaft Bonnets für seinen Botschafter in London, Corbin, v. 9. 9. 1938 zeigt: PRO London, FO 371/21736, C/9504/1941/18.

[178]) Ribbentrops Brief an Halifax v. 21. 8. 1938: DBFP, 3, II, Nr. 661, ADAP, D, II, Nr. 379. Vgl. auch BA Koblenz, ZSg 102/12, Sänger, Pressekonferenz v. 1. 9. 1938: „ ... es liegt keineswegs in unserer Absicht, den Engländern in der Sudetendeutschen Frage eine Schiedsrichterrolle zuzugestehen."

[179]) ADAP, D, II, Nr. 346. Halifax-Memorandum vom 11. 8. 1938.

[180]) z. B. PA Bonn, Büro Ribbentrop, Vertr. Berichte 1,2, Bericht v. 2. 11. 1938: Kriegsminister Hore-Belisha habe Anfang August in einem „streng intimen" Kreis von Chefkorrespondenten gesagt, „daß es mit der Tschechoslowakei zu Ende sei". Über einen US-Journalisten sei diese Äußerung zu Hitler gelangt.

[181]) Vgl. Rönnefarth, Diss., S. 576 f.

[182]) Selbst wenn Frankreich seiner Beistandspflicht formal nachkäme, vor dem Westwall aber defensiv bliebe, würde England, wie Hitler laut Henderson hoffte, sich aus dem Konflikt heraushalten: „At the back of the German mind is the supreme wish to keep England out. If, they argue, Germany does not (and she will not) attack France, there is always a chance that England may keep out". DBFP, 3, II, Nr. 613: Henderson an Halifax v. 12. 8. 1938. Demnach würde Hitler selbst eine Kriegserklärung aus dem Westen in Kauf nehmen, wenn daraus — was wegen des Westwalls zu hoffen war — keine unmittelbaren Kriegshandlungen entstünden.

zu ziehen. In England mehrten sich die Pressestimmen, darunter am 7. September gewichtig die „Times"[183]), die den strategischen Wert der böhmischen Grenze für nicht so wichtig erklärten, daß er den Anlaß zu einem Weltkrieg böte, und als Konsequenz von der Tschechoslowakei die Abtrennung der sudetendeutschen Gebiete verlangten[184]). Diese und andere Informationen[185]) schienen weiter für Hitlers Überzeugung zu sprechen. Dennoch zeigte Hitler in dieser Phase der Krise erstmals Zweifel an der Richtigkeit auch seiner kurzfristigen Prognosen.

In einer wohl auf Anfang September 1938 zu datierenden Aufzeichnung für Mussolini schloß Hitler eine langfristige Gegnerschaft Englands zu Deutschland und Italien erneut nicht aus. Wie am 28. Mai zweifelte er also am dauernden Erfolg seiner England-Konzeption. Doch gründete er eben darauf die Hoffnung, daß England in Erwartung einer günstigeren Konstellation zum gegenwärtigen Zeitpunkt den Konflikt wegen seines eklatanten Rüstungsrückstandes unter allen Umständen aufschieben möchte, und Deutschland demnach „ungeachtet aller Drohungen Englands und Frankreichs auch auf die Gefahr eines Krieges mit diesen beiden Mächten hin" die Tschechoslowakei als potentiellen Gegner im Rücken für den Fall eines Westkrieges zerschlagen müsse[186]).

Am 8. September notierte hingegen der Chef des Wehrmachtführungsstabes im OKW, Jodl, daß Hitler nicht mehr der Auffassung sei, „daß die Westmächte etwas Entscheidendes nicht unternehmen"[187]), der „Führer" aber dennoch losschlagen wolle. Erstmals ergibt sich eindeutig aus den Quellen, daß Hitler die Möglichkeit eines Eingreifens der Engländer schon beim deutschen Angriff gegen die CSR in seine Überlegungen mit einschaltete — vielleicht auf Grund einer Unterredung Ribbentrops mit Henderson vom 31. August 1938[188]). Offenbar entschied er sich aber vorerst, dieses Risiko

183) Auszug bei Gilbert, Britain and Germany, S. 112.

184) So im „New Statesman" v. 27. 8. 1938, zit. nach Robbins, München 1938, S. 214.

185) Nach Gosset, Hitler, Bd. 2, S. 297, wurden die Telegramme des tschechoslowakischen Gesandten in London, die häufig über Chamberlains negative Haltung zur Position der Prager Regierung berichteten, laufend in Deutschland abgehört.

186) ADAP, D, II, Nr. 415: undatierte Aufzeichnung für Mussolini. Auffällig ist die gleiche Feindkonstellation wie in Hitlers Ausführungen vom 28. 5. 1938. Allerdings ist zu beachten, daß Hitler seine Angriffsentschlossenheit gegenüber der Tschechoslowakei für Mussolini am besten mit dem Hinweis auf einen künftigen Krieg im Westen motivieren konnte. Die bei der Schilderung des 28. Mai aufgezeigte Doppelfunktion des bevorstehenden Einmarsches in die Tschechoslowakei (1. nächste Stufe des „Programms", 2. Rückenfreiheit für den u. U. notwendigen Krieg im Westen) bleibt transparent, wenn auch die „programmatische" Funktion insgesamt — trotz der Mussolini gegenüber angewendeten Argumentation — in Hitlers Gedanken weiter vorherrschend sein dürfte.

187) Jodl-Tagebuch, Eintragung v. 8. 9. 1938: IMT XXVIII, 1780-PS, S. 376.

188) ADAP, D, II, Nr. 425, zwei Aufzeichnungen Ribbentrops v. 3. 9. 1938. Die Aufzeichnungen lassen allerdings keine deutlichen Warnungen erkennen. Vgl. aber BA Koblenz, ZSg 101/33, Brammer, Informationsbericht v. 2. 9. 1938: „Inhaltlich steht nunmehr mit aller Sicherheit fest, daß der deutschen Regie-

auf sich zu nehmen und notfalls durchzusetzen, sein ursprüngliches Ziel jedoch wollte er keinesfalls aufgeben[189]). Damit folgte er der von Ribbentrop befürworteten Linie, während die Vertreter des Auswärtigen Amtes und auch Göring vor dieser Alternative — wie sich am 28. September zeigte — die Reduzierung der eigenen Pläne empfahlen.

Daß sich die Haltung der Engländer versteift hatte, bekräftigte Chamberlain am 9. September in einer Presseerklärung[190]), die Hitlers Unsicherheit weiter verstärken mußte. General Thomas, der Chef des Wirtschafts- und Rüstungsamtes im OKW, wies in einer Denkschrift nach, daß die wehrwirtschaftliche Basis für einen Krieg gegen England keinesfalls ausreiche[191]), so daß auch die in Jodls Notiz angedeutete Risiko-Alternative nicht realisierbar erschien.

Die große Schlußrede auf dem Nürnberger Parteitag am 12. September 1938 brachte kaum neue Gesichtspunkte, vor allem keine unwiderruflichen Festlegungen. Vielmehr boten Hitlers Ausführungen Raum zu Interpretationen aller Schattierungen. Im Vordergrund stand die Auseinandersetzung mit dem tschechischen Staat und seiner Führung. Für den Fall, „daß die Demokratien ... die Unterdrückung der Deutschen beschirmen müßten", kündigte der Diktator „schwere Folgen" an. Selbstverständlich fehlten nicht die schon üblichen Seitenhiebe auf die heuchlerischen Demokraten, die „verehrten Verbündeten Moskaus"[192]). Im kleinen Kreis äußerte Hitler trotz aller Skepsis weiter die Hoffnung, daß die Legitimität des sudetendeutschen Anliegens, die Intransigenz der Tschechen sowie die Art seines Eingreifens

rung von England mitgeteilt wurde, daß London im Konfliktfall auf der tschechischen Seite marschieren werde."

[189]) Für Hitlers Kriegsbereitschaft während des Nürnberger Parteitages siehe Speer, Erinnerungen, S. 124; über Ribbentrops Haltung, die auch eine Gegnerschaft Englands ausdrücklich mit in Kauf nahm — zumindest nach außen hin so vorgab —, siehe BA Koblenz, Nachlaß Grimm, 151; danach verkündete Ribbentrop in Nürnberg im privaten Gespräch: „Der Führer ist zum Krieg entschlossen. Die Engländer sind nicht bereit, wir aber sind bereit ... wir werden schnell mit ihnen fertig werden." Aus dem Manuskript Friedrich Grimm, Lebenserinnerungen eines deutschen Rechtsanwalts, Bd. VI, Im Hitler-Reich, S. 298.

[190]) Ursprünglich war auf Betreiben von Widerstandsgruppen im Auswärtigen Amt um Weizsäcker, Kordt u. a. eine weitaus schärfere Erklärung beabsichtigt gewesen, die jedoch nach Hendersons Einspruch unterblieb: Lundgreen, Englische Appeasement-Politik, S. 107; Kordt, Nicht aus den Akten, S. 245; Wortlaut der Presseerklärung: DBFP, 3, II, App. III, S. 680; der ursprünglich geplante Text: DBFP, 3, II, Nr. 815. Über die Wirkung von Chamberlains Darlegungen vgl. BA Koblenz, ZSg 101/33 Brammer, Informations-Bericht v. 12. 9. 1938: Es herrsche in Nürnberg Empörung darüber, „daß man in aller Öffentlichkeit den Führer unter Druck setzen will". Siehe auch Weizsäcker, Erinnerungen, S. 178 f.

[191]) Wiedemann, Feldherr, S. 107.

[192]) Schultheß 1938, S. 135 ff.

weder England noch Frankreich einen hinreichenden Grund zur militärischen Intervention liefern würden[193]).

In dieser Situation erreichte Hitler Chamberlains Vorschlag, sich zu einer persönlichen Aussprache in Berchtesgaden zu treffen. Die nun folgenden Ereignisse und die diplomatischen Verhandlungen der zweiten Septemberhälfte 1938 sind bekannt und mehrfach detailliert dargestellt. Wir haben hier vor allem zu fragen, welche Faktoren Hitler primär bestimmten, vor der Alternative: Krieg gegen England oder Verzicht auf die gänzliche Auslöschung der Tschechoslowakei, sich schließlich für die „ethnische" Lösung zu entscheiden, — d. h. für die zumindest vorläufige Reduzierung des ursprünglichen Zieles auf das, was lediglich den Ansatzpunkt liefern sollte, auf die Durchsetzung des Selbstbestimmungsrechtes für die Sudetendeutschen.

Hitler gestand wenige Tage nach der Berchtesgadener Unterredung dem polnischen Botschafter indirekt, daß ihm ein solches Friedensgespräch auf höchster Ebene im Grunde ungelegen kam, wie ja auch sein „Ohne-England"-Kurs jede Intervention der Briten in die tschechische Angelegenheit ausgeschlossen hatte. Chamberlains Vorschlag habe „ihn in gewissem Sinne überrumpelt", erklärte er gegenüber Lipski, aber letztlich habe er nicht umhin können, den britischen Premier zu empfangen[194]).

Denkbar wäre gleichfalls, daß die Unklarheit der letzten Wochen hinsichtlich der tatsächlichen Haltung der Briten Hitler veranlaßten, die offenkundige „Einmischung" Chamberlains hinzunehmen. Sie bot Gelegenheit, einmal die Ungewißheit zu klären, zum andern auch, Chamberlain auf völlige Neutralität festlegen zu können. Lipskis Notizen zufolge erwartete Hitler allerdings, daß der englische Regierungschef feierlich Großbritanniens Kriegsbereitschaft betonen würde. Also hatten sich die Zweifel des „Führers" hinsichtlich der englischen Neutralität beträchtlich verstärkt.

Indessen trug Chamberlains Auftreten kaum dazu bei, Hitlers Befürchtungen zu erhöhen oder gar den Diktator von Englands Kampfbereitschaft zu überzeugen. Vielmehr lassen die Geschehnisse der folgenden Tage, besonders auch Hitlers Gebaren während der Godesberger Begegnung, das Gegenteil vermuten. Die erwartete „feierliche Erklärung" des Premiermini-

---

[193]) Nachträgliche Information (10. 3. 1939) an das Foreign Office in London, angeblich aus Hitlers engster Umgebung stammend; von einem hohen Beamten im deutschen Kriegsministerium soll sie dann zu Vansittarts Informanten gelangt sein: PRO London, FO 371/22966, C/3234/15/18; vgl. ähnliche Vermutungen über Hitlers Gedankengänge in einem Memorandum des britischen Militärattachés in Berlin v. 26. 10. 1938: DBFP, 3, III, App. III („He probably argued that the Czechs had proved so intransigeant and that the Sudeten had so much right on their side, that intervention by France and England was unlikely").

[194]) Dokumente und Materialien aus der Vorgeschichte des Zweiten Weltkrieges (zit.: DokuMat.), Bd. I, II (Das Archiv Dirksen). Hrsg. vom Ministerium für Auswärtige Angelegenheiten der UdSSR, Moskau 1948, hier: I, Nr. 23: Lipskis Aufzeichnung über sein Gespräch mit Hitler v. 20. 9. 1938; siehe auch Lipski-Papers, Nr. 99, S. 408.

sters über die Kriegsbereitschaft seines Landes blieb aus[195]). Statt dessen zeigte sich der britische Gast bereit, Hitlers These von der Anwendung des Selbstbestimmungsrechtes auf die Sudetendeutschen zu übernehmen, nachdem Hitler zuvor mittels massiver Drohungen und verharmlosender Selbstbeschränkung versucht hatte, die Chancen für eine englische Neutralität zu erhöhen. Dabei zielte Hitler auf die allgemeine Kriegsfurcht jenseits des Kanals, wenn er erklärte, er werde mit „absoluter Entschlossenheit" auch einen Weltkrieg in Kauf nehmen, um die Sudetenfrage „so oder so" zu lösen[196]). Gleichzeitig gab er zu verstehen, daß es ihm lediglich um die berechtigten Belange seiner sudetendeutschen Landsleute gehe und berührte damit jenen wunden Punkt, der die Londoner Regierung am meisten daran hinderte, eine feste Haltung in dieser Krise an den Tag zu legen. Mußte Chamberlains Zusage den „Führer" nicht erneut vom Defätismus in der britischen Führungsspitze überzeugen, der von der Zustimmung zur Abtretung des Sudetengebietes schließlich auch zur Preisgabe der Gesamttschechoslowakei führen würde[197])? Hitlers diesbezügliche Hoffnungen mochten sich auf die Vermutung stützen, daß die Tschechen — was nicht allein Hitler für ziemlich sicher hielt[198]) — Chamberlains Ansinnen, die Grenzländer mit dem Festungsgürtel aufzugeben, zurückweisen würden. Jedenfalls sah Hitler keinen Grund, seine Angriffspläne zurückzustellen. „Er sei jetzt ganz sicher", so erfuhr Erich Kordt von Ribbentrops Verbindungsmann bei Hitler, Hewel, „dieses Ziel mit Duldung der britischen Regierung zu erreichen"[199]).

Am 17. September versuchte Ribbentrop, dem italienischen Botschafter Attolico klar zu machen, wie notwendig es sei, „eine sofortige radikale Lösung" in der Tschechoslowakei herbeizuführen, um das Chaos, das die Gefahr der Bolschewisierung heraufbeschwöre, zu beenden[200]). Zwei Tage später warb Hitler in einem Interview, das er Ward Price gewährte, erneut um das Stillhalten der Westmächte. „Niemand in Deutschland denke daran", so ließ er verlauten, „Frankreich anzugreifen", noch wolle das Reich den

[195]) Vgl. zur Berchtesgadener Unterredung ADAP, D, II, Nr. 487, Schmidt, Statist, S. 395 ff., DBFP, 3, II, Nr. 895.

[196]) Siehe Quellenangaben der vorhergehenden Anm., außerdem Hugh Dalton, The Fateful Years, Memoirs 1931—1945, London 1957, S. 178: Chamberlains Bericht vor Labour-Führern, und Chamberlains Darstellung am 28. 9. 1938 vor dem Unterhaus: PA Bonn, Presseabteilung, Presse-Übersichten 24-England.

[197]) Vgl. Weizsäcker, Erinnerungen, S. 188.

[198]) Vor dem Unterhaus gab Chamberlain am 28. 9. 1938 bekannt, Hitler habe ihm später gestanden, er habe niemals damit gerechnet, daß Chamberlain in Prag die Annahme des Selbstbestimmungsrechtes für die Sudetendeutschen hätte durchsetzen können. Es scheint nicht so, als ob Hitler damit lediglich schmeichelhafte Worte für den Premierminister äußern wollte.

[199]) Kordt, Nicht aus den Akten, S. 259.

[200]) ADAP, D, II, Nr. 510. Aufz. v. 17. 9. 1938 über die Unterredung Ribbentrop—Attolico.

Krieg mit England[201]). Hitler bemühte seiner Meinung nach analoge Beispiele aus der nahen und fernerer Vergangenheit, um den westlichen Demokratien den Weg zur Neutralität gangbarer erscheinen zu lassen; Frankreich habe 1935 das Saarland aufgegeben, England sei aus Südirland abgezogen, habe sich vor hundert Jahren aus Holland und Belgien zurückgezogen[202]), warum wollten dann beide Länder, so fragte der „Führer" nicht ungeschickt, wegen des ferneren und weniger wichtigen Sudetenlandes Krieg führen? Im Unterschied zu seinem Außenminister, der in der Unterredung mit dem Vertreter des verbündeten Italiens einmal mehr keinen Zweifel daran ließ, daß es um die staatliche Existenz der Tschechoslowakei ging, reduzierte Hitler — wie auch im Berchtesgadener Gespräch mit Chamberlain — das Problem erneut, dieses Mal vor der Öffentlichkeit, auf die Unterdrückung der deutschen Minderheit durch die Tschechen.

Gerade diese dem britischen Premierminister persönlich zugesicherte Beschränkung auf ein revisionistisches, für England akzeptables Ziel, barg andererseits für Hitler die Gefahr, daß sich die Alternative, Verzicht auf den Einmarsch in Prag oder aktive Gegnerschaft Englands, um so dringlicher stellte, falls die Prager Regierung wider Erwarten der Abtretung des Sudetenlandes zustimmen würde[203]).

Die Möglichkeit einer solchen Entwicklung, die geradewegs zum Dilemma des 28. September führen mußte, blieb Hitler durchaus nicht verborgen. „Es bestände ... die Gefahr, daß die Tschechen alles annehmen", führte er im Gespräch mit dem ungarischen Ministerpräsidenten Imredy und Außenminister Kanya am 20. September aus[204]). Er ließ damit durchblicken, wie wenig ihm in Wirklichkeit an einer Friedensvermittlung Chamberlains lag[205]), und kündigte deshalb an, daß er die deutschen Forderungen in Godesberg „auf das brutalste" vertreten werde. Die „Gefahr" einer tschechischen Zustimmung versuchte er außerdem dadurch herabzumindern, daß er Polen und Ungarn zur Aktivierung ihrer Ansprüche teils ermunterte teils zwang. Die neue Forderung wollte er dann Chamberlain am Rhein präsentieren. Die Taktik für die Godesberger Begegnung zeichnete sich ab.

Als Chamberlain nicht ohne Selbstzufriedenheit als Ergebnis der britischen Politik und Pressionen[206]) die tschechische Zustimmung zur Abwen-

---

[201]) DDP VI, 1, S. 313.
[202]) Vgl. neben DDP, ebd., Ursachen und Folgen XII, Nr. 2708, S. 352 ff.
[203]) Es ist denkbar, daß Hitler aus Sorge vor dieser Entwicklung die Übergabe des deutschen Protokolls der Berchtesgadener Besprechung an die Engländer verweigern ließ. Siehe auch Kordt, Nicht aus den Akten, S. 259, „Wollte er er sich nicht festlegen lassen?"
[204]) ADAP, D, II, Nr. 554. Aufz. über Unterredung Hitler-Imredy-Kanya v. 20. 9. 1938.
[205]) Ebd.: „Seiner Auffassung nach sei die einzige befriedigende Lösung ein militärisches Vorgehen."
[206]) Zur Durchsetzung der Londoner Vorschläge in Prag siehe die einschlägigen Kapitel bei Rönnefahrt, Celovsky, Robbins, Lundgreen u. a. Rabl, Neue Dokumente zur Sudetenkrise, S. 324, nimmt an, die anglo-französische

dung des Selbstbestimmungsprinzips überbrachte, — als also genau das ein-
traf, was Hitler in der Unterredung mit den Ungarn befürchtet hatte — konnte
Hitler mit neuen, höhergeschraubten Forderungen ausweichen, — „nach der
Entwicklung der letzten Tage geht diese Lösung nicht mehr"[207] —, ohne
formal den Bereich der legitimen Minderheitenbelange zu überschreiten[208]).
So glaubte er noch immer auf eine britische Neutralität beim deutschen
Angriff gegen die CSR spekulieren zu können. Einerseits hatte er seine
Ansprüche so gesteigert, daß sie für die Tschechen inakzeptabel sein mußten, andererseits bewegte sie sich immer noch auf jener „legitimen" Ebene,
der Chamberlain grundsätzlich zugestimmt hatte. Zusätzlich gab er Chamberlain zu verstehen, es handle sich um „die Lösung der noch letzten offenen
Frage", nach der man zur Generalbereinigung des deutsch-englischen Verhältnisses, auch der Kolonialfragen, schreiten könne[209]) — das war genau
der Gedanke, den Chamberlain während des Krisenablaufes zu realisieren
versucht hatte. Außerdem, gestand Hitler gönnerhaft, sei das abschließende
Memorandum über die deutschen Forderungen ein Resultat der Chamberlainschen Vermittlungsbemühungen und stelle eine deutliche Reduzierung
der deutschen Vorstellungen dar. Damit sollte vom britischen Premier das
sowohl psychologisch als auch innenpolitisch belastende Odium der Erfolglosigkeit genommen werden[210]). All das waren mehr oder weniger geschickte
taktische Schachzüge, um Chamberlain den vollständigen Rückzug aus dem
Engagement im böhmisch-mährischen Raum zu erleichtern. Sie tauchten unter
verschiedenen Varianten auch in den Ereignissen der letzten Septembertage
auf[211]). Der drohenden Alternative, Verzicht auf die Tschechoslowakei oder
gleichzeitige Auseinandersetzung mit England, wollte Hitler unter allen Umständen ausweichen, würde sie doch den Bankrott seines „Ohne-England"-

Note an die Prager Regierung v. 19. 9. 1938 beinhalte keine ultimativen Forderungen der Westmächte an den tschechoslowakischen Verbündeten, sondern die Annahme eines vorher dem Westen von den Tschechen unterbreiteten Vorschlages; siehe auch ebd., S. 360. Vgl. die Dokumentenzusammen-
stellung in Geschichte in Quellen, Bd. V, S. 389 ff., Nr. 469—472.
[207] Schmidt, Statist S. 401, ADAP, D, II, Nr. 562. Am 28. 9. 1938 teilte Chamberlain vor dem Unterhaus mit, daß ihm diese Erklärung des Reichskanzlers
einen Schock versetzt habe: PA Bonn, Presseabteilung, Presse-Übersichten 24-
England. Ähnlich äußerte er sich nach seiner Rückkehr aus Godesberg im
britischen Kabinett: PRO London, CAB 42 (38), auch in: FO 371/21744, C/11441/
1941/18.
[208] Zu den Ereignissen und Besprechungen in Godesberg am 22./23. 9. 1938 siehe
Schmidt, Statist, S. 400 ff., Kirkpatrick, Inner Circle, S. 114 ff.; ADAP, D, II,
Nr. 562, 573, 574, 583.
[209] ADAP, D, II, Nr. 583; vgl. auch Schmidt, Statist, S. 407 und Chamberlains
Schilderungen am 18. 9. vor dem Unterhaus (siehe Anm. 207).
[210] Siehe u. a. Schmidt, Statist, S. 406: „Ihnen zuliebe, Herr Chamberlain, will
ich ... eine Konzession machen. Sie sind einer der wenigen Männer, denen
ich gegenüber das jemals getan habe."
[211] Vgl. z. B. die Kernpunkte von Hitlers Sportpalastrede am 26. 9. 1938: Schulthess 1938, S. 155 f.

Kurses besiegeln und ihn, wie er glaubte, vor die gleiche Situation stellen, in der sich Bethmann Hollweg 1914 befand. Die geniale Überlegenheit seines Führertums über die herkömmliche Außenpolitik des kaiserlichen Vorkriegsdeutschlands sollte sich ja darin erweisen, daß sie im Unterschied zur Konstellation von 1914 noch viel weiter gespannte deutsche Expansionsziele ohne den tödlichen Zweifrontenkrieg ermöglichen würde. „Ich bin nicht Bethmann Hollweg"[212]) soll Hitler am 25. September auf Befürchtungen des Königs Boris von Bulgarien, die Krise um die Tschechoslowakei könne sich zum Weltkrieg ausweiten, geantwortet haben. Dieser Satz läßt in der Polarisierung zwischen Hitler auf der einen und dem Repräsentanten der Vorkriegspolitik auf der anderen Seite durchschimmern, wie viel für Hitlers Selbstverständnis auf dem Spiel stand, wenn er versuchte, die Entscheidung zwischen Verzicht auf das nächste Ziel oder Krieg auch gegen England gar nicht erst notwendig werden zu lassen. Es ging letztlich um den überragenden Ausnahmecharakter der eigenen Politik, um Hitlers Überzeugung von seiner Genialität, die ihn bisher in allen seinen Aktionen erfolgreich geleitet hatte.

Indessen trugen die Gespräche in Godesberg gerade dazu bei, daß die britische Regierung Hitler schon bald vor eben diese Wahl stellte. Chamberlain hatte zweifellos Hitlers wahre Absichten durchschaut, er fühlte sich persönlich vom deutschen Führer „geprellt"[213]). Hitlers Taktik der Lockungen und Drohungen war an die Öffentlichkeit gedrungen und „kein britischer Ministerpräsident könne es sich leisten, den Eindruck zu erwecken", erklärte Chamberlains Pressechef Stewart dem deutschen Pressebeirat in London, Fritz Hesse, „als ob er unter einer Drohung mit Gewalt handle". Chamberlain sei nicht in der Lage, nach Godesberg noch weiterzugehen[214]). Auch der deutschen Führung blieb es wohl nicht verborgen, daß es sich für die Engländer jetzt um mehr handelte, als um die Sudetendeutschen, denen sie das Selbstbestimmungsrecht nicht verweigern konnten, daß die britische Regierung den erwarteten tschechischen Widerstand gegen die Godesberger Forderungen kaum zum Anlaß nehmen könnte, sich aus der ganzen Angelegenheit zurückzuziehen. Die Lage war ganz offensichtlich nicht mehr die gleiche wie einige Tage zuvor, als in Berlin Bonnets telephonische Weisung an seinen Vertreter in Prag abgehört wurde, derzufolge Frankreich passiv bleiben würde[215]). So dürften britische Vermutungen in etwa zutreffen, daß "nach

212) PRO London, FO 371/21778, C/12172/1941/18: Bericht des britischen Gesandten in Sofia über Gespräch mit König Boris von Bulgarien v. 6. 10. 1938, der über seine Begegnung mit Hitler am 25. 9. 1938 berichtete. Zum Besuch siehe Keesings Archiv der Gegenwart 1938, S. 3733 C.

213) Henderson, Fehlschlag einer Mission, S. 177, H. glaubte, daß „Godesberg" der eigentliche Wendepunkt der deutsch-britischen Beziehungen gewesen sei, da Hitlers Verhalten gegenüber dem Premierminister den Stimmungsumschwung in England gegen Deutschland herbeigeführt habe. Zu Hitlers abschätziger, verächtlicher Einschätzung seines Gesprächspartners vgl. Kirkpatrick, Inner Circle, S. 122.

214) ADAP, D, II, Nr. 579, Theo Kordt (London) an das AA v. 3. 9. 1938.

215) Siehe Celovsky, Münchner Abkommen, S. 383.

Godesberg Herr Hitler ... sich vergegenwärtigte, daß England und Frankreich sicherlich kämpfen werden, wenn er die Tschechen angriffe"[216]). Ob bei Hitlers Meinungsbildung Gerüchte eine Rolle spielten, nach denen die Londoner Regierung oder doch zumindest das Foreign Office die Hand im Spiel gehabt habe, als die Prager Führung noch während der Godesberger Verhandlungen die allgemeine Mobilmachung anordnete[217]), ist nicht gesichert, aber durchaus glaubhaft. Es konnte in Berlin nicht mehr überraschen, daß die Ablehnung des Godesberger Memorandums durch die Prager Regierung[218]) den Engländern nicht als Vorwand diente, sich der Verantwortung für das weitere Schicksal der Tschechoslowakei zu entziehen, wie Hitler insgeheim noch erhofft haben mochte und auch Botschafter Henderson indirekt als Druckmittel gegen Prag empfohlen hatte[219]). Im Gegenteil, Chamberlains Hauptberater Sir Horace Wilson überbrachte eine persönliche Mitteilung seines Premierministers über die Ablehnung der Godesberger Forderungen

---

[216]) DBFP, 3, III, App. III, Abschlußmemorandum des britischen Militärattachés in Berlin v. 26. 10. 1938.

[217]) Selbst nationalsozialistische Darstellungen (z. B. Berber, Deutschland-England, S. 147 ff.) betonen, daß Chamberlain über die tschechische Maßnahme nicht unterrichtet war. Daraus wird allerdings auf die Doppelbödigkeit der britischen Politik geschlossen, der natürlich kein Vertrauen entgegengebracht werden könne. Zur Prager Mobilmachung siehe weiter Prager Akten, Nr. 168, S. 216 und Rabl, Neue Dokumente, S. 348. Am 26. 9. 1938 meldete Th. Kordt dem AA, in einer Erklärung der Press Association sei die Nachricht des Prager Rundfunks dementiert worden, wonach die Mobilisierung „with the knowledge, with the advice and with the approval" der Großmächte erfolgt sei: PA Bonn, Presseabteilung, Presse-Übersichten 24-England. Am 27. 9. drahtete Kordt die Ergebnisse einer Recherche der „Times" über die tschechoslowakische Behauptung: PA Bonn ebd., sowie Berber, Deutschland-England, S. 155: Hinter Chamberlains Rücken habe das Foreign Office in London der Prager Regierung mitgeteilt, daß weder England noch Frankreich weiter raten könnten, nicht zu mobilisieren; vgl. dazu MAP 5,2 (1938), S. 970, DNB-Meldung v. 28. 9. 1938 mit „Times"-Untersuchung. Vgl. PRO London, FO 371/21742, C/11001/1941/18 mit dem Wortlaut eines angeblich in Deutschland abgehörten Telephongespräches zwischen Benesch und dem Gesandten Masaryk in London v. 24. 9. 1938. Masaryk berichtete Benesch u. a., man hoffe in London, daß „es in Ruhe durchgeführt wird, damit man den „alten Herrn" in Godesberg nicht stört". Er Masaryk, habe auch gesagt, „daß wir auf Wunsch Englands und Frankreichs mobilisiert haben". Die Authentizität des Gespräches vorausgesetzt würde das der „Times"-These entsprechen, daß das Foreign Office hinter Chamberlains Rücken gehandelt habe. Die deutsche Mitschrift des Telephonats wurde der britischen Botschaft in Berlin übergeben und schien selbst nach Meinung des Foreign Office echt zu sein. Masaryk indessen bestritt die Richtigkeit der angeblich abgehörten Äußerungen (PRO London ebd., Masaryk an Halifax v. 25. 9. 1938). Gegen den Wahrheitsgehalt spricht allerdings auch, daß das die britische Politik belastende Gespräch sich in keinem deutschen Weißbuch oder Dokumentenband findet.

[218]) Masaryks Mitteilung an Chamberlain v. 25. 9. 1938: Abkommen von München Nr. 224, S. 255 ff.

[219]) Vgl. DBFP, 3, II, Nr. 1087: Henderson an Halifax v. 25. 9. 1938: „Prague must accept German plan or forfeit claim to further support from Western powers".

179

durch die Prager Regierung[220]) und ließ, nachdem Hitler während der turbulenten Aussprache mit Wilson am 26. September und in der am gleichen Abend stattfindenden Rede im Sportpalast zu erkennen gab, daß er nicht einen Schritt von seinen ultimativen Forderungen abrücken würde — „Es hat überhaupt keinen Zweck noch irgendwie weiter zu verhandeln[221])" —, in der zweiten Aussprache am 27. September in feierlicher, halbamtlicher Form die entscheidende Erklärung folgen, daß England Frankreich aktiv unterstützen werde, falls dieses Land in Erfüllung seiner Bündnisverpflichtungen gegenüber der Tschechoslowakei in Feindseligkeiten mit Deutschland geriete[222]).

Kein Zweifel, Hitler stand damit vor der Wahl, die er seit jeher in all seinen außenpolitischen Überlegungen zu umgehen versucht hatte. Seine Politik, die ihre Ostziele ursprünglich im Bündnis mit dem Empire, ab Herbst 1937 unter der Voraussetzung der englischen Neutralität anvisieren wollte, war bereits in den allerersten Phasen des Ausgreifens nach Osten gescheitert. Hatten sich am 28. Mai in Hitler Zweifel geregt, ob er den „Neutralitäts-Kurs" bis zur Eroberung Rußlands würde durchhalten können, so mußte er jetzt einsehen, daß schon bei der Lösung der tschechischen Krise — obwohl diese noch halbwegs mit dem Deckmantel des Selbstbestimmungsprinzips abgesichert werden konnte — die beiden Grundlagen der Konzeption, nämlich: isolierter Angriff auf die Tschechoslowakei und Beiseitestehen Englands, nicht mehr in Übereinstimmung zu bringen waren. Er hatte sich zu entscheiden, entweder die eine oder die andere Komponente aufzugeben oder aufzuschieben, fehlgeschlagen waren seine Dispositionen für diesen Zeitpunkt in jedem Fall. Ribbentrops Konzept befürwortete angesichts dieser Alternative — wie das Verhalten des Außenministers in den letzten Krisentagen zeigte — das Risiko bis zum äußersten durchzustehen[223]), während Göring die vorläufige Zurückstellung der Aggressionspläne empfahl, da er eine deutsche Expansion gemäß seiner Grundauffassung nicht auf Kosten eines Krieges mit England zu erringen wünschte. Das Auswärtige Amt hatte sich, wie erwähnt, von vornherein für die von England ausgehende Zusammenarbeit über friedliche Grenzkorrekturen ausgesprochen, woraus gegebenenfalls die „chemische" Zersetzung der tschechoslowakischen Republik resultieren konnte. Aus diesem Positionsfeld ergibt sich die Frontstellung jener Kräfte, die Hitlers notwendig gewordene Entscheidung in der jeweils von ihr vertretenen Richtung zu beeinflussen versuchten; auf der einen Seite Ribbentrop, und auf der anderen die momentane Aktionsgemeinschaft zwischen Göring, Neurath und Weizsäcker, die durch ausländische Diplomaten,

---

[220]) Schmidt, Statist, S. 407; ADAP, D, II, Nr. 619, DBFP, 3, II, Nr. 1115, 1118.
[221]) Schmidt, ebd.
[222]) ebd., S. 409; ADAP, D, II, Nr. 634.
[223]) Vgl. Ribbentrops Ausführungen am 27. 9. 1938 zu Lipski: Lipski Papers Nr. 109, S. 426, sowie allgemein zu Ribbentrops Haltung in den letzten Septembertagen die hierin übereinstimmenden Erinnerungen der Beteiligten wie Weizsäcker, Kordt, Kirkpatrick, Henderson u. a.

wie Henderson, François-Poncet und Attolico verstärkt wurde. Hitler hatte noch vor Wilsons Ankunft Mussolini mitteilen lassen, daß er, falls die Westmächte wider Erwarten doch „marschieren" würden, auch zum Krieg im Westen bereit wäre. Dabei benutzte er ein Argument, das in den kommenden Monaten eine erhebliche Rolle spielen sollte: die militärische Lage für die „Achse" sei so günstig, „daß es vielleicht lohnen würde, jetzt eine Partie zu spielen, die man eines Tages doch unvermeidlich wird spielen müssen"[224]). Die bereits zeitweilig nach der „Wochenendkrise" einkalkulierte Unumgänglichkeit der Gegnerschaft Englands in der Zukunft, sowie der Glaube an die vermeintliche momentane Überlegenheit der „Achsenmächte" über den Westen, dessen Schwäche er am 5. November 1937 prägnant gezeichnet hatte, erleichterten es, das Risiko auf sich zu nehmen, schon jetzt wider allen „programmatischen" Prämissen eventuell einen Krieg im Westen führen zu müssen. Lassen wir jedoch nicht unbeachtet, daß es Hitler hier besonders darum ging, vor den Verbündeten seine absolute Entschlossenheit zu demonstrieren, so daß Abstriche am Aussagewert seiner Worte zu machen sind. Ähnliche Vorbehalte sind angebracht, als Hitler in der stürmischen Unterredung mit Horace Wilson Ribbentrops Rezept folgte und vorgab, die Aussicht, „daß man innerhalb von sechs Tagen in einen Krieg miteinander verwickelt werden würde"[225]) lasse ihn „vollständig gleichgültig"[226]), und er sich „auf alle Eventualitäten vorbereitet" zeigte[227]). Weniger nüchternes Risikokalkül mochte ihn zu dieser Sprache veranlaßt haben, als der in äußerster Erregung gehegte Wunsch, diesem Manne, der ihm jene folgenschwere, das gesamte „Programm" in seiner Grundvoraussetzung treffende Mitteilung überbracht hatte, seine unbedingte Festigkeit zu zeigen und somit die in diesem Augenblick sichtbar gewordene Niederlage seiner Politik zu kompensieren. Andererseits konnte Wilsons Zögern und die verklausulierte Form seiner Warnung darauf schließen lassen, daß dies noch nicht Chamberlains letztes Wort sei[228]), so daß die Angriffsvorbereitungen weder abgestoppt noch gebremst wurden[229]). Jedoch die britische Haltung, zwar die Berechtigung der deutschen Ansprüche auf Abtretung der sudetendeutschen Gebiets-

---

[224]) Aufz. Cianos über die Mitteilung des Prinzen von Hessen an Mussolini v. 25. 9. 1938: Geschichte in Quellen V, Nr. 480, S. 397.

[225]) ADAP, D, II, Nr. 634, Aufz. über Hitlers 2. Unterredung mit Wilson v. 27. 9. 1938.

[226]) Schmidt, Statist, S. 409.

[227]) Schmidt, ebd.; vgl. auch die sich auf Wilsons Gedächtnisschilderung stützende Darstellung bei Leonard Mosley, On Borrowed Time, How World War II Began, London 1969, S. 59, (Chamberlain „must be mad if he thinks he can influence me in that way") und Kirkpatricks Erinnerungen, Inner Circle, S. 125, „If France strikes and England strikes I don't care a bit".

[228]) Vgl. Stenzl, Anglo-französische Politik, Diss. S. 235.

[229]) Vgl. IMT XXV, 388-PS, S. 483 ff., Eubank, Munich, S. 181, Colvin, Vansittart, S. 263, wo Wilsons Sprache für ausgesprochen schwach gehalten wird; K. J. Müller, Heer und Hitler, S. 373, bezeichnet Wilsons Unterredung dagegen als den „ersten wesentlichen Anstoß".

teile anzuerkennen und darüber auch weiterhin zu diskutieren, bei einem gewaltsamen Einmarsch jedoch mit den Streitkräften zu intervenieren, wie sie sich nun auch einheitlich in der Londoner Presse widerspiegelt[230]), drückte sich kurze Zeit später nicht mehr nur in Worten, sondern in einer eindeutigen Geste aus, hinter der erstmalig die auch von Hitler nach wie vor respektierte Kraft des Empire fühlbar wurde. England mobilisierte die Flotte, seine bedeutendste und wirksamste Streitkraft. Ob darauf bereits die relativ versöhnliche Sprache in Hitlers Brief an Chamberlain vom 27. September[231]) zurückzuführen ist[232]), hat im Hinblick auf die Gesamtsituation nur sekundäre Bedeutung. Jedenfalls tat die britische Maßnahme am Morgen des 28. September, als Hitler wegen des Mobilisierungszeitplanes seinen Entschluß für oder gegen den Einmarsch in die Tschechoslowakei zu treffen hatte, in klarster Weise die andauernde britische Festigkeit kund und überschattete die entscheidenden Gespräche und diplomatischen Verhandlungen in der Reichskanzlei[233]). Vor den übrigen bekannten Faktoren, wie die enttäuschend geringe Kriegsbegeisterung des deutschen Volkes[234]), der für Hitler damals noch bedeutsame „Freundesrat" Mussolinis[235]), und die von Hitler später bitter vermerkte Passivität der Ungarn[236]), gab die Erkenntnis, daß England sich offenbar nicht scheute, seinen Drohungen Taten folgen zu lassen, entscheidenden Ausschlag, daß Hitler sich letztlich zum Verzicht auf die militärische Eroberung entschloß[237]).

---

[230]) Vgl. z. B. Theo Kordts Analyse der britischen Morgenpresse v. 27. 9. 1938 über Hitlers Rede am Vorabend: PA Bonn Handelspol. Abt. Handakten Wiehl, Politik 2.

[231]) ADAP, D, II, Nr. 635.

[232]) Diese Frage bejaht Glum, Nationalsozialismus, S. 344 und Wenzel Jaksch, Europas Weg, S. 335; verneint: W. N. Medlicott, zit. nach Robbins, München 1938, S. 305, da Hitlers Brief bereits vor der Mobilmachungsanordnung in London eintraf, vgl. ebd. S. 277.

[233]) Zur Szenerie in der Berliner Reichskanzlei am Morgen des 28. September vgl. die bekannte Memoirenliteratur: Schmidt, Statist, S. 410 ff., Kordt, Nichts aus den Akten, S. 264, André François-Poncet, Botschafter in Berlin 1931—1938, 3. Aufl. Mainz 1962, S. 378 f., Weizsäcker, Erinnerungen, S. 188, Henderson, Fehlschlag, S. 184 ff., Wiedemann, Feldherr, S. 170 ff.

[234]) Kordt ebd. S. 264, Shirer, Berlin Diary, S. 119: zu den bekannten Vorfällen beim Durchmarsch kriegsmäßig ausgerüsteter Truppen durch das Berliner Regierungsviertel.

[235]) Weizsäcker, S. 188, François-Poncet, S. 378 f.

[236]) Vgl. Hitlers Bemerkungen zum ungarischen Außenminister Csaky v. 16. 1. 1939 ADAP, D, V, Nr. 272. Auch konnte trotz gegenteiliger Behauptungen Hitler im Grunde nicht daran zweifeln, daß der halbfertige Westwall einem Großangriff der französischen Armee kaum gewachsen war: Buchheit, Beck, S. 181.

[237]) Wiedemann erinnert sich, daß einer Mitteilung Görings zufolge Hitler sein Nachgeben folgendermaßen motivierte: „Wissen Sie, Göring, ich habe mir gedacht, vielleicht schießt die englische Flotte doch": Wiedemann, Feldherr, S. 187. Vgl. auch PRO London, FO 371/21664, C/11164/62/18: Vansittart wurde aus deutschen Kreisen die Information zugespielt: „From the moment of the british mobilisation Hitler and Co. began their retreat." Freilich vermerkte Vansittart diese Nachricht hauptsächlich zu dem Zweck, um die Richtigkeit der

Am Abend zuvor hatte Chamberlain im Rundfunk erneut die Bereitschaft seines Landes unterstrichen, die von Hitler in Berchtesgaden aufgestellte Forderung, nämlich die Anwendung des Selbstbestimmungsprinzips auf die Sudetendeutschen, d. h. die Abtrennung der Grenzgebiete, zu erfüllen[238]). Für den Fall eines Krieges war damit vor aller Welt Hitler, der ja im Sportpalast ausdrücklich Deutsche und keine Tschechen gefordert hatte und nun starr an sekundären Forderungen hinsichtlich der Termine und Modalitäten festhielt, von vornherein als Schuldiger und Wortbrecher gebrandmarkt[239]), da ihm nun jeder Vorwand für einen bewaffneten Überfall fehlte. Der britischen Regierung hingegen war es nach dieser Klarstellung der Situation unmöglich geworden, noch weitere Schritte zurückzuweichen, geschweige denn einen deutschen Einmarsch zu dulden, wenn sie nicht nach innen und außen ihr Gesicht verlieren wollten. Die Ausweitung einer deutsch-tschechischen Auseinandersetzung zu einem Krieg Deutschlands gegen die Westmächte war somit so gut wie sicher, wie auch weitere Berichte der deutschen Botschaft in London bestätigten[240]).

Vor diesem Hintergrund gewann die Mobilisierung der englischen Flotte ein zusätzliches Gewicht. Als Hitler sich in Berchtesgaden von Chamberlain auf das Selbstbestimungsrecht der Sudetendeutschen beschränken ließ, und die tschechoslowakische Regierung am 19. September die Londoner Vorschläge akzeptierte, wurden die entscheidenden Weichen gestellt, die zur Situation des 28. September führten[241]). In der Polenkrise des nächsten Sommers würde Hitler sich nicht mehr auf „begrenzte" Ziele festlegen lassen. Waren sie dennoch als Alibi unumgänglich, so formulierte er sie derart und zu einem solchen Zeitpunkt, daß ihre Annahme – anders als im September 1938 – von der Gegenseite schon aus zeitlichen Gründen nicht erwogen werden konnte, abgesehen davon, daß Polen prinzipiell auch „gemäßigten" Forderungen Hitlers nicht bereit war zuzustimmen.

Den Zeitgenossen von 1938 mußten die Münchner Konferenz und ihre Ergebnisse als gewaltiger Triumph der Politik des „Führers" erscheinen, während man Chamberlain — zwar dankbaren Herzens — lediglich das Attribut des Friedensbringers konzedierte, um seine angebliche Nachgiebigkeit

Politik des „stand-by" zu belegen. Zu vermerken ist die gegenteilige Ansicht des britischen Marineattachés in Berlin, der in einer Aufzeichnung v. 11. 10. 1938 glaubte, Hitler habe von der englischen Flotte nicht viel befürchtet und sich eher durch die mangelnde Kriegsbegeisterung seines Volkes zum Nachgeben bemüßigt gefühlt. ebd. FO 371/21787, C/12578/11169/18.

[238]) DNB-Meldung: PA Bonn, Handelspol. Abt. Handakten Wiehl, Politik 2; Chamberlain, Struggle for Peace, S. 274 ff.; Teilabdruck in MAP 5,2 (1938) S. 993 ff.

[239]) Diesen Eindruck mußte Hitler auch angesichts der zahlreichen bei ihm einlaufenden Friedensappelle fremder Staatsoberhäupter und Regierungschefs erhalten haben: vgl. z. B. PRO London FO 371/21744, C/11125/1941/18: von den Präsidenten Chiles, Argentiniens und Perus, FO 371/21745, C/11496, 12091, 12630/1941/18: aus Irland, USA, San Salvador.

[240]) Vgl. z. B. ADAP, D, II, Nr. 657, Hesses Telefonat v. 28. 9. 1938.

[241]) Vgl. Lundgreen, Englische Appeasement-Politik, S. 122.

„angesichts der Diktatoren" zu überdecken. Legen wir als distanzierte Beobachter die herkömmlichen Maßstäbe traditioneller Großmachtpolitik an, um Erfolg und Niederlage in politischen Bereichen zu fixieren, so erweist sich ein solches Urteil als nicht unberechtigt. Betrachten wir die Ereignisse des Spätsommers 1938 hingegen auf der Folie von Hitlers „Programm", seiner langfristigen und kurzfristigen Zielsetzungen — und das sollte mit unserer Darstellung versucht werden —, so schlägt der vermeintliche Erfolg in eine Niederlage um, die überdies niemand mehr empfand, als der „Führer" selbst. Sein geplanter Zug in die Weiten Rußlands blieb zunächst schon in der Vorphase der Abrundung der strategischen Ausgangsbasis stecken. Was nutzten ihm die Sudetendeutschen, die nun „heim ins Reich" kamen, wenn der Einzug des „Feldherrn" in Prag ausblieb, wenn die neue Grenze der Tschechoslowakei noch dazu von den Westmächten garantiert werden sollte[242]). Bedeutete das doch, daß Hitler auf der nächsten Etappe der gleichen Alternative gegenüber stehen würde: Verzicht auf Aggression oder Krieg mit England. Das Konzept der „Ohne-England"-Strategie hatte sich nicht nur auf lange Sicht als unbrauchbar erwiesen, es scheiterte bereits bei dem Versuch, nach Österreich auch die Tschechoslowakei territorial in den Machtbereich des Reiches einzugliedern, obwohl Hitlers Sprengmittel, der Selbstbestimmung der Sudetendeutschen, auch von den Engländern die Berechtigung nicht aberkannt werden konnte. Es hatte sich gezeigt, daß Großbritannien nicht nur nicht willens war, deutsche Aggressionen im Bündnis fördernd zu unterstützen — wie es Hitlers „Mein Kampf" Konzept vorsah —, sondern sich unmißverständlich auch jeder Aktion des Reiches entgegenstemmen würde, die über den konzedierten Rahmen friedlicher Revision hinausging, selbst in Gebieten, in denen England keine direkten Interessen besaß. Damit fiel die wichtigste Prämisse der Hitlerschen Disposition aus: die — wenn nicht ausdrückliche Unterstützung — so doch stillschweigende oder auch widerwillige Hinnahme deutscher Feldzüge in der vom Reich beanspruchten Machtsphäre. Hitler mußte es zulassen, daß „raumfremde" Mächte im Scheinwerferlicht der Weltpresse über Fragen konferierten, die sie seiner Auffassung nach nichts angingen, und sozusagen in seinem Haus über Landstriche vor seiner Haustür das ihm so verhaßte Prinzip der kollektiven Sicherheit praktizierten. Ob für das Reich dabei der Gewinn einiger Territorien heraussprang, war vom Prinzip her gesehen unwichtig, da Hitler ursprünglich weitaus mehr erstrebte und auch noch anvisieren würde. Entscheidend war — und hier lag die axiomatische Gefährdung seiner zukünftigen Pläne —, daß überhaupt mit anderen Nationen über seine Interessensphäre verhandelt wurde.

Chamberlain hingegen, der in München nicht mehr unterschrieb, als er im Prinzip schon in Berchtesgaden zugestanden hatte, besaß durchaus Gründe, sich nicht als Verlierer der „Sudetenaffäre" zu wähnen, war er doch dem wesentlichen Ziele seiner Appeasement-Politik sehr nahe gekommen.

---

[242]) Vgl. Hallgarten, Grundplan, S. 692.

Hitlers Wehrmacht hatte sich nicht nach Prag in Marsch gesetzt; im Verein mit den anderen Großmächten Europas verhandelte der deutsche „Führer" über strittige Fragen der europäischen Sicherheit, die Idee der von Deutschland, Italien, Frankreich und Großbritannien gewährleisteten europäischen Ordnung unter „Auskreisung" der Flügelmächte, der Sowjetunion und der USA, hatte sich im Ansatz verwirklicht[243]). Überdies glaubte er, sich erfolgreich gegen ein erneutes Ausscheren des Reiches aus diesem System abgesichert zu haben, in dem er Hitler zur Unterzeichnung der deutsch-englischen Erklärung[244]) überredete. Wenn sich Hitler auch später vom englischen Premierminister „überlistet und betrogen" fühlte, so war er mit diesem Schriftstück jedoch keine weiteren Verpflichtungen im Hinblick auf die „kontinentale Phase" seines „Programms" eingegangen. Die Erklärung sah Konsultationen in Fragen, die „unsere beiden Länder angehen"[245]) vor, worunter bekanntlich in Hitlers Augen allenfalls koloniale Probleme fielen, nicht aber, wie Chamberlain es verstand, allgemeine Fragen der europäischen Sicherheit[246]). Es fragt sich, ob Hitler mit seiner Unterschrift Chamberlain lediglich einen Gefallen erweisen wollte[247]), in der Tat war sie für ihn ohne jeden Belang. Die deutsche Presse wurde informiert, daß man „sich hüten müsse", aus der Hitler-Chamberlain-Erklärung betreffend „Nie wieder Krieg" und Konsultation allzu große Folgerungen abzuleiten[248]). Das Empfinden, bei der Realisierung seines „Programms" bereits in einer Frühphase in München eine schwere Schlappe erlitten zu haben[249]), prägte Hitlers Stim-

---

[243]) Siehe zu diesem Aspekt Hildebrand, Weltreich, S. 579 (mit reichen Hinweisen zum Stand der Diskussion über „München") und ders., Deutsche Außenpolitik, S. 69, Abschnittüberschrift.

[244]) ADAP, D, II, Nr. 676. Zum Hitler-Chamberlain-Gespräch v. 30. 9. 1938: ADAP, D, IV, Nr. 247, DBFP, 3, II, Nr. 1228, Strang, Home and Abroad, S. 147 und Schmidt, Statist, S. 417.

[245]) ADAP, D, II, Nr. 676.

[246]) Siehe auch die 1940 geschriebene Darstellung von H. Rogge, Hitlers Versuche zur Verständigung mit England, S. 80 f., die zutreffend unterstreicht, auf deutscher und englischer Seite habe man an die deutsch-britische Erklärung „ganz verschiedene Vorstellungen von ihrem Sinne und ihrem Friedenswert" geknüpft. Zu Chamberlains Intentionen vgl. Bernd-Jürgen Wendt, Appeasement 1938. Wirtschaftliche Rezession und Mitteleuropa, Frankfurt/M. 1966, S. 98; zu den Grunddifferenzen zwischen Hitlers und Chamberlains Auffassungen vgl. auch Aigner, Ringen um England, S. 336.

[247]) Vgl. zu dieser These PRO London, FO 371/21666, C/15642/62/18, Aufz. des Wirtschaftsexperten des Foreign Office Ashton-Gwatkin v. 15. 12. 1938 über ein Gespräch mit Schacht. Nach Schacht habe Hitler die Unterzeichnung der Erklärung kommentiert: „Herr Chamberlain ist ein solch netter alter Herr, und ich habe so viele Photos und Bücher signiert, so daß ich dachte, ich könnte ihm meine Unterschrift als gute Erinnerung geben."

[248]) BA Koblenz, ZSg 101/33, Brammer, Informationsbericht v. 4. 10. 1938.

[249]) A. Kuhn, Hitlers außenpolitisches Programm, S. 227 ff. versucht indessen darzulegen, Hitler habe neben der militärischen Invasion in der Tschechoslowakei die friedliche Verhandlungslösung seit Berchtesgaden als echte Alternative angestrebt. Wenn Hitler dennoch mit dem Ergebnis von München unzufrieden gewesen sei, so deshalb, weil die Abmachung über die Sudetengebiete nicht

mung in der letzten Begegnung mit dem englischen Premierminister[250]). Der im Herbst 1937 ergriffene Kurs, mit dem er gehofft hatte, begrenzte militärische Aktionen im Osten mit England als Zuschauer durchführen zu können, war in seinen Augen in jeder Beziehung gescheitert. Welche Konsequenzen waren hinsichtlich der weiteren Verwirklichung des „Programms" aus der Erkenntnis von München zu ziehen, welche neuen Leitlinien ergaben sich daraus für seine Haltung gegenüber England?

---

im Alleingang mit England erfolgt sei. (S. 231) Diese These scheint nicht stichhaltig. Natürlich hat sich Hitler nach den Begegnungen von Berchtesgaden und Godesberg im zunehmenden Maße mit dem Gedanken an einen Verzicht auf die ursprünglich anvisierten Ziele einer „radikalen" Lösung vertraut machen müssen, allerdings nur, weil er die Gefahr eines Zweifrontenkrieges immer deutlicher registrierte. Die Münchner Konferenz war für Hitler also ein „erzwungener", niemals jedoch ein mitbeabsichtigter Ausgang der Krise. Überdies ist es schwer einzusehen, warum Hitler über diese Lösung, wenn er sie von Anfang an als Alternative erwog, nur deshalb sich so verärgert zeigte, weil außer Chamberlain noch Daladier, den er im Schlepptau der englischen Politik wußte und der ihm nicht unsympathisch war (Schmidt, S. 414), sowie Mussolini, dessen Teilnahme Hitler doch ausdrücklich zur Bedingung seines Einverständnisses gemacht hatte, mit am Konferenztisch saßen. War ihm noch so viel an bilateralen Absprachen mit England gelegen, wie Kuhn meint, dann fragt sich, warum Hitler nicht die ausschließlich deutsch-britische Erklärung als Ansatzpunkt für ein engeres Verhältnis beider Völker willkommen geheißen hat, anstatt ihr keinerlei Wert beizumessen.

[250]) Siehe Schmidt, Statist, S. 417.

III.

Zwischen Kollisionskurs und einer Politik des äußersten Risikos: Herbst 1938 bis September 1939

1. DIE NACHWIRKUNGEN VON MÜNCHEN UND IHRE KONSEQUENZEN FÜR HITLERS ENGLANDKONZEPTION

a) Hitlers Mißstimmung und ihre äußeren Symptome

Die abschließenden Betrachtungen des vorhergehenden Kapitels ergaben, daß das Ergebnis von München, an Hitlers „programmatischen" Zielsetzungen gemessen, sich nicht als Sieg, sondern als Niederlage für den deutschen „Führer" darstellte. Hitlers Verhalten unmittelbar nach der Konferenz, seine Äußerungen sowie Berichte aus seiner engsten Umgebung bezeugten dann auch, daß er selbst die Schlappe sehr deutlich als solche empfand. „Chamberlain, der Kerl, hat mir den Einzug in Prag verdorben." Diese von Schacht überlieferten Worte[1] markieren den Hauptgrund von Hitlers Mißstimmung. Die gewonnenen Sudetengebiete vermochten keineswegs darüber hinwegzutrösten, daß das eigentliche Ziel, der militärische Sieg über die Tschechoslowakei, durch die Münchener Absprache verwehrt worden war. Chamberlain habe ihn daran gehindert, „das rechte Ding zur rechten Zeit zu tun", meinte Hitler mehrfach, wie Hewel englischen Gesprächspartnern erzählte[2], und es ist erklärlich, daß er eigentlich „niemals aufhörte, den Kompromiß von München zu bedauern"[3]. Er hielt Glückwünsche nach der Konferenz für wenig angemessen[4], da er, wie er im persönlichen Gespräch verlauten ließ, einen Vergleich abgeschlossen habe, statt selbst das Recht Deutschlands durchzusetzen, mit anderen Worten, statt die Tschechoslowakei militärisch zu zerschlagen[5]. Er kündigte seinem Vertrautenkreis an, daß dies seine

---

[1] Aussage Schachts vor dem Nürnberger Militärtribunal: IMT XII, S. 580.

[2] PRO London, FO 371/22969, C/5284/15/18: Ogilivie-Forbes an Halifax v. 11. 4. 1939 über Unterredung Hewels mit Arnold Wilson am 10. 4. 1939.

[3] ebd., Wilsons Aufzeichnung.

[4] Siehe Frank, Galgen, S. 353; danach sagte Hitler zu Epp: „Na ja, ich danke schön! Ach, wegen dieser Geschichte wollen Sie mich auch noch beglückwünschen." Vgl. auch Görlitz, Keitel, S. 195.

[5] Meissner, Staatssekretär, S. 470. Vgl. auch Abkommen von München, S. 28: Hitler habe in der Konferenz einen „faulen Kompromiß" gesehen, zit. nach Aussage eines ehemaligen deutschen Geheimdienstoffiziers. (W. Hagen, Die geheime Front, Wien 1950, S. 161).

erste und letzte internationale Konferenz gewesen sei[6]). Das nächste Mal werde er so schlagartig handeln, daß für „Herrn Chamberlain", der ihm als Hauptschuldiger für die als mißlich eingeschätzte Lage erschien[7]) und darüberhinaus noch — was Hitlers Selbstverständnis als „Führer" seines Volkes arg treffen mußte — als Friedensbringer die Sympathien der deutschen Bevölkerung gewonnen hatte, „keine Zeit mehr bleiben werde, herüberzufliegen". Auch die „feigen Generäle", und andere kriegsunwillige Personen, Göring ausdrücklich eingeschlossen, wurden mit Schmähungen bedacht[8]).

Hitlers Unzufriedenheit mit der Situation, in der er statt „diktieren" und „handeln" nur „paktieren" konnte[9]), äußerte sich indes nicht nur in spontanen, daher vielleicht unüberlegten Ausrufen, sondern auch im verantwortlichen diplomatischen Gespräch. Hier vernahmen vor allem ungarische Staatsmänner Vorwürfe wegen ihrer angeblich passiven Haltung, wobei Hitler unverblümt die Vorteile aufzeigte, die ein Krieg mit der Tschechoslowakei geboten hätte[10]), und offen eingestand, daß es ihm „lieber gewesen wäre", wenn „die ganze Sache territorial" behandelt worden wäre[11]). Statt sich mit Chamberlain auseinanderzusetzen, hätte er es vorgezogen, dem englischen Premier „ins Gesicht zu lachen"[12]). Es sollte ein Hauptanliegen der künftigen großen Reden Hitlers werden, der Konferenz von München und ihrem Resultat jede positive Assoziation zu nehmen. Sie sei völlig überflüssig gewesen, vernahm der Reichstag und die Welt am 28. April 1939, „denn ohne München, d. h. ohne die Einmischung (der) westeuropäischen Staaten, wäre die Lösung des ganzen Problems ... wahrscheinlich spielend möglich gewesen"[13]). Zu beachten ist die explizite, für Hitlers Anschauung charakteristische Gleichsetzung von „München" mit „Einmischung des Westens", sowie das offene Eingeständnis, daß die Konferenz eine Regelung nach seinen

---

[6]) Kirkpatrick, Inner Circle, S. 135. Vgl. PRO London, FO 371/23005, C/532/53/18: Kirkpatricks Notizen v. 6. 1. 1939 über eine „kürzliche Unterredung" in Berlin enthalten eben diese Äußerung Hitlers. Siehe auch Kirkpatricks Beobachtungen über Hitlers finstere Miene nach Verlassen des Konferenzgebäudes, während die Gesichter Görings und Mussolinis Zufriedenheit widerspiegelten: Inner Circle, S. 128.

[7]) Vgl. auch die allerdings nicht nachprüfbare Information für Kirkpatrick, derzufolge Hitler gesagt haben soll, das nächste Mal werde er „Chamberlain die Treppe hinunterwerfen und vor den Augen der Photographen in den Bauch treten". Kirkpatrick, Inner Circle, S. 135.

[8]) PRO London, FO 371/23005: siehe Anm. 6.

[9]) Nach Helmut Krausnick, „Der Weg in den Krieg", in: Der Beginn des Zweiten Weltkrieges, Bonn 1960.

[10]) ADAP, D, IV, Nr. 62, Aufz. über Hitlers Unterredung mit dem ungarischen Ministerpräsidenten Daranyi v. 14. 10. 1938.

[11]) ADAP, D, V, Nr. 272: Aufz. über Hitlers Unterredung mit dem ungarischen Außenminister Csaky v. 16. 1. 1939.

[12]) ebd.

[13]) Schulthess 1939, S. 97. Vgl. auch die Passagen zur Münchner Konferenz in Hitlers Reichstagsrede v. 30. 1. 1939, ebd., S. 19 f.

Vorstellungen verhinderte. „Es war eine Teillösung", bekannte er im November 1939 seinen Armeeführern[14]). Hitlers Zorn richtete sich im Herbst 1938 daher hauptsächlich gegen Chamberlain und England, hatte er es, seiner Meinung nach, doch ihnen zu verdanken, daß er seinen Krieg gegen die Tschechoslowakei nicht führen konnte und die „bittere Pille" von München schlucken mußte[15]).

Als zusätzliche Belastung für Hitlers Einstellung zu England wirkte sich aus, daß jenseits des Kanals, wie Hitler glaubte, sein „Nachgeben" in der tschechischen Frage keineswegs honoriert wurde. Im Gegenteil: Die Kritik, die das Konferenzergebnis in London von der Labour-Partei und der konservativen Opposition erfuhr, die Argumentation der Regierung, durch München Zeit gewonnen zu haben, und natürlich die sich daraus ergebende verstärkte Aufrüstung der britischen Streitkräfte steigerten seine Überzeugung, daß Großbritannien gegen jeden neuen Schritt Deutschlands zur Verbesserung der strategischen Plattform und bestimmt bei der eigentlichen Expansion zur Gewinnung neuen „Lebensraumes" Widerstand leisten würde[16]).

Nicht allein hatte man in England hier und dort die Münchner Konferenz erneut als Erfolg einer entschlossenen Diplomatie gefeiert[17]) und auch den offenkundigen Gegensatz zwischen dem friedlichen deutschen Volk und seiner kriegshetzerischen Führung weidlich ausgeschlachtet[18]), die große Unterhaus-Debatte in den ersten Oktobertagen erwies überdies die Stärke jener politischen Kräfte, die im Gegensatz zu Chamberlain sich nicht damit begnügten, Hitlers Einzug auf den Hradschin vereitelt zu haben, sondern bereits gegen die Überlassung der sudetendeutschen Gebiete Sturm liefen, die es also Hitlers Auffassung nach lieber gesehen hätten, wenn es schon am 28. September zum Kriege gegen Deutschland gekommen wäre[19]). Auch in der

---

[14]) IMT XXVI, 789-PS, S. 329.
[15]) PRO London, FO 371/21676, C/15227/132/18, Ogilvie-Forbes an das Foreign Office v. 7. 12. 1938. Ogilvie-Forbes beginnt seinen Bericht mit der Bemerkung, daß allenthalben Einigkeit darüber bestehe, daß dieses Hitlers Auffassung sei. Vgl. auch ein Memorandum Vansittarts v. 2. 2. 1939: PRO London, FO 371/22988, C/1544/16/18: aus zuverlässiger Quelle habe er erfahren, Hitler habe sich in München von den Engländern und seinen Beratern hintergangen gefühlt („that he had been in the dupe"). Vgl. auch Léon Noel, L'agression allemande contre la Pologne. Une ambasade à Varsovie 1935—1939, Paris 1946, S. 294: Ribbentrop habe während seines Besuches in Warschau im Januar 1939 so getan „als ob Deutschland in München unter dem doppelten Druck Großbritanniens und der Tschechoslowakei habe kapitulieren müssen". Ulrich von Hassell notierte am 14. 10. 1938: „... alles, was er gesagt hat, deutet klar darauf hin, daß er das Eingreifen der Mächte nicht verwunden hat und lieber seinen Krieg gehabt hätte. Besonders über England hat er sich erbost gezeigt": Hassell, Vom andern Deutschland, S. 27.
[16]) Vgl. Freund, Weltgeschichte der Gegenwart in Dokumenten I, S. 263.
[17]) Vgl. PA Bonn, Büro Ribbentrop, Vertr. Berichte 1,2, v. 29. 9. 1938.
[18]) Vgl. Aigner, Ringen um England, S. 332 ff.
[19]) Vgl. Charls Bloch, „Les relations anglo-allemandes de l'accord de Munich à la dénonciation du traité naval de 1935", in: Revue d'histoire de la deuxième

Presse und öffentlichen Meinung Großbritanniens war Chamberlains Triumph von München nur kurzlebig und schlug bald in die Parole „Kein zweites München" um[20]). Churchill stellte im Rundfunk am 16. Oktober 1938 die Frage: „Ist dies das Ende oder steht noch weiteres zu erwarten?" und charakterisierte das nationalsozialistische Regime in Deutschland als „etwas Neues" das „uns aus den finsteren Zeiten des Mittelalters" anspringt[21]). Wenn diese und andere Ausführungen von Gegnern des Münchner Abkommens ständig in der Forderung nach verstärkter britischer Aufrüstung gipfelten[22]), so herrschte in diesem Punkt Einigkeit mit der Auffassung der Regierung[23]). Die mangelnde britische Kriegsbereitschaft war ja gerade ein Hauptmotiv für Chamberlains Reisen nach Deutschland gewesen, das die Amputation der Tschechoslowakei vor den innenpolitischen Gegnern legitimieren sollte[24]).

guerre mondiale 5 (1955), Heft 18. S. 33–49, Heft 19, S. 41–65, hier: H. 18, S. 40 f. Zur Unterhausdebatte vom 3.–6. 10. 1938: Wortlaut der Reden in PA Bonn, Pol I, Völkerbund, England 2, DNB-Meldungen v. 4. 10. und 6. 10. 1938, Tel. der Londoner Botschaft v. 6. 10. 1938; abschließende Beurteilung der Debatte durch die Botschaft v. 8. 10. 1938; Auszüge der Debatte bei Gilbert, Britain and Germany, S. 121 ff. Chamberlain, Struggle for Peace, S. 307. Eine schlagwortartige Zusammenstellung der wichtigsten Argumente für und wider München gibt Wenzel Jaksch, Europas Weg, S. 338 ff. Hitler beklagte sich bei François-Poncet am 24. 10. 1938, daß seine Person während der Debatte beleidigt worden sei: DBFP, 2, III, App. II (i).

[20]) Vgl. Kieser, Englands Appeasementpolitik, S. 100; Nagle, Study of British Public Opinion, S. 138 ff.; im einzelnen zur Reaktion der Öffentlichkeit auf „München" siehe Aigner, Ringen um England, S. 334 f. Siehe Hitlers rückblickende Betrachtung vor dem Reichstag am 19. 7. 1940: „ . . . da wurde die . . . Übereinkunft der vier wesentlich daran beteiligten großen Staaten in der öffentlichen Meinung zu London und Paris nicht nur nicht begrüßt sondern als abscheuliches Schwächezeichen verdammt." Zit. nach Aufrufe, Tagesbefehle und Reden des Führers im Kriege 1939/41; Hrsg. vom Chef der Zivilverwaltung im Elsaß, Abt. Erziehung, Unterricht und Volksbildung, Karlsruhe 1941, S. 95 ff. und Domarus II, 3, S. 1541.

[21]) Berber, Deutschland und England, Nr. 67; dort auch weitere Zitate aus angeblich antideutschen Reden in England nach der Münchner Konferenz.

[22]) Vgl. die Reden Duff Coopers in Paris v. 7. 12. 1938 und des Erziehungsministers Earl de la Warr in Bradford v. 4. 12. 1938: PA Bonn, Pol II, England-Deutschland 10; siehe vor allem Dirksens Bericht v. 15. 10. 1938: ADAP, D, IV, Nr. 252 zur britischen Aufrüstungskampagne und Berber, Deutschland-England, S. 153 ff. passim.

[23]) Vgl. Aigner, Ringen um England, S. 335.

[24]) Vgl. auch John Simon, Retrospect, The Memoirs, London 1952, S. 254; The Ironside Diaries 1937–1940, eb. by R. Macleod and D. Kelly, London 1962, S. 62. Zu den britischen Motiven in München allgemein vgl. Paul Kluke, „Das Münchner Abkommen und der Zweite Weltkrieg", in: Die Sudetenfrage in europäischer Sicht. Bericht über die Vorträge und Aussprachen der wissenschaftlichen Fachtagung des Collegium Carolinum in München-Grünwald am 1.–3. Juni 1959, München 1962, S. 24. Zum Faktor der Uneinigkeit des Commonwealth siehe D. C. Watt, „Der Einfluß der Dominions auf die britische Außenpolitik vor München 1938", in VfZg 8 (1960), S. 64–74 und Rudolf von Albertini, „England als Weltmacht und der Strukturwandel des Commonwealth", in: HZ 208 (1969), S. 52–80.

In Deutschland, besonders bei Hitler, entstand dadurch der Eindruck, als habe Chamberlain in München nicht etwa den Frieden gesucht und den Sudetendeutschen zu ihrem Recht verhelfen wollen, sondern Zeit gewinnen wollen, um den Rüstungsrückstand wettzumachen und dann umso entschlossener weiteren deutschen Forderungen Paroli bieten zu können[25]). Vor allem im Nachhinein verlieh Hitler den Septemberereignissen diese Interpretation. So erklärte er seinen „alten Kämpfern" am 8. November 1940 im Münchner Löwenbräu: „Als 1938 Herr Chamberlain hier in München war und mir heuchlerisch seine Friedensangebote machte, da hatte dieser Mann im Inneren den Entschluß gehabt, sofort nach der Rückkehr zu sagen: ‚Ich habe eine gewisse Frist bekommen, und jetzt wollen wir rüsten, damit wir dann Deutschland überfallen können[26]).' "

---

[25]) Vgl. den Bericht des britischen Parlamentsabgeordneten W. W. Astor über seinen Deutschlandbesuch im Herbst 1938: PRO London, FO 371/21665, C/13771/62/18 v. 9. 11. 1938: „Attention was directed to some of the British argument that the Munich Agreement was not the negotiated acceptance of a good claim but a bad peace which would not have signed had we been stronger." Nach einem vertraulichen Bericht für die Dienststelle Ribbentrop v. 14. 11. 1938 motivierte Chamberlain vor oppositionellen Abgeordneten die Notwendigkeit der Politik von München mit dem Rückstand der englischen Rüstung, den aufzuholen England drei Jahre benötigte: PA Bonn, Büro Ribbentrop, Vertr. Ber. 1,2. Ein anderer Bericht vom gleichen Tage referierte als angebliche Meinung der Briten, daß „eine kriegerische Auseinandersetzung zwischen England und Deutschland irgendwann einmal unvermeidbar sein müsse". PA Bonn, ebd. Es wäre interessant, der Frage nachzugehen, inwiefern solche Nachrichten echt oder von Ribbentrops Dienststelle „bestellt" waren, vermochten sie doch gut bei Hitler den von Ribbentrop gewünschten Effekt hervorzurufen. Vgl. ferner Görings Bemerkung zum USA-Unterstaatssekretär Sumner Welles v. 3. 3. 1940: ADAP, D, VIII, Nr. 653, S. 673:" ... Auch der Führer hatte in diesem Augenblick eingesehen, daß die Engländer sich nur unter Druck zu der Verständigung von München bereit erklärt hätten." Die „Frankfurter Zeitung" brachte am 13. 10. 1938 einen von Ribbentrop inspirierten Artikel, in dem Chamberlains Friedenswerk als gefährdet angesehen wurde, „wenn nachträglich der Eindruck erweckt wird, als sei Chamberlains Politik nur eine Folge der englischen Schwäche, die jetzt überwunden werden soll". PA Bonn, Handakten Schmidt (Presse), Vom RAM inspirierte Artikel.

[26]) Aufrufe, Tagesbefehle..., S. 138. Vgl. auch Hitlers Ausführungen vor den Führern des Ostheeres im Frühsommer 1941: Heusinger, Befehl im Widerstreit, S. 120: „Allein, auch dieses Entgegenkommen diente nur dem Zweck, Zeit zu gewinnen, um die vernachlässigte Rüstung ... mit größter Beschleunigung aufzuholen." Ein Jahr später habe man dann Polen in den Krieg getrieben. Vgl. auch Berbers Interpretation in Deutschland und England, S. 148 sowie in der Einleitung zur Edition der „Prager Akten" (1941). Bezeichnenderweise galt Prag dann als Opfer der Westmächte, während in der Krise des Sommers 1938 selbst, wie wir sahen, durchweg die Tschechen, an ihrer Spitze „Herr Benesch", als Deutschlands Hauptgegner behandelt wurden, was sich am deutlichsten in der Polarisierung Hitler-Benesch in der Sportpalastrede v. 26. 9. 1938 ausdrückte. Die Polenkrise 1939 spielte sich hingegen propagandistisch bis weit in den August 1939 hinein vorwiegend auf dem Hintergrund des deutsch-britischen Antagonismus ab: Polen galt als „Werkzeug des britischen Kriegswillens". Siehe unten S. 241. Zur nationalsozialistischen Betrach-

Welche Folgerungen mußte Hitler aus dieser Erkenntnis ziehen, die auch die bisher noch halbwegs respektierte Person Chamberlains bei ihm in Mißkredit brachte? Zunächst festigte sie die verstärkt seit der Wochenendkrise unterschwellig gehegte Überzeugung, daß die Auseinandersetzung mit dem Westen auf dem Weg zum Kontinentalimperium so gut wie unumgänglich war, zumal die Ablösung des zaudernden Chamberlain durch Churchill, Cooper und andere Gesinnungsgenossen nach dem Prestigeverlust von München immer wahrscheinlicher schien[27]. „So kam der Augenblick", erklärte Hitler zwei Jahre später, „in der die Frage nicht mehr war, ob der Krieg überhaupt zu vermeiden sei, sondern nur noch, ob er vielleicht ein, zwei oder drei Jahre verhindert werden konnte"[28]. Gewiß mochte eine solche Behauptung im Nachhinein durch den tatsächlichen Lauf der Ereignisse beeinflußt gewesen sein. Wie lebendig sich aber die Vorstellung von der unumgänglichen Ausschaltung des westlichen Widerstandes gegen seine langfristigen Pläne tatsächlich seit der Wochenendkrise erhalten hatte, zeigen Hitlers Gespräche mit Mussolini und Ciano unmittelbar vor der Münchner Konferenz. Der Tag werde kommen, meinte Hitler, „an dem wir uns vereint gegen England und Frankreich werden schlagen müssen". Es sei dabei sehr wichtig, „daß das stattfindet, solange an der Spitze unserer Länder der Duce und ich stehen, und zwar noch jung und voller Kraft"[29]. Überlegungen solcher Art ließen die Situation nach München für Hitler noch mißlicher erscheinen. Denn das britische Argument, Zeit für die Aufrüstung gewonnen zu haben, barg in Hitlers Augen implizit das Eingeständnis in sich, daß England im September 1938 kaum zu den Waffen gegriffen hätte. Also mußte Hitler nachträglich glauben, daß er einem Bluff erlegen war, als er sich angesichts der drohenden Bereitstellung der britischen Flotte auf die „Teillösung" festlegen ließ[30]. Hinzu kam der Gedanke, daß — falls England dennoch interveniert hätte — die sowieso fälligen Auseinandersetzungen mit den Westmächten zu einem Zeitpunkt stattgefunden hätte, da die britische Rüstung im höchsten Maße unvollkommen war und die Führer der

tungsweise des Zeitgewinnmotives vgl. ferner Rogge, Hitlers Versuche, S. 79 und 82 f. und pars pro toto den Artikel des „Westdeutschen Beobachters" vom 23. 10. 1938: „Wenn wir stärker gewesen wären"; in: W. G. Knop (Hrsg.), Beware of the English! German Propaganda exposes England, London 1939, S. 3 f.; diese Broschüre erhellt anschaulich die Hauptargumentationsstränge der deutschen antibritischen Propaganda.

[27] Nach Franks Erinnerung hatte Hitler den Machtwechsel einkalkuliert: Angesichts des Galgens, S. 358.
[28] Rede am 8. 11. 1940 im Münchner Löwenbräu, Aufrufe, Tagesbefehle, ..., S. 134.
[29] Ciano, Tagebücher 1937/38, S. 240; vgl. Eubank, Munich, S. 208; Churchill I, S. 249.
[30] Auch im Foreign Office trafen aus privaten Quellen stammende Informationen ein, nach denen Hitler sich von Chamberlain gebluft fühlte; vgl. etwa PRO London, FO 371/23005, C/539/53/18, Privatbrief eines britischen Deutschlandsbesuchers.

jungen Staaten noch im Vollbesitz ihrer Kräfte sich wähnten[31]). Ende Februar 1944 verstieg sich Hitler mit Blick auf die späteren Ereignisse und angesichts des bevorstehenden Zusammenbruches gar zu der Bemerkung, er habe in „München die einzigartige Gelegenheit versäumt, leicht und schnell einen in jedem Fall unvermeidlichen Krieg zu gewinnen"[32]). Der Gedanke, das Unumgängliche später unter ungünstigeren Bedingungen ausfechten zu müssen, spielte zweifellos auch bereits im Herbst bei Hitler eine gewisse Rolle[33]). In jedem Fall, so mußte es Hitler nach der Konferenz scheinen, war es angesichts der auch durch andere Informationen bestätigten Schwäche der Engländer[34]) die falsche Entscheidung gewesen, die ursprünglichen Pläne vorläufig zurückzustellen, da die am 28. September drohende Alternative Verzicht oder Krieg mit England entweder gar nicht existierte[35]), zumindest jedoch nicht zu diesem Zeitpunkt jene bedrohliche, die Existenz gefährdende Tragweite besaß, die ihr Hitler auf Grund seines Englandbildes bislang beigemessen hatte.

---

[31]) Vgl. Hitlers rückschauende Ausführungen v. 8. 11. 1940: „... In dem Augenblick, in dem ich mir bewußt war, daß England nur Zeit gewinnen wollte,... hatte ich nur einen einzigen Wunsch: Wenn sie uns schon den Krieg zu erklären entschlossen waren, daß sie es dann noch hoffentlich tun werden, während ich lebe." Aufrufe, Tagesbefehle, S. 134. Es war dies wieder Hitlers bekannte Besorgnis, sein Gesundheitszustand werde es ihm nicht erlauben, seine Pläne zur rechten Zeit auszuführen, vgl. Baldur von Schirach, Ich glaubte an Hitler, Hamburg 1967, S. 256; Hans-Dietrich Röhrs, Hitlers Krankheit. Tatsachen und Legenden. Neckargemünd 1966, S. 73: Görings Aussage zum Chef-Psychiater während des Prozesses von Nürnberg. Zu Hitlers Krankengeschichte siehe auch Johann Recktenwald. Woran hat Adolf Hitler gelitten? Eine neuropsychiatrische Deutung. München–Basel 1963.

[32]) Hugh R. Trevor-Roper., Testament (engl. Ausgabe) S. 84. Auch dort unterstrich Hitler, daß die Müncher Konferenz ihm die Augen über Englands Feindschaft geöffnet habe.

[33]) Siehe z. B. das bereits erwähnte Memorandum des Parlamentsabgeordneten W. W. Astor über seinen Deutschlandbesuch. Danach hatte Mussolinis Adjutant verlauten lassen, Hitler habe auf der Fahrt zur Münchner Konferenz in Kufstein zu Mussolini gesagt: „wenn wir jetzt nicht kämpfen, werden wir später unter schlechteren Bedingungen kämpfen müssen" PRO London, FO 371/21665, C/13771/62/18, Aufz. v. 11. 11. 1938. Das würde Cianos Tagebuchnotizen bestätigen. Siehe Anm. 29.

[34]) Vgl. etwa PA Bonn, Pol II, England-Deutschland 9, Bericht v. 4. 11. 1938 der Auslandsorganisation der NSDAP über Beobachtungen in England während der Krisentage, in dem die Unzulänglichkeit und Planlosigkeit der britischen Verteidigungsmaßnahmen herausgestellt werden.

[35]) Selbstverständlich gaben Hitler und Ribbentrop nach der Münchner Konferenz vor, niemals an ein Eingreifen der Engländer geglaubt zu haben. Jedoch mußten sie diesen Anschein erwecken, um nicht den Eindruck entstehen zu lassen, als wäre man unter englischem Druck gewichen: vgl. dazu die tschechoslowakische Aufzeichnung der Unterredungen des Außenministers Chvalkowsky in München v. 13./14. 10. 1938: Abkommen von München, Nr. 266, S. 282, sowie Ribbentrops Geheimrede vor Generalen v. 24. 1. 1939, BA/MA Freiburg, frdl. Hinweis v. J. Dülffer. Im Februar 1939 äußerte Ribbentrop ähnliche Gedanken im Gespräch mit dem englischen Besucher Lord Brocket: PRO London, FO 371/22966, C/2575/15/18.

Halten wir demnach fest, daß Großbritannien einerseits nach den Ereignissen von München Hitler endgültig als der Gegner auf dem Weg zur Kontinentalherrschaft erschien, daß andererseits gerade die Münchner Konferenz, wie Hitler nachträglich zu erkennen glaubte, die — allerdings nur momentane — Kraftlosigkeit des Empire bewies[36]). Nur widerwillig hatte sich der „Führer" zur Zurückstellung der radikalen Lösung bereitgefunden, um so größer war sein Ärger, daß diese Entscheidung — so erschien es ihm — weder absolut notwendig noch machtpolitisch — mit Hinblick auf die jetzt intensivierte Aufrüstung in England — unbedingt richtig gewesen war[37]). Selbst der zeitgenössische Beobachter, dem Hitlers „Programm" und folglich Gedankengänge obiger Art nicht einsichtig waren, stellte nach der „Sudetenkrise" in allen Bereichen der deutschen Politik eine deutliche Verschärfung der Haltung gegenüber England fest. Hitler selbst setzte in seinen großen Reden des Spätjahres 1938 das Signal, welches von den deutschen Propaganda-Organen in einer nunmehr regelrecht antibritischen Kampagne aufgenommen wurde.

Die polemischen Ausfälle des Reichskanzlers in Saarbrücken am 9. Oktober[38]) schreckten Deutschland und Europa jäh aus den Friedensillusionen, die die Einigung von München und Chamberlains Prophezeiung vom „Peace for our Time" nach seiner Rückkehr aus München verheißen hatten. Hitler ließ, wie auch zahlreiche Aussprüche während seiner Fahrt durch das „befreite" Sudetengebiet belegen[39]), keinen Zweifel daran, daß er nur widerwillig von der kriegerischen Lösung Abstand genommen hatte — „es mußte ein harter Entschluß getroffen werden" —, wobei er seinen Unmut über die „Schwächlinge in den eigenen Reihen", die zum Frieden gedrängt hatten, durchblicken ließ. Zwar gestand er Chamberlain und Daladier lautere Absichten zu — „die Staatsmänner, die uns gegenüberstehen, wollen — das müssen wir ihnen glauben — den Frieden" —, entwertete diese Aussage sofort durch den Angriff auf das demokratische System, das deren Ablösung durch die „Kriegstreiber" Cooper, Eden, Churchill erlaube, zu denen sich dann noch die „Macht einer gewissen internationalen Presse" geselle. Es ist

---

[36]) Siehe auch Rönnefarth, Sudetenkrise, S. 678; vgl. dazu Hitlers abschätzige Bemerkungen über die Haltung der Briten in München v. 22. 8. 1939; „Unsere Gegner sind kleine Würmchen. Ich sah sie in München." ADAP, D, VII, Nr. 192. Fritz Hesse erinnert sich, Hitler sei nach München der Überzeugung gewesen, daß er sich nun alles erlauben könne: Spiel um Deutschland, S. 151. PRO London, FO 371/22963, C/1290/15/18 enthält einen wohl auf Informationen von Goerdeler beruhenden „Secret Report" v. 1. 2. 1939, in dem ebenfalls die Meinung vertreten wird, seit München habe Hitler jeden Respekt vor den Engländern verloren.

[37]) Vgl. auch Henderson, Fehlschlag, S. 199 ff. mit der Zusammenstellung aller Gründe, die Hitlers Mißstimmung nach München verursacht haben könnten, ferner Feiling, Chamberlain, S. 390.

[38]) Schultheß 1938, S. 173 ff. Domarus, I, S. 954 ff. hier auch die weiteren Zitate aus der Saarbrücker Rede.

[39]) Vgl. Domarus, I, S. 949.

evident, wie Hitler das im Volk eingeprägte Bild des friedenssuchenden Großbritannien zu verdrängen suchte, indem er es allenfalls auf Einzelpersonen angewandt wissen wollte und systematisch die Umrisse des im Hintergrund stehenden prinzipiellen Gegners aufzeichnete[40]). Schließlich gab er zu verstehen, daß er die zurückliegende Konferenzlösung als „gouvernantenhafte Bevormundung" einschätzte, die das Reich nicht mehr vertrage. Wenn er ausdrücklich Großbritannien den Rat gab, „allmählich gewisse Allüren der Versailler Epoche" abzulegen und sich „um eigene Probleme zu beschäftigen und uns in Ruhe zu lassen", so war das eine schroffe Absage an alle Hoffnungen und Versuche, die Münchner Regelung und insbesondere die deutschenglische Erklärung als Ausgangspunkt oder Modell einer Generalbereinigung des Verhältnisses zwischen Berlin und London zu betrachten[41]). Es waren nicht vordergründige Anlässe — wie man später hier und da zu wissen meinte[42]) — die Hitler so kompromißlos sprechen ließen, sondern seine Ausführungen standen durchaus im Einklang mit seinen derzeitigen grundsätzlichen Auffassungen über England und die Münchner Konferenz. Auch Staatssekretär Freiherr von Weizsäcker gab bei verschiedenen Gelegenheiten zu verstehen, daß die Engländer zur Zeit „bei uns sehr tief im Kurs sind"[43]), und daß eine Fortsetzung der „Münchner Politik" in Richtung auf allgemeine Regelungen nicht der in Berlin verfolgten Linie entspräche[44]). Im Gegenteil, man sei im Gedanken „vom 29. September schon weit entfernt"[45]), wie auch die deutsch-englische Erklärung bislang von deutscher Seite ohne jede Folge geblieben sei[46]). Gespräche über Luftfahrt- und Marinefragen seien demnach

---

[40]) Vgl. Aigner, Ringen um England, S. 334.
[41]) Siehe auch Frank, Galgen, S. 337, der „diese scharfen, geradezu leidenschaftlich aus sich herausgestoßenen Worte Hitlers ... als Schwertspitzen" spürte, „die gegen England gezückt waren".
[42]) Hewel sagte im April 1939 zu Arnold Wilson, daß eine britische Note zum Problem der Flüchtlinge aus dem Sudetenland nach der deutschen Besetzung den Anstoß zu Hitlers antibritischen Polemiken gegeben habe: PRO London FO 371/22969, C/5248/15/18 Wilsons Aufzeichnung. Englands Botschafter in Paris, Phipps, glaubte zusammen mit Außenminister Bonnet, Hitlers Zorn darüber, daß er im Londoner Unterhaus „Gangster" genannt worden sei, habe sich in Saarbrücken entladen: PRO London, FO 371/21673, C/12819/85/18: Phipps an Halifax über Unterredung mit Bonnet nach dem Empfang von François-Poncet bei Hitler.
[43]) Weizsäcker an Mackensen (Rom) v. 11. 10. 1938: ADAP, D, IV, Nr. 337.
[44]) Weizsäcker an Dirksen v. 17. 10. 1938: ADAP, D, IV, Nr. 254. Vgl. auch Weizsäcker an Dirksen v. 24. 12. 1938 zur Frage der Entspannung des deutschenglischen Verhältnisses: „Allerdings kann ich Ihnen im Augenblick nicht in Aussicht stellen, daß wir auf dem besten Wege wären eine solche Wendung vorzunehmen." PA Bonn, Staatssekretär, Schriftwechsel mit Beamten 2.
[45]) Weizsäcker an Botschafter Dieckhoff in Washington v. 2. 11. 1938: PA Bonn ebd.
[46]) Weizsäcker im Gespräch mit Attolico v. 8. 11. 1938: PA Bonn, Staatssekretär, Aufz. über Diplomatenbesuche 2.

bei Hitlers damaliger Stimmung weder aussichtsreich noch beabsichtigt[47]).
Als der scheidende französische Botschafter François-Poncet zum Abschieds-
empfang im Teehaus auf dem Obersalzberg erschien, ergriff Hitler die Gelegenheit, „um gegen England loszuziehen, gegen seinen Egoismus und seine
naive Annahme, es habe den anderen gegenüber Vorrechte"[48]). Natürlich
fehlten nicht die bekannten Klagen über das „völlige Unverständnis hinsichtlich der legitimen Forderungen Deutschlands", das den „Führer" schockiert
habe[49]). Die Angriffe auf England, sein demokratisches System, auf die
britischen Kriegshetzer „die auf dem Mond zu leben scheinen", setzte der
Reichskanzler am 6. November 1938 auf dem Gauparteitag in Weimar fort[50]).
Er verlieh seinen Ausführungen einen Schuß Lächerlichkeit, indem er sich
über die „Regenschirmtypen" belustigte. Damit setzte Hitler in den Bemühungen, den „Friedensbringer" Chamberlain zu desavouieren, und dem eigenen Volk, das ihn in München enttäuscht hatte, heroischere, der nationalsozialistischen Weltanschauung gemäßere Kriterien nahezubringen, ein
wirkungsvolles Mittel ein. Wie ernst Hitlers Polemiken gegen die Londoner
Regierung gemeint waren, erfuhr General Guderian nach Hitlers Weimarer
Ansprache, die viele Ausländer „ziemlich deprimiert und zum Teil schok-
kiert"[51]) hatte, als sein „Führer" bei der Erinnerung an Chamberlains vermeintliche „Unaufrichtigkeit" in Godesberg nachträglich in Zorn über die von
ihm empfundene Zurücksetzung geriet[52]). Zwei Tage später, am Vorabend
der Jahresfeier zur Erinnerung an den Marsch zur Feldherrnhalle von 1923
konnten sich Hitlers Zuhörer erneut von dem „definitiven Wandel" überzeugen, der die Haltung des „Führers" zu England nach der Sudetenkrise
prägte[53]).

Erneut diente die britische Parlamentsopposition, die ja „morgen" die
Regierung stellen könne, Hitler als Alibi, um gegen die Münchner Konferenz,

[47]) Zum Luftpakt: Weizsäcker zu Attolico am 15. 10. 1938, PA Bonn ebd.; vgl.
ADAP, D, IV, Nr. 281, Dirksen an Weizsäcker v. 16. 12. 1938: Deutschland habe
kein Interesse, Initiative zu Verhandlungen über die Humanisierung des Luftkrieges zu zeigen. Zu Marineverhandlungen: D. C. Watt, „The Anglo-German
Naval Negotiations," S. 387, Besprechungen zwischen der Kriegsmarine und
dem AA v. 7. 10. 1938 über die vorgesehenen Verhandlungen mit Großbritannien über die Aufhebung der U-Boot-Tonnagebegrenzung.
[48]) François-Poncet, Botschafter in Berlin, S. 397, siehe auch Gelbbuch der Französischen Regierung, Diplomatische Urkunden 1938–1939, Akten über die Ereignisse und Verhandlungen, die zum Ausbruch der Feindseligkeiten zwischen
Deutschland einerseits und Polen, Großbritannien und Frankreich andererseits
führten, Basel 1940, S. 23, abgedruckt auch in Ursachen und Folgen, XII,
Nr. 2737.
[49]) Paul Stehlin, Témoignage pour l'histoire, Paris 1964, S. 115 f.
[50]) Domarus I, 2, S. 963, Churchill gab nach Hitlers Rede der Presse eine Stellungnahme zu den Angriffen auf seine Person; Wortlaut der Erklärung in: PA
Bonn, Presse Allgemein, England 6, Tel. v. 7. 11. 1938.
[51]) PA Bonn, Büro Ribbentrop, Vertr. Berichte, 1,1 v. 8. 11. 1938.
[52]) Heinz Guderian, Erinnerungen eines Soldaten, Heidelberg 1951, S. 53.
[53]) Vgl. Ansel, Hitler confronts England, S. 13.

gegen Englands „schulmeisterliche und gouvernantenhafte Beaufsichtigung" zu polemisieren[54]. Wieder ging der Rat nach London, sich nicht um Mitteleuropa zu kümmern. Stattdessen solle man die Augen auf eigene Belange in Palästina richten, „denn das was dort stattfindet", rief Hitler aus, „das riecht ganz verdammt stark nach Gewalt und sehr wenig nach Demokratie"[55]. Wenn Chamberlain und seine Mitarbeiter immer noch hofften, daß Hitler nach der Gewinnung des Sudetenlandes vorerst zufriedengestellt sei, so belehrte sie der Diktator nun, daß Deutschland sein „Recht" jetzt fordern und wenn notwendig „auf einem anderen Weg" sichern werde[56]. Die vorerst nur andeutungsweise anklingende Drohung mit kriegerischen Lösungen präzisierte und vertiefte Hitler in der zwei Tage später stattfindenden Geheimrede vor der deutschen Presse[57]: die „pazifistische Platte" sei nun abgelaufen. Deutlich wurde dem erlesenen Zuhörerkreis, daß Deutschland — weit davon entfernt sich als saturiert zu betrachten — „erst am Anfang einer größeren Entwicklung" stehe, die das deutsche Volk vor „neue, große, außenpolitische Aufgaben stellt"[58].

Dem ins Londoner Foreign Office gelangten Bericht eines Anwesenden zufolge habe Hitler klargestellt, daß er auf die englische Freundschaft nicht den geringsten Wert mehr lege. Selbst wenn sie im Bereich der Möglichkeit läge, sei sie dem in Großbritannien herrschenden demokratischen System unterworfen und somit zu unbeständig, um als erstrebenswert zu gelten[59]. Außerdem, so wußte der Berliner Korrespondent der „Times" der britischen Botschaft zu berichten, habe der Diktator ausgeführt, London sei eng mit

---

[54]) Vgl. Hildegard von Kotze und Helmut Krausnick (Hrsg.). Es spricht der Führer, Sieben exemplarische Hitlerreden, Gütersloh 1966, S. 232 (Kommentar), Wortlaut S. 250 ff.

[55]) ebd.

[56]) ebd., siehe auch Domarus, I,2, S. 966 ff.; vgl. Heinrich Bodensieck, „Zur außenpolitischen Argumentation des Nationalsozialismus nach dem Münchner Abkommen 1938", in: GWU 10 (1959), S. 269—285, hier: S. 271.

[57]) Veröffentlicht von Wilhelm Treue in: VfZg 6 (1958), S. 175 ff.

[58]) PA Bonn, Büro Ribbentrop, Vertr. Berichte 1,2: „Niederschrift zur Rede des Führers am 10. XI. 1938 vor der deutschen Presse im Führerbau zu München."

[59]) PRO London, FO 371/21746, C/14476/1941/18: Bei dem angeblichen Zuhörer handelt es sich um einen Graf Toggenburg. In den britischen Akten befindet sich ferner ein weiteres Memorandum über ein Exposé, das Hitler um den 18. 11. 1938 vor „wenigen hohen Beamten des Regimes" gehalten haben sollte. Es läßt sich nicht ausmachen, ob hier eine Verwechslung mit Hitlers Rede vor der deutschen Presse vorliegt oder ob der Führer am 18. 11. tatsächlich eine weitere Geheimansprache hielt. Dem englischen Dokument zufolge führte Hitler aus, vor der Inangriffnahme der nächsten außenpolitischen Aufgabe müsse Großbritannien in der Presse und in Reden angegriffen werden, und zwar zunächst die Opposition und dann Chamberlain selbst. Man müsse die Engländer „vor den Bauch treten", um ihre politische Kraft zu lähmen: PRO London, FO 371/21697, C/14996/267/18: Brief von Ogilvie-Forbes an Strang v. 1. 12. 1938 mit anliegendem Memorandum. Hitler machte sich also erneut Gedanken, wie der Widerstand der Engländer gegen seine Pläne ausgeschaltet werden konnte.

der amerikanischen Politik liiert, die unter dem Einfluß der „Wall-Street und des internationalen Judentums stehe, so daß auch von daher ein freundschaftliches Verhältnis mit dem Reich nicht in Frage komme"[60]).

Daß er zur „Liquidation seiner Jugendarbeit", geschritten sei und die Idee einer deutsch-britischen Verständigung, wie er sie in „Mein Kampf" niedergelegt hatte, aufgegeben habe, verkündete Hitler am 24. November auch dem südafrikanischen Minister Oswald Pirow, als dieser mit Einverständnis der britischen Regierung über Verhandlungsmöglichkeiten in der Kolonial- und Judenfrage sondierte[61]). Obwohl er, führte Hitler aus, „ein Menschenleben für die deutsch-englische Verständigung gekämpft ... seinen besten Mann, nämlich Ribbentrop, nach London geschickt" habe, sei niemand „von England niederträchtiger behandelt worden als er, der Führer[62]). Er hätte nichts als Kinnhaken bekommen." Nun habe er daraus die Konsequenzen gezogen. Dies, auch der Hinweis auf die „wahren Drahtzieher", die hinter Chamberlain und Halifax ständen, sowie die etwas wehmütige Erinnerung an die Vision von der gescheiterten Allianz zwischen „Deutschland als der stärksten Militärmacht der Welt und England als stärkster Seemacht der Welt", die zusammen die „gigantischste Macht der Welt darstellen" würden, ist uns aus früheren Ausführungen Hitlers vertraut. Neu und der Situation des Spätherbstes 1938 angemessen erscheint die eindeutige Distanzierung von der alten Freundschaftsidee der zwanziger Jahre. Ein Jahr zuvor im Gespräch mit Burckhardt hatte Hitler eine solche Konsequenz lediglich als Drohung hinter seinen Beschwerden über Englands Unvernunft aufleuchten lassen. Nun gab er unverblümt zu, daß er seine Ankündigung wahr gemacht hatte. Der Irrealis, „wenn England schlau gewesen wäre, so könnte zwischen England und Deutschland ein Verhältnis enger Freundschaft bestehen", ließe sich, wie K. Hildebrand treffend bemerkt, sinngemäß ergänzen, daß nun das Gegenteil, nämlich der Kampf mit den Briten, unausweichlich geworden sei[63]). Pirows Vorschläge, das Kolonialproblem mit der Judenfrage zu kop-

---

[60]) DBFP, 3, III, Nr. 315, Ogilvie-Forbes an das Foreign Office v. 18. 11. 1938.

[61]) Aufzeichnung über Hitlers Gespräch mit Pirow: ADAP, D, IV, Nr. 271 v. 24. 11. 1938, Siehe auch Oswald Pirow, James Barry Munnik Hertzog, London 1958, S. 238, und D. C. Watt, „Pirow's Mission in November 1938. Free hand for Hitler and Relief for the Jews", in: The Wiener Library Bulletin XII (1958), S. 53; vgl. auch Hildebrand, Weltreich, S. 590, zum kolonialpolitischen Aspekt. Zur Beteiligung der britischen Regierung vgl. PA Bonn, Büro Ribbentrop, Vertr. Berichte 1,2 v. 14. 11. 1938: „Pirow kommt im Einvernehmen der britischen Regierung nach Berlin, um hier zu sondieren, ob in der Kolonialfrage eine Kompromißlösung in Deutschland möglich sei."

[62]) ADAP, D, IV, Nr. 271. Vgl. auch Ogilvie-Forbes Bericht an das Foreign Office v. 26. 11. 1938 über Pirows Eindrücke von der Begegnung: PRO London, FO 371/21797, C/14650/13564/18, der nahezu die gleichen Formulierungen enthält.

[63]) Hildebrand, Weltreich, S. 590 f. Äußerst pessimistisch über die Aussicht, eine deutsch-englische Auseinandersetzung zu vermeiden, sprach sich Pirow in England nach dem Deutschlandbesuch aus. Der Krieg werde in Berlin allgemein für unausweichlich gehalten, berichtete er beispielsweise im Dominion-Office: PRO London FO 371/21797, C/15125/13564/18, Aufz. MacDonalds (Dominion-Office) v. 5. 12. 1938.

peln, hatte somit keinerlei Aussichten, von Hitler ernsthaft erwogen zu werden[64]).

Sie erlitten damit das Schicksal aller britischen Bemühungen und Versuche, das Münchner Abkommen und die deutsch-englische Konsultationsvereinbarung zu einer generellen Bereinigung des deutsch-englischen Verhältnisses auszuweiten, um das in München scheinbar funktionierende Vierersystem zu einem den Frieden in Europa sichernden Dauerzustand werden zu lassen[65]). Trotz ihrer Aufrüstungsbemühungen versäumte die Chamberlain-Regierung kaum eine Gelegenheit zu versichern, daß sie nach wie vor daran interessiert sei, über alle anstehenden Probleme mit dem Reich ins Gespräch zu kommen[66]), wobei sie wohl auch dem Verlangen der eigenen

---

[64]) Siehe Hildebrand ebd. Nach dem Gespräch sagte Pirow zu Ogilvie-Forbes, er habe das Gefühl gehabt, „gegen eine Steinwand zu sprechen". PRO London siehe Anm. 62. Zur Frage, ob Pirow dem deutschen Reichskanzler wirklich freie Hand im Osten anbot für den Fall, daß Hitler sich zu Konzessionen beim Judenproblem bereit fand, siehe D. C. Watt, Pirow's Mission. Jedenfalls findet sich ein entsprechender Hinweis auch nach Freigabe der englischen Akten nur in Pirows eigener Aufzeichnung, die in der zitierten Hertzog-Biographie abgedruckt ist. Es würde allen übrigen Quellenaussagen widersprechen, falls Pirow einen solchen Vorschlag, wenn er ihn überhaupt machte, im Namen Chamberlains vorbrachte. Erinnern wir uns zudem, daß bereits im Sommer 1937 Pirow fälschlicherweise der deutschen Regierung Aussichten auf „freie Hand" durch England versprach: siehe oben S. 90 f. Auf Hitler hinterließen Pirows Ausführungen jedenfalls keinen Eindruck; ebenfalls ein Beweis, daß Hitler mit seiner alten Konzeption gebrochen hatte, wie sehr für ihn nun der deutsch-britische Antagonismus im Vordergrund stand.

[65]) Ein „permanentes München", d. h. Revision plus gleichberechtigter Zusammenarbeit mit den europäischen Großmächten, entsprach ja auch der obersten Zielvorstellung von Weizsäcker, Kordt, Dirksen und anderen Beamten des Auswärtigen Amtes.

[66]) Vgl. Hildebrand, Weltreich, S. 583. Siehe Dirksens Bericht v. 15. 10. 1938: ADAP, D, IV, Nr. 252; vgl. weiterhin Hesses Bericht für Ribbentrop v. 11. 10. 1938: ADAP, D, IV, Nr. 251: Chamberlains Vertrauensmann bittet die deutsche Regierung, dem Premierminister die Verfolgung der im „deutsch-englischen Freundschaftsprotokoll ... angeschnittenen Linie" nicht zu erschweren. Henderson gab Weizsäcker am 18. 10. 1938 zu verstehen, der zweite, jetzt beginnende Abschnitt der deutsch-britischen Beziehungen umfasse den Ausbau der Münchner Deklaration vom 30. 9. 1938: PA Bonn, Staatssekretär, Aufz. über Diplomatenbesuche, 2. In seinem politischen Bericht vom 31. 10. 1938 referierte Dirksen als englische Ansicht, das „Protokoll von München habe die Grundlage für die Neugestaltung des deutsch-englischen Verhältnisses gelegt". ADAP, D, IV, Nr. 260. Man kann recht gut beobachten, wie bereitwillig Dirksen und die übrigen Beamten der deutschen Botschaft in London den Verständigungswillen der britischen Regierung herausstrichen und beispielsweise die Aufrüstungsmaßnahmen in Großbritannien herunterzuspielen versuchten; vgl. dazu ADAP, D, IV, Nr. 256: Pressebeirat Hesse an das AA v. 18. 10. 1938, ebenso Hesses ausführlichen Bericht v. 22. 10. 1938: PA Bonn, Presse, Propaganda, England 3. Am 21. 10. 1938 bekannte sich Samuel Hoare in Clacton-on-Sea ausdrücklich zum Inhalt und Wert der deutsch-britischen Erklärung: „I believe that Herr Hitler means what he says." PA Bonn, Pol II, England Allgem. Außenpolitik 5. Ähnlich äußerte sich Lord Halifax am 24. 10. 1938 in

Nation Rechnung trug, es möchte nach der glücklich überstandenen Krise endlich zu einer dauernden Versöhnung mit den Weltkriegsgegnern kommen[67]. Chamberlain ging am 1. November 1938 im Unterhaus so weit, Deutschlands wirtschaftliche Vormachtstellung im Südosten Europas ausdrücklich anzuerkennen[68]. „Aus geographischen und wirtschaftlichen Gründen", so schrieb Halifax dem britischen Botschafter in Paris, Phipps, „sei diese Hegemonie von dem Augenblick an unvermeidlich gewesen, als Deutschland seine normale Stärke wiedererlangt habe"[69]. Tatsächlich gehörten Konzessionen dieser Art von jeher zu Chamberlains Konzept der europäischen Friedenssicherung. Sie bedeuteten hingegen nach wie vor nicht die „freie

---

Edinburgh: PA Bonn ebd. Von Chamberlains Reden wären in diesem Zusammenhang zu nennen: Unterhaus am 19. 12. 1938 (PRO London, FO 371/22988, C/1333/16/18, PA Bonn, Pol II, England, Allgem. Außenpolitik 6, DNB-Meldung), 28. 1. 1939 in Birmingham (Struggle for Peace, S. 389). Dirksen warb eifrig in seinen Berichten nach Berlin für Chamberlains Bemühungen: ADAP, D, IV, Nr. 269 (17. 11. 1938), Nr. 281 (16. 12. 1938), Tel. v. 22. 11. 1938: PA Bonn, Handakten Wiehl, Politik 2.

[67] ADAP, D, IV, Nr. 248: Theo Kordts Bericht v. 3. 10. 1938 über die Stimmung in Großbritannien nach der Münchner Konferenz. Vgl. auch Chamberlains Erklärung vor dem Unterhaus v. 3. 10. 1938: „Man habe nun den Grundstein zum Frieden gelegt, das Gebäude sei jedoch noch nicht einmal begonnen worden." PA Bonn, Pol II, England-Deutschland 9, DNB-Meldung v. 3. 10. 1938; ferner Chamberlains Schlußwort am 6. 10. 1938: Gilbert, Britain and Germany, S. 141 f.

[68] Siehe PA Bonn, Pol II, England-Deutschland 9, Dirksen an das AA v. 1. 11. 1938. Vgl. auch Dirksens Begleitschreiben an Weizsäcker zum Politischen Bericht v. 31. 10. 1938 (ADAP, D, IV, Nr. 260): PA Bonn, Staatssekretär, Schriftwechsel mit Beamten 2: „Ich ... hoffe, daß Äußerungen wie zum Beispiel die über freie Hand für Deutschland im Südosten bei uns positiv gewürdigt werden." Zu Chamberlains Rede: Struggle for Peace, S. 349 ff.: „Geographically she must occupy a dominating position there. She does now." Auch Handelsminister Stanley hatte nichts dagegen einzuwenden, daß Deutschland auf dem Balkan sich zur marktbeherrschenden Macht entwickelte: PA Bonn, Pol II, England-Deutschland 10. Deutsche Botschaft in London an das AA v. 2. 11. 1938 mit Redeauszügen.

[69] DBFP, 3, III, Nr. 285, Halifax an Phipps v. 1. 11. 1938. Vgl. zum Problem des „Economic Appeasement": Wendt, Appeasement 1938, S. 112 ff. Bereits am 18. Oktober 1938 hatte die deutsche Botschaft in London nach Berlin gemeldet, man begegne in England häufig der Auffassung, „daß es nach Eingliederung der sudetendeutschen Gebiete ... doch wohl das Natürlichste wäre, wenn man die ... wirtschaftliche Abhängigkeit der südosteuropäischen Staaten von dem Deutschen Reich als ihrem wichtigsten Absatzgebiet als unabänderliche Tatsache hinnehmen würde": PA Bonn, Handakten Clodius, England 6. Am 15. 1. 1939 berichtete der deutsche Konsul in Genf, Krauel, Halifax habe Burckhardt anscheinend zu verstehen gegeben, daß die deutsche Aktivität im Südosten für die britische Politik „erträglich" sei, solange — und hier werden die bekannten Grenzen der englischen Zugeständnisse sichtbar — „deutscherseits keine militärischen Aktionen und Provokationen englischen Nationalgefühls erfolgte". PA Bonn, Pol II, England-Deutschland 10.

Hand" für eine schrankenlose territoriale Expansion des Reiches in Richtung Rußland, ja, sollte diese gerade verhindern[70]).

Auf dem Hintergrund solch weitreichender Angebote – die praktisch die Preisgabe der nach dem Verlust der Befestigungsgürtel strategisch wertlos gewordenen „Rest-Tschechei" einbezogen – gewinnen die oben geschilderten antibritischen Polemiken Hitlers um so schärfere Konturen. Es verwundert jedoch nach Hitlers Erfahrungen mit den Briten in den vergangenen Monaten und nach der vermeintlich erlittenen Niederlage von München kaum, daß der Diktator den englischen Bemühungen gegenüber grundsätzlich abgeneigt war[71]), sie fortan zumeist ignorierte. Nichts konnte ihm, der seine Mißstimmung über den Ausgang der „Sudetenkrise" so schlecht verbergen konnte, ferner liegen, als eben die Prozedur von München zu wiederholen oder fortzusetzen. Im Gegenteil, derlei Anregungen mochten höchstens dazu beitragen, seine antibritische Stimmung zu forcieren, da sie ihm bewiesen, daß die Londoner Regierung den Weg, der nach München und zur Aufgabe seiner eigentlichen Planungen geführt hatte, weiter — wenn auch mit um Nuancen erweiterten Konzessionsangeboten — zu beschreiten gedachte und überdies die eigene Position militärisch stärkte.

Eine breit angelegte und mit großer Intensität geführte antibritische Propagandakampagne der deutschen Presse verlieh Hitlers eigenen Ausführungen den nötigen Nachdruck. In ihren Hauptschlagworten und Argumenten spiegelte sie die Anschauungen des „Führers" recht anschaulich wider, zumal sie sehr häufig auf direkte Anweisungen „höchster Stellen" zurückging[72]).

---

[70]) Vgl. dagegen André Scherer, „Le Problème des Mains Libres à l' Est", in: Revue d'hist. de la deux. guerre mond. 8 (1958). H. 4, S. 1—25. Scherer weist u. a. darauf hin, daß bei den englisch-französischen Ministerbesprechungen Ende Oktober vereinbart wurde, daß eine Liquidierung der „Rest-Tschechei" und — unter bestimmten Umständen — auch ein deutsch-sowjetischer Krieg den Westmächten keinen Grund zur Intervention geben würden (S. 9). Die Angriffe des Ministers für den Überseehandel, Hudson, am 30. 11. 1938 gegen die deutschen Exportmethoden in Südosteuropa rückten Chamberlains Ausführungen v. 1. 11. 1938, die zu mancherlei Spekulationen Anlaß boten, in die richtige Perspektive und schienen vor allem im Reich Illusionen zu zerstören, selbst wenn in Großbritannien Hudsons Äußerungen als verfehlt angesehen wurden; vgl. PA Bonn, HaPol, Handelsbeziehungen Englands zu Deutschland 1, DNB-Meldungen v. 1. 12. 1938, ebd. auch zu den diplomatischen Gegenschritten der deutschen Botschaft und zur Reaktion der britischen Regierung.

[71]) Vgl. Hildebrand, Weltreich, S. 583, sowie den Bericht des polnischen Botschafters in London Raczynski an Oberst Beck v. 16. 12. 1938: Chamberlains Politik der Neuordnung Europas auf Grund des Viererpaktes von München fände „in Berlin durchaus keinen Anklang" und sei von Hitler bisher lediglich „durch drei schroffe Reden beantwortet" worden: DokuMat I, Nr. 44.

[72]) Zu Hitlers Einfluß auf die grundsätzlichen Richtlinien der Pressepolitik vgl. Jacobsen, NS-Außenpolitik, S. 377. Siehe auch PRO London, FO 371/22988, C/55/16/18: Aufz. des Presseattachés der britischen Botschaft in Berlin v. 28. 12. 1938; ein Beamter der Presse-Abteilung des Auswärtigen Amtes, Leithe-Jasper, habe angedeutet, „daß die antibritische Pressekampagne das Resultat von Anweisungen aus den höchsten Kreisen sei".

So vermitteln denn auch die deutschen Blätter ihren Lesern den Eindruck, als wünsche England die Vernichtung des Deutschen Reichs, und Großbritannien sei das Haupthindernis auf Deutschlands Weg zur Einlösung seiner gerechten Forderungen[73]. Zur Zerstörung des Mythos vom „friedlichen England" dienten auch hier weniger die Person Chamberlains als vor allem die „Kriegstreiber" Churchill, Eden und Duff Cooper[74], welche zusammen mit Attlee nach dem Pariser Attentat auf den Diplomaten von Rath (8. 11. 1938) unter Schlagzeilen wie „Jüdische Mörder und die Hetzer" auf eine Stufe mit den Tätern gestellt und als ihre Hintermänner ausgegeben wurden[75]. Beliebtes Objekt der deutschen Angriffe waren die englischen Rüstungsanstrengungen[76] und vor allem — einmal mehr — die angebliche Einmischung Großbritanniens in innere Angelegenheiten des Reiches[77]. Nach dem Vorbild, das der „Führer" am 8. November im Münchner Bürgerbräukeller gegeben hatte, ging auch die deutsche Presse zur propagandistischen Offensive über und wies als Antwort auf die Angriffe der britischen Öffentlichkeit gegen die Verfolgung der Juden im Reich in sehr wirksamer Weise auf die Methoden der Engländer bei der Errichtung und Beherrschung ihres Empire hin. All jenes, was Hitler bisher an England bewunderte, besonders die angeblich einer Herrenrasse würdige, rücksichtslose Regierungsform in den von Großbritannien beeinflußten Regionen der Welt, wurde nun als Argument gegen England verwandt. An den Pranger gestellt wurde vor allem die britische Politik in Palästina. Angebliche Strafaktionen gegen die Araber sollten auf den Titelseiten „gut aufgemacht" erscheinen[78]. Englische Greueltaten in den Kolonien, Folterung und Ermordung wehrloser Palästinenser, englische „KZ" im Burenkrieg, Pogrome gegen die griechischen Einwohner Zyperns[79], Fronarbeit der Eingeborenen, die irische Frage, ja selbst das Bombardement von Kopenhagen durch die englische Flotte im Jahre

---

[73]) Vgl. Vorwort zu Knop, Beware of the English, von Stephan King-Hall, S. XI.

[74]) Vgl. Aigner S. 100 f. und S. 336. Eine Notiz v. 15. 10. 1938 in PA Bonn, Handakten Schmidt (Presse), Vom RAM inspirierte Artikel, läßt erkennen, daß deutscherseits mit dieser Differenzierung auch beabsichtigt wurde, die britische Aufrüstung nicht als eine nationale Aktion erscheinen zu lassen, hinter der das gesamte Volk stünde. Vgl. ferner BA Koblenz, ZSg 110/10 Traub, Presseanweisung v. 7. 1. 1938. Churchill müsse „ganz scharf abgefertigt werden... Das sei jetzt dringend notwendig."

[75]) „Angriff" v. 8. 11. 1938, PA Bonn, Handakten Schmidt (Presse), Notizen-Reichsminister; siehe Northhedge, Troubled Giant, S. 557; vgl. ADAP, D, IV, Nr. 264, Aschmann (AA) an Dirksen v. 8. 11. 1938: „. . . es ist weiter dringend erwünscht, keinen Angriff auf Duff Cooper, Churchill und Eden zu versäumen."

[76]) Vgl. DBFP, 3, III, Nr. 198. Henderson an das Foreign Office v. 13. 10. 1938.

[77]) PA Bonn, Handakten Megerle, Gegen England, Materialien und Ausarbeitungen.

[78]) BA Koblenz, ZSg 102/13 Sänger, DNB-Rundruf v. 15. 11. 1938; PRO London, FO 371/21658-21659 enthalten für die Monate November und Oktober zahlreiche Berichte über deutsche Artikel gegen die britische Palästina-Politik.

[79]) PA Bonn, Handakten Megerle, Gegen England, Nicht vervielfältigtes Material.

1807[80]), diese und ähnliche Themen hatten die Redaktionen aufzugreifen, um die Goebbelsche Forderung, „hin und wieder einmal in die englische Politik hineinzuleuchten"[81]), zu erfüllen und die in Großbritannien besonders lebhafte Empörung über die Vorfälle der „Reichskristallnacht" als Heuchelei zu entlarven[82]). Wo bleibe die Entrüstung der Weltöffentlichkeit über die geschilderten Schandtaten der Briten, wo bleibe „das Weltgewissen, das so wach sei, wenn in Deutschland ein paar Fensterscheiben kaputtgingen ...'"?, lautete die psychologisch geschickt formulierte Frage, die hinter den besagten Artikeln[83]) stand, und die antibritischen Reden anderer Parteioberer prägte, unter denen sich vor allem Goebbels hervortat[84]). Auch im Film, der im Dritten Reich „alle Phasen des Verhältnisses zwischen dem NS-Staat und Großbritannien" spiegelt[85]), galt das Empire nicht mehr als Vorbild. Künftig wurden aus den tapferen ritterlichen Gegner des Weltkrieges der „feige Plutokrat, der andere für sich kämpfen läßt", sowie der brutale Unterdrücker in Irland und Afrika[86]).

Allenthalben, nicht nur im engeren politischen Bereich, ließ sich eine schlagartige Zuspitzung des deutsch-britischen Verhältnisses feststellen. Sie führte zur Einstellung fast aller Verständigungsbemühungen, zu einer

---

[80]) ebd., enthält Themenkataloge, die gegen England verwendet werden sollten. Allgemein siehe auch Knop, Beware of the English, passim.

[81]) Goebbels am 23. 11. 1938 in der „Westfälischen Landeszeitung": IfZg München, Zeitungsausschnittsammlung.

[82]) Zur Empörung in England über die Judenpogrome siehe Dirksens Bericht v. 23. 11. 1938: PA Bonn, Pol II, England-Deutschland 10; im gleichen Aktenband finden sich Mitteilungen deutscher Firmen, daß Aufträge aus England mit ausdrücklicher Bezugnahme auf die Vorgänge in der „Kristallnacht" annulliert wurden. Prinz Heinrich XXXIII. Reuß schrieb am 29. 12. 1938 an Weizsäcker, daß sich selbst Kreise, die Deutschland bislang wohlwollend gegenübergestanden hätten, „angesichts der niedergebrannten Synagogen abwenden" würden: PA Bonn, Staatssekretär, Pol. Schriftwechsel 2. Zur deutschen Reaktion siehe Aigner, Ringen um England, S. 339; Bloch, Relations anglo-allemandes, S. 44 (H. 18). Vansittart vermutete in einem Memorandum v. 13. 12. 1938 gar, daß die Reichsregierung die Pogrome auch mit der Absicht inszeniert hätte, um die anschließend erwarteten antideutschen Artikel der britischen Presse zu einer massiven Gegenkampagne nutzen zu können: PRO London, FO 371/ 21627, C/15689/95/62.

[83]) BA Koblenz, ZSg 102/13 Sänger, Pressekonferenz v. 15. 11. 1938. Es blieb weitgehend ohne Wirkung, wenn Dirksen vor dem negativen Eindruck der Palästina-Artikel warnte, die die Ehre der britischen Armee tangierten (PA Bonn, Presse, Allgemein England 5, Bericht A 2951) und Chamberlain in seiner Rede v. 13. 12. 1938 vor der Foreign-Press-Association den Ton der deutschen Presse bedauerte, die „nur in wenigen Fällen irgendein Zeichen des Wunsches erkennen läßt, unseren Standpunkt zu verstehen": PA Bonn ebd.

[84]) Goebbels antibritische Äußerungen wurden im Foreign Office sorgfältig registriert; PRO London, FO 371/21659, C/14558/42/18 enthält eine Übersicht über Goebbels Agitation.

[85]) Erwin Leiser, „Deutschland, erwache!", Propaganda im Film des Dritten Reiches, Reinbek bei Hamburg 1968, S. 83.

[86]) ebd., S. 83 ff.

Krise in der Anglo-German-Fellowship[87]) und zum Absterben eines großen Teils der mannigfachen Kontakte, die sich zwischen beiden Staaten in den letzten Jahren herausgebildet hatten[88]). Wir haben verfolgt, wie diese äußeren Symptome einer intensiven, großangelegten antibritischen Welle in Deutschland, die England als „Feind Nr. 1" erscheinen ließ, völlig der Stimmung Hitlers nach der Münchner Konferenz entsprachen. Halten wir jedoch an dieser Stelle in der Schilderung der sichtbaren Signale inne, die allesamt verhießen, daß München keineswegs der erhoffte „Auftakt zur freundschaftlichen Verständigung" beider Völker wurde, sondern im Gegenteil eine „Phase offenen Gegensatzes einleitete"[89]. Versuchen wir zu ermitteln, ob all dem ein politisches Konzept zu Grunde lag, das sich für Hitler aus den Erfahrungen von München ergeben hatte und seine Haltung zu England im Spätherbst 1938 bestimmte.

b) Bewußter „Kollisionskurs" oder Einkalkulierung des äußersten Risikos?

Bereits am 28. Mai 1938 hatte Hitler unter dem frischen Eindruck einer drohenden britischen Einmischung in seine kurzfristigen Zielsetzungen auf dem Wege zur Errichtung einer deutschen Festlandshegemonie die Möglichkeit angedeutet, daß unter Umständen der zu erwartende Widerstand der Westmächte vor dem „Marsch" nach Moskau ausgeschaltet werden müsse. Wir sahen, wie Hitler durch die Münchner Konferenz seinen ursprünglichen Plan, die Tschechoslowakei zu vernichten, vereitelt sah, wie er darin und in Englands Verhalten nach München die Bestätigung seiner seit der „Wochenendkrise" latent vorhandenen Vermutungen erblickte, daß die Gegnerschaft Englands unumgänglich, ja, daß — angesichts der evidenten Schwäche Englands — vielleicht ein günstiger Augenblick verpaßt war, das britische Widerstreben gegen sein „Programm" ein für alle Mal zu eliminieren, obgleich auch die deutsche Aufrüstung keineswegs vollendet war. Was lag näher, als daß

---

[87]) Vgl. PA Bonn, Handakten Hewel 22, Deutsch-Englische Gesellschaft, Brief der DEG an Hewel v. 23. 11. 1938: Nach den Ereignissen der Kristallnacht sei es für die englische Schwestergesellschaft schwer gewesen, Massenaustritte zu verhindern.

[88]) Vgl. Aigner, Ringen um England, S. 339. Vgl. auch die Antwort des Auswärtigen Amtes v. 5. 12. 1938 zu einem aus englischen Privatkreisen stammenden Vorschlag, in Großbritannien ein deutschfreundliches Informationszentrum einzurichten: „Die Verwirklichung hängt natürlich von unserer gegenwärtigen taktischen Einstellung zu England ab, so daß sie im Augenblick wenig hoffnungsvoll erscheint." PA Bonn, Pol II, England-Deutschland 10. Daß die englandfeindliche Propaganda in Deutschland nicht ohne Wirkung blieb, verspürten englische Deutschlandbesucher, die „bei vielen Persönlichkeiten auf eine kritische und fast feindselige Stimmung gegenüber England" stießen und sich darüber „lebhaft überrascht" zeigten: PA Bonn, Pol II, England-Deutschland 10, Dirksen an Woermann v. 10. 11. 1938.

[89]) Aigner, Ringen um England, S. 338.

Hitler nach diesen „bitteren" Erfahrungen jene Modifizierung seiner England-einstellung definitiv vornahm, wie sie sich nach der „Maikrise" bereits schlaglichtartig abgezeichnet hatte? Vor dem nächsten Schlag im Osten mußte die Rückendeckung im Westen erzwungen werden. Waren nicht die massive, alle Bereiche des öffentlichen Lebens erfassende englandfeindliche Welle, sowie Hitlers eigene antibritische Ausfälle das Ergebnis einer solchen Konzeptänderung, die eine nahende Auseinandersetzung im Westen vorbereiten sollte? In die Stufenabfolge des Kontinentalprogramms kalkulierte Hitler fortan vor der entscheidenden Phase, dem Eroberungszug gegen Rußland, eine in „Mein Kampf" nicht vorgesehene, ihm durch das Verhalten der Engländer „aufgezwungene" Zwischenstufe ein: die Verdrängung Englands vom Kontinent[90]). Denn, das sei erneut festgestellt, nicht die Zerschlagung des Empire hatte Hitler im Sinn, die blieb, wenn notwendig, einem späteren Ausgreifen in globale Dimensionen mit maritimen Zielen vorbehalten, sondern, wie Becks Aufzeichnung vom 28. Mai zeigten[91]), die Zerschlagung von Englands Festlandsdegen Frankreich, die auch schon in „Mein Kampf" gefordert wurde, die Besetzung der Kanal- und Atlantikküste und eventuell die Bombardierung Londons und anderer Zentren des Landes[92]).

Diese Operationen würden Hitlers Ansicht nach genügen, England zum Friedensschluß zu bewegen, in dem es sich ja lediglich zur Abstinenz auf dem Festland zu verpflichten hatte, der seine beherrschende Stellung zur See und sein Empire unangetastet lassen würde, ja sogar die Möglichkeit schuf, daß sich dann Hitlers altes Konzept von der englisch-deutschen Partnerschaft auf der Basis einer klaren Interessenaufteilung erfüllen würde[93]). Eine solche Strategie paßte gänzlich in die für Hitler typische, von Burton Klein[94]) und Alan Milward[95]) aufgezeigte Blitzkriegsplanung. Sie entspricht weiterhin Hitlers Äußerung am 23. Mai 1939, er werde unter bestimmten Umständen „mit einigen vernichtenden Schlägen England und Frankreich angreifen"[96]),

---

[90]) Vgl. auch W. N. Medlicott, The Coming of War in 1939, London 1963, S. 16.

[91]) Vgl. oben S. 153 ff.

[92]) Zur Vorbereitung des strategischen Luftkrieges gegen England siehe Völker, Die deutsche Luftwaffe, S. 160.

[93]) „Wir suchen Fühlung mit England, auf der Basis der Teilung der Welt", hieß Hitlers Parole im Mai 1940, als er sich gerade anschickte, die „unprogrammatische" Verdrängung Englands vom Kontinent erfolgreich durchzuführen. Vgl. dazu Hillgruber, Hitlers Strategie, S. 145. Im Grunde dienten damit alle zwischen 1937 und 1939 notwendig gewordenen Kurskorrekturen dazu, die Hitler genehmen Voraussetzungen für eine solche Teilung der Welt, und damit die Realisierung von Hitlers ursprünglichen Bündnisplan zu erzwingen, notfalls mit Gewalt.

[94]) Burton H. Klein, Germany's Economic Preparation for War, Cambridge Ma., 1959.

[95]) Alan S. Milward, Die deutsche Kriegswirtschaft 1939–1945, Stuttgart 1966.

[96]) ADAP, D, VI, Nr. 433, Notizen des Wehrmachtsadjutanten Schmundt. Das „Weichs-Protokoll" vom Februar 1934 spricht ebenfalls von „kurzen entscheidenden Schlägen", mit denen Hitler den Westen treffen wollte, zit. nach O'Neill, German Army, S. 40 f.

und stimmt mit den tatsächlichen Ereignissen des Sommers 1940 überein, als die „aufgezwungene" Zwischenphase, Englands Vertreibung vom Kontinent, praktisch in die Tat umgesetzt wurde[97]). Eine Auseinandersetzung mit dem „Westen" vor dem entscheidenden Ausbruch nach Rußland würde also keine grundlegende Änderung der deutschen Kriegswirtschaft und Industrieplanung voraussetzen. Damit wäre das Argument entkräftet, Hitler habe in dieser Phase unter gar keinen Umständen an einen Schlag gegen England denken können, da sein Kriegs- und Rüstungspotential dafür keineswegs vorbereitet gewesen sei. Hitler selbst umriß am 11. August 1939 gegenüber Burckhardt seine im Herbst 1938 ernsthaft anvisierte antiwestliche Konzeption im Rahmen der immer bestehenden Kontinentalstrategie: „Alles was ich unternehme, ist gegen Rußland gerichtet, wenn der Westen zu dumm und zu blind ist, um dies zu begreifen, werde ich gezwungen sein, mich mit den Russen zu verständigen, den Westen zu schlagen, und dann nach seiner Niederlage mich mit meinen versammelten Kräften gegen die Sowjetunion zu wenden[98])." Deutlich wird, wie Hitler die antiwestliche Zwischenstufe,

---

[97]) Dazu Hillgruber, Hitlers Strategie, S. 144–157. Hinzu kamen 1940 als Verbesserung der Ausgangsbasis die von deutschen Truppen besetzten Küsten Dänemarks und Norwegens, womit Englands Position noch aussichtsloser werden sollte. Vgl. Gemzell, Raeder, Hitler, S. 74 f. Während des Krieges gab Hitler des öfteren zu erkennen, daß es ihm 1940 hauptsächlich darum ging, England vom Kontinent zu verdrängen und zum Frieden mit Deutschland unter Hitlers Voraussetzungen zu erzwingen; vgl. Unterredung mit Mussolini v. 18. 3. 1940. Hillgruber, Staatsmänner und Diplomaten bei Hitler, Bd. I, S. 102 f.: „Entschieden wird der Krieg in Frankreich. Wäre Frankreich erledigt, sei Italien Herr des Mittelmeeres und England müsse Frieden schließen". Vgl. dazu Hillgrubers Kommentar ebd., S. 102, Anm. 44. Ribbentrop hatte am 10. 3. 1940 zu Mussolini gesagt, „... man hoffe auf deutscher Seite, daß bis Herbst die französische Armee geschlagen sei, und daß sich dann kein Engländer mehr auf dem Kontinent, außer als Kriegsgefangener befinden wird": ADAP, D, VIII, Nr. 665, S. 699. Hitler gab am 22. 11. 1940 dem rumänischen Staatschef Antonescu zu verstehen, er sei entschlossen, „England ein für alle Mal vom Festland auszuschließen". Hillgruber, Staatsmänner, S. 357. König Leopold von Belgien erfuhr am 19. 11. 1940, „daß Deutschland entschlossen sei, den Krieg so lange fortzusetzen, bis der englische Einfluß von dem europäischen Festland endgültig ausgeschlossen sei", ebd., S. 337. Ferner sagte Hitler zum bulgarischen Gesandten Draganoff am 3. 12. 1940: „Es sei sein unerschütterlicher Grundsatz, daß er wo immer ein Engländer den europäischen Kontinent betrete, diesen ... ins Meer werfen würde; ebd. S. 387. Am 1. März 1941 schrieb er dem türkischen Präsidenten Inönü: „In dem Kampf ... ist es das Ziel des Deutschen Reiches, nunmehr den britischen Einfluß auf dem europäischen Kontinent zu beseitigen": ADAP, D, XII, 1, Nr. 113. Ähnliche Äußerungen vernahm am 27. 5. 1942 der indische Nationalistenführer Bose, Hillgruber, ebd. Bd. II, S. 82. Zur „Verdrängungsstrategie" gegen England siehe auch Karl Klee, Das Unternehmen „Seelöwe". Die geplante deutsche Landung in England 1940, Göttingen, Berlin, Frankfurt 1958, S. 31; Hans-Adolf Jacobsen, Dünkirchen. Ein Beitrag zur Geschichte des Westfeldzuges 1940, Neckargemünd 1958, S. 206 f.

[98]) Burckhardt, Danziger Mission, S. 348.

für die er — wie später geschehen — auch ein zeitweiliges Arrangement mit der Sowjetunion einplante, als „aufgezwungene" Kursänderung, als Folge der westlichen Unvernunft ansah. Auf die globalen Auseinandersetzungen um die Weltvormachtstellung, für die die Eroberung Rußlands ihrerseits eine untergeordnete Funktion besaß, wiesen dann des Diktators anschließende Worte: „Ich brauche die Ukraine, damit man uns nicht mehr wie im letzten Krieg aushungern kann[99]." Wenige Tage später, am 22. August, erläuterte Hitler seinen Heerführern auf dem „Berghof" seine ursprüngliche Konzeption im Winter 1938/39: „Ich wollte zunächst mit Polen ein tragbares Verhältnis herstellen, um zunächst gegen den Westen zu kämpfen. Dieser mir *sympathische* Plan war aber nicht durchführbar[100]." Auf das Frühjahr 1939 zurückblickend stellte Hitler am 23. 11. 1939 vor den Oberbefehlshabern fest, er sei sich zu diesem Zeitpunkt noch nicht im Klaren gewesen, ob er „erst gegen den Osten und dann gegen den Westen oder umgekehrt vorgehen sollte"[101]. Nehmen wir zu diesen Belegstellen noch die bereits zitierten Äußerungen Hitlers von 1934 und am 28. Mai 1938 hinzu, vergegenwärtigen wir uns seine Situation nach der Münchner Konferenz, wie sie sich in seinen Augen darbot, so bleibt als gesichertes Faktum, daß jene Konzeption ein gewichtiges — wenn nicht das ausschlaggebende — Moment in Hitlers Überlegungen war[102].

Am 16. Dezember 1938 gab Weizsäcker Hassell zu verstehen, Hitler und Ribbentrop wollten „auf den Krieg los, man schwanke nur, ob gleich gegen England, indem man sich dafür noch Polens Neutralität erhalte oder zuerst im Osten zur Liquidation der deutsch-polnischen und der ukrainischen Frage"[103]. Wir können Hildebrand nicht folgen, wenn er in der Annahme,

---

[99]) ebd. Vgl. Hillgruber, Deutschlands Rolle, S. 91 f.

[100]) ADAP, D, VII, Nr. 192; die Aufzeichnung Boehms (IMT XLI, S. 17, Raeder-27) vermerkt für diese Passage: „Absicht noch im Frühjahr war, die Lösung der polnischen Frage hinauszuschieben, um erst die nach seiner Ansicht unvermeidliche Auseinandersetzung im Westen auszutragen.

[101]) IMT XXVI, 789-PS, S. 329.

[102]) Vgl. auch Hallgarten, „Hitler verwirklicht seinen Grundplan", S. 692; Bracher, Deutsche Diktatur, S. 343; Medlicott, Coming of War, S. 17. Auch die marxistische Historiographie hält es für möglich, daß sich infolge der Zuspitzung der imperialistischen Gegensätze der deutsche Imperialismus seinen Hauptschlag zunächst gegen die Westmächte zu führen gedachte. „Die imperialistischen Konkurrenzgegensätze erwiesen sich als stärker denn der Grundwiderspruch zwischen Imperialismus und Sozialismus": Ernst Wurl, „Zur Geschichte des deutsch-sowjetischen Nichtangriffspaktes vom 23. 8. 1939," in: Deutsche Außenpolitik 4 (1959), S. 882–895, hier: S. 891; H. Lindner, Das Komplott der reaktionären, imperialistischen und faschistischen Kräfte in Deutschland und Frankreich vom Münchner Abkommen bis zur vollständigen Annexion der Tschechoslowakei (unter besonderer Berücksichtigung der Deutsch-Französischen Erklärung vom 6. Dezember 1938), Diss. phil. o. O. (Berlin) 1964, S. 89, vertritt die Ansicht, daß Hitler nach München glaubte, seine Welteroberungspläne zunächst im Westen leicht verwirklichen zu können.

[103]) Hassell, Vom andern Deutschland, S. 37.

mit „Krieg gegen England" habe Hitler immer das spätere Ringen um die Weltherrschaft im Sinn gehabt, glaubt, daß es für Hitler in jedem Fall feststand, erst nach Osten vorzustoßen, sei es mit oder gegen Polen[104]. Vielmehr dürfen wir nach den grundsätzlichen Überlegungen hinsichtlich des begrenzten Ausmaßes des zwischengeschalteten „West"-Krieges Weizsäckers Worte durchaus wörtlich nehmen, zumal sie Hitlers spätere Ausführungen bestätigen. Bereits Ende Oktober informierte Ribbentrop die italienische Führungsspitze von der Überzeugung des „Führers" daß „im Laufe einiger Jahre, vielleicht in drei oder vier Jahren, ein Krieg mit den westlichen Demokratien unvermeidlich ist". Infolge der seit September verbesserten Position der „Achse" könne sich deren „ganze Dynamik" ... gegen die westlichen Demokratien richten"[105]. Im Licht solcher Äußerungen erhalten die skizzierten antibritischen Propagandafeldzüge zu jener Zeit eine besondere Bedeutung, wenn auch Ribbentrops Neigung zur Überpointierung und die primäre Absicht, nämlich Italien zum Militärbündnis zu bewegen, quellenkritisch nicht unbeachtet bleiben dürfen.

Immerhin, Hitler, der nach München immer häufiger aus der Augenblicksstimmung heraus die Niederwerfung Englands androhte[106], ließ im November – „auf Befehl und nach näheren Anweisungen des Führers" – im OKW ein „Gedanken für Wehrmachtbesprechungen mit Italien" betiteltes Memorandum aufstellen, das unter Punkt 3 von folgenden militärisch-politischen Grundlagen ausging: „Krieg Deutschland/Italien gegen Frankreich/England mit dem Ziel zunächst Frankreich zu schlagen. Dadurch wird auch England getroffen, weil es die Basis zur Fortsetzung des Krieges auf dem Festland verliert und es dann alle Machtmittel Deutschland/Italiens gegen sich allein gerichtet weiß[107]." Es begegnen uns in seltener Klarheit die „begrenzten" Dimensionen *dieses* durchzuplanenden Krieges. Eine Zerschlagung des Empire, eine weltweite Auseinandersetzung mit der Seemacht stand nicht zur Debatte, wohl aber die gewaltsame Verdrängung des britischen Einflusses vom europäischen Festland. War dies geschehen, so brauchte Hitler vom Westen, wie es noch in München der Fall war, keinen weiteren Widerstand gegen seine Hegemonialpläne in Rußland zu befürchten. Das antiwestliche Konzept, so wie es mannigfach direkt und indirekt bezeugt ist, nahm damit erstmals — wenn auch noch ansatzweise — konkrete Konturen

---

[104] Hildebrand, Weltreich, S. 597 f. vgl. auch seine Interpretation des 28. Mai 1938, ebd., S. 572.

[105] CAS S. 239 f.; vgl. ADAP, D, IV, Nr. 400.

[106] So während der Inspektionsreise durch die Sudetengebiete: siehe Mosley, On Borrowed Time, S. 96; vgl. auch Walter Görlitz–Herbert Quint, Adolf Hitler. Eine Biographie, Stuttgart 1952, S. 513; Ansel, Hitler Confronts England, S. 14. Ansel erinnert sich, aus gut informierten Kreisen folgenden Ausspruch Hitlers gehört zu haben: „Ich schere mich den Teufel darum, ob es zehn Jahre dauert, ich werde ihnen eine Abreibung geben."

[107] ADAP, D, IV, Nr. 411.

an[108]). Im westlichen Ausland, besonders auch in Großbritannien, blieb Hitlers antibritische Kursschwenkung nicht verborgen. Man glaubte weithin, das einstmals so umworbene Inselreich sei nun des Reiches „Feind Nr. 1"[109]) und Hitlers nächstes Angriffsziel. Wenn Frankreichs Außenminister Bonnet sich später an „übereinstimmende Nachrichten" erinnert, die auf eine „vorbereitete Operation (im Westen) für einen späteren Angriff in östlicher Richtung" schließen ließen[110]), so übersieht er jedoch dabei die Pluralität und Vielschichtigkeit der in Großbritannien und Frankreich einlaufenden Informationen. In der Tat findet sich in den veröffentlichten und unveröffentlichten Dokumenten des Foreign Office eine unübersehbare Masse von entsprechenden Meldungen, Analysen, Studien und Mutmaßungen[111]). Man erging sich in phantastischen Spekulationen über Zeitpunkt und Strategie des erwarteten deutschen Angriffs[112]). Vor allem der um den Rest seines Einflusses

---

[108]) Vgl. dazu Freund, Weltgeschichte der Gegenwart, I, S. 362; Medlicott, Coming of War, S. 17 f.

[109]) Vgl. anstelle vieler Belege PRO London, FO 371/21666, C/16022/62/18: Phipps an das Foreign Office über Gespräch mit einem antifaschistischen Emigranten v. 17. 12. 1938.

[110]) Georges Bonnet, Vor der Katastrophe, Köln 1951, S. 177 f. Bonnet nennt vor allem eine Information Eric Phipps vom 29. 1. 1938. Vgl. DBFP, 3, IV, Nr. 40. Halifax an Phipps v. 28. 1. 1938, die Phipps am 29. 1. 1938 an das französische Außenministerium weitergibt (ebd. Nr. 50).

[111]) Vgl. z. B. DBFP, 3, III, Nr. 403, Ogilvie-Forbes v. 6. 12. 1938 an das Foreign Office. Forbes erwähnt die „Liquidierung" Englands und Frankreichs vor dem Marsch in die Ukraine als eine von zwei denkbaren Möglichkeiten; vgl. ferner ebd. Nr. 315, 325, 434, 500, 541. Siehe weiter aus der Masse der unveröffentlichten Quellen als Beispiele: PRO London, FO 371/21676, C/15160/132/18: Ogilvie-Forbes übersendet mit Datum vom 7. 12. 1938 die Aufzeichnung des Handelsberaters der britischen Botschaft in Berlin über ein Gespräch mit einem Beamten der Wilhelmstraße. Letzterer habe geraten, England müsse sich von allen Garantieverpflichtungen auf dem Festland lösen: „If the United Kingdom did not accept that position when the occasion arose, Germany would have to regard England as the prime enemy and would act accordingly. (Germany would attack England was what I understood)." Siehe ferner FO 371/22538, W/15502/104/98 Gespräch eines britischen Konsularbeamten mit Personen aus der Umgebung von Hess (von Pfeffer) und Ribbentrops (Sthamer). Die deutschen Gesprächsteilnehmer ließen verlauten, daß, wenn Großbritannien sich nicht zur freien Hand im Osten bereiterklärte, „they would unfortunately have to knock Great Britain out before they walked into the Ukraine". Auch hier erscheint das Motiv der gewaltsamen Rückensicherung für den Marsch nach Osten. Im Januar 1939 stellte das Foreign Office für das Kabinett ein 28 Seiten starkes, streng geheimes Arbeitspapier zusammen, das mit Denkschriften und Dokumenten die Wahrscheinlichkeit eines deutschen Angriffs im Westen zu belegen versuchte. Das Papier faßte dabei viele Einzelinformationen zusammen, besonders auch die von Vansittart stammenden: PRO London, FO 371/22961, C/939/G/15/18.

[112]) Vgl. etwa Henderson, Fehlschlag, S. 209, Kirkpatrick, Inner Circle S. 137 (Luftangriff auf London), und DBFP, 3, IV, Nr. 606. Ogilvie-Forbes an Halifax v. 3. 4. 1939 (Luftangriff auf die Flotte).

ringende Vansittart tischte beinahe jeden zweiten Tag ein Memorandum auf, in der die deutsche Absicht — auch gegenüber dem Westen — in schwärzesten Farben geschildert wurde[113]), wobei er sich meist auf „most reliable sources" bezog. Beachten wir hingegen, daß Vansittarts Informanten — mitunter werden Goerdeler und Wiedemann genannt — mit ihren Meldungen wohl nicht nur wahrheitsgemäße Informationen lieferten, sondern eigene handfeste Interessen verfolgten, daß vor allem auch Vansittart mit seinen Denkschriften ganz bestimmte Absichten bezweckte, berücksichtigen wir besonders, daß die Summe der eintreffenden Nachrichten Hitlers Angriff gegen den „Westen" lediglich als *eine,* wenn auch sehr oft erwogene Möglichkeit nannte, daß im übrigen aber in den Akten des britischen Außenministeriums nahezu jedes europäische Land irgendwann einmal als Deutschlands nächstes Ziel bezeichnet wurde[114]). Damit beschränkt sich der Aussagewert *einzelner* solcher Dokumente für unsere Untersuchung auf ein Mindestmaß. Halten wir jedoch fest, daß im Herbst 1938 Meldungen über eine bevorstehende Aggression Hitlers gegen den Westen, vor allem auch gegen England, sich sprunghaft vermehrten, daß Ziele um Osten hingegen immer weniger häufig vermutet wurden[115]).

Mit Hilfe des aufgefundenen und z. T. hier zitierten Belegmaterials läßt sich allerdings nicht eindeutig entscheiden, ob Hitler die Auseinandersetzung mit den Westmächten, wenn sie schon eintreten mußte, von sich aus zu einem ihm genehmen Zeitpunkt herbeizuführen wünschte — der allerdings wie aus Ribbentrops Äußerungen gegenüber Mussolini zu schließen ist, nicht vor 1942 eintreten würde — oder ob er sie nur in Kauf zu nehmen entschlossen war, falls Großbritannien auch weiterhin in Mittel- und Osteuropa in seine Pläne störend eingriffe. Da Hitler allerdings, wie wir zu zeigen ver-

---

113) Vgl. z. B. anstelle vieler PRO London, FO 371/22962, C/1096/15/18: Vansittarts Memorandum v. 25. 1. 1939: Es sei das langfristige Ziel der deutschen und italienischen Politik, Frankreich in einen Kontinentalblock einzubeziehen und dabei „England aus den kontinentalen Angelegenheiten zu eliminieren und es zu isolieren".

114) Im Frühjahr 1939 machte sich das Foreign Office die Mühe, alle erhaltenen Informationen über das nächste mögliche Ziel der Achsenmächte tabellarisch zusammenzustellen: FO 371/22971, C/6143/15/18. Angesichts der Vielzahl und der Zusammenhanglosigkeit der genannten Ziele, die praktisch alle Nachbarstaaten Deutschlands und Italiens betrafen, wird die Fragwürdigkeit und Unzuverlässigkeit der Vansittart-Informationen deutlich, zumal Prag, das Hitlers Truppen inzwischen besetzt hatten, vor dem 15. März als nächstes Aggressionsobjekt noch am wenigsten erwähnt worden war.

115) Siehe PRO London die Aktenbände FO 371/21674-76, 22960-69. Außenminister Halifax betonte in der Einleitung zum bereits zitierten Arbeitspapier für das Kabinett ebenfalls, daß die Mehrzahl der eingelaufenen Berichte wohl mehr als „intelligent guesses" gelten müßte, man also zögern sollte, jedes einzelne Dokument in seinem ganzen Inhalt zu akzeptieren, daß hingegen die „sich durch alle Berichte hindurchziehende allgemeine Tendenz", die auf einen Schlag Hitlers gegen den Westen hindeute, bevor die Westmächte genügend aufgerüstet hätten, nicht ignoriert werden dürfe. FO 371/22961, C/939/G/15/18.

suchten, den Widerstand der Londoner Regierung in Zukunft für wahrscheinlich, wenn nicht gar für sicher hielt, bestand vorerst zwischen beiden Alternativmöglichkeiten kein Unterschied prinzipieller Art. In beiden Fällen müßte
Hitler den Krieg im Westen in seine Planungen mit einkalkulieren. Wie,
wann und von wem dieser letztlich ausgelöst würde, spielte eine untergeordnete Rolle, zumindest für die nächste Zeit. Befuhr Hitler im ersteren Falle
bewußt und von sich aus einen Kollisionskurs gegenüber England, so lief die
zweite Möglichkeit auf einen weiteren regulären Ablauf des „Programms"
hinaus, dem jedoch nach der ersten Korrektur im Herbst 1937 (nicht mehr
mit, sondern *ohne* England) nun angesichts der Erfahrungen von München
die bewußte Einkalkulierung eines Zusammenstoßes mit Großbritannien als
zweite Modifizierung beigegeben war. Das ein Jahr zuvor nur zaghaft angedeutete, da kaum einlösbar erscheinende Risikomoment „notfalls auch
gegen England" gewann im Herbst 1938 ein entscheidendes Gewicht, da Hitler den weiteren Widerstand Englands für sicher ansah, seine Ausschaltung
im Notfall für realisierbar hielt, und er damit das Risiko einer militärischen
Auseinandersetzung voll auf sich nehmen konnte. In gar keinem Fall hingegen, und darauf deutet das Schicksal der britischen Verständigungsbemühungen hin, würde er auf dem in München gelegten Grundstein weiterbauen,
wollte Hitler ein „zweites München" hinnehmen und wegen einer ablehnenden Haltung der Londoner Regierung ein weiteres Mal von seinen nächsten
Zielen ablassen.

Während Hitlers Worte vom 22. August und vom 23. November 1939
auf eine aktive Rolle des Diktators bei der Auslösung eines Westkrieges
schließen lassen, könnte man aus den von Burckhardt überlieferten Äußerungen vom 11. August 1939 beide aufgezeigten Wege herauslesen.

Die Formulierung „wenn der Westen zu dumm und zu blind ist ... werde
ich gezwungen sein, den Westen zu schlagen" läßt offen, ob Hitler sich selbst
die Entscheidung darüber vorbehielt, wann und wie der Schlag gegen die
Demokratien auszuführen sei, oder ob erst ein Eingreifen Englands und
Frankreichs in den geplanten deutsch-polnischen Krieg, also in Hitlers nächste
„Programm"-Stufe, die verhängnisvolle „Blindheit" und „Dummheit" der
Demokratie erweisen würde, auf die Hitler dann wohl oder übel reagieren
müsse. Als „aufgezwungen" empfand Hitler diesen Westkrieg in jedem Fall,
ob er ihn nun präventiv zum günstigen Zeitpunkt vom Zaun brach, oder ob
er mit ihm bei der Anvisierung des nächsten Ostziels rechnete. Mehr Risikokalkül als direkten Kollisionskurs verriet Weizsäckers Brief an Botschafter
Ott in Tokio vom 17. Dezember 1938. Darin hieß es, der 30. September läge
„weit zurück", das deutsch-englische Verhältnis versteife sich zusehends,
weil man in Berlin der Auffassung sei, London müsse seine „Vormund-
schaftsrolle", d. h. die Einmischung in Hitlers kontinentale Expansionspläne
aufgeben. Allerdings, so fuhr Weizsäcker fort „an eine systematische Zuspitzung der deutsch-englischen Beziehungen denkt hier niemand. Es steht
nicht in unserer Absicht pro 1939 einen Zusammenstoß mit England diplomatisch einzuleiten ..." Vielmehr hege man eine defensive Grundhaltung.

„Offensiv könnte höchstens unsere Aufrüsung für den Fall eines Zusammenpralls genannt werden[116])."

Indessen ist es durchaus denkbar, daß Hitler selbst im Herbst 1938 sich nicht eindeutig für die eine oder andere Alternativmöglichkeit, bewußte Ansteuerung einer Auseinandersetzung oder nur Übernahme des Risikos, entschloß. Bereits im Herbst 1937 hatte er sich bemüht, die Türen für alle denkbaren Fälle offen zu halten, wobei er eine Konstellation — nämlich die Expansion „ohne England" — bevorzugt anstrebte. Hassells Tagebuchnotizen über Weizsäckers[117]) Enthüllungen vermerkten ja, daß Hitler schwankte, ob er direkt gegen England vorgehen oder im Osten weiterhin „programmatisch" die Arrondierung der strategischen Ausgangsbasis für den antibolschewistischen „Lebensraum"-Krieg, nämlich die Liquidierung der deutsch-polnischen Frage, weiterverfolgen wolle und dabei die Einschaltung einer antiwestlichen Zwischenstufe riskierte. Die nächsten Ziele, die Hitler sich im Herbst 1938 steckte, hatten jedenfalls für beide Konzeptionsvarianten Bedeutung. Für welche er sich dann letztlich entschied, mochte von der sich entwickelnden Situation abhängig sein[118]).

2. MASSNAHMEN FÜR „ALLE FÄLLE": MARINEAUFRÜSTUNG, AUFROLLEN DER POLNISCHEN FRAGE, DER MARSCH NACH PRAG

a) *Pressionsmittel und reales Kriegsinstrument gegen England: Der Z-Plan der Kriegsmarine*

Im Oktober 1938, als Hitler eine herbeizuführende oder riskierte Auseinandersetzung mit den Westmächten vor dem „Marsch" nach Moskau immer stärker in sein Kalkül einbezog, teilte er dem Oberbefehlshaber der Marine, Raeder, mit, „daß die Marine sich auf einen gewaltigen Aufbau vorbereiten müsse"[1]). Ohne in die Diskussion über die Ursprünge, wahre Bedeutung und Auswirkungen des sogenannten „Z-Plans" eingreifen zu wollen[2]), seien hier grundsätzliche Züge und Ergebnisse umrissen und unter dem speziellen Aspekt ihres „Stellenwerts" innerhalb von Hitlers kurz- und langfristiger Englandkonzeption festgehalten. Innerhalb des in direkter Folge der

[116]) PA Bonn, Staatssekretär, Schriftwechsel mit Beamten 2.
[117]) Hassell, Vom andern Deutschland, S. 37. Siehe oben S. 207 f.
[118]) So etwa auch Gruchmann, Zweiter Weltkrieg, S. 11; vgl. Bullock, Hitler and the Origins, S. 278. Die für Hitler eigentümliche Mischung von Konstanz in den langfristigen Zielsetzungen bei gleichzeitiger Elastizität, was die nächsten konkreten Objekte anging, wird erneut evident.
[1]) Erich Raeder, Mein Leben, Band II, Tübingen 1957, S. 154.
[2]) Vgl. dazu die entsprechenden Passagen bei Bensel, Flottenpolitik; Gemzell, Raeder, Hitler; Salewski, Seekriegsleitung; und neuerdings J. Dülffer, Hitler und die Marine.

„Wochenendkrise" gebildeten Planungsausschusses der Seekriegsleitung[3]) entstand Ende Oktober eine Denkschrift zur „Seekriegführung gegen England und die sich daraus ergebenden Folgen für die strategische Zielsetzung und den Aufbau der Kriegsmarine"[4]). Hitlers Worte gegenüber Raeder zur gleichen Zeit verliehen derartigen Überlegungen naturgemäß eine gesteigerte Bedeutung. Was zunächst als „vorsorgliche Maßnahmen" gelten konnte, begann wegen der veränderten Haltung der politischen Leitung zu England brennend aktuelle Bezüge zu gewinnen[5]). Auf diesem Hintergrund – und vielleicht gar als direkte Folge der Hitlerschen Intervention bei Raeder — ist die Stellungnahme des Flottenchefs Admiral Carls zur Entwurfstudie zu sehen. Carls berief sich ausdrücklich auf „den Willen des Führers", wenn er erklärte, daß der Weg zur Weltmachtstellung mit Kolonialbesitz gesicherte Seeverbindungen und freien Zugang zum Ozean zur Gegnerschaft mit Großbritannien führe und für diesen Kriegsfall die entsprechenden Vorbereitungen zu treffen seien[6]).

Dieser neuen Feindlage angepaßt wurden die Schiffsbaupläne des Planungsausschusses, von denen einer nach Raeders Vortrag bei Hitler am 1. November angenommen wurde und nach einigen Veränderungen, die auf Hitlers Weisung erfolgten, als Plan „Z" am 29. Januar 1939 endgültig das Einverständnis des Oberbefehlshabers der Wehrmacht erhielt[7]). Ja, Hitler befahl sogar, daß der Ausbau der Kriegsmarine vor allen anderen Aufgaben „einschließlich der Aufrüstung der beiden anderen Wehrmachtteile" den Vorrang habe[8]). Eine einsatzfähige Flotte gegen England konnte jedoch frühestens ab Mitte der vierziger Jahre bereitgestellt werden[9]). Nunmehr setzten Kriegsspiele der Marine die Konstellation Deutschland mit Italien gegen England und Frankreich voraus[10]), wie sie auch die OKW-Denkschrift für Wehr-

---

[3]) Dönitz, Zehn Jahre, S. 40, behauptet dagegen, daß der Planungsausschuß im Herbst 1938 von Raeder gebildet wurde.

[4]) Vgl. Salewski, Seekriegsleitung, S. 46 f.

[5]) Vgl. auch Gemzell, S. 90 ff.

[6]) IMT XXXIV, 23-C, S. 190; vgl. Gemzell S. 92 f., Salewski, S. 55. Es ist allerdings fraglich, ob solche global-maritime Perspektiven zu dieser Zeit ausdrücklich von Hitler stammten oder mehr den traditionellen wilhelminischen Vorstellungen der Marineleitung entsprachen, die unbewußt oder bewußt als „der Wille des Führers" ausgegeben wurden. Dazu auch Hildebrand, Außenpolitik, S. 79.

[7]) Siehe Salewski, Seekriegsleitung, S. 57 ff.

[8]) Vgl. IMT XXXV, 854-D, S. 567; siehe auch Walther Hubatsch, Der Admiralstab und die obersten Marinebehörden in Deutschland 1848–1945, Frankfurt/Main, 1958, S. 210.

[9]) Siehe Salewski, Seekriegsleitung, S. 59; Friedrich Ruge, Der Seekrieg 1939–1945, Stuttgart 1954, S. 26 f.

[10]) IMT XXXV, 854-D, S. 562; zu den Kriegsspielen siehe im einzelnen Gemzell, Raeder, Hitler, S. 113 ff. und S. 134 f., betr. Schlußbesprechung des vom OKM selbst durchgeführten Hauptplanspiels im Februar/März 1939 in Oberhof; Salewski, Seekriegsleitung, S. 65 ff. („Die Überlegungen der England-Denkschrift wurden im Spiel erprobt": S. 74.) Über Wert und Bedeutung von Kriegsspielen siehe Gemzell, S. 28 ff.

machtbesprechungen mit Italien vorsah, ebenfalls ein „Zeichen der neuen strategischen Zielsetzung"[11]).

Die im Flottenvertrag vom 18. Juni 1935 als Eventualität vorgesehene U-Boot-Parität mit Großbritannien war Gegenstand von Überlegungen der deutschen Marineführung im November 1938[12]). Als am 12. Dezember der deutsche Wunsch, die betreffende Vertragsklausel in Anspruch zu nehmen, der englischen Regierung bekannt wurde, zeigte man sich in London naturgemäß sehr enttäuscht[13]), mußte doch ein solcher deutscher Schritt gerade zu diesem Zeitpunkt für eine weitere Zuspitzung der deutsch-britischen Beziehungen sprechen und alle britische Ausgleichsversuche erneut erschweren. Zwar argumentierte man deutscherseits offiziell, daß die Stärke der sowjetischen U-Boot-Flotten das Reich zu diesem Schritt zwinge. Jedoch fand eine solche Begründung kaum Glauben[14]). Vielmehr schien es weithin klar zu sein, daß sich der deutsche Wunsch gegen England richtete[15]). Konteradmiral Schniewind, der Leiter der deutschen Delegation bei den deutsch-englischen Marineverhandlungen, die um die Jahreswende in Berlin stattfanden[16]), kam der Wahrheit näher, als er in seinen einleitenden Worten wissen ließ, daß „die gegenwärtige Entwicklung der internationalen Situation den Führer zu seinem Entschluß geführt habe"[17]), wobei der aufmerksame Zeitgenosse hinter der Formulierung nur die Verschlechterung des Verhältnisses zwischen Deutschland und England, keineswegs jedoch etwaige deutsch-sowjetische Spannungen vermuten konnte. Die U-Boot-Parität sei im Vertrag von 1935 nur für den Fall vorgesehen, daß eine besondere Lage diese erforderte, erfuhr die deutsche Presse aus dem Propagandaministerium. Die deutsche Regierung betrachtete eine solche Situation nunmehr für eingetreten[18]). Wie sehr es der Führung in Berlin und Berchtesgaden darum ging, trotz der „höchst freundschaftlichen Atmosphäre", mit der die Besprechungen geführt wurden[19]), die Reihe demonstrativer antibritischer Gesten um eine weitere zu verlängern, mag daraus ersichtlich sein, daß die Inanspruchnahme der U-

---

[11]) Gemzell, Raeder, Hitler, S. 135.

[12]) Admiral Guses Memorandum für Raeder: D. C. Watt, Anglo-German Naval-Negotiation, S. 206.

[13]) ebd. S. 388 mit britischer Antwort vom 14. 12. 1938.

[14]) Treffend bemerkte etwa das amtliche Kommunique des Foreign Office vom 31. 12. 1938, daß U-Boote nicht mit U-Booten bekämpft werden könnten: PA Bonn, Pol I M, Flottenverhandlungen Englands mit Deutschland 4.

[15]) Vgl. PA Bonn, Pol II, England-Deutschland 10, Zusammenstellung der britischen Pressereaktion auf das Verhandlungsergebnis v. 4. 1. 1939.

[16]) Zu den Verhandlungen selbst vgl. ADAP, D, IV, Nr. 288, 294—298, 311, 328, 329. Der britische Delegationsleiter ließ in seinen Eröffnungsworten am 30. 12. 1938 durchblicken, daß der deutsche Wunsch einen ungünstigen Eindruck in England hervorgerufen habe.

[17]) PRO London, FO 371/22785, A/130/1/45. Vgl. auch ADAP, D, IV, Nr. 288, Protokoll vom 30. 12. 1938.

[18]) BA Koblenz, ZSg 110/11 Traub, Information v. 3. 1. 1939.

[19]) PA Bonn, Pol I M, Flottenverhandlungen Englands mit Deutschland 4, amtliches Kommunique des Foreign Office v. 31. 12. 1938.

Boot-Klausel Ende 1938 verfrüht kam; bis Ende 1939 konnten maximal 65 %
der englischen U-Boot-Stärke erreicht werden[20]).

Eine gewisse Parallelität zur Entwicklung innerhalb der Marine zeigte
sich in der Luftwaffe, wo sich in der zweiten Jahreshälfte 1938 ebenfalls
verstärkt eine völlige Umorientierung des Feindbildes bemerkbar machte.
Der neue Gegner, auf den die Überlegungen abgestellt werden sollten, hieß
auch hier England[21]). Mitte Oktober befahl Hitler, einen Plan zur gewaltigen
Vermehrung, ja Verfünffachung der deutschen Luftstreitkräfte aufzustellen,
mit deren Hilfe eine wirksame Bekämpfung der britischen Flotte, der Han-
delsschiffahrt und Häfen aus der Luft möglich sein sollte[22]). Das neue Jahr
brachte Kriegsspiele, die den Kampf gegen England voraussetzten und durch-
planten[23]). Bemerkenswert war, daß auch die Luftwaffe den Einsatz gegen
Großbritannien vor 1942 für wenig empfehlenswert, wenn nicht gar für aus-
sichtslos hielt[24]). Weiter verdient festgehalten zu werden, daß eine „Plan-
studie 1939" vom 1. März 1939 über Aufmarsch und Kampfanweisungen der
Luftwaffe für den Westen von der Annahme ausging, „daß es wohl kaum
zu einer getrennten Auseinandersetzung mit Frankreich oder England kommen wird"[25]). Hitlers „gesamtwestliche" Strategie für den „Zwischenkrieg"
im Westen machte sich hier bemerkbar oder erfuhr zumindest von Seiten
der Luftwaffe Unterstützung.

Ziehen wir das Fazit aus den grob skizzierten Planungen in Marine und
Luftwaffe, so bleibt zunächst die mit unseren bisherigen Beobachtungen
übereinstimmende Feststellung, daß sich ab Herbst 1938 sehr eindeutig eine
verstärkt antibritische Frontstellung bemerkbar machte. Die Feindkonstellation hatte sich radikal gegenüber den bisherigen Kalkulationen verändert.
Die militärische Konfrontation mit dem Inselreich wurde fortan „mit allen
Einzelheiten untersucht und vorbereitet... was mit einer veränderten Haltung der politischen Leitung England gegenüber vollständig übereinstimmt"[26]).
Als frühestmöglicher Termin eines Einsatzes gegen Großbritannien wurde
hingegen der Zeitraum zwischen 1943 bis 1946 angesetzt. Wir haben uns
erneut zu fragen, ob damit der „beschränkte" Krieg, die Vertreibung der

---

[20]) Salewski, Seekriegsleitung, S. 65.
[21]) Gemzell, Raeder, Hitler, S. 182; Gundelach, Gedanken über die Führung eines
Luftkrieges, S. 46.
[22]) Völker, Luftwaffe, S. 75; vgl. auch Irving, Luftwaffe, S. 119, nach IMT, XXVII,
1301-PS, Thomas über die Besprechung mit Göring v. 14. 10. 1938; Gundelach,
S. 37.
[23]) Dabei fiel dem Planspiel der zum Kampf gegen England vorgesehenen Luftflotte 2 v. 10.–13. 5. 1939 in Braunschweig eine besondere Rolle zu; vgl. die
Schlußbesprechung bei Karl Heinz Völker (Hrsg.), Dokumente und Dokumentarfotos zur Geschichte der Deutschen Luftwaffe, Stuttgart 1968, Nr. 199, S.
460 ff.; siehe auch Völker, Luftwaffe, S. 162.
[24]) Völker, Luftwaffe, S. 162 als Fazit des Planspieles von Braunschweig; siehe
auch Gemzell, Raeder, Hitler, S. 180.
[25]) Gundelach, Gedanken, S. 38.
[26]) Gemzell, Raeder, Hitler, S. 146.

Engländer vom Kontinent, oder bereits die globale Auseinandersetzung mit der Seemacht um die Weltherrschafft gemeint war? Welche Rolle spielten die militärischen Planungen in Hitlers Konzept vom Herbst 1938? Aus den Jahreszahlen selbst läßt sich wenig schließen, da Hitler die Erringung der Weltvorherrschaftsstellung nicht mehr in die nächste Generation — „in hundert Jahren", wie er im „Zweiten Buch" andeutete — gerückt ließ, sondern sie, wie Hildebrand nachgewiesen hat, noch zu seinen Lebzeiten abschließen wollte[27]). Ob hingegen bis Mitte der vierziger Jahre die Errichtung des Kontinentalimperiums in allen rassenideologischen Vorstellungen und Konsequenzen verwirklicht sein würde, so daß Hitler schon für diesen Zeitraum an die nächste Programmstufe, die Erringung der Weltmachtstellung denken konnte, bleibt zweifelhaft. Wahrscheinlich ist, daß selbst Hitler im Spätjahr 1938 die Frage, welcher Krieg gegen England in den neuen Zielsetzungen der Marine und Luftwaffe angenommen wurde, in welchem Jahr das Ausgreifen nach Übersee erfolgen sollte, kaum hätte eindeutig beantworten können. Entscheidend war, daß seine Maßnahmen für jede denkbare Konstellation, für mehrere Ziele gleichermaßen Bedeutung und Funktion besaßen, daß sie ihn nicht auf eine Lösungsvariante festlegten, sondern andere Möglichkeiten ebenfalls offen ließen. Primär sollte die Z-Plan-Flotte natürlich die Aufgabe übernehmen, Hitler bei der Erringung und Bewahrung der deutschen Welthegemonie in der Zukunft als reales Kriegs- und Machtinstrument zu dienen, so wie die Formulierungen des Flottenchefs Carls in seiner Stellungnahme durchblicken ließen[28]). Aber kam es — und das ist für Hitlers Konzeptionen im Herbst 1938 von Bedeutung — zu einer vorzeitigen Auseinandersetzung mit Großbritannien, deren Ziel die Vertreibung Englands vom Festland vor Hitlers „Marsch" in die Weiten Rußlands war, dann mochte die zum Teil vollendete, zum Teil noch im Entstehen befindliche See- und Luftflotte wesentlich dazu beitragen, England nach der Überrennung Frankreichs und der Besetzung der atlantischen Küste in Schach zu halten, es zur Juniorpartnerschaft mit Hitlers Reich zu zwingen. Erneut sollte — wie in der Ära Tirpitz — eine mächtige Schlachtflotte nicht nur England notfalls bekämpfen, sondern als Pressionsmittel die Briten zum „Kommen" bewegen[29]). Die gleiche Aufgabe fiele ihr zu, wenn Hitler weiter im Osten „programmatisch" vorging und das Risiko des britischen Widerstandes mit einkalkulierte. Sie würde durch ihre Existenz vielleicht doch verhindern, daß England überhaupt intervenierte, und die „Ohne-England"-Konzeption, wenn nicht gar das Bündnis mit dem Inselstaat, doch noch realisierbar machen. Hieß es doch in der England-Denkschrift der Seekriegsleitung vom Herbst 1938: „Je bedrohlicher dem Engländer die Möglichkeit einer solchen deutschen Seekriegsführung erscheinen muß, um so größer wird er das Risiko eines Krieges mit Deutschland einschätzen, um so eher wird er zu einer friedlichen Verständigung mit

---

[27]) Siehe etwa Hildebrand, Weltreich, S. 535 f.
[28]) IMT XXXIV, 23-C, S. 190, vgl. Anm. 6.
[29]) Vgl. Salewski, Seekriegsleitung, S. 63.

Deutschland bereit sein[30])." Insofern steckt in Readers These, der Marine-Aufbau habe als Druckmittel England zum Ausgleich zwingen wollen[31]), zumindest eine Teil-Wahrheit.

b) Der Stellenwert der polnischen und tschechischen Frage

Als Ribbentrop am 24. Oktober 1938 den polnischen Botschafter zu sich bestellte und Vorschläge zu einer endgültigen Bereinigung des deutsch-polnischen Verhältnisses präsentierte[32]), mußten die Regierung in Warschau und allmählich auch die übrige Welt annehmen, daß in folgerichtiger Logik die Eroberung des polnischen Staates als nächste Etappe in Hitlers Aggressionsplan fungierte. Es entsprach im übrigen auch allgemeinen Erwartungen, daß die durch den Versailler Vertrag geschaffenen Grenzprobleme Polen zum natürlichen Gegner des wiedererstarkten Reiches machen würden. Trotz des überraschenden Nichtangriffspaktes aus dem Jahre 1934 hatte man eigentlich immer mit einem Aufflammen der deutsch-polnischen Gegensätze gerechnet, zumal selbst gemäßigte Kreise im Auswärtigen Amt niemals verhehlten, daß eine Revision der deutschen Ostgrenze an der Spitze ihrer Hierarchie der Wünschbarkeiten stand, ja daß selbst ein Waffengang gegen Warschau ihnen kaum ungelegen gekommen wäre[33]).

Hitler hingegen erschien der östliche Nachbarstaat nicht zuletzt wegen der bewunderten „Führergestalt" Pilsudskis niemals als prinzipieller Gegner wie den Revisionisten, geschweige denn, daß Polen ihm ebenso verhaßt war

---

[30]) ebd., S. 49.
[31]) Raeder, Mein Leben, II, S. 154.
[32]) Siehe ADAP, D, V, Nr. 81.
[33]) Vgl. Kordt, Nicht aus den Akten, S. 36; Paul Seabury, Die Wilhelmstraße, Frankfurt 1956, S. 67 ff. In traditionell großmachtstaatlicher Art zeichnete sich die Haltung der Beamten der „Wilhelmstraße" gegenüber Staaten wie Polen und der Tschechoslowakei durch größte Intransigenz und fast verächtliche Geringschätzung aus; vgl. Henderson, Fehlschlag, S. 262: „Alles was die Polen sagten oder taten war falsch... Selbst Weizsäcker war jeder Vernunft oder Logik in dieser Beziehung unzugänglich." Wenn Englands Intervention nicht zu erwarten gewesen wäre, hätten sie einem bewaffneten Angriff auf Polen und die Tschechoslowakei kaum ihre Unterstützung versagt. Dazu sehr kritisch Seabury, Wilhelmstraße, S. 141; Lewis B. Namier, Diplomatisches Vorspiel 1938—1939, Berlin 1949, S. 439; John Wheeler-Bennet, Die Nemesis der Macht. Die deutsche Armee in der Politik 1918—1945, Düsseldorf 1954, S. 343 und 439. Doch sei festgehalten, daß die Erhaltung des Friedens unter den Großmächten in Europa bei Weizsäcker weit über dem Wunsch nach Revision oder gar Revisionskriegen rangierte. Widersetzte sich England einer deutschen Forderung, so plädierte Weizsäcker konsequent für das Zurückstellen der jeweiligen Ambition, um nicht das Risiko eines allgemeinen Krieges einzugehen. Zum Gegensatz Neurath-Hitler in der Beurteilung Polens im Anfangsstadium der nationalsozialistischen Außenpolitik siehe Wollstein, Das deutsche Reich und die europäischen Großmächte, Diss. phil. Marburg 1971.

wie die Tschechoslowakei des Demokraten Benesch. Die historische Forschung ist sich denn auch einig darüber, daß Hitler im Herbst 1938 nicht die militärische Eroberung Polens anzusteuern gedachte, sondern das Land durch eine „großzügig" genannte Bereinigung der Grenzprobleme in eine enge Bindung an das Reich zu bringen wünschte, um das antibolschewistische Aufmarschgebiet in Ostmitteleuropa zu vervollständigen. Polen sollte in die Front gegen Sowjetrußland aktiv mit einschwenken[34]), dazu hatte es allerdings Becks Politik des „Dritten Europa"[35]) aufzugeben[36]). Widrigenfalls lag auch ein Feldzug gegen Warschau im Bereich des Möglichen. Diesen Ausweg überdachte Hitler wohl auch schon im Herbst 1938, wie Weizsäckers Infor-

---

[34]) Siehe Hans Roos, Polen und Europa, Studien zur polnischen Außenpolitik 1931–1939, S. 381; vgl. auch die bei Burckhardt, Danziger Mission, S. 344, zitierten Ausführungen Hitlers v. 11. 8. 1939: „Für mich ist es wahr, daß eine Lösung gewesen wäre, nämlich mein Beitrag für die Sache des Friedens...."; siehe aus Hitlers Unterredung mit Beck am 5. 1. 1939: „Seiner Meinung nach ist die Interessengemeinschaft Deutschlands und Polens in Bezug auf Rußland vollständig..." Es sei klar, „daß jede gegen Rußland eingesetzte polnische Division eine entsprechende deutsche Division erspare". Weißbuch der Polnischen Regierung über die polnisch-deutschen Beziehungen im Zeitraum von 1933 bis 1939. Hrsg. vom Außenministerium der Republik Polen. Basel 1940, Nr. 48, zit. auch in Geschichte in Quellen V, Nr. 517, S. 426. Vgl. auch ADAP, D, V, Nr. 119. Coulondre, François-Poncets Nachfolger in Berlin betonte am 9. 5. 1939 gleichfalls, daß Polen als „Avantgarde" der „Achse" für eine antisowjetische Aggression vorgesehen sei: Gelbbuch Nr. 124; vgl. auch DBFP, 3, III, Nr. 299, Ogilvie-Forbes an das Foreign Office v. 9. 11. 1938. Zur „programmatischen" Seite von Hitlers Plänen bezüglich Polens siehe auch Martin Broszat, „Die Reaktion der Mächte auf den 15. März 1939", in: Bohemia, Jahrbuch des Collegium Carolinum, 8 München 1967, S. 253–280, hier: S. 263; und besonders Hans Booms, „Der Ursprung des Zweiten Weltkrieges – Revision oder Expansion?" in: GWU 16 (1965), S. 329–353, Booms glaubt, daß Hitler seine Revisionsforderungen zum Kompensationsobjekt machte, um Polen zum Krieg gegen Rußland zu gewinnen.
[35]) Roos, Polen und Europa, S. 279.
[36]) Vgl. Hitlers angebliche, von Burckhardt übermittelte Äußerungen zum Danziger Gauleiter Forster: Burckhardt, Danziger Mission, S. 232: „Ich werde diesen Leuten mindestens für die Dauer meines Lebens Garantie geben, wenn sie sich ganz unserer Politik anschließen ... aber wehe, wenn sie dies nicht verstehen," womit Hitler bereits sein berüchtigtes „so oder so" implizierte. Quellenkritisch ist allerdings zu beachten, daß Forster gemeinhin eine „starke" Sprache bevorzugte und somit Hitlers Auffassung in eine von uns schwer überprüfbare Formulierung brachte. Lipski glaubt nachträglich, daß Hitler seinen Vorschlägen um so größere Chancen einräumte, von den Polen angenommen zu werden, als die Warschauer Regierung wegen ihrer „Hyänenpolitik" in der Frage um Teschen und das Olsagebiet bei den Westmächten Kredit verspielt hatte: Lipski-Papers, S. 519 f. Vgl. auch das im Auswärtigen Amt zusammengestellte Material zum Beck-Besuch in Deutschland, Anfang Januar 1939, wo unter anderem hervorgehoben wird: „Polen werde sich gewiß darüber klar sein, daß Deutschland heute die einzige Macht in Europa sei, an die es sich anlehnen könne": PA Bonn, Staatssekretär, Polen 1.

mation an Hassell vom 16. Dezember 1938 verriet[37]), wobei die „große Lösung" des Ausgleichs die weitaus wünschenswertere blieb[38]).

Wie fügte sich diese Strategie in den Rahmen von Hitlers langfristigen Konzeptionen nach München ein, die ja ganz besonders, wie wir zu zeigen versuchten, eine antiwestliche Komponente beinhalteten? Auf den ersten Blick mag die Tatsache, daß Hitler überhaupt im Oktober die Polenfrage aufrollte, lediglich für die weitere „programmatische" Fortsetzung seiner Ambitionen im Osten sprechen, die den Zug nach Rußland immer näher rücken ließ, wobei das seit München voll einbezogene Risiko eines englischen Widerstandes zunächst wegen Hitlers friedlicher Grundabsicht noch nicht voll zum Tragen kam. Hassells Tagebuchnotiz – „man schwanke nur, ob gleich gegen England, indem man sich dafür noch Polens Neutralität erhalte" – läßt indes durchscheinen, daß ein Ausgleich mit Polen nicht nur eine „programmatische", sondern gleichermaßen eine „antiwestliche" Funktion besaß. Eine Regelung mit Warschau sollte auch die Neutralität Polens bei einem deutschen Vorstoß gegen den Westen, der vor dem weiteren Angriff nach Rußland liegen sollte, garantieren. „Ich wollte zunächst mit Polen ein tragbares Verhältnis herstellen, um zunächst gegen den Westen zu kämpfen", ließ Hitler, wie schon einmal zitiert, am 22. August 1939 auf dem Obersalzberg verlauten[39]). Es sei ihm jedoch klar geworden, „daß bei einer Auseinandersetzung mit dem Westen Polen uns angreifen würde", worauf der Plan eines friedlichen Ausgleichs mit Polen zugunsten der kriegerischen Ausschaltung der eigenständigen polnischen Macht fallengelassen wurde[40]). Richten wir unser Augenmerk weniger auf die Alternative, friedlicher Ausgleich oder kriegerisches Vorgehen gegen Polen, sondern halten wir fest, daß Hitler beide Lösungsmöglichkeiten der polnischen Frage einem eventuellen Westkrieg unterordnete. In jedem Fall schien es Hitler von primärer Wichtigkeit, daß mit der fried-

---

[37]) Hassell, Vom andern Deutschland, S. 37. Siehe auch eine Nürnberger Aufzeichnung Keitels, nach der Hitler Anfang November 1938 die militärischen Einrichtungen an der östlichen Reichsgrenze inspizieren wollte und dafür als Begründung vorgab: „Man könne doch nicht wissen, ob aus dem Fall Danzig, dessen Rückgewinnung für das Reich sein unverrückbares Ziel sei, ein Konflikt mit Polen entstehen werde." Görlitz, Keitel, S. 196.

[38]) C. J. Burckhardt unterschied im Dezember 1938 nach einem Gespräch mit Ribbentrop die „kleinere Lösung", d. h. sofortige Inbesitznahme von Danzig und Memel, von der „großen Lösung", welche die Entente mit Polen beinhalte: DBFP, 3, III, App. VI, S. 658, Brief Burckhardts v. 20. 12. 1938 an Walters. Vgl. auch Frank, Im Angesicht des Galgens, S. 338; Hitler wollte Polen – bei gleichzeitiger Abschreckung Großbritanniens – isolieren und gesprächsbereit machen.

[39]) ADAP, D, VII, Nr. 192.

[40]) Vgl. Aufz. Boehm der gleichen Ansprache: IMT XLI, Raeder-27, S. 17: „ ... im übrigen habe er nie geglaubt, daß Polen sich an den Nichtangriffspakt gehalten hätte, wenn Deutschland irgendwie sonst gebunden gewesen wäre." Siehe zum Vergleich die quellenkritisch höchst umstrittene Version ADAP, D, VII, Nr. 193, Anm. 1, in der der Polenfeldzug ebenfalls nur unter dem Aspekt der gewaltsamen Rücksicherung für den späteren Krieg im Westen gesehen wird.

lichen oder militärischen Beseitigung einer eigenständigen polnischen Politik die Rückendeckung für einen erwarteten oder von ihm selbst vor der Eroberung Rußlands herbeigeführten Krieg im Westen gesichert werden sollte[41]). Ob es für Hitlers Entschluß von Bedeutung war, daß Flottenchef Carls in seinen Betrachtungen über einen Krieg gegen England die „Sicherung der Ostgrenze", die Gewinnung von Bundesgenossen zu den unabdingbaren Voraussetzungen jeder strategischen Planung zählte[42]), mag dahingestellt bleiben, ist jedoch nicht auszuschließen.

Im Sommer 1938 hatte Hitler die Ausschaltung der Tschechoslowakei zeitweilig auch unter dem Gesichtspunkt der Rückfreiheit „zum Antreten gegen den Westen"[43]) gesehen. Im Herbst 1938 erhielt Polen, — jedoch nicht nur momentan, wie Hitlers nachträgliche Betrachtungen beweisen – die gleiche Doppelfunktion. Einmal diente seine Einbeziehung in die Ausgangsbasis für den Eroberungszug gegen Rußland direkt Hitlers „programmatischen" Zielen, zum anderen wurde dadurch eine, Hitlers Meinung nach unerläßliche Voraussetzung für den „Zwischenkrieg" im Westen geschaffen. Ging Polen auf Hitlers Vorschläge zur „großen Ostlösung" ein, so konnte der „Führer" eine eventuell geplante Verdrängung Englands vom Kontinent, falls er sie für notwendig halten würde, weiterhin im Auge behalten und unter günstigen Bedingungen ansteuern. Würde es ablehnen, und Hitler eine „radikale" Regelung anzuvisieren gezwungen sein, so ergäbe sich nach einem isolierten Feldzug gegen Warschau die gleiche Konstellation, oder aber, falls sich die Invasion in Polen nicht lokalisieren ließ, müßte das seit „München" in Kauf genommene Risiko eines westlichen Eingreifens eingelöst werden. Im letzteren Fall bräche der „unprogrammatische" Westkrieg zwar weit früher aus, als Hitler ursprünglich beabsichtigte und vor allem die Planungen von Marine und Luftwaffe für günstig hielten. Jedoch sahen wir, daß die Fertigstellung einer Großkampfflotte für die begrenzte Strategie dieses Krieges gegen England nicht von konstitutiver Bedeutung war. Außerdem konnte die für Hitler gerade nach München eine große Rolle spielende Überlegung, daß ein früherer Termin angesichts seines Alters und des befürchteten Kräfteverfalls sowie im Hinblick auf die britische Aufrüstung auch gewisse Vorteile böte, dieses Manko wettmachen[44]).

Erneut zeigte sich, daß die von Hitler im Herbst 1938 ergriffenen und vorbereiteten Maßnahmen für beide Alternativmöglichkeiten seiner derzeitigen Konzeption dienstbar waren. Ob er nun nach der Verzögerung durch

---

[41]) Auch maßgebliche Stellen in London wurden darüber informiert, daß Hitler Außenminister Beck am 5. 1. 1939 zu verstehen gab, daß die Politik der Achse fürs erste eher gegen den Westen als gegen den Osten gerichtet sei: DBFP, 3, III, Nr. 541, Vermerk William Strangs v. 17. 1. 1939.

[42]) Siehe Salewski, Seekriegsleitung, S. 55.

[43]) ADAP, D, VII, Anh. III (H), V, S. 544; Foerster, Beck, S. 88 ff. Vgl. oben S. 153 ff.

[44]) Vgl. oben Kap. III, 1, Anm. 31. Siehe dazu auch allgemein Hitlers Äußerungen am 15. 2. 1935 zu Conwell-Evans: Er (Hitler) sei 46 Jahre alt und arbeite sehr hart, mehr als 10–15 Jahre stünden ihm zur Verwirklichung seiner Politik nicht mehr zur Verfügung: PRO London, FO 800/290, Simon-Papers.

München sein „Programm" im Osten weiterverfolgte und dabei das Risiko eines westlichen Eingreifens einging, oder ob er die Ausschaltung des britischen Widerstandes bewußt erstrebte, die Bereinigung der deutsch-polnischen Probleme im Hitlerschen Sinne würde — ebenso wie der Aufbau der Marine — für beide Varianten bedeutsam, wenn nicht unerläßlich sein.

Unsere Vermutung, daß Hitler selbst sich nicht eindeutig auf einen Weg festlegte, sondern beide Möglichkeiten seines antibritischen Konzeptes offenhielt, scheint sich angesichts der Doppel- und Mehrfachfunktion der ergriffenen Maßnahmen zu bestätigen.

Hachas „Rest-Tschechei" spielte in Hitlers Überlegungen mit einigen Einschränkungen eine ähnliche Rolle wie Polen. Die Vorbehalte sind aus dem Grunde angebracht, da das seiner Befestigungen beraubte Land im Gegensatz zu Becks Polen keinerlei Gefahr im Rücken des Reiches bei einem Angriff gegen den „Westen" bedeutete. Außerdem hatte Prags neuer Außenminister Chvalkovsky betont, daß die neue Regierung sich eng an den übermächtigen Nachbarn anzulehnen wünsche[45]). Der wirtschaftlichen Durchdringung Böhmens und Mährens durch das Reich stand nichts im Wege, so daß eine Einverleibung sich eigentlich erübrigte[46]) und nur außenpolitische Nachteile mit sich bringen würde.

Dennoch erwog Hitler schon Ende Oktober[47]), den in München versäumten Marsch nach Prag baldmöglichst nachzuholen. Er, der hauptsächlich in territorialen Dimensionen dachte, sah das „tschechische Problem" nur nach einer förmlichen Auslöschung dieses Staates als gelöst an. Nur eine Annexion würde die Abrundung der antibolschewistischen Ausgangsbasis in dieser Region vervollständigen und die Sicherung der Rückendeckung bei einem Westkrieg völlig gewährleisten[48]). Wie sehr Hitler fortan bei Aktionen im Osten auch das Risiko eines westlichen Eingreifens verstärkt mit einschloß, bewies die Anweisung an die Wehrmacht, „den gleichzeitigen Aufmarsch der übrigen Angriffskräfte gegen den Westen vorzubereiten"[49]).

---

[45]) Siehe Schmidt, Statist, S. 428, vgl. ADAP, D, IV, Nr. 55, Aufz. über Ribbentrops Unterredung mit Chvalkovsky v. 13. 10. 1938.

[46]) Vgl. Broszat, Reaktion der Mächte, S. 264. Insofern milderte sich im Licht der folgenden Entwicklung Hitlers „Niederlage" von München beträchtlich. Faktisch hatte Hitler den Kern seiner Absichten, die Einbeziehung der tschechoslowakischen Republik in seine Machtsphäre, erreicht. Es fehlten hingegen die militärische Vernichtung, die Auslöschung des Staates, die territoriale Annexion. Die irrationale Seite der Person Hitlers tritt hier in den Vordergrund, um so mehr, wenn wir beobachten, daß der „Führer" hinsichtlich Polens mit einem Status, wie ihn die Tschechoslowakei nach der Münchner Konferenz bis zum 15. März 1939 innehatte, durchaus einverstanden gewesen wäre.

[47]) ADAP, D, IV, Nr. 81. Weisung zur Erledigung der Rest-Tschechei v. 21. 10. 1938.

[48]) Ob Hitlers oft geäußerte Besorgnisse, daß in Prag der „Benesch-Geist" wieder aufleben werde, hierbei eine echte Rolle spielten, muß als Frage offen bleiben. Vgl. ADAP, D, IV, Nr. 158, Hitler zu Chvalkovsky am 21. 1. 1939, ebd., Nr. 202, zu Tiso am 13. 3. 1939, und ebd. Nr. 228 zu Hacha am 15. 3. 1939.

[49]) ADAP, D, IV, Nr. 81: Weisung v. 21. 10. 1938.

c) *Hitler und das deutsch-britische Verhältnis Anfang 1939.*
   Der nachgeholte Marsch nach Prag.

Die Bemühungen der deutschen politischen Führung liefen Anfang 1939 darauf hinaus, Polen und die Rumpf-Tschechoslowakei jene Rollen spielen zu lassen, die ihnen im Rahmen von Hitlers „Nach-München-Konzept" zugedacht war. Wie wenig man dabei der deutschen Außenpolitik einen monolithischen Charakter zusprechen kann, zeigt die im tschechoslowakischen Außenministerium vorgenommene Analyse einer Ansprache Ribbentrops vor Generälen der Wehrmacht am 22. Januar 1939[50]). Ribbentrops originär antibritischer Grundkonzeption kam Hitlers Schwenkung gegen den Westen im Herbst 1938 nur gelegen. Es verwundert indessen kaum, daß seine Ausführungen das Aufrollen der polnischen Frage ausschließlich unter dem Gesichtspunkt der Rückendeckung für die „zweite Etappe des Vorgehens der Achse gegen die Westmächte, die nicht vor dem Jahre 1940[51]) verwirklicht wird und die wahrscheinlich nicht ohne Krieg auskommt" bewertete. Als erste Etappe nahm Ribbentrop für 1939 eine durch das Vorgehen Italiens herbeigeführte „Entscheidung im Mittelmeer" an, die allerdings wegen der demonstrativen Entschlossenheit des Reiches, Mussolini bedingungslos zu unterstützen, noch durch politischen Druck erzielt werden könne. Die Chancen für einen solchen Ausgang stünden 60:40, wobei die 40 % Wahrscheinlichkeit eines Krieges bereits für 1939 unbedingt als Risiko übernommen werden müsse. Als Folgen der aggressiven Politik im Mittelmeer nannte der Reichsaußenminister strategische Vorteile für die „Achsenpartner" an der Südflanke und Prestigeverlust der Westmächte durch ein „zweites München". Deutlich wird einmal mehr, daß sich Ribbentrops Denken sehr weitgehend auf die Dimension des antibritischen Dreiecks Berlin-Rom-Tokio ausrichtete. Deutschland, so führte er weiter aus, dürfe „in nächster Zeit mit keiner

---

[50]) Abkommen von München Nr. 286, S. 333 ff., hier auch weitere Zitate, wenn nicht anders angegeben. Ob die hier erwähnte Rede mit den Ausführungen Ribbentrops v. 24. 1. 1939, über die sich ein Protokoll im Freiburger Militärarchiv befindet, identisch ist, muß bezweifelt werden, da ein inhaltlicher Vergleich beider Dokumente keine Berührungspunkte ergibt, die auf eine Identität schließen lassen (frdl. Hinweis von J. Dülffer). Ebenfalls ungeklärt bleibt, welche Informationsquelle dem Prager Außenministerium zur Verfügung stand, so daß die Heranziehung des Dokuments mit der gebotenen Vorsicht erfolgen muß. Aus Gründen der inneren Quellenkritik scheint eine Benutzung dennoch gerechtfertigt. Die Gedankengänge Ribbentrops stimmen mit seiner in der „Notiz für den Führer" v. 2. 1. 1938 niedergelegten Großkonzeption prinzipiell überein.

[51]) Wenn Hitler etwa zur gleichen Zeit (am 29. 1. 1939) Raeder bei der Annahme des Z-Planes versicherte, er benötige die Großkampfflotte vor 1946 nicht (Salewski, Seekriegsleitung, S. 59), so mag das auf die „begrenzten", auf die Überrennung Frankreichs beschränkten Ausmaße der von Ribbentrop für 1940 angekündigten Westoffensive schließen lassen. Indirekt zeigt sich erneut, daß eine Auseinandersetzung mit England vor dem Marsch nach Rußland sich nicht in maritimen Ausmaßen vollziehen würde.

selbständigen Aktion beginnen ... sondern sich auf der Linie der gemeinsamen Politik, der Achse Berlin-Rom-Tokio, bewegen". Insofern hielt der Reichsaußenminister nichts von den Plänen „führender deutscher Militärkreise" bezüglich eines im Sommer 1939 zu startenden Angriffs gegen Polen „als Teil des deutschen Expansionsprogramms"[52]. Eine solche Aktion entspräche nicht den Interessen Italiens und Japans, würde den Westmächten nur Zeit schenken, ihre Rüstungen zu vollenden und dann Deutschland durch wachsenden Druck zum Rückzug im Osten zu zwingen. Ribbentrop plädierte demnach für gesteigerte Bemühungen um die polnische Neutralität, ja um „freundschaftlichste Verbindungen"[53]. Denn der „gesicherte freie Rücken gegenüber Polen", der allerdings notfalls auch mit Einsatz aller Mittel gewaltsam errungen werden müsse, sei „eine Voraussetzung der militärischen Offensivaktion gegenüber Frankreich." Diese Gedanken, die praktisch einer Übertragung der Grundsatzerklärung vom 2. Januar 1938 auf die konkrete Situation vom Jahresbeginn 1939 gleichkam, deckte sich nur partiell mit Hitlers Planungen von Winter 1938/39. Auch diese erwogen ja unter Umständen ein Vorgehen gegen den Westen vor weiteren Aktionen im Osten. Indessen fehlte Ribbentrops Gedankengängen gänzlich die „programmatische" Seite des Hitlerschen Konzeptes, der Gesichtspunkt, Polen als Aufmarschgebiet gegen Sowjetrußland in den deutschen Machtbereich einzubeziehen, vor allem aber die Unterordnung der möglichen Zerschlagung Frankreichs und der Verdrängung Englands vom Kontinent unter die nachfolgende Hauptphase des ungehinderten Zuges nach Sowjetrußland. Das Zentrum der Überlegungen des deutschen Außenministers blieb weiterhin von wilhelminisch-imperialistischen Motiven bestimmt und auf die Ausschaltung des natürlichen Rivalen Großbritannien ausgerichtet. Die Wehrmacht führte — wenn wir den Prager Aufzeichnungen Glauben schenken — den revisionistischen Eroberungszug gegen Polen im Schilde. Hitler hingegen konnte sowohl die eine als auch die andere Richtung einschlagen, ohne sich mit ihr völlig zu identifizieren, da es ihn zu ferner liegenden Zielen drängte.

Zu jener Zeit schien allerdings auch Hitler mehr denn je davon überzeugt, daß sein nächster Gegner im Westen zu finden sein werde. Zwar beteuerte er in seiner Neujahrsbotschaft an das deutsche Volk, daß er für das kommende Jahr nur den einen Wunsch habe, „zur allgemeinen Befriedigung der Welt beizutragen"[54]. Der ungarische Außenminister Graf Csaky erfuhr am 16. Januar, daß die eigentliche Gefahr im Westen läge. „Dort

---

[52]) Die entsprechenden Passagen des Dokumentes (S. 335) beweisen, wie sehr ein Angriff auf Polen allenthalben, besonders in traditionell konservativen Kreisen, Anklang fand, ja nach der Besetzung Österreichs und des Sudetenlandes geradezu gefordert wurde.

[53]) Auch im Dezember 1938 hatte sich Ribbentrop seiner Konzeption eines Kontinentalblocks gegen England entsprechend im privaten Kreis für einen Krieg gegen den Westen unter „engster Bindung mit Polen" ausgesprochen. Groscurth, Tagebücher, S. 159.

[54]) Domarus II, 1, S. 1027. Vgl. auch PRO London, FO 371/22988, C/204/16/18.

stünden unsere Feinde: die westliche Denkungsart und die jüdischen Strömungen"[55]), die, so könnte man sinngemäß ergänzen, nunmehr die Londoner Regierung beherrschten und unvermeidlich nach der Vernichtung Deutschlands trachteten. Denn „dort wissen sie", fügte Hitler expressis verbis hinzu, „daß, solange Deutschland da ist, der Bolschewismus sich nicht ausbreiten kann"[56]). Die Vorstellung von der Parallelität, wenn nicht gar Identität liberaler, jüdischer und bolschewistischer Interessen nahm also weiterhin einen unverrückbaren Platz in den Anschauungen des Diktators ein. Ian Colvin, ein wichtiger Informant der britischen Regierung, wußte dann Anfang Februar Premierminister Chamberlain zu melden, daß Hitler Ende Januar 1939 vor hohen Wehrmachtoffizieren den englischen Angriff bereits für 1940 erwartete. Jedoch, er, Hitler, würde nach dem Diktum von Friedrich dem Großen handeln und als erster angreifen[57]). Die Verhandlungen mit Polen waren noch in der Schwebe, die Rückendeckung im Osten also nicht prinzipiell gefährdet; offenbar erwog Hitler zu dieser Zeit tatsächlich, die Vertreibung Großbritanniens aus der von Hitler beanspruchten Machtsphäre als nächstes Ziel von sich aus vorzunehmen, da sie ihm ja doch von den Machthabern und „Drahtziehern" in England eines Tages aufgezwungen würde[58]).

---

[55]) ADAP, D, IV, Nr. 272.

[56]) ebd.

[57]) Colvin, Vansittart, S. 307. Ob es sich um die gleiche Rede handelte, die Hitler am 25. 1. 1939 vor höheren Offizieren in der Reichskanzlei hielt, abgedruckt bei Jacobsen-Jochmann, Ausgewählte Dokumente, Bd. II, läßt sich nicht nachweisen.

[58]) Insofern korrespondiert Hendersons Vermutung, die er am 9. März 1939 Halifax mitteilte, durchaus mit Hitlers Überlegungen: Ein deutscher Angriff im Westen sei für den Fall zu befürchten, „if Germany finds all the avenues to the east blocked or if western opposition is such as to convince Hitler that he cannot go eastward without first having rendered it innocuous". (DBFP, 3, IV, Nr. 195) Aufs Ganze gesehen war, wie Hildebrand, Weltreich, S. 605 f. geltend macht, ein Ausgreifen nach Westen und Übersee *nach* dem Rußlandfeldzug mit der endgültigen Auseinandersetzung mit den angelsächsischen Seemächten tatsächlich von Hitler immer geplant gewesen — sie wurde auch bereits zu diesem Zeitpunkt langfristig vorbereitet (vgl. Hildebrand ebd. S. 603 ff. und passim) —. Hendersons auf die kontinentale Phase von Hitlers „Programm" beschränkte Gedankengänge gelten jedoch richtig der Ausschaltung des westlichen Widerstandes *vor* dem Marsch nach Moskau; *dieser* — begrenzte — Westkrieg war allerdings keine alte Idee (wie Hildebrand annimmt), sondern — auch was Frankreich anbetraf — eine wegen des britischen Widerstandes notwendig gewordene, ursprünglich nicht vorgesehene Zwischenstufe, so wie sie sich auch in Hendersons Formulierung darstellt. Zum Plan eines isolierten Feldzuges gegen Frankreich vgl. die Erwägungen oben S. 153 ff. Zum Gedanken der Hintermänner und Drahtzieher, die die englische Regierung zum Widerstand gegen Deutschland und zum Krieg gegen das Reich treiben, vgl. z. B. die Propagandaschrift von Otto Kriegk, Wer treibt England in den Krieg? Die Kriegshetzer Duff Cooper, Eden, Churchill und ihr Einfluß auf die englische Politik, Berlin–Leipzig 1939. Das Titelblatt zeigt die Karikatur des widerstrebenden, mit Regenschirm, Cut und Stahlhelm bewehrten Chamberlain, der von den Händen unsichtbar bleibender Hintermänner nach vorn, also in den Krieg geschoben wird.

Gleichzeitig gab jedoch die Marineleitung wiederholt zu verstehen, daß die Großflotte nicht vor Mitte des nächsten Jahrzehnts eingesetzt werden könne[59]). Die Ausmaße der vorgeschalteten Auseinandersetzung mit Großbritannien, die das Inselreich lediglich in seine Schranken weisen sollte, konnten also weder maritim noch global sein, sondern begrenzten sich auf die von uns wiederholt skizzierten Ziele. Weitere geheime Nachrichten im Londoner Foreign Office sprachen davon, daß der Nahrungs- und Rohstoffmangel Deutschland zwingen könnte, zu handeln, bevor England gleichstark geworden sei[60]). Chamberlain besaß demnach allen Grund zur Besorgnis, die er während des Aufenthaltes in Italien am 11./12. Januar seinem Gastgeber Mussolini nicht verhehlte.

Das Auswärtige Amt in Berlin erfuhr via Ciano-Mackensen, daß der englische Premier sich über die Entwicklung des deutsch-englischen Verhältnisses nach den vielversprechenden Münchner Tagen bitter enttäuscht zeigte[61]). Er und die Weltöffentlichkeit seien auf das stärkste darüber besorgt, welches die wahren Absichten des „Führers" seien. Ob Mussolini seiner ehrlichen Überzeugung Ausdruck verlieh, als er „in der allerbestimmtesten Form" einen deutschen Angriff in Richtung Westen ausschloß, muß nach Ribbentrops Ausführungen in Italien Ende Oktober 1938[62]) bezweifelt werden. Von Erich Kordt erfuhren die Engländer jedenfalls Ende Januar, als Folge von Ribbentrops steigendem Einfluß habe Hitlers Überzeugung sich weiter erhärtet, daß die britische Politik antideutsch sei, niemals etwas anderes gewesen sei, und England demnach als „Feind Nr. 1" angesehen werden müsse[63]). Hitlers Rede am 30. Januar 1939 vor dem „ersten Reichstag

---

[59]) Siehe Raeder, Mein Leben II, S. 156 f., S. 172; Salewski, Seekriegsleitung, S. 59. Indessen sollte ja auch eine Vertreibung Englands vom Kontinent — falls sie sich nicht als zwangsläufige Folge einer deutschen Aktion im Osten ergeben würde — nicht in allernächster Zukunft, sondern nach einer gewissen Ruhe und Vorbereitungszeit erfolgen: Vgl. Hitlers Äußerungen zu Csaky (ADAP, D, IV, Nr. 272). Dabei schloß Hitler allerdings selbst für diese Zeit „blitzartige" Aktionen nicht aus. Es bleibt die Frage, ob er dabei nur an die Besetzung Böhmens und Mährens dachte oder auch an einen Blitzfeldzug gegen den Westen. Vgl. auch Mario Toscano, The Origins of the Pact of Steel, Baltimore 1967, S. 227, über die Frage des Zeitpunktes eines gemeinsamen deutsch-italienischen Krieges gegen den Westen bei den Gesprächen zwischen Deutschen und Italienern.
[60]) PRO London, FO 371/22988, C/1544/16/18: Memorandum Vansittarts v. 2. 2. 1939 über Informationen von Conwell-Evans, die dieser von einem „very prominent German" erhielt.
[61]) PA Bonn, Unterstaatssekretär, Chamberlain und Halifax in Rom, Mackensen an das AA v. 12. 1. 1939.
[62]) Vgl. CAS S. 239 f., ADAP, D, IV, Nr. 400.
[63]) PRO London, FO 371/22988, C/1960/16/18, Ogilvie-Forbes v. 3. 2. 1939 an das Foreign Office mit der Aufz. des Presseattachés der britischen Botschaft über ein Gespräch mit Kordt v. 28. 1. 1939. Kordts Aussagen sind allerdings mit einiger Vorsicht aufzunehmen, da er wahrscheinlich schon zu der Zeit mit absichtlich pessimistischen Äußerungen eine harte Haltung der Briten provozieren wollte. Ähnlich informierte Burckhardt die englischen Delegierten auf

Großdeutschlands"[64]) enthielt hingegen keine radikalen antibritischen Töne, wie auch Chamberlain mit einiger Erleichterung im Unterhaus feststellte[65]). Auf eine unmittelbare Konfrontation mit England ließen Hitlers Worte nicht schließen, aber für die nächste Zukunft war eine solche ja auch keinesfalls beabsichtigt gewesen. Passagen hingegen, die den „Männern des deutschen Reichstages" klar machen sollten, „daß wir es auch in Zukunft nicht hinnehmen werden, daß in gewisse nur uns angehende Angelegenheiten westliche Staaten sich einfach hineinzumischen versuchen, um durch ihr Dazwischentreten natürliche und vernünftige Lösungen zu verhindern"[66]), ließen durchblicken, wohin der Kurs in jedem Falle ging. Ein „zweites München" würde Hitler demnach nicht mehr dulden, weitere Ziele im Osten würden unter allen Umständen, also auch auf die Gefahr eines militärischen Eingreifens anderer Mächte, die Hitler angemessen erscheinende Regelung finden. Allein die Kolonialfrage, ließ Hitler verlauten, sei ein Streitpunkt zwischen England und dem Reich, das im übrigen nicht daran denke, „dem englischen Weltreich Schwierigkeiten bereiten zu wollen. Es würde ein Glück sein für die ganze Welt, wenn die beiden Völker zu einer vertrauensvollen Zusammenarbeit gelangen könnten[67])." Es wäre falsch, nach dem bisher Gesagten nun anzunehmen, daß Hitler allein aus taktischen Gründen erneut die Friedensschalmei hervorgeholt hatte. Abgesehen davon, daß die Erwähnung der Kolonien als des „einzigen" Interessengegensatzes England erneut deutlich in die Schranken seiner Machtsphäre wies — über Mittel- und Osteuropa gab es mit den Briten nicht das Geringste zu diskutieren, auch in Zukunft nicht –, war ja Hitler grundsätzlich jederzeit bereit, auf den ursprünglichen Bündniskurs einzuschwenken, wenn die Londoner Regierung die altbekannten Voraussetzungen akzeptierte.

Allein, die Hoffnung, daß England sich zu dieser „Einsicht" durchrang, hatte Hitler seit 1937 stark zurückgeschraubt, seit dem Ausgang der „Sudetenkrise" beinahe aufgegeben, was jedoch die prinzipielle Bereitschaft zum Bündnis unter seinen Vorzeichen nicht aufhob. Sein antibritisches Konzept nach „München", das sogar eine gewollte Auseinandersetzung mit dem „Westen" nicht ausschloß, verstand Hitler ebenso wie den „Ohne-England"-Plan vom Herbst 1937 immer als einen notwendig gewordenen Ausweg. Die „Unvernunft" der Briten, welche er bedauernd registrierte und als Folge der

der Genfer Ratstagung des Völkerbundes: ebd. FO 371/23005, C/669/53/18, Makins an Strang v. 16. 1. 1939.

[64]) Vgl. Hildebrand, Weltreich, S. 600, Anm. 545.

[65]) PA Bonn, Pol I, Völkerbund, England 2, DNB-Bericht v. 1. 2. 1938: „I very definitely got the impression that it was not the speech of a man who was preparing to throw Europe into another crisis."

[66]) Schultheß 1939, S. 19. Wohl unter dem Eindruck solcher Ausführungen gewannen Beobachter wie der belgische Botschafter Davignon einen anderen Gesamteindruck von Hitlers Rede als Chamberlain. Davignon empfand sie als bemerkenswert antibritisch: PA Bonn, Büro Ribbentrop, Vertr. Berichte 1,2 v. 17. 2. 1939.

[67]) Schultheß 1939, S. 40.

jüdisch-bolschewistischen Infektion einer demokratischen Staatsform verstand, hatte ihn gezwungen, diesen Ausweg zu suchen, wollte er nicht die Realisierung seines „Programms" von vornherein abschreiben. Von einer deutsch-englischen Zusammenarbeit, wie sie Chamberlain, Dirksen und die konservativen Beamten des Auswärtigen Amtes verstanden, war man am Jahresanfang 1939 weiter denn je entfernt[68]).

Das zeigte sich anschaulich im Bereich der deutsch-britischen Wirtschaftsverhandlungen, auf welche Diplomaten, Wirtschaftsfachleute und Politiker beider Länder im Winter 1938/39 nicht geringe Hoffnungen setzten[69]). Die Gespräche hatten sich wohl entscheidend auf Dirksens Initiative hin[70]) aus lockeren Kontakten im Anschluß an das deutsch-englische Zahlungsabkommen vom 1. Juli 1938 allmählich entwickelt[71]), wobei die deutschen Beteiligten aus der Wirtschaftsabteilung des Auswärtigen Amtes schon früh bemerkten, daß die Chamberlainsche Regierung hier einen Anknüpfungspunkt suchte, um das deutsch-britische Gespräch auch auf allgemeiner, vor allem politischer Ebene in Gang zu bringen[72]). Auf diesem Hintergrund gewinnen die bereits erwähnten Äußerungen Chamberlains vom 1. November 1938 vor dem Unter-

---

[68]) Vgl. Dirksens Bericht v. 3. 1. 1939: ADAP, D, IV, Nr. 286, bes. Punkt 4.

[69]) Es wäre lohnend, diesen Wirtschaftskontakten zwischen Deutschland und Großbritannien nach der Freigabe der britischen Akten eine Spezialstudie zu widmen, ihren Ursprüngen nachzugehen, die Initiatoren auf beiden Seiten herauszustellen, die jeweiligen Intentionen zu klären, ihren Stellenwert im Konzept der englischen und deutschen Beteiligten zu analysieren und natürlich eine Antwort auf die Hauptfrage zu finden, inwieweit die politischen Führungen beider Staaten Anteil an den Verhandlungen nahmen und sie zu lenken versuchten. Siehe vorerst Martin Gilbert-Richard Gott, Der gescheiterte Friede. Europa 1933–1939, Stuttgart 1964, 11. Kap. passim; Bloch, Relations anglo-allemandes H. 18, S. 36 f.

[70]) Dirksen, Moskau-Tokio-London, S. 238 f., Vgl. auch Dirksens Gesamtbericht v. 19. 8. 1939: DokuMat II, Nr. 29, S. 165.

[71]) Siehe PA Bonn, Handakten Clodius, England 6. Einer „Aufzeichnung über deutsch-englische Wirtschaftsbesprechungen in London im Oktober und November 1938" zufolge wurde nach einem Briefwechsel der beiden Delegationsleiter bei den Sommerverhandlungen vereinbart, weiterführende Diskussionen einzuleiten „mit dem Ziel einer Steigerung des Handelsverkehrs zwischen Deutschland einerseits und Großbritannien und seinem Kolonialreich andererseits". „... Vorbereitende Besprechungen ... sind im Oktober und November d. J. fortgesetzt worden, als eine Delegation, die zu Verhandlungen über die Verlängerung des deutsch-irischen Zahlungsabkommens nach Dublin entsandt war, Gelegenheit hatte, auf der Hin- und Rückreise in London Aufenthalt zu nehmen." Siehe auch ADAP, D, IV, Nr. 257. Vermerk über ein Gespräch zwischen Leith-Ross und Rüter und Süsskind am 18. 10. 1938. Vgl. auch Brief des Vortr. Legationsrates in der Handelspolitischen Abteilung des AA, Rüter, v. 1. 10. 1938 an das Reichswirtschaftsministerium: „In etwa 2 Wochen sollen Wirtschaftsverhandlungen in London stattfinden mit dem Ziel, Möglichkeiten für eine Ausweitung der deutschen Ausfuhren nach England zu finden:" PA Bonn, HaPol, Handelsvertragsverhältnis Englands zu Deutschland 2.

[72]) Vgl. ADAP, D, Nr. 257, 259 (Brief Rüters an Clodius aus Dublin v. 20. 10. 1938), Nr. 267 (Vermerk Rüters v. 10. 11. 1938).

haus[73]) zur wirtschaftlichen Vormachtstellung Deutschlands in Südosteuropa ein besonderes Gewicht.

Das Auswärtige Amt ließ indessen bereits am 24. Oktober das Reichswirtschafts- und -finanzministerium sowie das Reichsbankdirektorium wissen, daß für eine solche von englischer Seite vorgeschlagene politische Aufwertung der Kontakte „der jetzige Zeitpunkt ... nicht opportun" erschien[74]. Wenn Schacht nach seinem Besuch in London im Dezember 1938 vorgab, er habe „in einem Auftrag des Führers"[75]) verhandelt, so schien er seine Rolle zumindest überbewertet zu haben. Ribbentrop beauftragte Staatssekretär v. Weizsäcker, Schacht telephonisch zur Rede zu stellen, da die „Materie ... von uns bisher ganz negativ behandelt" und der ehemalige Wirtschaftsminister „die bisherige Linie des Reichsaußenministers desavouiert" habe[76]. Es ist allerdings denkbar, daß Hitler tatsächlich gegen Schachts Pläne über ein finanzpolitisches Abkommen mit England nichts einzuwenden hatte, da sie seine kontinentalen Zielsetzungen kaum berührten, und er ja prinzipiell Absprachen über beide Seiten unmittelbar angehende Probleme, sofern sie nicht mit inakzeptablen, Mittel- und Osteuropa betreffenden Bedingungen verquickt waren, nicht abgeneigt gegenüber stand[77].

Die Engländer spannen indessen den Faden weiter. Ein für Februar 1939 geplanter Besuch des Wirtschaftsexperten des Foreign Office, Ashton-Gwatkin, war „englischerseits gewissermaßen als Vorläufer"[78]) weiterführender Gespräche gedacht. Als Ende Januar Verhandlungen zwischen den Vertretern des Rheinisch-Westfälischen Kohlesyndikates und der Mining Federation of Great Britain ihren erfolgreichen Abschluß fanden[79]), schien die Zeit reif, um mit spektakulären Gesten, wie dem Besuch von Reichswirtschaftsminister Funk in England und des britischen Handelsministers Stanley in Deutschland, einen auch nach außen hin sichtbaren Schritt zur politischen Annäherung zu tun[80]). Gleichzeitig läßt sich von diesem Punkt an eine deutliche Versteifung der Haltung der deutschen politischen Führung konstatieren. Mochte Hitler Kontakten auf unteren Ebenen relativ gleichgültig gegenüberstehen, so mußten ihm Ministerbesuche, die nicht eine „großzügige" Haltung

---

[73]) Siehe oben S. 200.

[74]) PA Bonn, HaPol, Handelsvertragsverhältnis Englands zu Deutschland 3, Schnellbrief Clodius' v. 24. 10. 1938 an die genannten Instanzen. Es läßt sich nicht ausmachen, ob Clodius auf höhere Weisung handelte oder die Meinung des AA vertrat, die aber dann im Gegensatz zu Dirksens Auffassung stünde.

[75]) PA Bonn, Handakten Wiehl, England 8, Aufz. Weizsäckers v. 20. 12. 1938.

[76]) ebd.

[77]) Vgl. dazu PA Bonn, Büro Ribbentrop, Vertr. Berichte 1,2 v. 3. 1. 1939: Schacht habe in Berchtesgaden Hitlers „Zustimmung zu seinen finanzpolitischen Plänen, die er bei seinem Besuch in London besprochen hat", erhalten.

[78]) DokuMat II, Nr. 11: Weizsäcker an Wiehl v. 17. 12. 1938.

[79]) ADAP, D, IV, Nr. 303, Tel. Dirksens an das AA v. 28. 1. 1938.

[80]) Vgl. zum Besuchsprojekt ADAP, D, IV, Nr. 280, Dirksen an das AA vom 16. 12. 1938; über Stanleys Wunsch, nach Deutschland zu kommen ebd. Nr. 299, 305, 307.

der Briten zu dem entscheidenden Problem der „freien Hand im Osten" zur
Voraussetzung hatten und gar den Auftakt zu politischen Besprechungen
über kontinentale Fragen bilden konnten, mehr als ungelegen erscheinen.
Eine Reise Funks käme wegen zu starker Beanspruchung des Ministers nicht
in Frage, wurde den Engländern Anfang Februar 1939 bedeutet[81]). Zudem
bestand fortan auf deutscher Seite die Tendenz, die Bedeutung der Sondie-
rungsversuche ganz bewußt abzuwerten, ihnen den Charakter von eigentlichen Verhandlungen abzusprechen[82]). Als Ashton-Gwatkin in Deutschland
eintraf, hielt es Ribbentrop gewiß in Übereinstimmung mit Hitler „für angezeigt", die Besprechungen auf „wirtschaftliche Fragen zu beschränken, um
jede Unklarheit der politischen Linie gegenüber England zu vermeiden"[83]).
Der deutschen Presse wurde wiederholt eingeschärft, „Zurückhaltung gegenüber den Reisen der britischen Wirtschaftler" zu üben, „da man sich von
vornherein von dem Erfolg dieses Unternehmens nichts verspricht"[84]) und
darauf auch „keinen allzu besonderen Wert" legte[85]). Die ursprünglich „rein
privaten Industriebesprechungen" hätten ihre politische Färbung erst von
englischer Seite erhalten, was durchaus nicht „dem ursprünglichen Zweck
oder gar unseren politischen Absichten" entspräche[86]). Aber selbst den „wirtschaftlichen Motiven" der Engländer solle man skeptisch gegenüberstehen,
empfahl die „Deutsche Diplomatische Korrespondenz" vom 21. Februar 1939.
Eine „Wirtschaftshilfe ... sei weder vom Reich erbeten worden, noch würde
sie in dieser Form und auf solchen Wegen überhaupt gewünscht"[87]). Am
8. März ließ der Leiter der Handelspolitischen Abteilung im Auswärtigen
Amt, Wiehl, in einem Vermerk für den internen Gebrauch wissen, die Reichsregierung billige eine Vereinbarung mit Großbritannien über die Aufteilung
dritter Märkte nur für Länder des Empire, keinesfalls aber etwa für „Süd-
ostländer", den Sudan und Ostasien[88]). Einmal mehr wurde klar, daß Hitler

---

[81]) ADAP, D, IV, Nr. 308. Wiehl an Botschaft in London v. 6. 2. 1939.
[82]) Vgl. das Schreiben des AA an die „Reichsforstmeisterei" v. 11. 2. 1939, PA
Bonn, HaPol, Handelsvertragsverhältnis Englands zu Deutschland: „Auch jetzt
ist die Angelegenheit noch nicht weit gediehen. Eigentliche Verhandlungen
haben noch nicht stattgefunden und sind auch in nächster Zeit noch nicht zu
erwarten." Anfang März begännen lediglich die Besprechungen einzelner In-
dustriebranchen über die Aufteilung von Märkten.
[83]) PA Bonn, HaPol, Handelsvertragsverhältnis Großbritanniens zu Deutschland 2,
Aufz. Wiehls v. 20. 2. 1939 über seine Besprechung mit Ashton-Gwatkin; siehe
auch ADAP, D, IV, Nr. 316, Anm. 2. Vgl. ferner PA Bonn, Büro Ribbentrop,
Vertr. Berichte 1,2 v. 23. 2. 1939, Gesprächsteilnehmer aus dem Wirtschafts-
ministerium berichteten, daß Ashton-Gwatkin immer wieder versucht habe,
„politische Fragen in die Erörterung der wirtschaftlichen Probleme hineinzu-
bringen". Die deutsche Seite habe indessen „wenig Neigung gezeigt ..., ihm
auf diesem Wege zu folgen".
[84]) BA Koblenz, ZSg 101/12 Brammer, Pressekonferenz v. 22. 2. 1939.
[85]) ebd. v. 20. 2. 1939.
[86]) ebd. ZSg 101/34 Brammer, Informationsbericht v. 3. 3. 1939.
[87]) PA Bonn, HaPol, Handelsvertragsverhältnis Großbritanniens zu Deutschland
4, Deutsche Diplomatische Korrespondenz v. 21. 2. 1939.
[88]) ADAP, D, IV, Nr. 327.

an Verhandlungen mit England nicht interessiert war, die auch Regionen in der von ihm beanspruchten Machtsphäre zum Gegenstand hatten.

Bekanntlich entfiel Stanleys Besuch infolge der Ereignisse am 15. März 1939[89]). Immerhin, die geplanten Düsseldorfer Besprechungen zwischen der Reichsgruppe Industrie und der „Federation of British Industries" fanden termingerecht statt, wenn auch die englische Delegation nach London zurückkehrte, ohne — wie vorgesehen — einen Abstecher nach Berlin gemacht zu haben[90]). Obgleich Rüter am 23. März den Handelsattaché der deutschen Botschaft in London „auftragsgemäß" davon unterrichtete, „daß keine Rede davon sein kann, daß wir noch Wert auf die freundschaftlich halboffiziellen Unterhaltungen legen"[91]), trat kein endgültiger Bruch der Kontakte auf den unteren und mittleren Ebenen ein. Vielmehr kam man bereits Mitte April über Fragen wie die Regelung des Waren- und Zahlungsverkehrs zwischen dem „Protektorat" und Großbritannien wieder ins Gespräch[92]). Die Fühlungnahme blieb unter der Oberfläche erhalten und geriet erst mit der „Mission" Wohlthats im Sommer 1939 wieder ins Licht der Öffentlichkeit.

Wenden wir uns hingegen wieder der politischen Situation vor dem 15. März 1939 zu. So wenig Hitler und Ribbentrop daran interessiert sein konnten, den Ball, den ihnen die britische Regierung zuwarf, aufzufangen, so war andererseits Hitler nichts daran gelegen, die Engländer in den Wirtschaftsverhandlungen allzusehr vor den Kopf zu stoßen, galt es doch jetzt, dem böhmisch-mährischen Raum endgültig jene Funktion zuzuweisen, die ihm in Hitlers Konzept zugedacht war. Wenn der Diktator seit München auch das Risiko eines westlichen Eingreifens lieber auf sich nehmen wollte, als auf seine kurzfristigen Ziele ein weiteres Mal zu verzichten, so ist schon in Anbetracht des frühen Zeitpunktes nicht zu bezweifeln, daß er das Prager Zwischenspiel möglichst schnell und vor allem ungestört über die Bühne zu bringen wünschte. Als „Protektorat" war das Kerngebiet der Tschechoslo-

---

89) Vgl. ADAP, D, IV, Nr. 330, Henderson an Weizsäcker v. 15. 3. 1939.

90) ADAP, D, VI, Nr. 11; Vermerk Wiehls v. 16. 3. 1939; vgl. PA Bonn, HaPol, Handelsvertragsverhältnis Großbritanniens zu Deutschland 4, mit gemeinsamer Schlußerklärung der Düsseldorfer Besprechungen. Zum Verlauf der Besprechungen siehe ADAP, D, IV, Nr. 331, Rüters Aufz. v. 15. 3. 1939: die Besprechungen seien „ausgezeichnet und in einer sehr freundschaftlichen Atmosphäre geführt" worden.

91) PA Bonn, HaPol, ebd.; vgl. auch ADAP, D, VI, Nr. 54, Ribbentrops entsprechende Weisung für Wiehl v. 20. 3. 1939.

92) Siehe ADAP, D, IV, Nr. 331, Anm. 2; im einzelnen PA Bonn, Handakten Wiehl, England 8, und Handakten Clodius, England 6 passim; vgl. auch Bloch, Relations anglo-allemandes H. 19, S. 47. Am 16. 6. 1939 unterzeichneten Dirksen und Halifax das „Abkommen über die Ausdehnung des deutsch-englischen Transferabkommens v. 1. 7. 1938 auf das Sudetenland": PA Bonn, HaPol, Finanzielle Bez. Deutschland-Großbritannien 2. Wichtiges Gesprächsthema des Sommers 1939 war die Frage der Übernahme tschechischer Guthaben und Schulden durch das Reich, über die auch der Ministerialdirektor in Görings Amt für den Vierjahresplan, Wohlthat, im Juni/Juli 1939 verhandelte: siehe PA Bonn, Handakten Wiehl, England 8.

wakei vollends in Hitlers strategisches Aufmarschgebiet für den Eroberungszug gen Osten integriert, als Gefahr im Rücken bei einem eventuell in nächster Zeit notwendigen Zwischenkrieg im Westen nunmehr gänzlich ausgeschaltet. Es ist bisher noch ungeklärt, wie Hitler den durch die Münchner
Konferenz zunächst verhinderten Einmarsch in Prag so problemlos nachholen
konnte[93]). Entpuppte sich Chamberlains Haltung auf dem Höhepunkt der
Septemberkrise 1938, als der Premierminister die Sudetengebiete und den
Festungsring der Tschechoslowakei Hitler zu konzedieren bereit war, für den
Fall einer Besetzung des übrigen Staatsgebietes jedoch mit Krieg drohte,
nicht nachträglich als Farce? Sei es, daß der Westen den tschechischen Rest-
staat als wertloses Überbleibsel aufgegeben hatte und ihn folglich nicht mit
einer Garantieerklärung schützen mochte[94]) — das hätte man jedoch bereits
in München voraussehen können, als die Republik auf diese Gestalt zusam-
menschrumpfte –, sei es, daß der Regierung in London ein deutscher Einfall
als Vorwand sehr gelegen kam, um mit ruhigerem Gewissen den Ausbau
einer großen europäischen Koalition gegen das Reich als Sicherung gegen
schwererwiegende deutsche Aggressionen mit breiter Unterstützung der Öffentlichkeit ins Auge fassen zu können, Hitler fürchtete ein westliches Eingreifen jedenfalls so wenig[95]), Hendersons Haltung war so ermunternd[96]),
Weizsäckers Warnung trotz des offenkundigen Vertragsbruches so „schwäch-

---

[93]) Vgl. allgemein Rönnefarth, Sudetenkrise, S. 697 ff., besonders S. 708 ff., für
die letzten Tage vor dem 15. 3. 1939, S. 733 ff. Über den Zeitraum zwischen
„München" und „Prag" aufrißartig W. N. Medlicott, „De Munich à Prague",
in: Revue d'Histoire de la Deuxième Guerre Mondiale 4 (1954), S. 3–16.

[94]) Vgl. PA Bonn, Büro Ribbentrop, Vertr. Berichte 1,2 v. 14. 3. 1939: Die Tendenz
„offiziöser Engländer" ginge dahin, daß man sich seit München in London
damit abgefunden habe, „daß der mitteleuropäische Raum ausschließlich deutsche Einflußsphäre geworden sei".

[95]) Vgl. IMT X, S. 294, Ribbentrops Aussage; Kordt, Wahn und Wirklichkeit,
S. 144, Hitler habe auf der Prager Burg triumphierend zu Dietrich gesagt: „Ich
habe es gewußt! In 14 Tagen spricht kein Mensch mehr darüber." Siehe auch
die Notiz des Generalquartiermeisters des Heeres, General Eduard Wagner,
v. 14. 3. 1939: „es geht diesmal aber wesentlich ruhiger ab, da wir Erfahrung
haben und der außenpolitische Druck der beiden letzten Unternehmungen
fehlt", Wagner, Der Generalquartiermeister, Briefe und Tagebuchaufzeichnungen, S. 81. Sicherlich nicht ohne Einfluß auf Hitlers Annahme waren Anzeichen,
die darauf hindeuteten, daß gerade zu jener Zeit sich in Großbritannien eine
optimistische Friedensstimmung breit zu machen begann. Vgl. die Karikatur
des „Punch", in der John Bull am 15. März (!) aus dem Alptraum „Kriegsgefahr"
mit den Worten erwacht: „Thank goodness that's over", Anthony Eden, The
Memoirs: The Reckoning, Boston 1965, S. 58. Sir Samuel Hoare sah vor seinen
Wählern in Chelsea ein goldenes Friedenszeitalter aufziehen: Hoare, Neun
bewegte Jahre, S. 301.

[96]) Vgl. ADAP, D, VI, Nr. 21 und 36. Siehe dazu PA Bonn, Büro Ribbentrop, Vertr.
Ber. 1,2 v. 14. 3. 1939: Henderson habe „einen maßgebenden englischen Journalisten ... um große Zurückhaltung gebeten, da nach des Botschafters Meinung das Foreign Office eine betont desinteressierte Haltung gegenüber den
Ereignissen in der Tschechoslowakei annehme".

lich"[97]), daß man gar an die Möglichkeit geheimer Absprache zwischen London und Berlin denken könnte[98]). Der Verdacht, daß England sein Desinteresse zumindest deutlich zu erkennen gab, erhärtet sich angesichts der völlig andersgearteten Haltung derselben Beteiligten während der „Sudetenkrise", als es ebenfalls um die Unabhängigkeit der Tschechoslowakischen Republik ging[99]). Mit einem Rückstand von nicht einmal einem halben Jahr hatte Hitler — so schien es — die Scharte von München ausgewetzt. Das eigentliche Ziel des Sommers 1938, die Auslöschung des tschechischen Staates von der Landkarte, als nächste Etappe auf dem Wege zur Realisierung des „Ostprogramms" war im Frühjahr 1939 erreicht, und zwar ohne gleichzeitigen Krieg gegen die Westmächte. Der Weg zu weiteren Vorhaben, denen dann der Terminus vom „Großdeutschen Weltreich" angemessen wäre[100]), schien offen. Wenn Hitler dennoch insgesamt keinen Grund sah, von der im Herbst 1938 gefaßten „antibritischen" Konzeption abzugehen und wieder auf die Disposition „ohne England" zu setzen[101]), so deswegen, weil sich der

[97]) Vgl. Das Urteil im Wilhelmstraßenprozeß, hrsg. von Robert M. W. Kempner und Carl Haensel, Schwäbisch Gmünd 1950, S. 20; siehe auch ADAP, D, IV, Nr. 239, Aufz. Weizsäckers über Gespräch mit Attolico v. 15. 3. 1939: „Ich betonte dabei, daß mir weder von englischer noch von französischer Seite ein irgendwie geartetes Dazwischentreten bevorzustehen scheine"; vgl. Weizsäcker, Erinnerungen, S. 215 f. Damit würden sich unsere oben (Anm. 33) angedeuteten Vermutungen erhärten, daß sich der Widerstand Weizsäckers und anderer Beamten der Wilhelmstraße gegen Hitlers Aggressionspolitik weniger aus ethischen und prinzipiellen Motiven herleitete als vielmehr aus dem machtpolitischen Kalkül, daß bei gewissen Aktionen Englands Eingreifen bevorzustehen schien.

[98]) Vgl. die mit David L. Hoggans Werk in der gleichen Schriftenreihe erschienene Studie von Peter Nicoll, Englands Krieg gegen Deutschland, Tübingen 1963, S. 145: Chamberlain habe Hitler über Mussolini seine Zustimmung zum Marsch nach Prag gegeben. Hitler sagte später während des Krieges, daß ihn Chamberlain zur Einverleibung des Memelgebietes ermuntert habe: Tischgespräche, S. 169. Auffallend ist ferner, daß während des nächtlichen Gespräches Hitlers mit Hacha v. 14./15. 3. 1939 (ADAP, D, IV, Nr. 228) das Problem der englischen Haltung gar nicht erwähnt wurde, daß auch in den übrigen diplomatischen Unterredungen jener Tage die zu erwartende Reaktion der Briten weder positiv noch negativ zur Sprache kam. Offenbar betrachtete Hitler diese Frage gar nicht mehr als Problem, was ebenfalls auf mögliche Absprachen hindeuten würde.

[99]) Siehe auch bei Aigner, Ringen um England, S. 343 die streng vertrauliche Weisung des Propagandaministeriums v. 13. 3. 1939: „Die englische Regierung habe den Standpunkt bezogen, daß die slowakische Sezession eine innere Angelegenheit der Tschechoslowakei sei, die in keiner Weise England zur Stellungnahme verpflichte. London habe sich selbst für den Fall eines äußeren Angriffs sehr zurückhaltend geäußert".

[100]) BA Koblenz, ZSg 101/12 Brammer, Vertr. Information v. 16. März 1939; der Begriff „Großdeutsches Weltreich" solle „späteren Gelegenheiten" vorbehalten werden; siehe dazu Hildebrand, Weltreich, S. 606, und Booms, Ursprung, S. 353.

[101]) Das schließt nicht aus, daß Hitler unter dem unmittelbaren Eindruck des Erfolges seiner „Salami-Taktik" für die ursprüngliche Bündnis-Idee wieder reale

Einzug auf die Prager Burg letztlich doch nicht als volle Kompensation für die „Niederlage" von München herausstellte. Die Londoner Regierung ließ zwar das „fait accompli" von Prag unangetastet[102]), — wenn auch Halifax[103]) und Henderson zu verstehen gaben, daß Hitler mit dem Wortbruch vom 15. März gewissermaßen den Rubikon überschritten habe, da man das Geschehnis nicht mehr in die Rubrik „Völkische Selbstbestimmung" einordnen könne[104]; doch schob Chamberlain unmittelbar danach jeder weiteren Expansion in Richtung Sowjetunion einen, so mochte es Hitler scheinen, umso stärkeren Riegel vor. Er garantierte am 31. März die Unabhängigkeit Polens. Die Gefahr eines Zusammenstoßes mit dem Westen vor der Errichtung der Kontinentalherrschaft war keinesfalls gebannt, sondern drohte vielmehr in allernächster Zeit Wirklichkeit zu werden.

Den Eindruck, daß die britische Regierung auf den Einmarsch in Prag gleichsam gewartet hatte, um nun ihrerseits eine „Einkreisungsfront" gegen das expandierende Deutschland anzulegen, konnte Hitler bereits wenige Tage nach seinem Aufenthalt auf dem Hradschin erhalten, als man in London sensationell aufgemachte Falschmeldungen über ein deutsches Ultimatum an Rumänien zum Anlaß nahm, Großbritanniens Engagement in Südosteuropa zu betonen[105]). Wenn wir dazu die allgemeine Empörung der britischen

---

Chancen sah. Vgl. den Bericht Ernest W. Tennants über Hewels entsprechende Informationen v. 27. 7. 1939: Tennant, True Account, S. 224, erneut publiziert von J. Douglas-Hamilton, Journal of Contemporary History 5 (1970), Nr. 4 S. 58. Selbstverständlich ließ z. B. Unity Mitford auch in dieser Situation nicht davon ab, ihren Landsleuten Hitlers Wunsch nach Zusammenarbeit mit England zu übermitteln. Hitler habe ihr gesagt, hieß es in einem Bericht des britischen Generalkonsuls in München v. 27. 3. 1939, daß er Freundschaft zwischen beiden Staaten immer noch für möglich halte: PRO London, FO 371/ 22989, C/4935/16/18. Ehemalige deutsche Admirale (Rothe-Roth, von Puttkamer) erinnerten sich nach dem Krieg, daß Hitler auf der Rückfahrt von Memel sich dahingehend geäußert habe, ihm sei kein Opfer zu groß, wenn er damit den Krieg gegen Großbritannien vermeiden könnte, zit. nach O'Neill, German Army, S. 167 und S. 276, Anm. 719. Aus gleicher Quelle erfuhr O'Neill allerdings auch, daß sich die Planspiele der Marine auch 1939 noch allein mit Frankreich und Polen als Gegnern beschäftigten, was, wie wir sahen, nachweislich nicht zutraf und die Zuverlässigkeit der Aussagen stark beeinträchtigt. Außerdem ist bekannt, daß Hitler der Marine gegenüber nicht mit englandfreundlichen Bemerkungen sparte, wohl um einen Beruhigungseffekt zu erzielen. Englische Journalisten gewannen zu eben dieser Zeit hingegen den Eindruck, daß Hitler „eine vollkommene Neuorientierung seiner Politik gegenüber England eingeleitet habe": PA Bonn, Vertr. Berichte 2,1 v. 21. 3. 1939.

[102]) Broszat, Reaktion der Mächte, S. 265 ff., vertritt die Meinung, daß die diplomatischen Proteste der Briten in erster Linie für die eigene Öffentlichkeit bestimmt waren.

[103]) ADAP, D, IV, Nr. 244, Dirksen an das AA über Halifax' Reaktion v. 15. 3. 1939. Halifax: „Der Führer habe ... ausdrücklich versichert, daß er keinen Gebietszuwachs in Europa mehr anstrebe", womit implizit der Vorwurf des Wortbruches vorgetragen wurde.

[104]) ADAP, D, VI, Nr. 36, Henderson zu Weizsäcker am 17. 3. 1939.

[105]) Zu einer für die britische Seite wenig schmeichelhaften Darstellung der „Tilea-Affäre" kommt Aigner, Ringen um England, S. 345 und S. 403 f., Anm. 221.

Öffentlichkeit sehen, die sich auch im britischen Parlament[106]) und in Chamberlains berühmter Rede von Birmingham[107]) am 17. März widerspiegelte, so verwundert es angesichts von Hitlers Mentalität kaum, daß Hitler am 20. März in einem Gespräch mit Attolico von der Unvermeidbarkeit des Krieges zwischen der „Achse" und den Westmächten ausging[108]). Bezeichnend ist, daß Hitler es für „nahezu sicher" hielt, daß Großbritannien seinem Entente-Partner in einem aus italienisch-französischen Reibereien im Mittelmeer entstandenen Konflikt beistehen werde. Ein isolierter Feldzug gegen Frankreich erschien dem Diktator also erneut nicht realisierbar[109]). Die im „Zweiten Buch" angeführten Gründe, die eine verschiedene Bewertung der Westmächte rechtfertigten, – nämlich Sieg der jüdisch-demokratischen Kräfte in Frankreich – Chancen für einen Erfolg der nationalen Kreise in England –, entsprachen also, so glaubte Hitler offenbar, nicht mehr der Wirklichkeit. Auch Großbritannien war ins feindliche Lager eingeschwenkt, abgesehen davon, daß machtpolitische Motive selbst einer „völkischen" Regierung in London verboten hätten, einer Überrennung Frankreichs zuzusehen.

Der Westen war nach Hitlers Ansicht der *nächste* Kriegsschauplatz, wie aus den weiteren Ausführungen des „Führers" zu Attolico hervorging. Polens Haltung für den Fall, daß „Deutschland im Westen engagiert wäre, sei indessen unsicher... Es sei durchaus möglich, daß Polen sich auf die Seite der Gegner Deutschlands stellen würde..."[110]), erläutert Hitler und ließ damit das Ziel des laufenden Meinungsaustausches mit der Warschauer Regierung erkennen: die Rückendeckung für die Auseinandersetzung gegen England und Frankreich zu sichern. Es klingt an, daß die Rückensicherung

---

[106]) Besonders erregten Hitler Äußerungen wie die Duff Coopers am 17. 3. 1939, der Hitler einen „thriced perjured traitor" nannte: siehe PRO London, FO 371/ 23075, C/4058/3418/18 und C/3418/3418/18, Henderson berichtet dem Foreign Office über Hitlers zornige Reaktion. Ende März erhielt die Dienststelle Ribbentrop die vertrauliche Information, daß nach Ansicht britischer Journalisten „mit einer Entspannung wohl nicht mehr gerechnet werden dürfte. In England sei das Bewußtsein der tiefgehenden Gegnerschaft zu Deutschland jetzt derartig verbreitet, daß man in Deutschland den eigentlichen Feind Großbritanniens erblicke." PA Bonn, Büro Ribbentrop, Vertr. Berichte 2,1 v. 31. 3. 1939, mit dem Vermerk, daß der Bericht Ribbentrop vorgelegen hat.

[107]) Wortlaut bei Freund, Geschichte des Zweiten Weltkrieges I, Nr. 9, S. 16 ff.; zu den näheren Umständen siehe Feiling, Chamberlain, S. 400. Im Unterhaus gab Chamberlain am 23. 3. 1939 zu erkennen, daß Großbritannien den eigenen Widerstand und den anderer Länder gegen jeden Versuch Deutschlands, Europa zu beherrschen, erwecken werde. Parliamentary Debates, House of Commons, v. 23. 3. 1939.

[108]) ADAP, D, VI, Nr. 52; deutsche Fassung PA Bonn, Büro RAM, F 19, 470–454, F 8 59–69.

[109]) Siehe dazu auch Keitels Weisungen für die italienisch-deutschen Wehrmachtsbesprechungen v. 4. 4. 1939: ADAP, D, VI, Anh. III: „... Spätestens wenn es Frankreich schlecht geht greift England ein und hat dann in Ruhe seine Vorbereitungen treffen können."

[110]) PA Bonn, F 8, 58–69 dt. Fassung.

unter Umständen auch gewaltsam erfolgen müsse, doch war Polen zu diesem Zeitpunkt noch keineswegs als nächster Gegner vorgesehen. Wenn Hitler darüberhinaus dem Botschafter zu verstehen gab, daß aus wehrtechnischen Gründen, die besonders die Rüstung zur See betrafen, ein Ausbrechen des Konfliktes mit England erst in eineinhalb bis zwei Jahren wünschenswert sei[111]), so scheint das gar für eine bewußte Ansteuerung des notwendig gewordenen Krieges im Westen zu einem für Deutschland günstigen Zeitpunkt zu sprechen. Eine globale Auseinandersetzung um überseeische Besitzungen und die Weltherrschaft konnte hingegen 1940/41 noch nicht stattfinden, wie ein Blick auf den wesentlich länger terminierten Zeitplan des Flottenbauprogramms zeigt, jedoch lag eine in ihren Operationen konkret begrenzte Vertreibung der Briten vom Kontinent für diese Zeit durchaus im Bereich des Möglichen. Bis dahin sei die Schlagkraft der Marine verbessert, meinte Hitler. Von der Vollendung einer schlagkräftigen Großkampfflotte, nur eine solche würde das gesamte Empire in die Knie zwingen können, sprach er hingegen nicht.

Begrenzter Zwischenkrieg im Westen 1940/41 vor dem weiteren Angriff nach Osten, bis dahin Sicherung des polnischen Wohlverhaltens eher mit friedlichen als mit militärischen Mitteln: So etwa schien Hitler sich nach dem Einmarsch in Prag, aber noch vor der englischen Garantie an Polen, den Verlauf der nächsten Jahre vorgestellt zu haben. Es überrascht daher kaum, wenn von einem Abflauen der antibritischen Stimmung in Deutschland nichts festzustellen war[112]).

d) Die britische Garantie für Polen und ihre Folgen für Hitlers England-konzeption

Nur kurze Zeit nach Hitlers Unterredung mit Attolico stand fest, daß Chamberlain es nicht bei der allgemeinen Drohung beließ, England werde einer Unterwerfung Europas durch Deutschland Widerstand entgegensetzen, sondern konkret die Unabhängigkeit des polnischen Staates garantierte. Aus

---

[111]) ADAP, D, VI, Nr. 52.

[112]) Siehe Davignons Notiz v. 23. 3. 1939: „En ce moment la colère des Nazis est surtout dirigée contre la Grande-Bretagne..." Davignon, Berlin 1936–1939, S. 139; vgl. auch Tennant, True account, S. 212: „Hitler now gets quite hysterical in his contempt for the democracies". Siehe BA Koblenz, ZSg 102/15 Sänger, Pressekonferenz v. 18. 3. 1939 der Grundtenor der Pressekampagne müsse lauten: „wir stellen ... fest, daß entweder die Haltung der englischen Presse und die Worte der englischen Minister nicht der Auffassung des englischen Volkes entsprechen, oder wenn das doch der Fall wäre, daß dann die englische Nation der erbittertste Feind der deutschen Existenz wäre, unter solche Umständen würde Deutschland gezwungen sein, seiner grundsätzlichen Einstellung eine einschneidende und dann endgültige Revision zu unterziehen." Ein mit „Finger weg von Mitteleuropa!" betitelter Artikel des „Völkischen Beobachter" v. 19. 3. 1939 führte diese Weisung nahezu wörtlich aus. (IfZg München, Zeitungsausschnittsammlung).

Hitlers Sicht betrachtet stellte damit die englische Regierung erneut ihre prinzipielle Gegnerschaft zu Hitlers weitreichenden Osteuropa-Plänen unter Beweis. Für Hitlers kurzfristige Zielsetzung war es schwerwiegender, daß die polnische Regierung sich nunmehr mit steigender Entschiedenheit seinem Ansinnen widersetzen würde, die „große Ostlösung" zu akzeptieren und ihre unabhängige, auch von einem gehörigen Maß Selbstüberschätzung getragene Außenpolitik zu verlassen. Gleichzeitig bedeutet das englisch-polnische Abkommen, daß Hitler, selbst wenn er seine Pläne bezüglich Polen nicht weiterverfolgte, bei einem Krieg Deutschlands gegen Großbritannien an der Ostgrenze einer feindlichen Macht gegenüberstehen würde. Wollte er hingegen sich dieser Bedrohung im Rücken gewaltsam entledigen, so mußte der deutsche „Führer" das Risiko einer gleichzeitigen Auseinandersetzung mit den Westmächten bereits zu einer Zeit in Kauf nehmen, die er soeben gegenüber Attolico als wenig günstig bezeichnet hatte.

Es wäre verfehlt, in Chamberlains Erklärung vom 31. März[113]) und den britisch-polnischen Vereinbarungen vom 6. April 1939[114]) einen grundlegenden Wendepunkt in der Londoner Politik zu sehen[115]). Weder war die englische Regierung bereit, den Bestand der polnischen Westgrenzen zu garantieren[116]) – sie ließ also durchaus die Möglichkeit zu gewissen Revisionen offen – noch erteilte sie Polen einen „Blankoscheck", durch den Europa in einen allgemeinen Krieg stürzen mußte, wie es Weizsäcker[117]) und selbst Duff Cooper[118]) erschien. Das britische Engagement beschränkte sich streng

---

[113]) ADAP, D, VI, Nr. 136; vgl. zur Entstehung Strang, Home and Abroad, S. 161.

[114]) DBFP, 3, V, Nr. 10; Polnisches Weißbuch Nr. 71.

[115]) Zum Stand der Diskussion über das Ausmaß und die Bewertung der Garantie an Polen siehe Hildebrand, Weltreich, S. 607, Anm. 574; vgl. auch Aigner, Ringen um England, S. 346 f. und besonders Gottfried Niedhart, Großbritannien und die Sowjetunion, München 1972.

[116]) Vgl. Hildebrand, Deutsche Außenpolitik, S. 86 f. Siehe auch Dalton, Fateful Years, S. 239 zum Artikel der „Times" v. 1. 4. 1939, nach dem Konzessionen in Danzig und dem Korridor die polnische Unabhängigkeit nicht bedrohen würden.

[117]) Siehe Weizsäcker, Erinnerungen, S. 222; Margret Boveri, Der Diplomat vor Gericht, Berlin–Hannover 1948, S. 63 ff. und Trials of War Criminals (TWC), XII, S. 1099.

[118]) So am 10. 8. 1939: PA Bonn, Handakten Megerle, Gegen England, nicht vervielfältigtes Material, DNB-Meldung; siehe auch Weizsäcker, Erinnerungen, S. 222 f.: Cooper habe erklärt, „nie in der Geschichte habe England einer zweitrangigen Macht die Entscheidung darüber eingeräumt, ob Großbritannien in einen Krieg einzutreten habe oder nicht. Jetzt sei diese Entscheidung einer Handvoll Leuten überlassen, deren Namen ... in England total unbekannt seien". Selbst Churchill empfand mehr fatalistische Gedanken als Triumph bei der Einleitung einer längst von ihm befürworteten Politik; Churchill, I, S. 421: „Gott stehe uns bei, wir können nicht anders, sagte ich dazu." Heftige Kritik übt der Militärschriftsteller B. H. Liddel-Hart, Lebenserinnerungen, Düsseldorf–Wien 1966, S. 432: „Diese törichte, vergebliche und herausfordernde Garantie" sei mehr stimmungsmäßigem Druck als klarem Kalkül entsprungen. Zum Einfluß der öffentlichen Meinung siehe Nagle, Study, S. 170. Vgl. ferner Channon, Chips, Diaries, S. 188.

auf die Wahrung der Unabhängigkeit des polnischen Staates, dessen Bedrohung klar erwiesen sein müsse. Natürlich sei es Sache der britischen Regierung, erklärte Chamberlain vor der Abgabe der Unterhauserklärung seinen Kabinettskollegen, darüber zu befinden, durch welche Aktionen der casus foederis eintreten würde[119]), womit den Engländern ein gewisser Handlungsspielraum verblieb.

Es war also im Prinzip die alte Linie, die Chamberlain Ende März 1939 verfocht: Sicherung der bestehenden europäischen Verhältnisse mit gewissen Konzessionen an Deutschland — Verhinderung einer unumschränkten deutschen Hegemonialstellung; jetzt mit der nach außen sichtbaren Nuancierung, daß die negative Komponente, nämlich Hitler Grenzen aufzuzeigen, gegenüber der seit dem Halifax-Besuch besonders stark betonten Kompromißbereitschaft eine kräftigere Tönung erhielt[120]).

Hitlers weiterreichende expansive Ostziele fanden in dieser zugleich entschiedenen und konzessionsbereiten Politik keinen Platz, nach dem 31. März 1939 genausowenig wie in den Jahren zuvor. Wenn das britische Kabinett bereits am 18. März beschlossen hatte, an die Sowjetunion, Polen, Jugoslawien, Türkei, Griechenland und Rumänien heranzutreten, um gemeinsam gegen jede auf die Beherrschung Südosteuropas abzielende deutsche Aggression Front zu machen[121]), so bedeutete dies, daß fortan der unüberbrückbare Gegensatz zwischen Chamberlains Konzept und Hitlers „Programm" nicht mehr nur hintergründig bestand und nur wenigen Einsichtigen klar war, sondern sich zwangsläufig in genau vorher zu berechnenden Fällen entzünden mußte, falls Hitler seine über Chamberlains Konzessionsspielraum hinausgehenden Ambitionen weiterverfolgte. Die britische Regierung schickte sich an, die konkreten Grenzen ihrer Zugeständnisse öffentlich zu fixieren[122]). Mit der Garantierung der polnischen Unabhängigkeit geschah dies zum ersten Mal. Es folgten ähnliche Garantie-Erklärungen gegenüber Rumänien und Griechenland[123]), mit der Türkei und der Sowjetunion[124]) begannen Gespräche

---

[119]) PRO London, CAB 17 (39) in: FO 371/22968, C/4657/15/18.

[120]) Vgl. Hildebrand, Außenpolitik, S. 87, und Gruchmann, Zweiter Weltkrieg, S. 7 f., Gruchmann sieht in der Garantie den „Ausdruck der jahrhundertealten britischen Konzeption der balance of power in Europa". Eine Hervorhebung der Grenzen von Chamberlains Kompromißbereitschaft ging zwangsläufig mit der Betonung der Gleichgewichtsdoktrin parallel, welche durch die bisherige Unterstreichung der Kompromißbereitschaft etwas in den Hintergrund gedrängt aber nichtsdestoweniger immer vorhanden war.

[121]) PRO London, CAB 12 (39) in: FO 371/22967, C/3632/15/18.

[122]) Nur in dieser Hinsicht konnte man von einem neuen Abschnitt der britischen Außenpolitik sprechen, jedoch kaum von einer „neuen Epoche", wie sie Chamberlain am 3. 4. 1939 im Unterhaus etwas emphatisch verkündete: PA Bonn, Pol I, Völkerbund, England 2, DNB-Bericht v. 4. 4. 1939, siehe auch Chamberlain, Struggle for Peace, S. 427 ff.

[123]) Vgl. ADAP, D, VI, Nr. 189, Theo Kordt an das AA v. 13. 4. 1939.

[124]) Zu den Verhandlungen der Sowjetunion mit den Westmächten im Sommer 1939 vgl. im einzelnen Strang, Home and Abroad, ab S. 156 passim; zum deut-

über Vereinbarungen der gleichen Art. Da die kurzfristigen Pläne des Diktators auf die Beseitigung der eigenständigen Größe Polen im Konzert der europäischen Politik hinausliefen, so lag zutage, daß Hitler damit das proklamierte Limit klar überschreiten und die Gefahr einer deutsch-britischen Konfrontation bereits in allernächster Zeit heraufbeschwören würde.

Betrachten wir Hitlers Reaktion auf die britische Garantieerklärung, so scheint es, als ob er deren Tragweite durchaus richtig einschätzte. Wie Hans Frank sich im Nürnberger Gefängnis zu erinnern glaubte, wertete Hitler die Absprachen zwischen London und Warschau entsprechend „seiner Gesamtanschauung als eine Verstärkung der ihm und dem Reich von England drohenden Gefahr" als ein „eklatante Bestätigung der Kriegsplanung Englands gegenüber Deutschland"[125]). Wenn sich in ihm auch Zweifel regten, ob die Engländer im konkreten Fall Polen, das er ja noch gar nicht militärisch anzugreifen beabsichtigte, zu den Waffen greifen würden[126]), so änderte dies nichts an seiner grundsätzlichen Überzeugung von der englischen Gegnerschaft gegen seine Pläne in Osteuropa. Besonders die Bemühungen der Londoner Regierung um einen Beistandspakt mit der Sowjetunion für den Fall einer deutschen Aggression mußten seine Ansicht festigen, daß die obsiegenden antinationalen Kräfte in Großbritannien — die Parallelität ihrer Interessen mit den bolschewistischen Weltfeinden nun vor aller Öffentlichkeit bloßlegend — auf aktiven Widerstand gegen seine nächsten Aggressionspläne abzielten. Die Möglichkeit eines europäischen Krieges war damit auch in seinen Augen durchaus gegeben[127]), denn nach München war er nicht mehr bereit, seine Ambitionen nochmals zurückzustecken. So nahm er die — aus seiner Sicht gesehene — „Herausforderung" des unmittelbaren Hauptgegners

---

schen Informationsstand siehe ADAP, D, VI, Nr. 48, 121, 184, 189, 233, 239, 269, 309, 327, 343, 362, 381, 401, 458, 468, 473, 511, 581, 657, 679, 695. PA Bonn, Unterstaatssekretär, Einkreisung 2 enthält eine Übersicht über alle britischen Schritte, die diplomatischen Gegenmaßnahmen der deutschen Regierung bei den betroffenen Staaten, sowie deren Reaktion auf die Demarchen Großbritanniens und Deutschlands. Eine knappe Zusammenstellung der wichtigsten Phasen der Moskauer Verhandlungen bringt Ursachen und Folgen XIII, Dok. Nr. 2819 a-l.

[125]) Frank, Angesichts des Galgens, S. 364; vgl. auch Ribbentrops Aussage in Nürnberg: IMT, X, S. 301.

[126]) Vgl. Kordt, Wahn und Wirklichkeit, S. 164 f. und Görings Aussage in Nürnberg: IMT XXXIV, S. 107,090-TC.

[127]) Vgl. Kordt, S. 165 f. Hans Bernd Gisevius, Bis zum bitteren Ende, Vom Reichstagsbrand bis zum 20. Juli 1944, Gütersloh 1961, S. 399, zitiert Canaris' Bericht von Hitlers Reaktion („Denen werde ich einen Teufelstrank brauen"); Henry Channon, Chips, Diaries, S. 192, notierte unter dem 4. 4. 1939 die Ansicht Hendersons, daß Hitler über die „gouvernantenhafte Einmischung" sehr zornig zu sein schien. „First it was the Communists, then the Jews and now it is the British Empire. He absolutely loathes us and Nevile thought that-at any moment-he might commit a coup-de-tête". Man könnte Hendersons Meinung dahingehend präzisieren, daß nach Hitlers Auffassung die britische Politik sich mit den beiden anderen Weltfeinden identifiziert hatte, alle drei Gegner eigentlich eine Einheit bildeten.

auf seinem Weg in Richtung Rußland an, ließ sich keine Gelegenheit entgehen, „Auge um Auge, Zahn um Zahn, jede militärische Maßnahme, jeden Presseangriff mit Zins und Zinseszins zurückzuzahlen"[128]). Die Gereiztheit seiner Stimmung gegenüber Großbritannien, die auch jenseits des Kanals nicht verborgen blieb[129]), bewies letztlich, daß er die Ernsthaftigkeit des britischen Widerstandes, den überdies die britische Presse in für seine Begriff aufreizender Weise hochspielte[130]), durchaus empfand[131]).

Anläßlich des Stapellaufes des Schlachtschiffes „Tirpitz" am 1. April 1939 in Wilhelmshaven bot sich Hitler die Gelegenheit, seiner Stimmung gegenüber England Ausdruck zu geben[132]). Wie schon bei anderen Reden mit antibritischem Akzent beobachtet werden konnte, untermauerte Hitler seine machtpolitisch-motivierten Angriffe gegen das Inselreich mit Ausführungen, die in der negativen Seite seiner irrationalen Einstellungen zu Großbritannien wurzelten. Er antwortete auf die Minderwertigkeitsempfindungen breiter Schichten der deutschen Bevölkerung gegenüber England, wenn er die deutschen Kaiser auf dem Hradschin erwähnte, die dort schon zu einer Zeit residiert hätten, „in der England noch sehr klein war"[133]). Das Klischee vom arrogant-unwissenden, nur über das eigene Land informierten Briten belebte sich, als Hitler fortfuhr: „Das wissen die Engländer nicht, das können sie auch nicht und brauchen sie auch nicht zu wissen." Natürlich versäumte er es nicht, seinen Zuhörern in Erinnerung zu rufen, daß „300 Jahre lang ... dieses England nur als untugendhafte Nation gehandelt habe, um jetzt im Alter von Tugend zu reden". Hauptangriffspunkte von Hitlers Ausführungen bildeten naturgemäß das britische Engagement in den vom Reich beanspruchten Einflußzonen, — „so wenig wir Deutschen in Palästina etwas zu suchen haben, so wenig hat England in unserem deutschen Lebensraum etwas zu suchen!"[134]) — und besonders die britischen Bemühungen um eine gemein-

---

[128]) Dirksen, Moskau-Tokio-London, S. 244; vgl. auch Medlicott, Coming of War, S. 19.

[129]) Vgl. PRO London, FO 371/22969, C/5062/15/18: Vermerk des Foreign Office v. 5. 4. 1939 über Gespräch Mr. Ridsdales mit Dr. Abshagen: Hitler sei „in a furious temper with us". Englands feste Haltung habe Ribbentrop in Hitlers Wertschätzung sinken lassen.

[130]) Der DNB-Pressespiegel v. 1. 4. 1939 vermerkte, daß im „Daily Telegraph" der englisch-polnische Vertrag als Modell für ähnliche Pakte mit anderen Staaten gelobt worden sei. Nach Meinung des Blattes läge Britanniens Grenze nicht mehr am Rhein, sondern in den Weichselregionen; der Keim zu einer „machtvollen Allianz gegen den Angreifer" sei geschaffen. Damit wurde das britische Engagement in der deutschen Machtsphäre offen pointiert und postuliert. PA Bonn, Pol II, antideutsche Mächtegruppe 2.

[131]) Vgl. auch Günter Moltmann, „Deutschland und die Welt im Jahre 1939", in: Schicksalsjahre deutscher Geschichte 1914–1939–1944, hrsg. von Klaus-Jürgen Müller, Boppard 1964, S. 144.

[132]) Domarus II, 3, S. 1119 ff. Vollständiger DNB-Wortlaut in PA Bonn, Pol II, antideutsche Mächtegruppe 2. Schultheß 1939, S. 76 ff.

[133]) Nach Schultheß 1939, S. 78, Domarus II, 3, S. 1122.

[134]) Schultheß, S. 77, Domarus S. 1121.

same Abwehrfront, die erstmalig mit der bekannten Vokabel „Einkreisung" gebrandmarkt wurde. Die sich anbietenden Parallelen zum Ersten Weltkrieg zog Hitler expressis verbis: „Wir wissen heute aus den Akten der Geschichte, wie die damalige Einkreisungspolitik planmäßig von England aus betrieben worden war." Wenn der Reichskanzler schließlich drohte, daß das Reich nicht bereit sei, „eine Einschüchterungs- oder auch nur Einkreisungspolitik auf die Dauer hinzunehmen" und seine „Lebensinteressen preiszugeben"[135]), so verbarg sich hinter der rhetorischen Demonstration seiner Festigkeit die grundsätzliche Entschlossenheit, von seinen unmittelbaren und langfristigen Zielen keinesfalls abzugehen.

Hitlers Rede, die von britischen Diplomaten- und Journalistenkreisen in Berlin als „politische Kampfansage ... an England", wenn nicht „geradezu als Kriegserklärung" verstanden wurde[136]), gab das Signal zu einer antibritischen Pressekampagne[137]), die alle von Hitler in Wilhelmshaven angeführten Motive aufgriff und in zahllosen Nuancen und Varianten wiedergab. Beliebt war der „Rückgriff auf das alte antibritische Repertoire der Jahre vor 1918"[138]). Das Schlagwort von der britischen „Einkreisung", mit der England seit Jahrhunderten ein kräftiges Deutschland zu verhindern suche, verfehlte seine Wirkung auf breite Kreise der Bevölkerung nicht, was auch britische Beobachter und Diplomaten nicht verkannten[139]).

---

[135]) Schultheß S. 79 u. 77, Domarus S. 1124.

[136]) PA Bonn, Büro Ribbentrop, Vert. Berichte 2,1 v. 3. 4. 1939; vgl. auch Hassell, Vom andern Deutschland, S. 55: „Der Tirpitz-Stapellauf steht im Zeichen des Gegensatzes zu England"; dagegen Raeder, Mein Leben, II, S. 163, Hitler habe auf seine Anfrage, ob vorsorgliche Maßnahmen für einen Krieg gegen England eingeleitet werden sollten, negativ geantwortet.

[137]) Vgl. BA Koblenz, ZSg 101/12 Brammer, Anweisung v. 3. 4. 1939: „Nach der Führer-Rede soll in der Haltung gegenüber England keine Änderung eintreten, vielmehr ist es erwünscht, wenn möglichst zahlreiche und scharfe Angriffe aus aktuellem und historischem Anlaß gegen England gerichtet werden." Siehe auch Ursachen und Folgen XIII, Nr. 2792 c, S. 211.

[138]) Siehe Aigner, Ringen um England, S. 72.

[139]) Zur antibritischen Kampagne — die zahllosen Artikel sollen hier nicht einzeln zitiert werden — vgl. allgemein Aigner, Ringen um England, S. 349 ff., dort Einzelheiten und Analysen der verschiedenen Phasen nach inhaltlichen Kriterien; Ernst K. Bramsted, Goebbels and National Socialist Propaganda, 1925–1945, S. 181 ff. (mit Themenanalyse), Moltmann, Deutschland und die Welt, S. 149; die Bestände im PA Bonn, Presseabteilung, Handakten Schmidt (Presse); Pol II, antideutsche Mächtegruppe; aus den Foreign Office-Akten im PRO London die Bände: FO 371/22989–23008 (mit Kommentaren zu Goebbels' Reden und Artikel); ferner zeitgenössische Broschüren wie Kriegk, Wer treibt England in den Krieg, und Beiträge, wie Heinrich Rogge, „Was ist Einkreisungspolitik", in: MAP 6,1 (1939), Heft 6. u. a. Über die Wirksamkeit der „Einkreisungs"-propaganda siehe Aigner, S. 353; zum englischen Informationsstand z.B. PRO London, FO 371/22958, C/4897/13/18, Ogilvie-Forbes v. 5. 4. 1939: „I can confirm that these sentiments, which the Ministry of Propaganda are sedulously fostering, are meeting with a large measure of success amongst all classes of the population; ferner: FO 371/23008, C/7353/53/18, Bericht des britischen Generalkonsuls in Berlin v. 4. 5. 1939: die deutsche Pressekampagne

Daneben galt es vor allem, den angeblichen Effekt der Beistandsverpflichtung auf die Polen herauszustreichen. Es sei kein Wunder, daß die Warschauer Regierung „der kopflosen Kriegspolitik des heutigen England" erliege[139a]) und sich im Gefühl der britischen Rückendeckung weigere, den „großzügigen" Vorschlägen des „Führers" zu entsprechen[140]). Polen hatte sich damit in deutschen Augen zum „Werkzeug des englischen Kriegswillens" erniedrigt, der jede friedliche Regelung in Osteuropa verhindere[141]). Auch diese Betrachtungsweise korrespondierte mit Hitlers eigenen Anschauungen. Der „Führer", so berichtete Hewel am 10. April 1939 seinem englischen Gesprächspartner Sir Arnold Wilson, könne es absolut nicht verstehen, warum England und Frankreich den Polen zur Zurückweisung seiner maßvollen Vorschläge den Rücken gestärkt hätten[142]). Der Hauptschuldige an der polnischen Krise war also aus Hitlers Sicht eindeutig Großbritannien. Ohne die Einmischung der Londoner Regierung wären alle Probleme, die Deutschland und Polen, nicht jedoch England betrafen, längst im Hitlerschen Sinne — friedlich und militärisch — gelöst worden, so wie sich auch die tschechoslowakische Frage im vorhergehenden Jahr nach Hitlers Interpretation erst infolge der Einschaltung der Briten zu einer Krise ausgeweitet hatte. „Polen durfte zu keinem vernünftigen Gespräch mit uns kommen"[143]), so deutete Hitler wenige Tage vor dem Angriffstermin, Ende August 1939, den Keim des Konfliktes. Vergegenwärtigen wir uns, daß er gerade solche Komplikationen durch seine ursprüngliche Allianzkonzeption auf der Basis einer beidseitig akzeptierten klaren Interessenteilung vermeiden wollte.

Selbst wenn Hitler im Winter 1938/39 schon den Eindruck gewonnen haben mußte, daß Beck kaum seine Vorstellungen von der „großen Ostlösung" zu akzeptieren geneigt war, so nahm ihm die britische Garantie endgültig jegliche Hoffnung, auf dem Verhandlungsweg Polens Eingliederung in die Ausgangsbasis zum „programmatischen" Krieg gegen die Sowjetunion zu erreichen. Die Konsequenz, nun auf eine militärische Lösung zurückzugreifen, lag nahe, zumal diese sich schon immer als Alternative angeboten

---

habe einen „unfortunate effect" auf das deutsche Volk; und ebd. C/5874/53/18, Ogilvie-Forbes v. 21. 4. 1939: „The cry of encirclement ... constituted the best form of propaganda for enabling the German Government to secure the full support of the public in any new adventure."

[139a]) IfZg München, Völkischer Beobachter v. 7. 4. 1939.

[140]) Vgl. BA Koblenz, ZSg. 101/34, Brammer, Information v. 6. 4. 1939, siehe auch Hagemann, Publizistik, S. 391. „Durch seine Aufwiegelung Polens und die Aufdrängung eines aggressiven Militärbündnisses hat England den Beweis seines Kriegstreibens erbracht" (Sonderpressekonferenz v. 6. 4. 1939).

[141]) Vgl. für die spätere Darstellungsweise: Auswärtiges Amt, 1939 Nr. 2, Dokumente zur Vorgeschichte des Krieges, Berlin 1939 (Deutsches Weißbuch), S. XVIII und S. 335 ff.: Titel des vierten Kapitels.

[142]) PRO London, FO 371/22969, C/5248/15/18: Wilsons Aufzeichnung.

[143]) IfZg München, F 34, 1—2, Aufzeichnung des Verbindungsoffiziers des Heeres bei Hitler, General von Vormann, 22. 8.—27. 9. 1939. S. 27., teilweise abgedruckt in Nikolaus von Vormann, Der Feldzug 1939 in Polen, Weissenburg 1958.

hatte[144]). Überdies war, wie bereits angedeutet, die Feindschaft Polens im Falle eines Krieges Deutschlands gegen England durch die englisch-polnische Absprache nun vertraglich festgelegt[145]).

Sowohl der Gesichtspunkt des weiteren „programmatischen" Ausgreifens nach Osten als auch der Aspekt der Rückendeckung für den Fall einer gewaltsamen Verdrängung Großbritanniens vom Kontinent verlangten nunmehr eine militärische Eroberung Polens, selbst auf die Gefahr hin, daß der Blitzzug gegen Warschau die Westmächte auf den Plan rufen würde. Dieses Risiko war ja Hitler seit „München" bereit, auf sich zu nehmen, da mit dem britischen Widerstand gegen sein „Programm" — wie gerade die Garantie an Polen bewiesen hatte — sowieso gerechnet werden mußte, Hitler aber unter gar keinen Umständen ein zweites Mal auf seine nächsten Ziele verzichten würde. „Zwangsläufig", wie Hitler sich Ende November 1939 ausdrückte, kam es also in dieser Zeit zu seinem Entschluß, sich zunächst gegen Polen zu wenden[146]). Die seit „München" beobachtete Alternativmöglichkeit, ob Hitler als nächstes Kriegsziel die Ausschaltung der Präsenz Großbritanniens auf dem europäischen Kontinent anvisierte oder weiter im Osten „programmatisch" vorging und dabei das Risiko des westlichen Eingreifens einging und — falls Großbritannien wirklich nicht bluffte — auch einlöste, hatte sich damit vorerst erübrigt. Polen (mit dem Risiko eines westlichen Eingreifens) — eventuell: Zwischenblitzkrieg im Westen (falls dieser nicht schon als Folge eines Angriffs auf Polen ausgelöst würde) — „programmatischer" Krieg gegen die Sowjetunion –, so ließe sich grob die Abfolge der Hitlerschen Zielvorstellungen im Frühsommer 1939 gliedern, der sich endlich als letzte Phase der Aufschwung von der kontinentalen Großmacht zur Weltvormachtposition anschließen mochte. Ein Blick auf Hitlers Strategie 1939/41 zeigt, daß der „Führer" eben diese Planung in die Tat umzusetzen vermochte. In Hitlers Augen bewies das britische Beistandsversprechen an Polen also zunächst die sich verschärfende Unversöhnlichkeit der Briten gegenüber seinen Osteuropaplänen. Zum andern machte es die „große Ostlösung" nunmehr unmöglich und verlangte — trotz der damit verbundenen Gefahr des britischen Eingreifens — die militärische Regelung des Problems.

Es ist für unsere Fragestellung zweitrangig, den exakten Zeitpunkt festlegen zu können, an dem Hitler endgültig die Notwendigkeit einsah, als

---

[144]) Vgl. Walter Warlimont, Im Hauptquartier der deutschen Wehrmacht 1939—45, Grundlage, Formen und Gestalten, Frankfurt/Main 1962, S. 34: In den letzten Märztagen ließ Hitler den Oberbefehlshaber des Heeres „fast beiläufig" wissen, wenn es bis zum Spätsommer nicht zur Einigung käme, werde er notfalls „Polen mit Waffengewalt zur Annahme seiner Forderungen zwingen". Vgl. auch ADAP, D, VI, Nr. 99. Weisung des Führers v. 25. 3. 1939 an den Ob. d. H.: jedoch will Hitler die polnische Grundfrage vorläufig noch nicht lösen. „Sie soll nun aber bearbeitet werden". Vgl. ferner Müller, Heer und Hitler, S. 390.

[145]) Vgl. auch Hitlers Äußerungen v. 22. 8. 1939: „Es wurde mir klar, daß bei einer Auseinandersetzung mit dem Westen, Polen uns angreifen würde." ADAP, D, VII, Nr. 192.

[146]) IMT XXVI, 789-PS, S. 329. Hitlers Ansprache v. 23. 11. 1939.

nächstes Vorhaben die Zerschlagung Polens anzusteuern. Im Gegensatz zum spontanen Entschluß nach der „Demütigung" der Maikrise 1938, die Tschechoslowakei zu vernichten, zögerte Hitler nach der Garantieerklärung noch längere Zeit, bevor er sich für militärische Lösung in der Polenfrage entschied. Es ist nicht ausgeschlossen, jedoch ebensowenig gesichert, daß die Aussicht auf einen gleichzeitigen Krieg gegen den Westen dabei eine Rolle spielte. Selbst eine Teilmobilisierung polnischer Streitkräfte am 24. März änderte nichts an Hitlers Wunsch, die polnische Frage grundsätzlich nicht mit Gewalt zu regeln[147]). Bei den deutsch-italienischen Wehrmachtsbesprechungen in Innsbruck Anfang April herrschte über die Beurteilung und Haltung Polens Ungewißheit. „Polen bleibt ein Fragezeichen" hieß es in den Schlußbemerkungen der Italiener. Man wolle das Ergebnis des Beck-Besuchs in London abwarten[148]).

Die Weisung zum „Fall Weiß" am 11. April 1939 sollte lediglich als eine „vorsorgliche Ergänzung der Vorbereitung", aber noch „keineswegs als die Vorbedingung einer militärischen Auseinandersetzung mit den Westgegnern" verstanden werden, die weiterhin „die großen Ziele im Aufbau der deutschen Wehrmacht" bestimmte[149]). Die Integrierung des Polenproblems in Hitlers antibritisches Westkonzept seit der „Sudetenkrise" wurde damit erneut deutlich gekennzeichnet. Für den Fall, daß Polen eine das Reich bedrohende Haltung einnehmen sollte, stellte Hitler eine „endgültige Abrechnung" in Aussicht, um „eine den Bedürfnissen der Landesverteidigung entsprechende Lage im Osten zu schaffen"[150]). Auch diese Formulierung wies auf anschließende Aktionen im Westen hin, für die die Rückfront abgesichert werden sollte. Sie ließ allerdings auch Schlüsse auf ein Ausbrechen nach Sowjetrußland zu, für das mit „Weiß" eine abgerundete Ausgangsbasis geschaffen würde. Aufgabe der politischen Führung sei es „Polen in diesem Fall womöglich zu isolieren, d. h. den Krieg auf Polen zu beschränken"[151]). Auch die kommenden Wochen ließen keine eindeutigen Aussagen über Hitlers Haltung gegenüber Polen zu. Der „Führer" schien nicht mehr gewillt, sein „großzügiges" Angebot zu erneuern[152]), ohne damit jedoch die Tür zu Verhand-

---

[147]) Vgl. ADAP, D, VI, Nr. 99, IMT XXXVIII, 100-R, S. 274. „Führer will die Danziger Frage jedoch nicht gewaltsam lösen"; dagegen Helmuth Greiner, Die Oberste Wehrmachtführung 1939–1943, S. 30, die Auseinandersetzung mit Polen erscheine dem „Führer" allmählich unvermeidlich. Vgl. Anm. 144.

[148]) Vgl. Toscano, Origins, S. 221.

[149]) ADAP, D, VI, Nr. 185, Anl. II. Das Dokument beginnt mit den bezeichnenden Worten: „Das deutsche Verhältnis zu Polen bleibt weiterhin von dem Grundsatz bestimmt, Störungen zu vermeiden." K. J. Müller, Heer und Hitler, S. 391, glaubt freilich, daß die vorsichtigen Formulierungen das erstrebte Ziel als Eventualfall tarnen und damit etwaige Bedenken der militärischen Führer zerstreuen sollten.

[150]) ADAP, ebd. und Hubatsch (Hrsg.), Hitlers Weisungen für die Kriegführung, S. 17.

[151]) ebd.

[152]) Siehe Grigore Gafencu, Europas letzte Tage. Eine politische Reise im Jahre 1939, Zürich 1946, S. 89, Hitlers Äußerung v. 19. 4. 1939 im Gespräch mit

lungen zuzuschlagen[153]). Auch Ribbentrops rückblickende Aussage zu Ciano im März 1940, daß Hitler nach der Einführung der Wehrpflicht in Großbritannien beschlossen habe, „die polnische Frage zu lösen, selbst auf die Gefahr eines Eingreifens der Westmächte"[154]), findet, was den präzisen Zeitpunkt der Entscheidung angeht, keine Bestätigung in den Quellen. Vielmehr wußte Hitler am 28. April 1939 vor dem Reichstag über das deutschpolnische Verhältnis „wenig zu sagen", befürwortete weiter eine friedliche Lösung der offenen Fragen, der sich die Polen „unter dem Druck einer verlogenen Welthetze" bislang leider widersetzt hätten[155]). Die Annullierung des Nichtangriffsvertrages von 1934 erschien mehr eine vorsorgliche Maßnahme denn ein Zeichen entschlossener Angriffslust zu sein. Die deutsche Presse erhielt weiterhin die Anweisung, in polnischen Angelegenheiten kurz zu treten[156]), woran selbst Becks scharfe Rede vom 5. Mai 1939 nichts änderte[157]). Vergegenwärtigen wir uns die gleichzeitig laufende und unvermindert fortgesetzte Kampagne gegen England, erinnern wir uns an die Haßtiraden gegen Beneschs Tschechoslowakei ein Jahr zuvor, so manifestierte sich einmal die verschiedenartige Einstellung Hitlers zu Polen und der Tschechoslowakei, zum anderen aber besonders die seit dem Sommer 1938 veränderte Einschätzung Englands durch Hitler. Nicht Polen, sondern Großbritannien galt in seinen Augen als der eigentliche Urheber der im Frühsommer 1939 sich abzeichnenden Krise. Erst einen knappen Monat später, am 23. Mai 1939, nachdem er noch mehrfach die polnische Intransigenz als Folge der englischen Ermutigungen beklagt hatte[158]), verkündete Hitler einem

Gafencu, dem rumänischen Außenminister. Vgl. DBFP, 3, V, Nr. 205, Ogilvie-Forbes an Halifax v. 18. 4. 1939: Polenfrage spitzt sich zu, aber vorläufig noch keine Gefahr für deutschen Handstreich.

[153]) Ribbentrop zu Ciano in Mailand am 5. 5. 1939, CAS, S. 235. Vgl. auch ADAP, D, VI, Nr. 21, Aufz. v. 18. 4. 1939 über ein zweites Gespräch Görings mit Mussolini und Ciano: „Der Führer habe ihm (dem Generalfeldmarschall) sagen lassen, daß er gegen Polen nichts plane." Die Instruktionen des AA für den Ribbentrop-Besuch besagen indessen, daß sich Italien auf einen deutsch-polnischen Konflikt gefaßt machen müsse: ADAP, D, VI, Nr. 340. Punkt VI.

[154]) Ribbentrop zu Ciano am 10. 3. 1940: ADAP, D, VIII, Nr. 665, S. 700. IMT XXXI, 2835-PS, S. 217.

[155]) Schultheß 1939, S. 104 f.

[156]) Siehe BA Koblenz, ZSg 101/13 Brammer, Anweisung v. 3. 5. 1939: „Das Propagandaministerium stellte klar, daß die große publizistische Aktion gegen Polen noch nicht begonnen hat..." Noch Ende Februar sollten deutschfeindliche Vorgänge in Warschau und Posen totgeschwiegen werden, „obwohl sie die schwersten antideutschen Demonstrationen seit dem Weltkrieg darstellten": BA ebd. v. 25. 2. 1939.

[157]) PRO London, FO 371/23078, C/6709/3778/18: Henderson an das Foreign Office v. 6. 5. 1939.

[158]) Siehe den Bericht des britischen Geschäftsträgers in Kowno v. 31. 5. 1939 mit einer von litauischer Seite angefertigten Aufzeichnung über Hitlers Gespräch mit dem litauischen Außenminister Urbsys v. 21. 5. 1939: PRO London 371/2306, N/2819/30/59. Hitler habe bedauert, daß die Polen seine vernünftigen Angebote abgelehnt hätten. Dazu seien sie von England aufgestachelt worden. Bei einem deutschen Angriff auf Polen würden die Westmächte jedoch Polen

engen Kreis: „Es entfällt die Aufgabe, Polen zu schonen und bleibt der Entschluß, bei erster passender Gelegenheit Polen anzugreifen[159]]."" Erst jetzt war es endgültig geworden, daß Hitler als nächstes Ziel den Angriff auf Polen ansteuerte, wobei er nicht vergessen ließ, daß es übergeordnete Intention blieb, „England auf die Knie zu zwingen"[160]. Nicht allein als Vorbereitung der nationalsozialistischen Bodenpolitik im Osten, sondern auch im Hinblick auf die mögliche Auseinandersetzung mit Großbritannien, dessen Widerstand vor dem Zug nach Rußland gebrochen werden mußte, besaß der bevorstehende Polenfeldzug seine Hauptbedeutung.

3. DAS EINKALKULIERTE RISIKO: SOMMER 1939

a) Polen als „Werkzeug des englischen Kriegswillens": April—Juli 1939

Die Sommermonate des Jahres 1939 sind Gegenstand zahlreicher historischer Analysen und Abhandlungen gewesen, so daß unsere Studie auf die Darstellung der Ereignisse weitgehend verzichten kann. Wir beschränken unsere Fragestellung auf das Problem, ob Hitler, nachdem der Entschluß zum Angriff auf Polen sich festigte und endgültig gefallen war, die militärische Intervention der Westmächte, vor allem Englands, tatsächlich so entschieden in sein Kalkül mit einbezog, wie es sein Konzept vom Herbst und Winter 1938/1939 verlangte, oder ob er, wie eine weitverbreitete, zu wenig differenzierende These annimmt, seine gesamten außenpolitischen Bemühungen im Sommer 1939 auf das Ziel richtete, England aus dem bevorstehenden Konflikt herauszuhalten[1]), und die britische Kriegserklärung vom 3. September 1939 lediglich das Ergebnis einer grandiosen Fehlspekulation war. Wir gehen davon aus, daß Hitler zwar einen isolierten Krieg gegen den östlichen Nachbarn als Optimalziel wünschte und die gleichzeitige oder sich unmittelbar anschließende begrenzte Auseinandersetzung mit dem Westen lieber zu vermeiden suchte, diese jedoch auf Grund mancher Überlegungen dennoch *bewußt* als Risiko in Kauf nahm[2]), zumal sie seiner Meinung nach — wie wir

---

ebenso im Stich lassen, wie die Tschechoslowakei im September vergangenen Jahres. Die Frage, ob vertrauliche Berichte, wie der eines Warschauer Mitarbeiters für Ribbentrop v. 22. 5. 1939, wonach „seit den polnisch-englischen Verhandlungen und Vereinbarungen in Polen keine vernünftige Politik mehr gemacht wird, sondern eine Politik des Prestiges um jeden Preis", Hitlers Meinungsbildung beeinflußt haben, muß unbeantwortet bleiben.

[159]) ADAP, D, VI, Nr. 433, Notizen des Wehrmachtadjutanten, Oberstleutnant Schmundt.

[160]) ebd.

[1]) Siehe Walther Hofer, Die Entfesselung des Zweiten Weltkrieges. Eine Studie über die internationalen Beziehungen im Sommer 1939, 3. Aufl. Frankfurt 1964, S. 52.

[2]) Vgl. auch Medlicott, Coming of War, S. 18; Graml, Zur Diskussion über die Schuld am Zweiten Weltkrieg, S. 21.

sahen – eines Tages so oder so unvermeidlich kommen müsse. Ja, es scheint, als ob auch Hitler realisiert hatte, daß allein eine deutliche Reduzierung seiner Pläne gegenüber Polen auf friedliche Revisionsforderungen die britische Intervention abwenden könnte. Und eben dazu, das kann als unverrückbare Konstante in Hitlers Kalkül bis zum Kriegsausbruch gelten, war er zu keinem Zeitpunkt bereit, da eine solche Selbstbeschränkung wie in München erneut den Verzicht auf wichtige Etappenziele seines „Programms" bedeutet hätte. Hitlers Bereitschaft, zur Durchsetzung seines Polenkrieges notfalls auch vor einem *vorzeitigen* Blitzfeldzug gegen den Westen nicht zurückzuschrecken, ergibt sich also schlüssig aus seiner allgemeinen Konzeption im Sommer 1939[3]).

---

[3]) Zu Hitlers Risikobereitschaft vgl. auch Bullock, Hitler and the Origins, S. 280 ff. mit Analyse der möglichen Motive. Siehe auch Hassells im Ganzen treffende Gesamtbeurteilung v. 10. 9. 1939: Vom andern Deutschland, S. 85, „Hitler und Ribbentrop wollten den Krieg gegen Polen und haben das Risiko des Krieges gegen die Westmächte bewußt übernommen, verbunden bis in die letzten Tage hinein mit einer in der Temperatur schwankenden Illusion, sie würden doch neutral bleiben." Aufschlußreich, wenn auch quellenkritisch gesehen problematisch sind Hitlers und Ribbentrops nachträgliche Versicherungen, daß sie mit dem Eingreifen der Westmächte stets gerechnet hätten. Vgl. vor allem Hitlers Brief an Mussolini v. 8. 3. 1940, ADAP, D, VIII, Nr. 663: nach der Einführung der allgemeinen Wehrpflicht sei es ihm klar geworden, daß London den Kampf gegen Deutschland beabsichtigte. Daraufhin habe er sich entschlossen, „sofort zur Abwehr anzutreten, auch auf die Gefahr hin, damit den vom Westen beabsichtigten Krieg zwei oder drei Jahre früher auszulösen". Siehe auch Hitlers Worte zu Mussolini am 18. 3. 1940, Hillgruber, Staatsmänner und Diplomaten, S. 87 f.; sowie Hitlers Ansprache am 12. 12. 1944 vor Divisionskommandeuren am Vorabend der Ardennenoffensive, zit. nach Heusinger, Befehl, S. 373 f. und Heiber, Lagebesprechungen, S. 717. „Wir stehen in einem Ringen, das unausbleiblich früher oder später kommen mußte... Es ist besser (den Krieg) sofort in Kauf zu nehmen in einem Moment, wo wir wie nie gerüstet waren... Einen glückhafteren Augenblick als den vom Jahre 1939 konnte es vielmehr überhaupt nicht geben", zudem „wieder die Tories in Verbindung mit der jüdischen Unterwelt entschlossen waren, ihre alte Politik der Knebelung Deutschlands aufzunehmen". Es ist dies erneut Hitlers Grundüberzeugung, daß eine antideutsche Politik der Briten untrennbar mit der Vorherrschaft jüdisch-bolschewistischer Elemente in England verbunden sein mußte. Wenn der Kampf um die unerläßliche Lebensbasis und Ernährungsgrundlage zum Kriege führte, fuhr Hitler fort, „dann mußte dieser Krieg in Kauf genommen werden". Der Zusammenhang, in dem diese Äußerungen stehen, sowie die Situation im Dezember 1944 vor der Westoffensive lassen annehmen, daß Hitler unter „Krieg" hier die Ausweitung der begrenzten Feldzüge im Osten zum Krieg gegen die Westmächte meinte. Zu Ribbentrop vgl. dessen Brief an Robert Ley v. 14. 9. 1939: ADAP, D, VIII, Nr. 68: man sei immer zum Kampf entschlossen gewesen. „Auch die Möglichkeit, daß die Westmächte in einen deutsch-polnischen Konflikt eingreifen würden, können hieran nichts ändern"; vgl. ferner Ribbentrops Äußerungen zu Mussolini am 10. 3. 1940, ADAP, D, VIII, Nr. 665, S. 699 f. und zum Generalsekretär im türkischen Außenministerium Ačikalin am 12. 7. 1941, PA Bonn, Büro RAM, F 20, 322: „Daß der Beginn der Feindseligkeiten mit Polen unweigerlich den Krieg zwischen Deutschland einerseits und England und Frankreich andererseits nach sich ziehen würde, sei ihm, dem RAM, stets klar gewesen."

Beim Vergleich mit Hitlers Kurs in den Krisenmonaten des Jahres 1938 findet sich demnach der beiden Konzeptionen gemeinsame Wunsch nach dem isolierten Krieg, und Hitler glaubte gewisse Anzeichen dafür zu erblicken, daß England dieses Mal doch nicht zu den Waffen greifen würde, obgleich die beiden Faktoren: deutscher Angriff auf die Unabhängigkeit Polens und britisches Desinteresse prinzipiell einander ausschließen mußten. Während ein Jahr zuvor jedoch die Größe „Krieg mit England" im Konzept des „Führers" — bis auf die Ausnahme des 28. Mai — nicht existierte, oder sein Wunschdenken verbat, Großbritannien als potentiellen Gegner einzusetzen, konnte Hitler diesen Faktor 1939 leichteren Herzens als Risiko berücksichtigen, da er inzwischen überzeugt war, daß die Eliminierung Englands aus den Angelegenheiten des Kontinents vor dem Marsch nach Rußland kaum zu umgehen war[4]), und diese entweder als Folge weiterer „programmatischer" Aktionen im Osten in sein Kalkül mit einbezogen hatte oder gar bewußt zu einem für ihn günstigen Zeitpunkt — allerdings nicht im Jahre 1939 — vom Zaun brechen wollte[5]). Möglicherweise wäre zudem für die Auseinandersetzung im Westen wegen der eigenen militärischen Stärke und der britischen Schwäche zur Zeit ein günstigerer Augenblick als später gegeben, wenn die verstärkten Rüstungsanstrengungen der Briten das Kräfteverhältnis zuungunsten des Reiches verändert haben würden[6]). Die während der Sudetenkrise

---

[4]) Vgl. Graml, Diskussion, S. 22; siehe auch Jäckel, Frankreich, S. 28 f., Jäckel nimmt allerdings an, daß die Vernichtung Frankreichs kontinuierlich auch in den dreißiger Jahren Hitlers unveränderliches Ziel geblieben war, während tatsächlich, wie wir meinen, alle Anzeichen dafür sprechen, daß Hitler nach 1933 der Allianz mit England zuliebe auf die Erfüllung dieses Programmpunktes aus „Mein Kampf" zu verzichten bereit war (zumal Frankreich als kontinentaler Rivale für das Reich nicht mehr in Betracht kam). Vgl. oben S. 155 ff. Zu Hitlers zeitweiligen Bündnisabsichten mit Frankreich vgl. Wollstein, Reich und die europäischen Mächte.

[5]) Siehe für diese Zeit die deutsch-italienischen Wehrmachtsbesprechungen v. 5./6. 4. 1939 in Innsbruck, Toscano, Origins, S. 214 ff. „General Keitel and Pariani are in agreement on the inevitability of a future war against the two Western powers. The best result would be achieved if it were possible to launch a surprise combined attack at a time favorable to the Totalitarian States" vgl. ebd. S. 230: Keitels Äußerungen hätten gezeigt, daß Hitler „top priority" für die militärische Lösung im Westen einräumte. Vgl. auch ADAP, D, VI, Anh. I (I–V).

[6]) Siehe Zitate Anm. 3, dazu Frank, Angesichts des Galgens S. 344, Hitlers „Weltbild" zufolge sei die Auseinandersetzung unvermeidlich. „Dieser Drohung gegenüber sei Deutschland jetzt, 1939, gerade noch, vor allem in der Luft- und Panzerwaffe überlegen, eine Überlegenheit allerdings, die sich in einigen Jahren stark zuungunsten Deutschlands verändern... würde." Vgl. auch DBFP, 3, VI, App. I (X), Henderson an Alexander Cadogan v. 14. 5. 1939: „... It is not impossible that Hitler in the end may think his chances better now than later, when we will be still more prepared." Einen wichtigen Faktor für die Übernahme des Risikos bildete zweifelsohne auch Hitlers bekannte Überzeugung, daß er bald den Höhepunkt seiner Kräfte überschritten hätte, seine Pläne aber noch zu seinen Lebzeiten durchgeführt werden müßten; dazu Speer, Erinnerungen, S. 120: entsprechende Äußerungen wurden auch im pri-

ängstlich vermiedene — weil nicht in die „Ohne-England"-Konzeption passende — Alternative zwischen Verzicht auf die weitere Realisierung des „Programms" und dem Krieg auch mit England war also im Sommer 1939 bereits entschieden, falls sie sich erneut stellen würde. Ein neuerliches „Nachgeben" wie vor der Münchner Konferenz stand für Hitler keinesfalls mehr zur Diskussion.

Die verstärkte Gegnerschaft zu Großbritannien im Sommer 1939[7]) hatte auch im Hinblick auf die ferne maritime Auseinandersetzung um die Weltherrschaft ihre Auswirkung. Raeder kostete es offenbar keine große Mühe, Hitlers Zustimmung zur Bewilligung von beträchtlichen Summen für den Aufbau der Großkampfflotte zu erhalten[8]), deren Verwendung „nicht nur in heimischen, sondern insbesondere auch in außerheimischen Gewässern" der Marineoberbefehlshaber am 9. Juni 1939 in einer Rede im Deutschen Institut für Auswärtige Politik ankündigte und damit die globalen Dimensionen späterer Aktionen andeutete[9]). Aber selbst für den Krieg der näheren Zukunft glaubte die Seekriegsführung in der Marine-Kampfanweisung vom 2. 6. 1939, England und Frankreich im Verein mit Polen und der Türkei auf der Gegenseite zu wissen[10]).

Kehren wir indessen zu den Anfängen der Polenkrise zurück. Als sich Mitte April 1939 Göring und Mussolini zu einer Unterredung trafen, war

vaten Kreis zu seiner stehenden Redeweise: „Von meinen Nachfolgern hat keiner die Energie, die Krisen, die dabei zu erwarten sind, durchzustehen... Meine Absichten müssen durchgeführt werden, solange ich sie mit meiner Gesundheit, die immer schlechter wird, noch durchsetzen kann." Vgl. weiter Hitlers Gespräch mit Matsuoka v. 4. 4. 1941, Hillgruber, Staatsmänner, S. 523 „Auch er sei der Ansicht gewesen, daß er in einer Zeit, wo er selbst noch jung und tatkräftig sei, günstige Umstände auszunutzen und das Risiko eines doch unvermeidlichen Kampfes auf sich nehmen mußte."

[7]) Selbst der Englischunterricht an deutschen Schulen blieb davon nicht unberührt. Deutsche Kinder sollten nicht mehr Respekt und Bewunderung für die Engländer gelehrt werden. Vielmehr wollte die Partei Lehrmaterial liefern, das die Exzesse der britischen Verwaltung in Irland, Palästina und den Kolonien behandelte: PRO London, FO 371/22990, C/9091/16/18: Bericht des britischen Generalkonsuls in Wien v. 23. 6. 1939 über eine Tagung der Englischlehrer der Ostmark in Wien.

[8]) PRO London, FO 371/23054, C/8893/1061/18, Brief Harrisons (Botschaftsangehöriger der Botschaft in Berlin) v. 19. 6. 1939 an Kirkpatrick, nunmehr Leiter des Central Department im Londoner Foreign Office. Aus informierten Marinekreisen habe man verlauten lassen, daß Hitler Raeders zögernden Vortrag über die voraussichtlichen Kosten der Marinerüstung mit der Bemerkung unterbrach, er würde ihm auch das drei- und vierfache der genannten Summe gewähren. Zum Verhältnis Raeder–Hitler in der deutschen Marineplanung vgl. Dülfer, Hitler und die Marineführung. Demnach scheint es, daß Hitler die treibende Kraft war, während Raeder sich auf die bloße Ausführung beschränkte.

[9]) PRO London ebd., Harrison übersandte einen Ausschnitt der „Deutschen Allgemeinen Zeitung".

[10]) Siehe Salewski, Seekriegsleitung, S. 77: „Die politisch-militärische Lage erschien der Seekriegsleitung zu diesem Zeitpunkt immerhin so weit geklärt, daß die Fronten des kommenden Krieges deutlich abgesteckt werden konnten."

von einem Angriff auf Polen noch nicht die Rede. Umso deutlicher sprachen die „Achsenpartner" von einem kommenden Konflikt mit den Westmächten, der unausbleiblich wäre. Denn, so führte der Generalfeldmarschall aus, es sei die Auffassung seines „Führers", daß Großbritannien sich nur nach einer Wendung seiner Politik um 180° dazu bequemen würde, „seine Bemühungen auf die Erhaltung des Weltreiches zu beschränken und den autoritären Ländern freie Hand für die Sicherstellung ihrer Lebensnotwendigkeiten geben"[11]). In neun bis zwölf Monaten sei die deutsche Seite für einen solchen Krieg – der also noch keinesfalls die Ausmaße eines Weltkonfliktes annehmen konnte – besser gerüstet als zum jetzigen Zeitpunkt. Wenn Göring überdies ausführte, „der Führer halte es im übrigen für fast ausgeschlossen, daß England und Frankreich nicht zusammenständen", so war das in erster Linie zwar als Warnung an die Italiener gedacht, ihre Reibereien mit Frankreich nicht auf die Spitze zu treiben. Zum anderen bestätigte sich erneut unsere Ansicht, daß Hitler einen isolierten Feldzug gegen Frankreich niemals in Betracht zog. Vielmehr deuteten Görings Worte Mitte April auf einen Kurs hin, der für 1940 als nächstes Ziel den unausweichlichen Zwischenkrieg im Westen, den Ausschluß der Engländer aus allen kontinentalen Angelegenheiten, ansteuerte. Die gleiche Marschroute kristallisierte sich aus dem zweiten Gespräch beider Politiker heraus. „Deutschland und Italien werden sich nicht zu einem Konflikt provozieren lassen, sondern den Zeitpunkt abwarten, den sie für richtig halten"[12]). Die Dominanz westlicher Zielsetzungen in deutsch-italienischen Gesprächen ist auffällig, doch sollte man nicht außer acht lassen, daß angesichts der italienischen Interessen im Mittelmeer die Unterredungen zwangsläufig sich auf westliche Angelegenheiten konzentrierten und Hitler andererseits kaum Grund sah, den „Achsenpartner" in seine „Lebensraumpläne" im Osten völlig einzuweihen.

Als jedoch der rumänische Außenminister Gafencu am 19. April von Hitler zu einer Unterredung empfangen wurde, zeigte sich, daß Englands Widerstand gegen Hitlers Ostpläne die Gedankenwelt des „Führers" in der Tat primär bestimmte, wenngleich im Hinblick auf Gafencus anschließende Reise nach London und Paris taktische Intentionen wiederum nicht von der Hand zu weisen waren[13]). Die Skala der Hitlerschen Ausführungen zum Thema England, dessen Erwähnung genügte, um beim „Führer" zornige Erregung zu verursachen[14]), reichte von den bekannten Klagen über Englands Unvernunft, sich nicht mit ihm zum Bündnis auf der Grundlage gegenseitig

---

[11]) ADAP, D, VI, Nr. 205, Aufz. v. 15. 4. 1939.
[12]) ADAP, D, VI, Nr. 211, 2. Unterredung v. 16. 4. 1939. Allerdings setzte Göring in diesem Gespräch die Termine auf 1942/43 fest, was nicht mehr so eindeutig für den begrenzten Zwischenkrieg vor der Eroberung Rußlands spricht.
[13]) Daß Hitler durch ihn zu den Staatsmännern des Westens sprechen wollte, vermutet auch Gafencu selbst: Europas letzte Tage, S. 86.
[14]) Gafencu, ebd.

zu respektierender Interessensphären bereitgefunden zu haben[15]) – es gebe jenseits des Kanals, meinte Hitler, keinen britischen Staatsmann, „der genügend groß und weitblickend sei, sich mit ihm über die Aufteilung der Welt zu einigen[16])" – bis hin zur in „heroischer und heiliger" Wut ausgestoßenen Drohung: „Nun gut, wenn England den Krieg will, soll es ihn haben[17])." Zweifellos lag solchen Worten, denen prahlerische Ausführungen über Deutschlands militärischer Stärke zusätzlichen Nachdruck verliehen, die Absicht inne, auf die englische Regierung einschüchternd zu wirken. Wenn Großbritannien nun unter massivem Druck Deutschland freie Hand im Osten gewährte, würde Hitler unverzüglich sein altes, immer noch als Optimallösung angesehenes Bündnisangebot erneuern und von der seiner Meinung nach aufgenötigten, nicht programmgemäßen antibritischen Konzeption abgehen[18]). Andererseits sprach aus den Formulierungen die unmißverständliche Entschlossenheit, die freie Hand sich notfalls mit Gewalt zu verschaffen. Der latente Bündniswunsch paarte sich ein weiteres Mal mit der Entschlossenheit, unter keinen Umständen auf die Realisierung des „Programms" zu verzichten, und notfalls den britischen Widerstand mit militärischen Mitteln zu brechen.

Vorerst deutete nichts darauf hin, daß Großbritannien zur Einsicht im Hitlerschen Sinne gelangte[19]). Im Gegenteil, die Einführung der allgemeinen Wehrpflicht in Großbritannien am 26. April verhärtete Hitlers Glauben an die Unvermeidlichkeit des Konflikts[20]). Roosevelts Appell an Hitler vom 24. April, die Unabhängigkeit zahlreicher namentlich aufgezählter Staaten zu garantieren[21]), bedeutete aus Hitlers Perspektive nicht nur die Einschaltung der anderen angelsächsischen Seemacht in europäische Angelegenheiten, sondern mußte der britischen Regierung überdies den Rücken stärken und sie in ihrer widerstrebenden Haltung gegenüber Hitlers Polen- und Osteuropa-

---

[15]) Gafencu, S. 88 f. Vgl. auch Nicolson, Tagebücher und Briefe, S. 328, dem Gafencu am 23. 4. 1939 in London über seine Berliner Eindrücke berichtete, sowie ADAP, D, VI, Nr. 234 und DBFP, 3, V, Nr. 278, bes. S. 320 f. Gafencus Bericht für Halifax in der Unterredung v. 24. 4. 1939.

[16]) Nicolson, ebd.

[17]) Gafencu ebd. S. 87 f., ADAP, D, VI, Nr. 234, dt. Aufz. v. 19. 4. 1939.

[18]) So auch DBFP, 3, V, Nr. 268, Ogilvie-Forbes an das Foreign Office v. 23. 4. 1939 zu Informationen aus Hitlers Umgebung; gemeint ist wohl Hewel, vgl. Colvin, Vansittart, S. 319.

[19]) Ausländische Gäste, die den Feierlichkeiten zu Hitlers 50. Geburtstag beiwohnten, hatten, wie der bulgarische Kammerpräsident, den Eindruck, daß die Verbitterung in Deutschland gegen Großbritannien weitaus größer sei, als etwa gegenüber Frankreich: PRO London, FO 371/23008, C/7564/53/18, Bericht des britischen Gesandten in Sofia v. 12. 5. 1939.

[20]) Vgl. Anm. 3, bes. Hitlers Brief an Mussolini v. 8. 3. 1940, ADAP, D, VIII, Nr. 663.

[21]) Zum Komplex des Rooseveltschen Friedensappells siehe Günter Moltmann, „Franklin D. Roosevelts Friedensappell vom 14. April 1939. Ein fehlgeschlagener Versuch zur Friedenssicherung", in: Jahrbuch für Amerikastudien 9 (1964), S. 91–109.

plänen noch unnachgiebiger machen. So gestaltete sich Hitlers Rede vor dem Reichstag am 28. April zu einer Wiederholung der Attacken, die er am 1. April in Wilhelmshaven gegen England geführt hatte. Die Aufkündigung des Flottenpakts brachte den sichtbaren Ausdruck der allgemeinen Stimmung gegen Großbritannien[22]) und verfolgte dazu im Hinblick auf die zukünftige Marineplanung konkrete Ziele, wenn die vertraglichen Bindungen schon in einem so frühen Stadium gelöst wurden[23]). Indessen entsprach die offizielle Begründung der deutschen Maßnahme durchaus Hitlers Auffassung. Während das Deutsche Reich, so hieß es in der Note der Reichsregierung an die britische Regierung, stets im Geiste des Abkommens von 1935 und der Münchner Erklärung vom 30. September 1938 gehandelt „und in keinem Fall in die Sphäre englischer Interessen eingegriffen oder diese Interessen sonstwie beeinträchtigt habe", glaube man auf englischer Seite, „gleichviel in welchem Teil Europas Deutschland in kriegerische Konflikte verwickelt werden könnte, stets gegen Deutschland Stellung nehmen zu müssen, und zwar auch dann, wenn englische Interessen durch einen solchen Konflikt überhaupt nicht berührt werden"[24]).

Für Hitler reduzierte sich die Einstellung zu England von jeher auf dieses Kernproblem, dessen Unlösbarkeit er auf die jüdische Agitation innerhalb der britischen Führung zurückführte, während ihm die Komplexität der Frage, ob England prinzipiell aus machtpolitischen Gründen die Beherrschung des europäischen Kontinents durch Deutschland dulden könnte, verborgen blieb, oder er sie nicht wahrhaben wollte.

Vereinfacht — darum um so wirkungsvoller — präsentierte der „Führer" die Situation den Abgeordneten des Reichstages: Weil die „Hetzer der Demokratie" überall dort „wo Deutschland sein Recht", sprich: territoriale Expansion nach Osten, suchte, zum unsinnigen Widerstand gegen Deutschland aufriefen und dabei das Schicksal „eines kleinen braven Volkes" (gemeint waren die Tschechen; im Jahre 1938 wurden sie mit gänzlich anderen Attributen bedacht) und „das Leben von hunderttausend braven Soldaten" zum Werkzeug ihrer Politik machten, beweise das nur, daß sie „uns Deutsche hassen und am liebsten ausrotten" möchten[25]). In dieser Tonart rechnete Hitler mit den vermeintlichen Machthabern in England ab, vergaß indessen nicht, dem „angelsächsischen Volk" seine „aufrichtige Bewunderung" für „eine unermeßliche kolonisatorische Arbeit" auszusprechen, die allerdings „durch Gewalt und sehr oft durch brutalste Gewalt" erreicht worden sei, und England auch nicht von der Pflicht befreie, die deutschen Interessen zu

---

[22]) Vgl. Bensel, Flottenpolitik, S. 64.
[23]) ADAP, D, VI, Nr. 277, deutsches Memorandum an die britische Regierung v. 27. 4. 1939; vgl. Dönitz, Zehn Jahre, S. 44 und Salewski, Seekriegsleitung, S. 60, der betont, daß die erste Phase des Z-Plans durchaus noch im Rahmen der vertraglichen Bindungen hätte vollzogen werden können. Überraschenderweise hatte die Seekriegsleitung selbst auf die Lösung des Abkommens gedrängt.
[24]) ADAP ebd.
[25]) Schultheß 1939, S. 96 f.

251

respektieren[26]). Außerdem „möchten nun alle Engländer begreifen, daß wir nicht im geringsten das Gefühl einer Inferiorität den Briten gegenüber besitzen. Dazu ist unsere geschichtliche Vergangenheit zu gewaltig[27]).“ Mit weiteren Ausführungen ähnlicher Art entsprach Hitler erneut der Englandeinstellung großer Kreise der deutschen Bevölkerung und legte damit den in wilhelminischen Anschauungen wurzelnden „Haßliebe“-Faktor der irrationalen, auch die „Mein-Kampf“-Bündnisidee zum Teil erklärenden Seite seines Englandbildes bloß. Für den Fall, daß Großbritannien der deutschen Auffassung kein Verständnis entgegenbrachte, erklärte Hitler seine Freundschaftsbemühungen für gescheitert. Und Hitler schien der Ansicht zu sein, daß dieser Tatbestand eingetreten sei, denn nach seinen Worten vertrete England heute „in der Publizistik und offiziell die Auffassung . . ., daß man gegen Deutschland unter allen Umständen auftreten müßte“ und beseitige damit die Voraussetzung für den Flottenvertrag[28]), und, so ließe sich ergänzen, für jegliche Zusammenarbeit. Nach der Tschechoslowakei suche sich der „humane Weltapostel“ eine neue Möglichkeit, die Atmosphäre zu vergiften, dieses Mal sei es Polen.

Neben der bekannten Antwort an Roosevelt[29]) erbrachte die Reichstagsrede vom 28. April somit die Darlegung der Hitlerschen Haltung zu Großbritannien: Heftige Polemik gegen die Londoner Regierung und ihre „Hintermänner“, gegen das britische Engagement auf dem Kontinent, das auch durch das Konsultationsabkommen vom 30. September 1938 nicht gerechtfertigt sei[30]), das ihm als Beweis für die britische Feindschaft gegen Deutschland galt und sich nun am Fall Polen neu erweisen würde[31]), verband sich mit verlockenden Freundschaftsperspektiven. Erneut wurde deutlich, daß die antibritische Schwenkung der Hitlerschen Politik niemals so definitiv war, daß sie nicht für die kontinentale Phase des Programms zugunsten der alten Konzeptionen wieder fallengelassen werden konnte, falls die britische Regierung ihre Haltung gegenüber Deutschland wider Erwarten grundlegend revidierte. Nur wer wie Botschafter Henderson diese unveränderten und für

---

[26]) ebd. S. 101.

[27]) ebd.

[28]) ebd. S. 102.

[29]) Dazu mit eingehender Analyse und Überprüfung der Richtigkeit von Hitlers Ausführungen Moltmann, Roosevelts Friedensappell, passim.

[30]) Hitler stellte klar, daß er die Konsultationsklausel der deutsch-britischen Erklärung v. 30. 9. 1938 „ausschließlich auf Fragen, die das Zusammenleben Englands und Deutschlands betreffen“, angewandt wissen wollte. England konsultiere Deutschland in palästinensischen Fragen nicht, ebensowenig könne es ähnliches vom Reich verlangen. (Schultheß S. 100). Die grundverschiedenen Vorzeichen, unter denen Hitler und Chamberlain sich die Zusammenarbeit zwischen Deutschland und England vorstellten, wurden erneut deutlich.

[31]) Vgl. auch das deutsche Memorandum an Polen zur Aufkündigung des deutsch-polnischen Nichtangriffspaktes von 1934: ADAP, D, VI, Nr. 276 „ . . . Mit diesem neuen Bündnis“ (gemeint ist der britisch-polnische Vertrag v. 6. 4. 1939) „hat sich die Polnische Regierung einer von anderer Seite inaugurierten Politik dienstbar gemacht, die das Ziel der Einkreisung Deutschlands verfolgt. . .“

Chamberlain mehr denn je unerfüllbaren Vorbedingungen nicht wahrhaben wollte oder ihnen etwa nachzukommen trachtete, mochte der Rede echte Chancen für eine deutsch-britische Verständigung entnehmen[32]). Realistischere Beobachter im Berliner diplomatischen Corps sahen den Schwerpunkt der Hitlerschen Ausführungen richtiger in der „gutfundierten Warnung an England..., Deutschland in seinem natürlichen Lebensraum in den Arm zu fallen", wobei britische Staatsangehörige nicht ohne Grund annahmen, daß die „Unvermeidlichkeit des Krieges ... deutlich gemacht" worden sei[33]). Drohungen und Lockungen, die zwischen den Zeilen Hitlers alte Weltteilungsidee durchschimmern ließen[34]), prägten Hitlers Worte vor der Weltöffentlichkeit. Mehr Pessimismus, weniger die latente Bündnisbereitschaft als Einsicht in die unvermeidbare Gegnerschaft des Westens, verraten die Aufzeichnungen über Hitlers diplomatische Gespräche und interne Konferenzen zu jener Zeit. „Bei allen Schritten ... sei er auf den verbissenen Widerstand von England und Frankreich gestoßen"[35]), erfuhren der ungarische Ministerpräsident Teleki und sein Außenminister Csaky einen Tag nach der Reichstagssitzung vom deutschen Reichskanzler „So sei das immer gewesen mit England: es habe niemals von den Versuchen abgelassen, die Wiederherstellung der deutschen Gleichberechtigung zu verhindern[36])." Zwar glaubte Hitler, zumindest gab er es vor, daß im konkreten Falle Polen England noch mit unverschämtem Bluff arbeite und Warschau noch zur Einsicht komme, doch, fuhr Hitler fort, „wenn England tatsächlich einkreisen will, so würde er, der Führer, vorher eingreifen". Deutlich schälte sich die von uns skizzierte Marschroute heraus: Hoffnung auf die Möglichkeit einer isolierten Aktion gegen Polen, falls Beck sich weiter gegen Hitlers Intention sperren würde. Sollte England dennoch nicht bluffen, würde er den Widerstand der Briten aus dem Weg räumen[37]), ob im Zusammenhang mit dem

---

[32]) Vgl. DBFP, 3, V, Nr. 313, 314, Henderson an Halifax v. 29. 4. 1939.

[33]) PA Bonn, Büro Ribbentrop, Vertr. Berichte 2,1, v. 28. 4. 1939. Vgl. auch PRO London FO 371/22971, C/6217/15/18, Lindsay (britischer Botschafter in den USA) v. 29. 4. 1939 an das Foreign Office: Im US-State Department sei man der Auffassung, daß sich die Rede eher gegen England als gegen die USA richte.

[34]) Vgl. Lipskis Bericht an Beck v. 29. 4. 1939, Lipski-Papers Nr. 142, S. 531.

[35]) ADAP, D, VI, Nr. 296, Aufz. v. 29. 4. 1939, auch zu den folgenden Zitaten, falls nicht anders vermerkt.

[36]) Vgl. auch Hitlers Gespräch mit dem päpstlichen Nuntius Orsenigo v. 5. 5. 1939, ADAP, D, VI, Nr. 331: „Die Hauptgefahr für den europäischen Frieden sei England, das immer diejenigen Staaten, die Probleme mit Deutschland zu lösen hätten, aufhetzte und einen Ausgleich verhinderte, so jetzt auch wieder mit Polen... Von uns aus gäbe es keinen Konflikt, wenn nicht England ständig Öl ins Feuer gösse."

[37]) Siehe auch Kuhns Interpretation, Hitlers außenpolitisches Programm, S. 241 f. Kuhn weist darauf hin, daß Hitler in dem Gespräch erstmals auch die Tapferkeit der britischen Soldaten in Frage stellte und damit vollends sein Englandbild aus „Mein Kampf" revidierte. Andere Informanten berichteten dagegen auch zu jener Zeit, daß Hitler entgegen Ribbentrops Ansicht die Stärke des britischen Empire noch zu würdigen wußte und für die Erringung der Weltherrschaft einen „Endkampf" zwischen beiden Nationen prophezeite, der mit

polnischen Feldzug oder auch von diesem unabhängig, ließ der „Führer"
offen.

Etwa zur gleichen Zeit führte die Luftwaffe unter der Leitung des Kommandos der Luftflotte 2 in Braunschweig ein Planspiel durch, das England als Gegner für 1942 voraussetzte[38]). Knapp zehn Tage später legte der Generalstab der Luftwaffe eine Lagebeurteilung über die operative Zielsetzung im Fall eines Krieges gegen England im Jahr 1939 vor[39]). Sicherlich trugen diese und ähnliche militärische Maßnahmen in erster Linie vorsorglichen Charakter. Indessen sprachen sie dennoch — besonders wenn man sie im Zusammenhang mit dem Hitlerschen Konzept wertet — für die gesteigerte Bereitschaft des „Führers", die eventuelle Ausschaltung des britischen Widerstandes gegen sein „Programm" notfalls schon als Folge des Polenkonfliktes mit in Kauf zu nehmen.

Chamberlains Rede vom 11. Mai 1939 in der Londoner Albert-Hall stellte erneut klar, daß eine die Unabhängigkeit Polens bedrohende Aggression den allgemeinen europäischen Konflikt mit britischer Beteiligung auslösen werde[40]). Einzelne Warnungen erreichten Hitler wiederum aus den Reihen des eigenen Heeres. Er reagierte nicht mehr wie im Jahr zuvor mit heftigen Attacken gegen die angebliche Feigheit seiner Offiziere, sondern mit Stillschweigen[41]). Henderson schien nicht Unrecht zu haben, als er am 20. Mai

---

dem Fall des einen oder des anderen der beiden Kontrahenten enden müsse: PRO London, FO 371/22972, C/7104/15/18, Brief an das Foreign Office v. 12. 5. 1939, Information von Geyr von Schweppenburg.

[38]) Siehe Irving, Luftwaffe, S. 123; Gundelach, Gedanken über die Führung eines Luftkrieges, S. 41; Gemzell, Raeder, Hitler, S. 180 ff. Vgl. auch Klee, „Seelöwe", S. 41, Anm. 117, Mdl. Mitteilung des Generals d. Fl. a. D. Felmy: „ihm, Felmy, sei damals gesagt worden, daß bis 1942 im Westen Ruhe herrschen werde". Es stellt sich wieder das Problem, ob anschließend zu diesem Zeitpunkt die Zerschlagung Frankreichs und die Vertreibung der Briten vom Festland erfolgen sollte oder bereits der globale Endkampf gegen das Empire, (vgl. etwa Hildebrand, Außenpolitik, S. 89); es mag dahingestellt bleiben, wenn auch der Termin 1942 für das maritime Ausgreifen etwas zu früh angesetzt zu sein scheint, da bis dahin Deutschland den blockadefesten „Lebensraum" im Osten errungen und gesichert haben mußte. Möglich ist, daß die Jahreszahl 1942 zur Beruhigung der Luftwaffenoffiziere genannt wurde, während Hitler in Wirklichkeit — wie er mehrfach anklingen ließ — den begrenzten Zwischenkrieg im Westen — vorausgesetzt, daß er nicht gleich im Anschluß an den Polenfeldzug notgedrungen durchgestanden werden mußte — für 1940 erwog und ihn dann auch schließlich ausführte.

[39]) Gundelach, Gedanken, S. 42. Das grundsätzliche Ergebnis, daß die Luftwaffe 1939 im Fall eines Krieges keine Kriegsentscheidung herbeiführen könnte, dürfte mehr die Luftwaffe als Hitler irritiert haben, da Hitler ja keinen vernichtenden Schlag gegen die britische Industrie und Flotte zu führen gedachte, sondern nur begrenzte und abschirmende Aktionen auf dem Kontinent im Sinn hatte.

[40]) Vgl. Noel, L'Agression allemande, S. 364 und Schultheß 1939, S. 351 f.

[41]) Siehe Rudi Strauch, Sir Nevile Henderson. Britischer Botschafter in Berlin 1937—1939. Ein Beitrag zur diplomatischen Vorgeschichte des Zweiten Weltkrieges, Bonn 1959, S. 222. Der Oberbefehlshaber des Heeres von Brauchitsch wurde Ende Mai 1939 bei Hitler auf Veranlassung Halders vorstellig.

Außenminister Halifax mitteilte, daß der Reichskanzler wohl kaum mehr von Englands Kampfbereitschaft überzeugt werden müsse und die These, England bluffe nur, lediglich Propagandazwecken diene[42]).

Die stichwortartigen Aufzeichnungen von Hitlers Rede vor den Chefs der Wehrmachtsteile am 23. Mai 1939 in der Reichskanzlei lassen Hitlers Kurs für den Sommer 1939 deutlich erkennen, nachdem der Entschluß, „bei erster passender Gelegenheit" Polen anzugreifen, einmal gefallen war[43]). England blieb, so ließ der „Führer" wissen, der Hauptgegner auf dem Weg in die Weite Rußlands, da alle „Lebensansprüche Deutschlands und sein Wiedereintritt in den Kreis der Machtstaaten" von England als „Einbruch" in das ohne Deutschlands Mitsprache festgelegte „Gleichgewicht der Kräfte" gewertet werde. Hitler gestand damit ein, daß seine Theorie der zwanziger Jahre vom „imperialen Gleichgewicht", das England nur auf den Plan riefe, wenn eine Nation maritime Weltmachtziele anstrebte, sich als falsch erwiesen hatte.

Eine notwendige Auseinandersetzung mit Großbritannien lag also im Bereich des Möglichen. Indessen sei diese nicht von dem Polenproblem zu trennen: „einen Sieg im Westen würde Polen uns zu entreißen versuchen" ..., „Polen wird immer auf der Seite unserer Gegner stehen". Daher müsse zuerst die Eroberung des östlichen Nachbarstaates, die außerdem der Erweiterung des „Lebensraumes" im Osten diente, ins Auge gefaßt werden. Dieses nächste Ziel sollte nun nach Hitlers Worten möglichst in einem isolierten Feldzug erreicht werden. „Es darf nicht zu einer gleichzeitigen Auseinandersetzung mit dem Westen (Frankreich und England) kommen", ... „Grundsatz: Auseinandersetzung mit Polen — ist nur dann von Erfolg, wenn

---

[42]) DBFP, 3, V, Nr. 573, Henderson an Halifax v. 20. 5. 1939. Inwieweit Hitlers Meinungsbildung noch von Berichten über Auslassungen von „notorischen Kriegstreibern" wie Duff Cooper beeinflußt wurde, läßt sich kaum mit Sicherheit sagen. Vgl. etwa Coopers Interview mit der französischen Zeitung „Epoque" v. 19. 5. 1939: PA Bonn, Pol II, antideutsche Mächtegruppe 5, Cooper vertrat die Ansicht, „daß eine wirksame Beruhigung Europas ohne Hitlers Sturz illusorisch sei". In den Akten des AA finden sich zahlreiche weitere Berichte, die von unverhohlener Kriegsstimmung in Großbritannien gegen Deutschland sprachen. Ob Hitler sie las, ist leider nicht bekannt. Vgl. auch PA Bonn, Büro Ribbentrop, Vertr. Berichte 2,1 v. 15. 5. 1939: der Berliner „Times"-Vertreter habe sich zu einem US-Journalisten dahingehend geäußert, daß Englands Weltmachtstellung davon abhänge, „daß eine neue Machterweiterung Deutschland unmöglich gemacht werde"; ferner ebd. v. 3. 6. 1939, angeblich habe sich Ogilvie-Forbes, der britische Geschäftsträger, von der Unvermeidbarkeit des Krieges überzeugt gezeigt. Vgl. auch Bericht eines deutschen Industriellen über eine Geschäftsreise in England v. 9. 5. 1939: PA Bonn, Pol II, England-Deutschland 11: „... Überraschend ist das Ausmaß und die Stärke der Kriegsstimmung in England. Wo man geht und steht und mit wem man auch zusammenkommt, das einzige Thema ist Deutschland und der Krieg."

[43]) Auch für folgende Zitate aus dem „Schmundt-Protokoll": ADAP, D, VI, Nr. 433 und IMT XXXVIII, 079-L, S. 546 ff.

der Westen aus dem Spiel bleibt... Es ist Sache geschickter Politik, Polen zu isolieren."

Indessen verstand Hitler diesen Wunsch keineswegs mehr als „conditio sine qua non": „Ist es nicht sicher, daß im Zuge einer deutsch-polnischen Auseinandersetzung ein Krieg mit dem Westen ausgeschlossen bleibt, dann gilt der Kampf in erster Linie England und Frankreich." „Ist das (d. i. die Isolierung Polens) nicht möglich, dann ist es besser, den Westen anzugreifen und dabei Polen zugleich zu erledigen."

Hitler dachte also keinesfalls daran, seine Pläne gegen Polen zurückzustellen, um ein Dazwischentreten der Briten zu vermeiden. Vielmehr schien er absolut bereit, das Risiko des vorzeitigen Konflikts mit Großbritannien nicht zu scheuen. Auch ein Bündnis des Westens mit der Sowjetunion würde den Führer veranlassen, „mit einigen vernichtenden Schlägen England und Frankreich anzugreifen". Dahinter stand Hitlers Wille, wie er auch im Gespräch mit Teleki und Csaky anklang, die von England initiierte „Einkreisungsfront", welche seine Ambitionen im Osten gefährden würde, sich nicht festigen zu lassen. Offenbar wünschte der Reichskanzler den Plan, Englands Widerstand auf dem Kontinent zu eliminieren, in jedem Fall weiterzuverfolgen; auch dann, wenn die Londoner Regierung den Marsch deutscher Truppen nach Warschau dulden würde. Denn, so notierte Hitlers Wehrmachtsadjutant weiter, „der Führer zweifelt an der Möglichkeit einer friedlichen Auseinandersetzung mit England". Es sei „notwendig, sich auf die Auseinandersetzung vorzubereiten", da England in Deutschlands *Entwicklung* „die Fundierung einer Hegemonie" sähe, „die England entkräften würde". *Dieser* Konflikt, dessen Unausweichlichkeit in Hitlers „Logik" damit feststand, — „England ist daher unser Feind" — und dessen möglichen Verlauf er anschließend zu erläutern versuchte, würde sich demnach auf dem Wege zur Beherrschung des Kontinents entzünden. Den Ausgriff nach Übersee, die Entscheidungsschlacht um die Weltvorherrschaft hatte Hitler mit seinen Ausführungen über die blitzartigen Schläge nach Westen, die zur Besetzung Hollands, Belgiens und Frankreichs führen sollten, wohl nicht gemeint[44]). Als Operationsziel setzte Hitler vielmehr, daß mit der Überrennung der westlichen Nachbarstaaten „aus der Kaserne heraus" und der Besetzung der Kanalhäfen — eine Maßnahme, die man im Weltkrieg unverzeihlicherweise unterlassen habe — die Basis für einen erfolgreichen Krieg gegen Großbritannien geschaffen werden sollte. England könne dann auch auf dem Kontinent nicht mehr kämpfen. Von der deutschen Luftwaffe und den U-Booten bedroht würde es auf Grund der aussichtslosen Lage — die Folgerung stand unausgesprochen hinter Hitlers Worten — zum Einlenken gezwungen. Aufschlußreich ist erneut, daß die Zerschlagung Frankreichs fast beiläufig erwähnt wird und nur als Mittel zur Bekämpfung Englands, nicht aber als Erfüllung eines unverrückbaren „Programmpunktes" zu fungieren schien.

---

[44]) Dagegen Hildebrand, Weltreich, S. 611.

Hitlers Gedankengänge galten also genau dem Feldzug, der 1940 tatsächlich zur Ausführung kam und jene Situation schuf, die nach Hitlers Kalkül England zum Friedensschluß und zur Duldung des antibolschewistischen Vernichtungskrieges bewegen würde[45]. Wenn Hitler trotzdem im Mai 1939 auch die Vorbereitung eines „langen, strategischen Abnützungskrieges"[46] befahl, so vornehmlich deshalb, weil er es selbst als „verbrecherisch" bezeichnete, „wenn die Staatsführung sich auf die Überraschung verlassen sollte". Konkrete Maßnahmen folgten dieser Ankündigung allerdings nicht.

Fassen wir Hitlers Ausführungen zusammen: Hitlers nächstes Ziel hieß Polen, und zwar aus dem doppelten Motiv heraus, die „programmatische" Erweiterung des „Lebensraumes" voranzutreiben sowie die Rückendeckung für den Fall der wohl unausweichlichen Auseinandersetzung im Westen vor dem Marsch nach Rußland zu sichern[47]. Die Zerschlagung Polens sollte möglichst im isolierten Feldzug erfolgen[48], wobei jedoch die Intervention der Westmächte bewußt und ausdrücklich von Hitler in Kauf genommen wurde[49]. Jedoch selbst wenn die Londoner Regierung Hitlers Einmarsch in Warschau passiv hinnehmen würde, schien Hitler die unvermeidliche Verdrängung der

---

[45] Vgl. Hillgruber, Strategie, S. 144 ff. Die Übereinstimmung der Hitlerschen Ausführungen v. 23. 5. 1939 mit den tatsächlichen Begebenheiten 1940 gab zu Vermutungen Anlaß, daß der Zeitpunkt der Schmund-Niederschrift eher für das Frühjahr 1940 anzusetzen wäre. Siehe Hans-Günther Seraphim, „Nachkriegsprozesse und zeitgeschichtliche Forschung", in: Mensch und Staat in Recht und Geschichte. Festschrift für Herbert Kraus, Kitzingen/Main 1954, S. 436–455, hier: S. 448 ff. Dagegen spricht vor allem, daß Hitler den bevorstehenden Polenfeldzug diskutiert und auch die Betrachtungen über eine notwendige Auseinandersetzung im Westen mehrfach mit der Polenfrage koppelt. Im Gegensatz zu Seraphim glauben wir, daß Gedanken an einen Konflikt im Westen nicht erst 1940, sondern sehr wohl schon im Mai 1939 gegenwärtig sein konnten.

[46] Vgl. Hildebrand, Weltreich, S. 611: Da eine solche Strategie die totale Autarkie voraussetze, könne Hitler erst an einen Zeitpunkt nach der Lebensraumgewinnung im Osten gedacht haben.

[47] So auch bereits Heinz Holldack, Was wirklich geschah. Die diplomatischen Hintergründe der deutschen Kriegspolitik. Darstellungen und Dokumente, München 1949, S. 136 f.

[48] Robertson, Hitler's Pre-War Policy, S. 174, weist auf die „paradoxe" Situation in Hitlers Konstellationen v. 23. 5. 1939 hin: Nach Hitler war die Eroberung Polens notwendig für einen erfolgreichen Krieg gegen Großbritannien, die britische Neutralität wünschenswert für den Krieg gegen Polen.

[49] Saul Friedländer differenziert Hitlers Kalkül um eine weitere Stufe: zwischen den beiden Extremen isolierter Krieg gegen Polen und tatsächlicher, aktiver Intervention der Westmächte habe Hitler als dritte Möglichkeit eine mehr formelle Einschaltung des Westens erwartet, die lediglich Englands Gesicht wahren sollte und durch einen baldigen Kompromißfrieden beendet würde: Friedländer, Auftakt zum Untergang. Hitler und die Vereinigten Staaten von Amerika 1938–1941, Stuttgart–Berlin–Köln–Mainz 1965, S. 18. Eine verstärkte Risikobereitschaft glaubt auch Gerhard Ritter bei Hitler annehmen zu können: Ritter, Carl Goerdeler und die deutsche Widerstandsbewegung, Stuttgart 1954, S. 225.

Briten vom europäischen Festland vor Erreichung der Kontinentalherrschaft in Erwägung zu ziehen[50]), „England ist der Motor, der gegen Deutschland treibt" und: „Wir werden nicht in einen Krieg hineingezwungen werden, aber um ihn herum kommen wir nicht", so umschrieb Hitler seine damalige Einstellung zu Großbritannien. Ein Blick auf die nachfolgende Entwicklung zeigt, daß sich Hitlers Kombinationen vom Mai 1939 tatsächlich im Ansatz realisierten. Trotz der Kriegserklärung der Westmächte vom 3. September führte Hitler faktisch den gewünschten isolierten Feldzug gegen Polen. Vor dem weiteren Ausbrechen nach Osteuropa wagte er den Blitzkrieg gegen den Westen, überrannte erfolgreich die westlichen Nachbarstaaten, verdrängte Großbritannien vom Kontinent, besetzte die Kanal- und Atlantikküste und hoffte auf Englands Einlenken. Jedoch, diese Hoffnung erfüllte sich nicht, obgleich sich zudem die norwegische Küste in deutscher Hand befand und später die deutsche Luftwaffe die Insel in massiven Einsätzen bombardierte[51]).

Die „Achse" Berlin-Rom hatte sich am 22. Mai zu einem Militärbündnis, dem „Stahlpakt", ausgeweitet[52]). Gleichsam im Windschatten von Hitlers antibritischer Kursänderung war Reichsaußenminister von Ribbentrop seinem Ziel, Deutschlands neoimperialistisches Ausgreifen nach Übersee durch eine gewichtige antibritische Koalitionsbildung dem natürlichen Rivalen England abzutrotzen, ein gutes Stück nähergerückt, wenn auch der Beitritt Japans zum „weltpolitischen Dreieck" im Sommer 1939 noch scheiterte[53]).

Deutschlands enge Bindungen an Italien, in Hitlers Augen bis Herbst 1938 mehr ein Druckmittel zur Sicherung der britischen Neutralität, gewann mit zunehmender Einsicht in die Unvermeidlichkeit der deutsch-britischen Auseinandersetzung zweifellos auch für den Reichskanzler gesteigerte Bedeutung als reales Instrument für den einkalkulierten Westkrieg, wenn auch die abschreckende Funktion weiterhin großes Gewicht besaß. Indessen brachte Hitlers Entschluß zum Angriff auf Polen ein neues Element in die deutsch-italienischen Beziehungen. Bisher war in den Gesprächen zwischen den Vertretern der politischen und militärischen Führung beider Länder zwar von der Unvermeidlichkeit des Krieges zwischen den „Achsenmächten" und den westlichen Demokratien die Rede gewesen — man schien diesen Krieg als nächstes Ziel — also vor der Eroberung Rußlands — anzuvisieren. Jedoch hatte besonders die deutsche Seite wiederholt unterstrichen, daß vor Auslösung des „casus foederis" eine Friedens- und Rüstungsperiode von minde-

[50]) So auch Glum, Nationalsozialismus, S. 367.

[51]) Vgl. die in Vorbereitung befindliche Studie von Bernd Martin (Freiburg/Brsg.) Friedensinitiativen während des Zweiten Weltkrieges, die Aufschluß darüber geben wird, inwieweit Hitler auch diesem Ziel nahe war.

[52]) Vgl. dazu allgemein Toscano, Origins, passim. Wiskemann, Rome-Berlin Axis, passim; und Sommer, Deutschland und Japan, S. 165 ff.

[53]) Sommer ebd.; siehe Ott (Tokio) an Ribbentrop v. 4. 5. 1939, ADAP, D, VI, Nr. 326, die Verhandlungen seien festgefahren.

stens einem Jahr eintreten müsse[54]). Sobald dann Hitler bewußt das Risiko eines britischen Eingreifens in die inzwischen als nächste Aktion geplante Aggression gegen Polen übernahm, konnte von deutscher Seite die Einhaltung einer längeren Frist bis zum Kriegsausbruch im Westen nicht mehr garantiert werden. Während Mussolini in einer Denkschrift zum „Stahlpakt" am 30. Mai den vorauszusehenden Konflikt erst ab 1943 ansetzte[55]), hoffte sein „Achsenpartner" zwar — wie Hitlers Ausführungen am 23. Mai bewiesen —, daß der Polenkrieg ohne Englands Einmischung geführt werden könne, hielt indessen einen vorzeiten Zusammenprall Deutschlands mit dem Westen infolge eines deutschen Angriffs gegen Warschau keineswegs für ausgeschlossen[56]).

Damit ging die Identität in der Beurteilung der politischen Lage durch Hitler und Mussolini verloren. Die Diskrepanz zeigte sich in ihrer ganzen Tragweite während der Begegnungen vom 12./13. August zwischen Ciano, Hitler und Ribbentrop und führte unmittelbar zur italienischen „Nichtkriegführung" am 3. September 1939.

Hitler setzte Anfang Juni 1939 in Reden in Kassel und im Berliner Lustgarten — beim Empfang der aus Spanien heimgekehrten „Legion Condor" — seine Angriffe gegen die angebliche Einkreisungspolitik der Briten fort und gab dabei zu erkennen, daß im Unterschied zu 1914 das Reich nunmehr besser dafür gerüstet sei, den Umklammerungsring zu brechen[57]), — und entlarvte, wie er meinte, erneut die demokratische Methode beim Raub der Kolonien anderer Länder[58]). Ausländische Beobachter fragten sich angesichts der allenthalben bezeugten feindseligen Haltung gegen Großbritannien nicht ganz zu Unrecht, „ob der Führer den Krieg mit England herbeiführen wolle"[59]). Der lettische Außenminister Munters hörte während seines Deutschlandbesuches

---

[54]) Vgl. Hitlers Gespräch mit Attolico v. 20. 3. 1939, siehe oben S. 234 f. Unterredung Görings mit Mussolini v. 15./16. 4. 1939, siehe oben S. 248 f.; weiterhin: ADAP, D, VI, Nr. 340, Anlage II: „Vertragstechnische Bemerkungen zu politischen Abmachungen mit Italien", Punkt 4; und ADAP, D, VI, Nr. 341, Aufz. über Ribbentrops Besprechung mit Ciano v. 6./7. 5. 1939 in Mailand. Auch den Japanern hatte Ribbentrop eine längere Friedensperiode versprochen: Ribbentrop an Ott v. 2. 5. 1939: ADAP, D, VI, Nr. 307.

[55]) Vgl. ADAP, D, VI, Nr. 459, Anlage; Toscano, Origins, S. 372 ff.

[56]) Henderson berichtete Außenminister Halifax über die Erfahrungen des portugiesischen Gesandten in Berlin, der die Pfingstfeiertage mit hohen Beamten der „Wilhelmstraße" verbracht hatte: „Herr Hitler, he said, carefully studied himself all the reports from the German Embassy in London and was and could not be under any illusion on the subject": PRO London, FO 371/23020, C/7940/54/18.

[57]) Rede in Kassel v. 4. 6. 1939: Domarus II, S. 1205 ff., Deutsches Weißbuch Nr. 305, S. 294; siehe auch Hendersons Bericht PRO London, FO 371/22973, C/8099/15/18.

[58]) Im Berliner Lustgarten v. 6. 6. 1939: Domarus II, S. 1209 ff., Henderson sandte am 10. 6. 1939 den übersetzten Redetext dem Foreign Office: PRO London, FO 371/24120, W/9240/5/41.

[59]) PA Bonn, Büro Ribbentrop, Vertr. Berichte 2,1 v. 7. 6. 1939.

von Hitler die altbekannten Klagen, daß allein Großbritannien an dem derzeitig getrübten Verhältnis zwischen Deutschland und dem Inselreich die Schuld trage. Nicht von Staatsmännern, sondern von Dilettanten würde die britische Politik geleitet[60]). Die bekannte Auffassung, daß eine antideutsche Politik der Londoner Regierung sich mit antinationalen Interessen identifiziere, stand erneut hinter Hitlers Worten. „Das Problem, was aus England geworden wäre, wenn es auf seine Vorschläge eingegangen wäre und eine Politik mit Deutschland betrieben hätte", bildete zu dieser Zeit offenbar häufig den Mittelpunkt von Hitlers Erörterungen auch im engeren Kreis[61]). Der Führer verhehlte jedoch nicht, daß seiner Ansicht nach die Leiter der britischen Außenpolitik „den Weg ihrer besseren Einsicht gar nicht mehr gehen" könnten[62]). Adam von Trott zu Solz, der im Auftrage Weizsäckers und Hewels nach London gereist war[63]), vertrat im Gespräch mit Außenminister Halifax noch die Auffassung, die deutsche Politik sähe sich vor der Alternative, das „Lebensrecht" des Volkes „ohne Hilfe Englands und nur wenn nötig, auch gegen England" durchzusetzen[64]). Hitlers Auffassung schien sich hingegen längst dahin gefestigt zu haben, daß der letztere Weg wohl oder übel beschritten werden müsse. Die Entschlossenheit des „Führers", die anstehenden Probleme „auf jeden Fall" zu erledigen, „und daß man es hierbei auch deutscherseits auf einen Krieg ankommen lassen würde", hatte Ribbentrop – wenn auch nicht ohne die Absicht der Einschüchterung – Anfang Juni dem Schweizer Völkerbundskommissar Burckhardt gegenüber herausgestellt[65]).

Die Nachrichten, die Hitler aus England erreichten, waren überdies nicht dazu angetan, Hitlers Standpunkt grundlegend zu modifizieren. Wenn sich die Londoner Regierung auch bemühte, im Gegensatz zu den zurückliegenden

---

[60]) ADAP, D, VI, Nr. 485, Aufz. v. 8. 6. 1939.

[61]) PA Bonn, Handakten Hewel 1, Deutschland A-D, Hewels Privatbrief v. 27. 6. 1939; vgl. auch PRO London, FO 371/23885, R/5148/G/409/92, Bericht des britischen Gesandten in Belgrad über die Eindrücke des jugoslawischen Prinzregenten Paul während seines Besuches in Berlin Anfang Juni 1939: „Once more ... Prince Paul told me the German leaders had inveighed against England who, they claimed, had repushed all their advances."

[62]) PA Bonn, Handakten Hewel ebd.

[63]) Zu Trott vgl. Christopher Sykes, Troubled Loyalty. A Biography of Adam von Trott zu Solz, London 1968. Zu Trotts Mission im Sommer 1939 ebd., S. 237 ff. Für die marxistische Historikerin A. Teichová gilt Trott als „Hitleremissär", der einen Teil der deutsch-britischen Geheimverhandlungen vor Kriegsausbruch führte: siehe Der deutsche Imperialismus und der zweite Weltkrieg. Materialien der wissenschaftlichen Konferenz der Historiker der DDR und der UdSSR v. 14. bis 19. Dezember 1959 in Berlin, Bd. 2, Berlin 1961, S. 584. Vgl. auch Rowes, All Souls and Appeasement, S. 91 ff., wo Trott eine „zweideutige" Aufgabe zugesprochen wird.

[64]) ADAP, D, VI, Nr. 497, Bericht ohne Unterschrift über eine „englische Informationsreise (1.–8. Juni 1939)", der von Trott stammen dürfte.

[65]) ADAP, D, VI, Nr. 492, Anlage: Vermerk des Danziger Senatspräsidenten Greiser über eine Unterredung mit Burckhardt v. 6. 6. 1939.

Wochen den Faktor „Kompromißbereitschaft" ihrer Politik stärker zu betonen und das Gespräch mit Deutschland erneut in Gang zu setzen versuchte[66]), wenn z. B. von britischen Blättern Halifax' Oberhausrede vom 8. Juni als „ein Angebot an Deutschland ausgelegt wurde"[67]), so interessierte dies nur Diplomaten und Wirtschaftsfachleute[68]). Solange Englands Sondierungen Hitler nicht auch völlig „freie Hand im Osten" offerierten und allein eine deutsch-polnische Grenzkorrektur und eine allgemeine europäische Friedenssicherung – Chamberlains altes Ziel – intendierten[69]), vermochten sie die Aufmerksamkeit des „Führers" nicht zu erwecken. Die Garantierung der polnischen Unabhängigkeit durch Großbritannien blieb von den neuen Annäherungsversuchen aus London unberührt, zumal Halifax am 29. Juni vor dem Royal Institute of International Affairs, „die feste Entschlossenheit, sich jeglicher Gewalt zu widersetzen" als einen Pfeiler der britischen Politik neben dem Willen zum Friedensaufbau bezeichnet hatte[70]). Selbst, oder besser gerade ein „München Nr. 2", der Alptraum britischer Oppositionspolitiker[71]), hätte Hitlers Ambitionen in keiner Weise befriedigt, wohl aber die der Weizsäcker, Kordt, Göring und Schacht. Es war ja gerade eine neue Verhandlungslösung, die Hitler unter allen Umständen zu vermeiden gewillt war. Insofern ist es dem, der Hitlers Grundziele kennt, kaum verwunderlich, daß Halifax' und Chamberlains[72]) Verständigungsreden ohne Echo blieben[73]).

---

[66]) Vgl. Helmut Metzmacher, „Deutsch-englische Ausgleichsbemühungen im Sommer 1939", in: VfZg 14 (1966), S. 369–412, hier: S. 369; dort auch zu Halifax' Reden v. 8. 6. und 29. 6. 1939 (Wortlaut in PA Bonn, Pol II, antideutsche Mächtegruppe 6 und Blaubuch der Britischen Regierung über die deutsch-polnischen Beziehungen und den Ausbruch der Feindseligkeiten zwischen Großbritannien und Deutschland am 3. September 1939, Basel 1939, Nr. 25); vgl. weiter Hendersons Gespräch mit Weizsäcker v. 13. 6. 1939: ADAP, D, VI, Nr. 521; Dirksens Bericht v. 24. 6. 1939: ADAP, D, VI, Nr. 564; Dirksen, Moskau, Tokio, London, S. 250 f.; Eden, Reckoning, S. 62.

[67]) PA Bonn, Pol II, antideutsche Mächtegruppe 6, DNB-Pressespiegel v. 9. 6. 1939; siehe auch Ungarische Dokumente IV, Nr. 186, ungarischer Gesandte in London v. 11. 6. 1939 an das Budapester Außenministerium: politische Kreise in London werteten die Rede als „ein Angebot an Deutschland zur Einigung".

[68]) Vgl. Hildebrand, Deutsche Außenpolitik, S. 90.

[69]) Siehe auch Feiling, Chamberlain, S. 409, Chamberlain: „Wir müssen Deutschland überzeugen, daß es eine Chance hat, von uns und anderen anständig und vernünftig berücksichtigt und behandelt zu werden."

[70]) Britisches Blaubuch, Nr. 25.

[71]) Vgl. Vansittarts Memorandum v. 16. 6. 1939: PRO London, FO 371/23009, C/ 8923/53/18; und FO 371/22959, C/9025/13/18, Aufz. des britischen Militärattachés in Berlin über eine Unterredung mit einem deutschen Stabsoffizier nach Halifax' Rede v. 29. 6. 1939; beide Dokumente lassen durchblicken, daß man in Deutschland von den Engländern allgemein ein „zweites München" erwartete.

[72]) Vgl. etwa Chamberlains Rede in Cardiff v. 24. 6. 1939, Auszug in MAP 6,2 (1939), S. 714; D. C. Watt, Anglo-German Naval Negotiations, S. 390, zählt zu den britischen Ausgleichsversuchen ebenfalls das Antwortmemorandum v. 27. 6. 1939 auf die Kündigung des Flottenvertrages, ADAP, D, VI, Nr. 571 und DBFP, 3, VI, Nr. 136.

[73]) Vgl. BA Koblenz, ZSg 102/17, Sänger, Pressekonferenz v. 13. 6. 1939: „Man

Wenn die deutsche Presse als Antwort auf die versöhnlichen Töne aus London darauf hinweisen sollte, daß die Danziger Frage ohne englische Einmischung bereits gelöst worden wäre[74]), so wurde damit erneut deutlich, daß alle Versuche der britischen Regierung, mit der deutschen Führung über das polnische Problem zu verhandeln, von vornherein zum Scheitern verurteilt waren. Entsprechend zeigte man sich in London über das deutsche Ausweichen enttäuscht[75]). Hitler schenkte den „Signalen" der britischen Gesprächsbereitschaft höchstens unter dem Gesichtspunkt Beachtung, daß sie von der englischen Schwäche und dem Wunsche diktiert waren, wegen der polnischen Frage noch nicht zum Krieg gegen Deutschland zu schreiten[76]). Als selbstverständliche Konsequenzen bot sich — den britischen Erwartungen und Hoffnungen diametral entgegengesetzt — Hitler an, die Vorbereitungen für den Angriff gegen Polen noch intensiver und entschlossener voranzutreiben, da die Chancen auf einen isolierten Feldzug offenbar stiegen, oder da — falls Großbritannien sein Beistandsversprechen doch einlösen sollte — der englische Widerstand gegen sein „Programm" angesichts der militärischen Schwäche des Westens unter günstigeren Bedingungen als zu einem späteren Zeitpunkt ausgeschaltet werden würde. Ob deutscherseits angestellte Überlegungen, daß die britischen Angebote nur als Rechtfertigungsmöglichkeit für den Fall eines späteren Krieges ergingen[77]), ebenfalls Hitlers Gedankengänge beeinflußten, muß unbeantwortet bleiben.

Überdies deuteten nicht alle Berichte über die britische Politik auf eine gesteigerte Verständigungsbereitschaft Chamberlains hin. Ebensooft warnten die Informanten vor der Entschlossenheit der Londoner Regierung, die polnische Unabhängigkeit notfalls mit allen Mitteln zu verteidigen. Die allgemeine Stimmung im Lande sei eindeutig auf Krieg gegen Hitlers Aggressionen ausgerichtet[78]). Selbst die „Times", sonst vielfach umstrittenes Sprachrohr

---

kann sagen: Die Reden sind so schön, daß man ihnen Glauben schenken könnte, wie einst den 14 Punkten Wilsons. Aber leider entsprechen ihnen die Tatsachen nicht." Siehe auch Hagemann, Publizistik, S. 395. Vgl. weiter PA Bonn, Staatssekretär, Aufz. über Diplomatenbesuche 4, Weizsäckers Unterredung mit dem jugoslawischen Gesandten v. 13. 6. 1939: „Die britischen Reden lassen sich schwer vereinigen mit den gleichzeitig zwischen London und Moskau schwebenden Verhandlungen."

[74]) BA Koblenz, ZSg 102/15 Sänger v. 13. 6. 1939.

[75]) PA Bonn, Büro Ribbentrop, Vertr. Berichte 2,2 v. 13. 6. 1939.

[76]) Vgl. PRO London, FO 371/22974, C/9758/15/18, Bericht des Lieutenant-Colonel Gray an Halifax über eine Unterredung mit Graf Schwerin v. 8. 7. 1939: „Hitler regards any conciliatory sentences in speeches by you or the Prime Minister as prompted not by a desire for peace or reprochement, but by fear." Aus diesem Grunde starteten Weizsäcker und Kordt ihre bekannten Aktionen, um aus London eine härtere Sprache zu provozieren; vgl. Weizsäcker, Erinnerungen, S. 237 f.

[77]) Vgl. PA Bonn, Büro Ribbentrop, Mitarbeiter Berichte 1, v. 30. 6. 1939.

[78]) Vgl. etwa PA Bonn, Handakten Hewel 6, Deutschland T-Z, privates Schreiben des deutschen Luftattachés in London an Hewel v. 30. 6. 1939: „... daß es einem allmählich zum Halse heraushängt, gegen das Gejammer von dem unvermeidlichen Krieg sozusagen als Nervenarzt aufzutreten." Wenninger zitiert

der „Appeasers", warnte am 3. Juli im Anschluß an Halifax' Rede vom 29. Juni, daß es „deutschen Augen offenkundig sein möge, daß dieses Land wie ein Mann seine Waffen erheben werde, um auf alle Fälle der Macht zu widerstehen, welche die militärische Beherrschung Europas suche"[79]).

Insofern konnte Robert Coulondre, Botschafter der französischen Republik in Berlin, nicht völlig fehlgehen, wenn er am 5. Juni 1939 berichtete, er wisse aus sicherer Quelle, daß Hitler sich über die Haltung der Westmächte im Falle einer deutschen Invasion in Polen keinerlei Illusionen hingebe[80]). Indessen war es für Hitlers Entscheidung, gegen Polen unter allen Umständen vorzugehen, von wenig Belang, ob Großbritanniens Haltung nun tatsächlich mehr von Kompromißbereitschaft oder Widerstandswillen geprägt war. In beiden Fällen mußte das Risiko des britischen Eingreifens hingenommen werden. „Freie Hand" gewährte die britische Regierung niemals, ob sie nun Gespräche oder Lösungsvorschläge über den polnischen Konflikt anbot oder vornehmlich die Kehrseite der Verständigungsbereitschaft hervorhob, nämlich die Absicht, sich jeder Gewaltanwendung von deutscher Seite entgegenzustemmen. War britische Schwäche im Spiel, so ließ sich das Risiko umso leichter tragen, zumal dann die Chance nicht unbeträchtlich war, daß es überhaupt nicht eingelöst werden müsse; wenn England tatsächlich zum Widerstand entschlossen war, dann würde es eben sowieso unvermeidbar gewesen sein, diesen eines Tages zu brechen. Wenn überhaupt, so konnte nur *ein* Ereignis, und selbst dieses wohl mehr nur den Zeitplan als Hitlers Angriffsentschluß als solchen ins Wanken bringen. Der Abschluß einer Allianz zwischen den Westmächten und Sowjetrußland konnte, so schien es, selbst in Hitlers Augen eine Konstellation schaffen, die alle operativen Vorausplanungen, auch Hitlers Blitzkriegsstrategie gegen den Westen, zu erschüttern vermochte[81]). Entsprechende Informationen veranlaßten dann auch die Brüder Kordt im Einverständnis mit Staatssekretär von Weizsäcker

---

einen früheren britischen Militärattaché in Berlin, „daß England zur Aufrechterhaltung seines letzten Ansehens als Großmacht nun unbedingt und ungeachtet der Folgen handeln müsse, wenn seine Verpflichtungen es erforderten". Vgl. ebd. 5, S-St, Brief des Ex-Diplomaten von Stumm an Hewel v. 8. 7. 1939 mit anliegendem Bericht über Eindrücke einer Reise nach England: Es werde ganz offen vom Krieg „nach der Ernte" gesprochen. „Das ist kein Bluff mehr, das ist jetzt bitterer Ernst." Siehe ferner PA Bonn, Büro Ribbentrop, Vertr. Berichte 2,1, v. 7. 6. 1939: In London werde allenthalben empfohlen, dieses Jahr die Ferien nicht in Deutschland zu verbringen.

[79]) Zit. nach Kieser, Englands Appeasementpolitik S. 118 ff.
[80]) Französisches Gelbbuch, Nr. 132.
[81]) Vgl. Kordt, Nicht aus den Akten, S. 310; Weizsäcker, Erinnerungen, S. 247. Siehe auch DBFP, 3, VI, Nr. 515, Burckhardt an Halifax v. 2. 8. 1939: Der nächste Schritt hänge vom Ausgang der Moskauer Verhandlungen ab. Dagegen hatte Hitler, laut Schmundts Notizen, noch am 23. Mai 1939 verkündet: „Ein Bündnis Frankreich-England-Rußland gegen Deutschland-Italien-Japan würde mich veranlassen, mit einigen vernichtenden Schlägen England und Frankreich anzugreifen." ADAP, D, VI, Nr. 433, S. 479. Allerdings war der Pakt mit Japan bekanntlich nicht zustande gekommen.

bei Vansittart in London auf den Abschluß des sowjetisch-britischen Vertrages zu drängen[82]).

Auch im Juli 1939 berichteten offizielle und geheime Informationen verstärkt von der britischen Entschlossenheit, Hitlers Expansionsdrang ein eindeutiges Halt, wenn nötig mit Gewalt, entgegenzusetzen[83]). Immer mehr, so hieß es, setzte sich jenseits des Kanals die Auffassung durch, daß die Rettung des Empire nur auf Kosten eines Krieges mit Deutschland möglich sei[84]), eine, auf die Gesamtheit von Hitlers Weltreich-Plänen bezogen, unter Umständen zutreffende, für die nahen Ziele des „Führers" hingegen keineswegs aktuelle Befürchtung. Die Redaktionen wichtiger deutscher Zeitungen wurden Anfang Juli dahingehend orientiert, daß „jetzt über die Einsatzentschlossenheit Englands im Gewaltfall kaum gezweifelt werden" könne. Man hoffe indessen, daß es den Briten unmöglich sei, ihre Absichten auch zu realisieren[85]). Prinz Max von Hohenlohe warnte in einem Hewel vorgelegten Bericht über eine Mitte Juli unternommene Englandreise davor, die Bereitschaft der Briten, nach einer friedlichen Lösung der Polenfrage zu umfassender Zusammenarbeit mit dem Reich zu kommen, so zu deuten, daß „man in England unter allen Umständen eine friedliche Lösung suchen" wollte[86]). Daß demonstrative Gesten, wie der Besuch des General Ironside in Warschau[87]), und Aktionen, wie die Versuche Stephen King-Halls, mittels einer Briefserie die deutsche Bevölkerung über die Gewaltherrschaft des nationalsozialistischen Regimes aufzuklären, Hitlers Empfindsamkeit aufs äußerste trafen[88]), ist bekannt. Von noch größerer Wichtigkeit mußte es ihm scheinen, daß selbst Chamberlain am 10. Juli 1939 vor dem Unterhaus die jetzige Danziger Situation „an sich nicht als ungerecht oder als unlogisch" bezeich-

82) Vgl. Kordt, Nicht aus den Akten, S. 313 ff., Das Urteil im Wilhelmstraßenprozeß, S. 18, Weizsäcker, Erinnerungen, S. 235. Über das Nachspiel in Nürnberg vgl. Erich Kordt, „Ein Kommentar zur Erklärung Lord Vansittarts", in: Frankfurter Hefte, November 1948. Die Authenzität von Kordts Schilderung wird in einem Brief des ehemaligen Außenministers Halifax an Theo Kordt nach dem Krieg bestätigt: Das Urteil, S. 18; siehe Trials of War Criminals XIV, S. 347, und Ritter, Goerdeler, S. 226.
83) PA Bonn, Büro Ribbentrop, Mitarbeiter Berichte 1, v. 4. 7. 1939: „... Die Vorbereitungen in England auf jedem Gebiet sind im Augenblick so, als ob ein Krieg unmittelbar bevorstehe."
84) ebd.
85) BA Koblenz, ZSg 101/34, Brammer, Information v. 5. 7. 1939.
86) PA Bonn, Handakten Hewel 2, Deutschland E-H.
87) PA Bonn, Staatssekretär, Polen 2, Botschafter von Moltke (Warschau), v. 22. 7. 1939 an das AA.
88) Vgl. PRO London, FO 371/22990, C/9854/16/18, Henderson an das Foreign Office v. 14. 7. 1939 über Hitlers aufgebrachte Reaktion auf die ihm vorgelegten Briefe. Goebbels polemische Antwort siehe DDP VII, 1, S. 194 ff.; Henderson schilderte dem Foreign Office am 17. 7. 1939 die Reaktion der deutschen Presse auf King-Hall's 2. Brief. Man bemühte sich deutscherseits, besonders enge Beziehungen zwischen dem Briefautor und dem Foreign Office und damit der amtlichen englischen Politik bloßzulegen: PRO London, FO 371/22990, C/10090/16/18, die Stellungnahme des DNB ebd. C/9960/16/18.

nete[89]) und damit sogar die Notwendigkeit von Revisionen der Versailler Regelung anzweifelte. Zwar schloß der britische Premierminister friedliche Veränderungen nicht aus, wiederholte jedoch erneut in feierlicher Form die Gültigkeit der britischen Verpflichtung gegenüber Polen, falls die Unabhängigkeit dieses Landes vital bedroht werde[90]). Es muß bezweifelt werden, ob Hitler in all dem nur britische Blufftaktik vermutete. Vielmehr sah er — durch Dirksens Berichte bestärkt[91]) — erneut die zum Kriege gegen Deutschland treibenden jüdischen Hintermänner am Werk, zweifelte, ob Chamberlain diesen zu widerstehen in der Lage sein würde[92]) und war überzeugt, wie der ostpreußische Gauleiter Erich Koch Burckhardt Anfang Juli erzählte, daß England Deutschland eines Tages angreifen und schlagen wolle. Jedoch werde er, wenn er doch zu diesem für beide Nationen so verhängnisvollen Kampf gezwungen würde, „die Initiative ergreifen" und sich mit allen verfügbaren Mitteln schlagen[93]). Klang in diesen in mancher Hinsicht übertriebenen[94]) Worten die Absicht an, die ihm aufgezwungene Auseinandersetzung mit den Briten selbst herbeizuführen und ihren Zeitpunkt zu bestimmen, so hielt er es während der Bayreuther Festspiele in einem Gespräch mit Diana Mosley, der Schwester von Unity Mitford und Gattin des britischen Faschistenführers Oswald Mosley, für sicher, daß es bereits über Danzig und Polen unvermeidbar zum Krieg mit Großbritannien, zur „größten Tragödie der Geschichte", kommen werde[95]). Ebenso vertraten andere Persönlich-

---

[89]) Berber, Deutschland-England, Nr. 90. Dies war auch Edens Ansicht vor dem Unterhaus am 31. 7. 1939: PA Bonn Staatssekretär, England 2, DNB-Meldung.

[90]) ebd.; siehe auch Britisches Blaubuch, Nr. 35; PA Bonn, Staatssekretär, Polen 2, DNB-Bericht v. 10. 7. 1939. Im Gespräch mit Coulondre am 13. 7. 1939 kritisierte Weizsäcker Chamberlains Rede als ein „schädliches Novum", das geeignet sei, „die Atmosphäre zu verschlechtern und die Parteien noch weiter zu trennen": ADAP, D, VI, Nr. 665. Schenken wir Weizsäckers Erinnerungen Glauben, so wollte er wohl mit diesen Worten eine eindeutige Stellungnahme Coulondres provozieren, die damit in diplomatischen Kanälen und nicht mittels öffentlicher Erklärungen, die Weizsäcker wegen ihrer gefährlichen Wirkung auf Hitler fürchtete, die maßgeblichen Personen erreichte. Vgl. Weizsäcker, Erinnerungen, S. 178. Kritisch wäre jedoch zu vermerken, daß Weizsäcker oft die Gelegenheit, Hendersons eindeutige Sprache in der deutschen Aufzeichnung zu registrieren — sie allein konnte Ribbentrop und Hitler vorgelegt werden — ungenutzt ließ; vgl. z. B. die deutsche und die englische Aufzeichnung des Gespräches v. 4. 8. 1939: ADAP, D, VI, Nr. 769 und DBFP, 3, VI, Nr. 559.

[91]) Vgl. ADAP, D, VI, Nr. 606, Bericht v. 3. 7. 1939: „... Die Drahtzieher der Pressehetze sind anscheinend ... vorwiegend und initiativ jüdisch-amerikanische Kreise", während „jüdisch-englische Kreise und in ihrem Gefolge die Churchill-Gruppe" ... „Ansätze einer konstruktiven Politik gegenüber Deutschland vereiteln wollen."

[92]) Vgl. Hewels entsprechende Äußerung zum britischen Konsul in Köln: PRO London, FO 371/22974, C/9524/15/18, Bericht des Konsuls v. 2. 7. 1939.

[93]) Burckhardt, Danziger Mission, S. 313, DBFP, 3, VI, App. II (iii); S. 730.

[94]) Vgl. Burckhardt, S. 313, allerdings „wird es doch gut tun, einen Teil davon in Erinnerung zu behalten".

[95]) Siehe Mosley, My Life, London 1968, S. 368.

keiten, die in mehr oder weniger direktem Kontakt zu Hitler standen, wie Burckhardt, Weizsäcker, Henderson, Dirksen und der französische Geschäftsträger in Berlin die Ansicht, daß der deutsche „Führer" wohl keinen Zweifel mehr über Englands ernsthafte Absicht hege, Polen unter allen Umständen zu helfen[96]. An Hitlers Entschluß, diese Gefahr als Risiko auf sich zu nehmen, änderte die Erkenntnis allerdings nichts. Vielmehr gab Hitler — vertraulichen Informationen zufolge — seinem Danziger Gauleiter Forster etwa Mitte Juli zu verstehen, es bliebe „nach wie vor dabei, daß die Danzig- und auch die Korridor-Frage zu gegebener Zeit nach bestehenden Plänen gelöst werden sollen"[97]. Möglicherweise spielten Meldungen über Mussolinis absolute Bündnistreue auch im Falle eines Krieges gegen Großbritannien[98], sowie eine gelungene Vorführung von neuen Kampfflugzeugen in der Luftwaffenerprobungsstelle Rechlin, wobei Hitler offenbar unrealistische Schlüsse auf die Einsatzbereitschaft der Luftwaffe zog[99], in Hitlers Entschlossenheit, seine nächsten Ziele unter allen Umständen zu erreichen, eine gewisse Rolle. Es mag auf den ersten Blick paradox erscheinen, wenn Rosenberg am 19. Juli 1939 notierte: „Der Führer ist doch nicht ganz Ribbentrops Meinung, sondern hat bei aller notwendigen Härte und Vorbereitung auch für die härtesten Konsequenzen den Briten gegenüber doch noch die alte Haltung[100]." Indessen haben wir Hitlers latente Bereitschaft, auf den alten Kurs des Bündnisses zurückzugreifen, mehrfach unterstrichen, betrachtete er doch die antibritische Wendung nur als bedauerlichen Ausweg, der notwendig wurde, um sein gesamtes „Programm" nicht zu gefährden. „Aber in London ist kein Partner", fuhr Rosenberg fort und umriß damit treffend Hitlers Ansicht über die Situation der Englandpolitik seit 1937, die eine Realisierung der Allianz-

---

[96] Vgl. für Burckhardt: PRO London, FO 371/23022, C/10009/54/18, Mitteilung eines gewissen Sir Max Muller v. 14. 7. 1939 über ein Gespräch mit Burckhardt während eines Aufenthaltes in Danzig; für Henderson vgl. DBFP, 3, VI, Nr. 337 v. 17. 7. 1939; für Dirksen: PRO London, FO 371/22990, C/10035/16/18: Der ägyptische Botschafter in London teilte Halifax am 17. 7. 1939 mit, Dirksen habe ihm zu verstehen gegeben, er sei sicher, daß England eingreifen werde; die gleiche Meinung vertrete auch Hitler („so was wie Herr Hitler"); für Weizsäcker vgl. Französisches Gelbbuch, Nr. 169: Bericht des französischen Geschäftsträgers in Berlin v. 21. 7. 1939 und Weizsäcker, Erinnerungen, S. 238 f.: „Über Hitlers Ansichten erfuhr ich in der zweiten Juli-Hälfte, daß er so sicher noch nicht sei, ob ein Krieg mit Polen zu lokalisieren wäre."

[97] BA Koblenz, ZSg 101/34, Brammer, Vertr. Information v. 18. 7. 1939.

[98] ADAP, D, VI, Nr. 629, Mackensen an das AA v. 7. 7. 1939: Er sei von Ciano informiert worden, daß der „Duce" dem britischen Botschafter in Rom diese seine Position in aller Deutlichkeit klar gemacht habe. Wenn auch Ribbentrop am 25. 7. 1939 Attolico mitteilte, „grundsätzlich (!) halte auch der Führer den Zeitpunkt eines Krieges in vier bis fünf Jahren für günstiger" (ADAP, D, VI, Nr. 718, S. 830), so brauchte der Wunsch nach einem späteren Zeitpunkt den Willen, notfalls auch 1939 die Auseinandersetzung zu riskieren, nicht auszuschließen.

[99] Vgl. Irving, Luftwaffe, S. 127 f. Göring habe sich im Mai 1942 geäußert: „Der Führer hat aufgrund dieser Besichtigung die schwersten Entschlüsse gefaßt."

[100] Rosenberg, Tagebuch, S. 71 f.

pläne verhinderte und die Konzeption des Sommers 1939 als letzte Konsequenz nahelegte. Auch Staatssekretär Weizsäcker verdeutlichte in einem Privatbrief dem Industriellen Hermann Röchling am 9. Juli, daß es fraglich sei, ob man die Wege nach London „überhaupt zur Zeit mit Nutzen betreten könnte"[101]).

Aufschlußreiche und treffende Auskünfte über Hitlers Englandeinstellung erhielt der britische Bankkaufmann Ernest W. Tennant Ende des gleichen Monats in Gesprächen mit Ribbentrop und Hewel. Deutschland habe sich niemals in Angelegenheiten eingeschaltet, die Großbritannien unmittelbar angingen, während England „niemals davon abgelassen hätte, in vitale deutsche Interessen einzugreifen", gab der Reichsaußenminister in bekannter Weise zu verstehen[102]). Der „Führer" habe erwartet, daß Großbritannien Polen den Krieg erklärt hätte, als die Warschauer Regierung seine einmaligen Angebote zurückwies. Statt dessen säße Hitler nun in Berchtesgaden und erhielte ständig Berichte über britische Einmischung und feindselige Artikel der englischen Presse[103]). Sollte Großbritannien in dieser Haltung verharren, Deutschland den Rang einer gleichberechtigten Nation verweigern und „die ständige und hauptsächliche Barriere gegen jede Fortentwicklung Deutschlands" bleiben[104]), wäre eine Auseinandersetzung zwischen beiden Staaten unvermeidlich. „The Führer has decided that this will be inevitable and necessary and if Britain wants war . . . she can have it at anytime – Germany is ready[105])." Wenn Ribbentrop auch ohne Zweifel auf die Einschüchterung seines britischen Gegenüber abzielte und die Dimensionen des möglichen Krieges in düstersten Farben beschrieb, so stimmte die aufgezeigte Konsequenz der unvermeidlichen militärischen Konfrontation grundsätzlich — wie wir sahen — auch mit Hitlers Auffassung überein, zumal Ribbentrop wie auch Hewel hervorhoben, daß Hitler einen solchen Krieg immer als aufgezwungen betrachten würde[106]). Wenn wir uns jedoch vergegenwärtigen, daß Hitler lediglich die Verdrängung Englands vom Kontinent beabsichtigte, so verraten Ribbentrops Ausführungen vom „Endkampf bis zum letzten Mann", („fought out to the last man"[107]), zunächst ihre abschreckende Aufgabe, dann jedoch auch den unterschiedlichen Stellenwert, den England in Ribbentrops und Hitlers Konzeption besaß. Bedeutete das Inselreich dem letzteren nurmehr ein lästiger Gegner, dessen „unvernünftiger", da nicht machtpolitisch motivierbarer Widerstand gegen die kontinentalen Pläne des „Führers" in einem „Zwischenkrieg" ausgeschaltet werden mußte, damit man sich dann mit „ver-

---

[101]) PA Bonn, Staatssekretär, Politischer Schriftwechsel 3, Weizsäcker an Röchling v. 9.7.1939.
[102]) Tennant, True Account, S. 217, siehe auch Douglas-Hamilton, Ribbentrop, S. 52 ff. (auch folgende Zitate).
[103]) Tennant, S. 219.
[104]) ebd., S. 223.
[105]) ebd., S. 219.
[106]) ebd., S. 222, Douglas-Hamilton, S. 62.
[107]) Tennant, S. 219.

einten Kräften" gegen Rußland würde wenden können, so war es für den Reichsaußenminister der natürliche Hauptfeind auf Deutschlands Weg zur Wiedererlangung einer maritim-imperialen Weltmachtposition wilhelminischer Couleur, ein Widersacher, der nicht nur aus kontinentaler Angelegenheit fern zu halten war, sondern als machtpolitischer Rivale grundsätzlich in einem Entscheidungskampf eliminiert werden mußte. *Hitlers* weltanschaulich fundierte Begründung für die Unausweichlichkeit einer deutsch-britischen Auseinandersetzung referierte Hewel dem englischen Industriellen am Tag nach der Begegnung mit Ribbentrop: Die Juden besäßen nun so viel Macht in der britischen Regierung, daß keine andere Wahl bleibe, "als die Sache auszukämpfen, da der jüdische Einfluß Verständigung und eventuelle Zusammenarbeit zwischen den beiden Ländern unmöglich mache"[108]). Auf diese Weise vermochte Hitler selbst das "unprogrammgemäße" Verhalten der Engländer in den Rahmen seiner "Ideologie" einzufügen, hatte er doch immer auf die Gefährdung der englischen Nation als Folge ihrer demokratischen Staatsform, die antinationalen Elementen Ansätze zur Zersetzung bot, hingewiesen. Die Möglichkeit eines Scheiterns seiner Englandkonzeption war hier von Anfang an implizit gegeben — falsch kalkuliert hatte Hitler lediglich die Chancen, daß der "Verjudungsprozeß" wie in Deutschland aufgehalten und besiegt, der Weg zur Zusammenarbeit mit dem "völkischen" Deutschland, den nicht allein ideologische, sondern auch nationale und machtpolitische Motive postulierten, geebnet werden könnte. Diese Fehleinschätzung, so glaubte Hitler im Sommer 1939, ließ sich noch notfalls korrigieren — durch einen raschen Feldzug im Westen. Der geplante und — je länger sich die Verhandlungen der Westmächte in Moskau hinauszögerten — für den Spätsommer immer wahrscheinlicher werdende Krieg gegen Polen würde überdies die englische Haltung ein weiteres Mal testen, vielleicht sogar endgültig klären.

b) *Hitler und die deutsch-britischen Ausgleichsbemühungen:*
Juli—August 1939

Angesichts der unveränderten Grundeinstellung des "Führers" England gegenüber ist es verständlich, daß die verstärkten Bemühungen der Briten, über Danzig und den Korridor eine friedliche Regelung zustandezubringen, wobei ähnlich der britischen Taktik im Jahre 1938 eine großzügige Behandlung der Kolonialfrage als Köder angeboten wurde, kaum Hitlers Interesse finden konnten. Die vieldiskutierten deutsch-englischen Ausgleichsbemühungen am Vorabend des Zweiten Weltkrieges spielten sich fast ausnahmslos unterhalb der entscheidenden höchsten Instanz ab, trugen halb privaten Charakter oder ergaben sich aus den praktisch niemals abgebrochenen Wirt-

---

[108]) ebd., S. 225, Douglas-Hamilton, S. 59.

schaftsgesprächen zwischen beiden Ländern[109]). Sie stießen bereits auf Hitlers Ablehnung, wenn sie diese untergeordnete Ebene verließen und Einfluß auf die Entwicklung der politischen Lage im Sommer 1939 zu gewinnen suchten. Da sie also keinesfalls in Hitlers Auftrag geführt oder gar initiiert wurden, erübrigt sich eine detaillierte Darstellung ihres Verlaufes. Konzentrieren wir unser Augenmerk auf die für unsere Fragestellung entscheidende Reaktion des „Führers".

Bereits der Völkerrechtler Fritz Berber[110]) übermittelte aus der Umgebung von Außenminister Halifax und Unterstaatssekretär Butler als Kern der britischen Ausgleichsangebote die bekannte Konzessionsbereitschaft in Fragen der friedlichen territorialen Revisionen („falls es sich dabei um begrenzte und klar erkennbare Ziele handelte"), nebst Zugeständnissen auf kolonialem und wirtschaftlichem Sektor. Indessen fehlte wieder nicht der unmißverständliche Hinweis, daß Großbritannien gegen jede weitere deutsche Aggression Krieg führen werde.

Verlockende Angebote in der Kolonialfrage, sofern Hitler sich bei den europäischen Problemen zu friedlichen Regelungen bereit fand, standen auch im Mittelpunkt der Gespräche, die Helmuth Wohlthat, Ministerialdirektor in Görings Amt für den Vierjahresplan, anläßlich einer internationalen Walfang-Konferenz in London mit Chamberlains Berater Horace Wilson führte[111]). Ob der entscheidende Anstoß, den laufenden Wirtschaftsverhandlungen[112]) Wohlthats einen politischen Anstrich zu verleihen, vorwiegend englischer Herkunft war, oder ob Göring[113]), Dirksen[114]), Weizsäcker[115]) oder

---

[109]) Vgl. Metzmacher, Ausgleichsbemühungen, S. 371; Hildebrand, Außenpolitik, S. 90 f.

[110]) Vgl. dazu Hildebrand, Weltreich, S. 613 f.

[111]) Zu den „Wohlthat-Gesprächen" allgemein außer Metzmacher, Ausgleichsbemühungen, Marcello dell'Omodarme, „La missione Wohlthat", in: Rivista di Studi Politici Internazionali 26 (1959), S. 235–242; Hillgruber, Quellen, S. 112; Hildebrand, Weltreich, S. 614 f., besonders Anm. 603, dort auch Hinweis auf PA Bonn, Staatssekretär, England 2, Weizsäcker an Dirksen v. 31. 7. 1939, wo Wilsons Angebot als „offizieller Fühler ... für eine umfassende Zusammenarbeit bezeichnet wird.

[112]) Wohlthat führte bereits im April und Juni 1939 mit den Engländern Finanz- und Wirtschaftsverhandlungen; vgl. Metzmacher, Ausgleichsbemühungen, S. 371 f. PRO London, FO 371/24083, W/6856/520/48: Memorandum eines Mr. R. T. Pell über ein Gespräch mit Wohlthat in Berlin am 17. 4. 1939; bereits damals schlug Wohlthat vor, nach London zu kommen, um Gespräche „allgemeiner Natur", also nicht allein Wirtschaftsverhandlungen, zu führen. Ashton-Gwatkin schlug im Gespräch mit Prinz Max von Hohenlohe am 2. oder 3. 5. 1939 vor, „daß man den Faden nicht abreißen lassen sollte, daß Wohlthat Anfang Juni nach London käme...": PA Bonn, Handakten Hewel 2, Deutschland E-H, Hohenlohes Bericht über seinen Londoner Aufenthalt am 2.–3. Mai 1939.

[113]) So Hesse, Spiel um Deutschland, S. 168, dagegen Metzmacher, S. 373, der Görings Anteil nur sehr gering veranschlagt.

[114]) Vgl. Dirksen, Moskau-Tokio-London, S. 251.

[115]) Zum Anteil Weizsäckers siehe Metzmacher, S. 373.

269

Wohlthat selbst[116]) die Initiative dazu ergriffen, muß weiter ungeklärt bleiben. Es dürfte feststehen, daß Hitler daran keinerlei Anteil hatte, während
die Rolle Dirksens und Weizsäckers nicht zu niedrig veranschlagt werden
sollte, da das sogenannte „Wilson-Memorandum"[117]), welches tatsächlich
jedoch von Wohlthat und Dirksen gemeinsam als das Fazit aller Unterredungen[118]) ausgearbeitet[119]) und — vielleicht um die Annahme in Berlin zu
erleichtern — in die Form eines britischen Angebots gebracht wurde, deutliche
Merkmale der Generalkonzeption der „Wilhelmstraße" trug: deutsch-britische
Partnerschaft plus friedliche Revision der deutschen Ostgrenzen[120]). Er habe
kein Interesse an den Wohlthat-Hudson Gesprächen, da es Deutschland nicht
um Geld gehe, ließ Hitler am 27. Juli in Bayreuth den britischen Presselord
Kemsley wissen, der nach Deutschland gekommen war, um mit Pressechef
Dietrich Wege zur Milderung der seit 1937 andauernden heftigen deutsch-
britischen Presseauseinandersetzungen zu suchen, wozu ein geplanter Aus-
tausch von Zeitungsartikeln der erste Schritt sein sollte[120a]). Hatte Hitler
damit unmißverständlich die „Wohlthat-Mission" auf die Ebene rein wirt-
schaftlicher und geschäftlicher Verbindungen hinabgewiesen und dem „economic appeasement" eine Absage erteilt[120b]), so mußte in seinen Augen auch
die Ausgleichsinitiative im pressepolitischen Bereich bedeutungslos sein, da
Kemsley kaum in der Lage sein konnte, das ersehnte britische Disengagement
in der von Hitler beanspruchten deutschen Interessensphäre zu versprechen.
Hitlers Äußerungen zu Kemsley ließen diese Haltung recht deutlich werden.

[116]) So Metzmacher, ebd.
[117]) DokuMat II, Nr. 13.
[118]) Aufzeichnungen der Gespräche: ADAP, D, VI, Nr. 716, Vermerk Wohlthats v.
24. 7. 1939, DokuMat II, Nr. 13, DBFP 3, VI, Nr. 354 (Wohlthat-Wilson 18. 7. 1939)
und Nr. 370 (Wohlthat-Hudson 20. 7. 1939).
[119]) Vgl. Metzmacher, S. 379, Anm. 69 und S. 384, 389.
[120]) Dirksen bemühte sich bekanntlich intensiv, in Gesprächen mit den Engländern
die scheinbar gefundene Verständigungsbasis zu erhalten (Gespräche mit Wilson DokuMat II, Nr. 24, DBFP, 3, VI, Nr. 533; mit Halifax: DokuMat II, Nr. 25;
DBFP, 3, VI, Nr. 609 vgl. auch Metzmacher, S. 392) und in Berlin zur Diskussion
der Vorschläge Wilsons zu drängen (siehe Metzmacher, S. 406, ADAP, D, VI,
Nr. 708, Dirksen an das AA v. 24. 7. 1939, will Hudsons Presseerklärung ab-
schwächen, und Nr. 710, Dirksen an das AA v. 24. 7. 1939: „Der Entschluß der
Britischen Regierung zur konstruktiven Politik. . .")
[120a]) Siehe die Dokumentation von Wilhelm Lenz und Lothar Kettenacker, „Lord
Kemsleys Gespräch mit Hitler Ende Juli 1939", in: VfZg 19 (1971), S. 303—321.
Kemsley war der Bruder Lord Camroses, mit dem er ein gewaltiges Presse-
imperium aufgebaut hatte. Kemsley stand bei seinem Unternehmen Ende Juli
1939 in engem Kontakt mit Horace Wilson. Auch Halifax und Henderson
waren eingeweiht, so daß man auch diese Mission als einen Teil der ohne
Hitlers Beteiligung geführten deutsch-britischen Verständigungsbemühungen
im Hochsommer 1939 werten kann. Das Ergebnis der Kemsley-Reise wurde
von der britischen Führung als eklatanter Mißerfolg angesehen, so daß Halifax Londonderry recht energisch veranlaßte, eine weitere geplante Vermitt-
lungsreise aufzuschieben (Vgl. ebd. S. 313 f.)
[120b]) Siehe ebd. S. 310.

Freundliche Worte für Großbritannien oder sonst so beliebte Hinweise auf seine ursprüngliche Bündnis- und Freundschaftskonzeption sucht man in der Gesprächsaufzeichnung vergeblich[120c]). Statt dessen zeichnete Hitler erneut das Bild einer drohenden deutsch-britischen Auseinandersetzung, preist die ungeheure Stärke des Reiches und versichert wieder, daß es dieses Mal keinen Bethmann-Hollweg in Deutschland gäbe[120d]). Im übrigen skizzierte Hitler seine bekannte Auffassung, daß seine ausgeführten und geplanten Aktionen auf dem europäischen Kontinent britische Interessen in keiner Weise berührten, es deshalb für die Regierung in London keinen Grund zur Einmischung gäbe. Der Hinweis auf Japan als den eigentlichen Sieger eines künftigen Konfliktes zwischen dem Reich und England sollte wohl als eine Ablenkung Großbritanniens auf seine wahren, nämlich imperialen Belange in der Welt sein[120e]). Es fehlten auch nicht die gewohnten Angriffe auf die britische Opposition, besonders auf Churchill, der Eduards VIII. Abdankung verschuldet habe, sowie die schon traditionelle Forderung nach deutschen Kolonien.

Eine offizielle Antwort der deutschen Führung auf die in den „Wohlthat-Gesprächen" entwickelten britischen Vorschläge ließ sich bislang in den Quellen nicht ermitteln[121]), doch brachte die Freigabe der Akten des Foreign Office ein Dokument zutage, das als offiziöse Stellungnahme Hitlers und Ribbentrops zu Wohlthats und Dirksens Berichte gelten könnte. Es handelt sich um die Abschrift eines Protokolls, das Wilson über ein Gespräch mit Pressebeirat Fritz Hesse am 20. August 1939 führte[122]). In Hesses Erinnerungen erscheint diese Unterredung freilich als Teil einer von Hesse übernommenen neuen Friedensmission[123]), nachdem die „Wohlthat-Gespräche" infolge von britischen Presse-Indiskretionen als gescheitert gelten konnten[124]). Indessen bezieht sich das britische Dokument mit keinem Wort auf eine frühere Begegnung Hesses mit Wilson, wohl aber auf die Berichte

---

[120c]) Vgl. die Gesprächsaufzeichnung ebd. S. 318–320.

[120d]) Siehe oben S. 178 und Lenz-Kettenacker S. 319 Anm. 57: Hinweis auf ähnliche Äußerungen Hitlers am 1. April 1939 in Wilhelmshaven und am 23. August 1939 gegenüber Henderson (DBFP, 3, VII, Nr. 200).

[120e]) Vgl. auch Lenz-Kettenacker S. 309.

[121]) Man war auf Dirksens Erinnerungen angewiesen; vgl. Metzmacher, S. 401, Dirksen, Moskau-Tokio-London, S. 253 ff., bes. S. 256.

[122]) PRO London, FO 371/22975, C/1059/B/15/18. Das Dokument ist offenbar mit dem von Lenz-Kettenacker in ihrer Dokumentation, a.a.O., S. 314, Anm. 48 erwähnten Vermerk Wilsons (PRO London, Premier 1/331 A) identisch. Wilson schrieb seine Aufzeichnung am 21. August. Das Gespräch fand jedoch am vorhergehenden Tag statt.

[123]) Hesse, Spiel um Deutschland, S. 195; zum Beginn der Mission, ebd., S. 177 ff.

[124]) Vgl. ADAP, D, VI, Nr. 708, Dirksen an das AA v. 24. 7. 1939, Aigner, Ringen um England, S. 405, Anm. 313, vermutet eine vorsätzliche Indiskretion Hudsons in der Absicht, Chamberlain und Wilson vor der Öffentlichkeit zu diskreditieren und zu Fall zu bringen.

Wohlthats und Dirksens[125]), so daß Ribbentrops Botschaft, die Hesse Wilson zu überbringen wünschte, einer inoffiziellen Antwort der deutschen Regierung auf die Wohlthat-Gespräche gleichkam[126]). Wohlthat selbst, so erklärte Hesse seinem Gesprächspartner, müsse wegen der Presse-Indiskretion fortan aus dem Spiel bleiben. Überdies sei er auch mehr Wirtschaftsfachmann als Politiker oder Diplomat[127]). Da sich die Mitteilung des Reichsaußenministers, wie Hesse Wilson versicherte, mit den Ansichten des Führers deckte — „in accordance with the Führer's views" — lohnt auch für unsere Fragestellung ein Blick auf ihren Inhalt. Nach dem Wilson-Papier zeichnet sich für jenen Zeitpunkt — also Anfang und Mitte August[128]) folgende nicht unerwartete Haltung Hitlers als Reaktion auf die Wohlthat-Wilson-Vorschläge ab: Die Absicht, zunächst die Polenfrage unter allen Umständen in seinem Sinne zu lösen, d. h. den polnischen Staat militärisch zu zerschlagen[129]), und sich erst

---

[125]) In dem Protokoll heißt es: „Hesse was acquainted with the reports which Wohlthat and von Dirksen had made of their conversations with me and these reports (!) had been the subject of discussion between Ribbentrop and Hesse", und weiter: „Hesse said his impression of the conversation he had had was that the reports of Wohlthat and von Dirksen had had a favourable reception." Nichts läßt das Dokument also über Wilsons angeblichen *neuen* Sondierungsversuch verlauten, der nach Hesse doch den eigentlichen Grund seiner Reise nach Deutschland und *das* aufsehenerregende Thema seiner Gespräche mit Ribbentrop gebildet haben sollte.

[126]) So auch Metzmacher, S. 404, der freilich nicht auf Hesses eigene Darstellung eingeht. Daß Hesse mit Ribbentrop Wohlthats Berichte tatsächlich diskutiert hat, bestätigt Weizsäckers Schreiben an Dirksen v. 4. 8. 1939: ADAP, D, VI, Nr. 716, Anm. 8, S. 828. Es ist also durchaus wahrscheinlich, daß Ribbentrop Hesse mit einer inoffiziellen deutschen Antwort auf Wohlthats bzw. Wilsons Vorschläge nach London schickte; vgl. auch Metzmacher, S. 398, Ribbentrop habe Hesse nach Deutschland gerufen, um sich über die Wohlthat-Gespräche zu informieren. Ganz auszuschließen ist natürlich nicht, daß Wilson es für überflüssig hielt, Hesses Mittlerrolle eigens zu erwähnen, da er seinen angeblichen Auftrag für Hesse lediglich als eine Fortführung der Wohlthat-Sondierungen über andere Kanäle betrachtet haben könnte. Oder war etwa die Bitte an Hesse, die britischen Vorschläge Ribbentrop und Hitler persönlich zu überbringen, gar Wilsons ureigene Entscheidung, die er selbst vor Chamberlain geheim hielt und nicht aktenkundig werden lassen wollte, was angesichts der allgemeinen Empörung der britischen Öffentlichkeit über die aufgedeckten Kontakte zu Wohlthat angezeigt sein konnte? Wegen der bekanntlich sehr engen Beziehungen zwischen Chamberlain und Wilson erscheint diese Deutung allerdings wenig wahrscheinlich.

[127]) So auch Hesse an Ribbentrop; Hesse, S. 196, über das Gespräch mit Wilson v. 20. 8. 1939. Hesse berichtet in seinen Erinnerungen, er habe vor dem Abflug aus London zu seiner „Mission" nach Berlin einen Durchschlag jenes Papiers erhalten, daß auch Wohlthat gesehen hatte. (Hesse, S. 182), so daß auch von hier aus der enge Zusammenhang seiner Aktivität mit den Wohlthat-Gesprächen deutlich wird.

[128]) Aus dem Dokument geht hervor, daß Hesse bereits 4 Tage vor dem Gespräch mit Wilson mit der Botschaft in London eingetroffen war: „ ... when he left Germany four days ago." Siehe auch Hesse, S. 195.

[129]) Daher findet sich auch in diesem Dokument die wiederholte Versicherung, Hitler werde sich keinesfalls darauf einlassen, über die Diskussion der briti-

danach mit den Briten zur Regelung allgemeiner Fragen an einen Tisch zu setzen, ihnen dann sogar ein Bündnis anzubieten[130]) (Punkt 2 der Botschaft). Der Kern der berühmten Allianzofferte vom 25. August 1939 erreichte die britische Regierung auf inoffiziellem Wege also bereits einige Tage früher[131]). Ebenso wie am 25. August hatte dieses Bündnisangebot eine doppelte Funktion: Einmal entsprach es Hitlers immer noch vorhandenen alten Wunschvorstellungen eines deutsch-britischen Ausgleichs auf „globaler" Basis, zum anderen sollte es den Briten den Rückzug aus ihrem Engagement in der polnischen Frage verlockender machen. Letzterem Zweck dienten auch die zahlreichen Hinweise auf die moralische Berechtigung der deutschen Forderungen in der Danziger Frage[132]). Hitlers alter Wunsch nach freier Hand für seine osteuropäischen Eroberungen stand hinter der das Schicksal der Wohlthat-Sondierungen besiegelnden These, die polnische Frage könne kein Gegenstand deutsch-britischer Verhandlungen sein (Punkt 1), eine Bekräftigung der Ansicht, England habe auf dem Kontinent keine vitalen Interessen („Danzig ... not being a matter in which British interests are involved"). Damit war den britischen Vorschlägen jede Aussicht genommen, auf Seiten Hitlers für diskussionswürdig gehalten zu werden, da sie doch gerade auf eine *friedliche* Bereinigung der polnischen Krise und aller weiteren Probleme im osteuropäischen Raum im Rahmen einer deutsch-britischen Verständigung abzielten und eine Gewaltlösung, so wie sie Hitler vorschwebte, zu verhindern suchten. Die Ablehnung, die Wohlthat-Kontakte fortzusetzen, erfolgte denn auch mit der Begründung: „If they were proceeded with the effect would be so to obscure the Danzig question as to lead to its abandonment[133])."

---

schen Vorschläge die „Lösung" der Danziger Frage hinauszuschieben oder gar fallenzulassen. „He feels that he must solve the Danzig question and is unwilling to allow anything to distract his attention from solving it." Auch der mögliche Anlaß zu einem deutschen Angriff wird angedeutet: „If there were further provocation by Poland ... the outcome is obvious" (Punkt 1 der Botschaft).

[130]) Dem entspricht Hitlers Äußerung vom 14. August 1939, zitiert bei Halder, Kriegstagebuch, Band I, S. 11: „Den Engländern angedeutet, daß er nach Erledigung der polnischen Frage nochmals mit einem Angebot an England herantreten wird." Siehe auch Krausnick „Legenden um Hitlers Außenpolitik" in: VfZg 2 (1954) S. 217–239, S. 233. In diesem Zusammenhang kann auch Ribbentrops Zusage gesehen werden, das englische Angebot wieder aufzugreifen, „wenn es an der Zeit ist": Hesse, S. 192.

[131]) Am 20. August handelte es sich allerdings um die deutsche Reaktion auf ein englisches Angebot, während am 25. August eindeutig Hitler die Initiative ergriff.

[132]) So mit dem altbewährten, Großbritannien gegenüber besonders wirksamen Propagandastichwort „Versailles": „The Danzig issue they regard as part of the readjustment of Versailles Treaty ..., the last demand that Hitler had to make, forming as it did the last outstanding Versailles item." Weiter sind auch die Hinweise auf die Mißhandlungen der Volksdeutschen in Polen so zu werten. Hesse wiederholte hier den Grundtenor der deutschen Propaganda.

[133]) Vgl. zur Ablehnung der Wohlthat-Vorschläge BA Koblenz, ZSg. 109/1, Oberheitmann, Information v. 24. 7. 1939 zu Gerüchten um angebliche britische An-

Wieder einmal zeigten sich die grundverschiedenen, einander ausschließenden Vorzeichen, unter denen Hitler und Chamberlain eine deutsch-englische Annäherung verwirklicht sehen wollten. Beide betrachteten ein Übereinkommen nach wie vor als wünschenswert; Hitler jedoch nicht, um sich mit den Briten über Probleme innerhalb seiner Machtsphäre zu einigen, sondern im Gegenteil, um den Rücken zur kriegerischen Expansion im Osten frei zu haben, Chamberlain, um diese und damit eine deutsche Hegemonialstellung auf dem Kontinent zu verhindern, wobei *friedliche* Revisionswünsche und gewisse Kolonialforderungen Deutschlands durchaus hätten erfüllt werden können.

Aus Wilsons Aufzeichnung geht nun überraschend deutlich hervor, daß Hitler den britischen Standpunkt, wonach England zwar friedliche Veränderungen in Europa zu diskutieren, nicht aber einem deutschen Angriff auf Polen unbeteiligt zuzusehen bereit war, durchaus erkannt und ihn trotz aller Hoffnung, Großbritannien werde letzten Endes doch neutral oder selbst bei einer Kriegserklärung passiv bleiben, in seine Dispositionen mit einbezogen hatte. Hesse erklärte Wilson, britische Drohungen, Polen bei einem deutschen Angriff beizustehen, seien fehl am Platze, denn „Hitler knows full well that if war should break out between Germany and Poland Great Britain will be in it". Ähnlich deutliche Formulierungen folgen gleich mehrfach: „ ... this is fully realised by Hitler ... Hitler has taken it fully into account ... is fully alive to the situation." Man könnte nun hierin allerdings auch eine Taktik Hesses oder Ribbentrops sehen — mit dem Ziel, öffentliche Warnungen aus England, welche angesichts von Hitlers Mentalität selbst Weizsäcker als schädlich empfand, abzustellen, während Hitler tatsächlich noch immer fest an ein Abseitsstehen Großbritanniens im Ernstfalle glaubte. Aber hätte dann Hesse nicht besser daran getan, sich ähnlich der Methode Weizsäckers mit dem Hinweis auf den provokativen Charakter der Drohungen und ihre verheerende Wirkung auf Hitler zu begnügen, oder, wie üblicherweise Ribbentrop, ihre Nutzlosigkeit zu unterstreichen und sie scharf zurückzuweisen? Stattdessen finden sich diese aus anderen Dokumenten kaum herauszulesenden außergewöhnlich eindeutigen Formulierungen, mit denen Hesse den Briten die angeblich doch gar nicht bestehende Wirksamkeit ihrer Warnungen bestätigte!

Zumindest würde eine solche, auch von Wilson besonders beachtete Argumentation völlig aus dem Rahmen der auf deutscher Seite zu beobachtenden Sprachregelung fallen. Es ist schwer einzusehen, warum Hesse, zumal wenn er im Auftrag Ribbentrops sprach, auch aus taktischen Gründen der britischen Regierung ausgerechnet den vollen Erfolg ihrer sonst provokativ genannten Warnungen bescheinigen sollte, wenn tatsächlich das Gegenteil

---

gebote: „Es ist natürlich klar, daß von deutscher Seite nicht im entferntesten an die Erörterung derartiger Pläne gedacht wird."

der Fall, d. h. wenn ihre Wirkung gleich Null wäre[134]). Schließlich deutet die Tatsache selbst, daß Hitler ein Bündnis anbieten zu müssen glaubte, um England von seinen Beistandspflichten gegenüber Polen abzubringen, darauf hin, daß er zumindest ein britisches Eingreifen in seine Kalkulationen mit einbezog, wenn er es auch wohl nicht für so sicher hielt, wie es dem Text zufolge erscheinen könnte.

Entscheidend war: Würde Hitler vor die Alternative gestellt, entweder auf einen lokalisierten Feldzug gegen Polen zu verzichten oder einen Krieg im Westen mit in Kauf zu nehmen, so gab es keinen Zweifel, daß er in jedem Falle zum Angriff auf Polen schreiten würde. Falls Großbritannien, so heißt es in Wilsons Aufzeichnung, auf das deutsche Angebot, *nach* der Lösung „der Danziger Frage" mit Deutschland ins Gespräch zu kommen, nicht eingehen sollte, mit anderen Worten, falls es weiterhin sich in die nur Deutschland und Polen (bzw. andere kontinentale Staaten) betreffenden Probleme einzumischen beabsichtigte, würde es von Hitler als Feind angesehen werden. „This would mean a fight to a finish between the two countries" (Punkt 3 der Botschaft). Man kann diese drastische Drohung auch als Bluff Hitlers interpretieren, der Großbritannien von der Erfüllung seines Garantieversprechens abschrecken sollte. Doch sollte man sie ebenso als Zeichen einer Entschlossenheit zum Handeln „so oder so" werten.

Insgesamt unterstützt das Dokument unsere Deutung, nach der Hitler — „belehrt" durch seine „Niederlage" von München 1938, als er sich von seinen ursprünglichen Plänen einer militärischen Eroberung der Tschechoslowakei abbringen ließ — nun im Sommer 1939 an seinem Ziel der Zerschlagung Polens unter allen Umständen festzuhalten entschlossen war[135]) und dabei bewußt eine Intervention Englands zugunsten Polens als Risiko in Kauf nahm, ja dieses Eingreifen einkalkulierte. Hitler selbst hegte ja nach Hesses Worten zu Wilson Zweifel, ob eine Verständigung mit Großbritannien überhaupt noch möglich war: „ ... has some doubt as to whether such an understanding is any longer possible."

Die optimale Lösung blieb dennoch weiterhin der *isolierte* Feldzug gegen Polen. Insofern hatte Hitlers und Ribbentrops „Säbelrasseln" zweifellos auch eine wichtige abschreckende Funktion. Sollte es aber um Polen zum Krieg gegen England (und damit auch gegen Frankreich) kommen, so war Hitler jetzt offenbar dazu bereit, wobei die mehrfach erwähnten Gedanken an die ohnehin unvermeidliche Verdrängung Englands vom Kontinent[136]), an die

---

[134]) Daß die oben zitierten Äußerungen zu jener Zeit der tatsächlichen Einstellung Hitlers entsprachen und nicht lediglich aus taktischen Gründen gemacht wurden, bestätigte Herr Vortr. Legationsrat i. R. Dr. Fritz Hesse dem Vf. in einem Gespräch, zu dem er sich freundlicherweise am 16. Juli 1970 bereit fand.

[135]) Siehe oben Anm. 129.

[136]) Das Wort vom „Endkampf" gegen England („fight to a finish") verrät deutlich Ribbentrops Handschrift und ist wohl hauptsächlich wegen seiner einschüchternden Wirkung gewählt. Vgl. auch Ribbentrops Ausführungen zu Tennant, oben S. 267. Hitler dachte ja bekanntlich an einen Endkampf mit Großbritannien nur, wenn sich England nach der Verdrängung vom Kontinent — wie er

noch andauernde und durch den bevorstehenden Pakt mit Moskau noch verstärkte Überlegenheit des Reiches sowie an seinen noch intakten Gesundheitszustand diese Bereitschaft mit beeinflußten.

Mit diesem Konzept, die Polenfrage zwar *möglichst* isoliert, aber unter
allen Umständen, notfalls selbst auf die Gefahr eines Eingreifens der Westmächte hin zu lösen, in diesem Fall den Westen rasch zu schlagen, um sich
dann „mit vereinten Kräften" seinem Ziele im Osten, d. h. dem programmatischen Kampf gegen die Sowjetunion zu wenden[137]) ging Hitler in die entscheidenden Augustwochen 1939.

c) *Verstärkte Risikobereitschaft bis zum Abschluß des Moskauer Vertrages*

Am 8. August erfuhr bereits der ungarische Außenminister Csaky, dessen Regierung sich kurz zuvor geweigert hatte, den geplanten deutschen
Angriff auf Polen aktiv zu unterstützen[138]), vom deutschen Führer, daß dieser
die Gefahr eines allgemeinen Krieges als Folge der Invasion in Polen durchaus auf sich nahm: „Wenn eine Auseinandersetzung mit Polen und den Westmächten erforderlich sei, so wünsche er, der Führer, sie bald herbei, solange
er lebe und die Bewegung noch jung sei... Es sei ein Trugschluß anzunehmen, daß er Angst vor einer Auseinandersetzung mit Frankreich und England
habe[139]). Einen günstigeren Augenblick als jetzt gäbe es nicht[140])."

Freilich, wenn in dieser Formulierung zum Ausdruck kam, daß er den
Krieg mit dem Westen sozusagen zu diesem Zeitpunkt herbeiwünschte, so
sollten damit die Ungarn in erster Linie gebluff, ihre Bedenken zerstreut
werden. Lieber war Hitler nach wie vor der auf die unmittelbar Beteiligten
beschränkte Krieg gegen Polen, nach dem die Auseinandersetzung im Westen
immer noch — sollte sie weiterhin unvermeidlich sein — vor dem Rußlandkrieg anvisiert werden konnte. Den Zeitpunkt wollte der Führer, wenn es
eben möglich war, selbst bestimmen[141]).

---

sie am 23. Mai 1939 voraussah — nicht zur Juniorpartnerschaft mit dem Reich
im Kampf um die Weltvorherrschaft gegen die USA bereitfand. Vgl. Andreas
Hillgruber, Faktor Amerika.

[137]) Vgl. auch Glum, Nationalsozialismus, S. 374.

[138]) Vgl. den Brief des ungarischen Ministerpräsidenten Graf Teleki an Hitler v.
24. 7. 1939: ADAP, D, VI, Nr. 712, Anlage 2, S. 820.

[139]) Erneut zeigt sich die Untrennbarkeit von England und Frankreich in Hitlers
Gedankengängen. Ein isolierter Zug gegen Frankreich mit Englands Duldung
wurde nicht erwogen.

[140]) Siehe ADAP, D, VI, Nr. 784, Aufz. über Hitlers Unterredung mit Csaky am 8. 8.
1939 auf dem Obersalzberg. Zu Hitlers Risikobereitschaft Anfang August 1939
vgl. auch Hendersons entsprechende Meldung an das Foreign Office; DBFP, 3,
VI, Nr. 570 v. 5. 8. 1939: „Herr Hitler himself ... now fully realises the danger
of war" und Nr. 585 v. 8. 8. 1939.

[141]) Vgl. Hitlers Äußerungen zu Keitel und Lossberg (Generalstabsoffizier im
Wehrmachtführungsstab im OKW) Anfang August 1939: „Sollte eine Auseinandersetzung mit England einmal unvermeidlich sein, dann bestimme ich den

Diese Absicht sprach gleichfalls aus Hitlers Worten zu Burckhardt am 11. August, die wir bereits in einem anderen Zusammenhang zitierten[142]). Halten wir an unserer Auffassung fest, daß Hitler mit seiner Drohung, „den Westen zu schlagen", falls dieser „zu dumm und zu blind ist", zu begreifen, daß Deutschlands eigentlicher Feind Rußland hieß, den vorgeschalteten Blitzfeldzug gegen den Westen mit der Überrennung Frankreichs und der gewaltsamen Vertreibung der Briten von europäischem Festland ankündigte[143]), so braucht man hier nicht mehr mit Burckhardt den „allermerkwürdigsten Ausspruch des Kanzlers"[144]) zu sehen. Man ist nicht mehr mit K. Hildebrand gezwungen, zwischen der im Prinzip und überdies aus der konkreten Situation des August 1939 heraus unhaltbaren These, Hitler habe mit „Westen" ausschließlich Frankreich gemeint, und der gleichfalls unwahrscheinlichen Möglichkeit, Hitler habe die völlige Niederringung des britischen Empire vor dem Marsch nach Rußland erwogen, entscheiden zu müssen[145]). Zudem stellte der „Führer" gerade in dieser Unterredung mit aller Deutlichkeit unter Beweis, daß er im Gegensatz zu seinen Anschauungen der zwanziger Jahre den Gedanken an eine von England geduldete, isolierte Zerschlagung Frankreichs aufgegeben hatte: „Ich habe es nicht immer gewußt, aber nun weiß ich es, daß England und Frankreich unzertrennbar zusammengehören. Das ist die Natur der Dinge. Ich intrigiere gegen diesen Tatbestand nicht...[146])" Es erübrigen sich dann auch die Frage, womit der Diktator angesichts der „im allerersten Aufbaustadium befindlichen Marine" den Westen überhaupt schlagen wollte, sowie Zweifel an der Realitätsbezogenheit der von Hitler aufgezeigten Konstellationsfolge[147]). Lediglich der Rückendeckung für den geplanten Ostkrieg[148]) sollte der außerprogrammatische, als Notlösung zwi-

---

Zeitpunkt, und das Messer wird dann diesem Gegner an der Kehle sitzen, ehe er weiß, daß der Krieg überhaupt begonnen hat, aber nicht vor 1943", Bernhard von Lossberg, Im Wehrmachtführungsstab. Bericht eines Generalstabsoffiziers, Hamburg 1949. S. 32. Erneut zeigt sich, wie wenig präzise Hitler bei der Terminierung des Westfeldzuges war, so daß man hier bereits auch an den „Endkampf" um die Weltvorherrschaft könnte.

[142]) Burckhardt, Danziger Mission, S. 348; Hillgruber, Quellen, S. 122; oben S. 206 f.
[143]) So auch Hillgruber, Faktor Amerika, S. 6, Anm. 10, ders., Deutschlands Rolle, S. 91 f.
[144]) Burckhardt, S. 348.
[145]) Hildebrand, Weltreich, S. 616 f.
[146]) Burckhardt, S. 345.
[147]) So Hillgruber, Quellen, S. 123.
[148]) Vgl. Burckhardt, S. 342 ff. „Vor allem will ich vom Westen nichts, heute nicht und nicht morgen... Aber ich muß freie Hand im Osten haben." Vgl. auch Hitlers Worte am 27.11.1941 zum finnischen Außenminister Witting, zit. nach Hillgruber, Staatsmänner, S. 639: „Er sei sicher nicht gewillt gewesen, den Bolschewismus in Europa weiter vordringen zu lassen. Aber er hätte warten müssen, bis er sich 1939/40 die Rückenfreiheit erkämpft habe." Daß die Rükkensicherung auch 1940 nicht vollständig war, da England den Krieg fortsetzte, unterließ Hitler zu sagen.

schengeschaltete, in seinen Operationszielen begrenzte[149]) Krieg gegen England dienen, der 1940 dann Wirklichkeit wurde. Eine endgültige Abrechnung mit dem Empire — falls dieses sich nicht zur Juniorpartnerschaft im Entscheidungsringen gegen die USA bereitfand[150]) — blieb den Auseinandersetzungen der „Weltmachtphase" vorbehalten, für die das Deutsche Reich wiederum die Ukraine, den blockadesicheren Lebensraum in Osteuropa benötigte, wie Burckhardt andeutungsweise noch vernehmen konnte. Übersehen wir indessen nicht, daß Hitler über den Schweizer Völkerbundskommissar auch die britische Regierung ansprechen wollte, diese mit seinen von großer Entschlossenheit geprägten Worten[151]) abzuschrecken, ihr gleichzeitig „noch einmal ganz eindringlich den Vorteil einer neutralen Politik bzw. eines Bündnisses vor Augen zu führen" versuchte[152]). Hitler ließ dahingestellt, wann er die „Dummheit" und „Blindheit" des Westens für erwiesen erachten würde. Der bevorstehende Polenkrieg würde jedenfalls darüber wichtige, wenn nicht die entscheidenden Aufschlüsse erbringen[153]).

Daß Hitler entschlossen war, die polnische Frage in jedem Fall „definitiv zu liquidieren", erfuhr auch Italiens Außenminister Ciano, als er einen Tag nach Burckhardts Besuch, am 12. August, mit dem deutschen Reichskanzler zusammentraf[154]). Erneut wies Hitler dabei dem Angriff gegen Polen die Funktion zu, für den seiner Ansicht nach wahrscheinlich eintretenden Fall

---

[149]) Auch die Rohstoff- und Ernährungslage ließ nur einen kurzen Krieg zu; siehe Dieter Petzina, Autarkiepolitik im Dritten Reich. Der nationalsozialistische Vierjahresplan, Stuttgart 1968, S. 133; vgl .auch die bereits zitierten Studien von B. H. Klein, Germany's Economic Preparation, A. Milward, Deutsche Kriegswirtschaft, und Eichholtz, Geschichte der deutschen Kriegswirtschaft.

[150]) Siehe Hillgruber, Faktor Amerika, passim.

[151]) Siehe Burckhardt, Danziger Mission, S. 341 „ . . . (erregt und fast beschwörend) Dann soll es eben sein. Wenn ich den Krieg zu führen habe (—gemeint ist der allgemeine europäische Krieg, Vf. –) würde ich lieber heute als morgen Krieg führen. . ."

[152]) Vgl. Hildebrand, Deutsche Außenpolitik, S. 91. Siehe DBFP, 3, VI, Nr. 659 Annex 2b, S. 695, englische Gesprächsaufzeichnung: „I want to live in peace with England and conclude a definite pact; to guarantee all the English possessions in the world and to collaborate." Wenig wahrscheinlich ist allerdings Kuhns Ansicht, Hitlers Gespräch mit Burckhardt sei neben den Missionen Trotts, Wohlthats und Dahlerus als ein Teil der von Hitler selbst ausgehenden deutsch-britischen Verständigungsversuche anzusehen: Kuhn, Hitlers außenpolitisches Programm, S. 249. Wie oben gezeigt hat Hitler diese Versuche niemals initiiert, allenfalls geduldet.

[153]) Vgl. Hesse, Spiel um Deutschland, S. 188, Ribbentrop teilte Hesse Mitte August mit, Hitler sei der Ansicht, daß ihn ein britisches Eingreifen in den deutsch-polnischen Krieg vollends davon überzeuge, daß der Krieg mit England unvermeidlich sei. In diesem Fall sei es angebracht, „lieber heute zu schlagen als morgen oder gar in zwei Jahren".

[154]) CAS, S. 300; ADAP, D, VII, Nr. 43: „ . . . Der Führer sei daher entschlossen, die Gelegenheit der nächsten Provokation . . . zu benutzen, um innerhalb 48 Stunden Polen anzugreifen."

des Krieges zwischen Deutschland, Italien und den westlichen Demokratien den Rücken vor dem polnischen „Dolchstoß" zu sichern[155]).

Mehrfach gab dabei Hitler seiner Überzeugung Ausdruck, daß der Konflikt mit Polen lokalisiert werden könne[156]). Allerdings mußte sich Ciano nach den Unterredungen mit Recht fragen, ob diese Versicherungen angesichts der wiederholten Erklärung, daß der Zusammenstoß gegen den Westen eines Tages unvermeidbar kommen würde[157]) und geführt werden müsse, „solange er und der Duce noch jung seien", überhaupt aufrichtig gemeint waren[158]). Zudem hatte Hitler selbst während der zweiten Begegnung am 13. August vielsagend bemerkt, daß eine als Hypothese angenommene Einschaltung des Westens lediglich beweisen würde, daß die Demokratien in jedem Fall die „Achse" angriffen und Deutschland wie Italien kaum Zeit gelassen hätten, sich auf diesen Konflikt vorzubereiten[159]). Damit deutete Hitler vorsichtig an, daß er das Risiko der westlichen Intervention durchaus einging[160]). Hingegen ließ er gleichfalls durchblicken, daß die „wahre Marschrichtung des deutschen Volkes" der Osten sei[161]), womit er den temporären, ja beiläufigen Charakter der ihm aufgezwungenen Schwenkung nach Westen, ihre Unterordnung unter die Ostpläne implizierte.

Der Wunsch und die Hoffnung, daß der Krieg gegen Polen auf die beiden kriegführenden Parteien beschränkt werden könne, sprach aus Hitlers Ausführungen vor den Wehrmachtspitzen am 14. August auf dem Obersalzberg[162]). Er bekräftigte seine Auffassung, indem er die Schwäche der britischen Nation und ihrer Führer schilderte und ein neues Bündnisangebot ankündigte[163]). Allein, konnten diese Worte nicht lediglich der Beruhigung

---

[155]) CAS, S. 301 „ . . . quand l'Allemagne et l'Italie se trouveront — comme il est inévitable qu'elles se trouvent un jour — en lutte contre les démocraties occidentales, la Pologne en prendraint occasion pour planter un poignard dans le dos de l'Allemagne; ADAP, D, VII, Nr. 43: „Da Polen durch seine ganze Haltung zu erkennen gebe, daß es auf jeden Fall . . . auf Seiten der Gegner Deutschlands und Italiens stehen würde, könne eine solche Liquidierung für die doch unvermeidliche Auseinandersetzung mit den westlichen Demokratien im jetzigen Augenblick nur von Vorteil sein." Vgl. auch die zweite Unterredung am 13. 8. 1939: ADAP, D, VII, Nr. 47: „ . . . Der Führer erklärte, daß man Polen so niederschlagen müsse, daß es auf jeden Fall 10 Jahre lang kampfunfähig sei. In diesem Falle könne man sich mit dem Westen auseinandersetzen."
[156]) CAS, S. 301 f. und S. 304 f.
[157]) Siehe Zitate Anm. 155.
[158]) Ciano, Tagebücher, S. 123, siehe ebd.: „Er (Hitler, Vf.) hat beschlossen zuzuschlagen und er wird zuschlagen."
[159]) CAS, S. 304.
[160]) Vgl. auch Hendersons Bericht v. 20. 8. 1939, DBFP, 3, VII, Nr. 93: Hitlers Ansicht sei: sollte es über Polen zum Krieg gegen England kommen, wäre er sowieso unvermeidlich gewesen und besser jetzt als später auszufechten.
[161]) CAS, S. 304. „L'action contre la Pologne prouve quelle est la vraie directrice du marche du peuple allemand."
[162]) Halder, Kriegstagebuch, S. 11.
[163]) Vgl. oben Anm. 130.

verantwortlicher Militärs dienen[164]), glaubte Hitler wirklich, daß er das bewußt eingegangene Risiko, den Krieg gegen den Westen bereits jetzt führen zu müssen, welches er wie im Gespräch mit Ciano auch hier anklingen ließ[165]), nicht würde einlösen müssen? Ober teilte er die ihm über Rosenberg zugekommene Auffassung des Barons de Ropp, daß England zwar auf den deutschen Einmarsch in Polen mit der Kriegserklärung antworteten, sich aber „für den Fall einer schnellen Erledigung" des Konfliktes im Osten passiv verhalten werde[166]), womit das von Hitler angestrebte Nacheinander der Aktionen Polen-Westen-Osten sich doch noch realisieren ließe?

Während Außenminister Ciano die Bereitschaft der deutschen Führung, den Westkrieg notfalls schon zu diesem Zeitpunkt in Kauf zu nehmen, hinter Hitlers Ausführungen lediglich vermuten konnte, wurde Ribbentrop am 19. August 1939 Attolico gegenüber deutlicher und umschrieb Hitlers Standpunkt im Kern treffend, wenn auch der taktische Zweck, die italienischen Befürchtungen zu zerstreuen, seine Formulierungen maßgebend beeinflußt haben dürfte. Zwar bleibe der Führer bei der Ansicht, ließ der Reichsaußenminister verlauten, daß der Krieg gegen Polen sich lokalisieren lasse, griffen England und Frankreich dennoch ein, sei Hitler der Meinung, „daß es für die Achse schwer sein würde, jemals bessere Bedingungen für die Auseinandersetzung zu finden"[167]. Gewünscht wurde der isolierte Feldzug gegen Polen, bewußt ins Kalkül einbezogen jedoch auch — und nicht allein zur Wahrung des Prestiges vor den Ungarn und Italienern — der gleichzeitige oder unmittelbar nachfolgende Krieg im Westen, da dieses Risiko Hitler nicht untragbar zu sein schien.

Werfen wir einen Blick auf die konkreten Vorbereitungen der drei Wehrmachtteile, so schlug sich dort die einkalkulierte Möglichkeit eines nahen Kampfes gegen England und Frankreich allerdings so gut wie nicht nieder. Es wurde Anfang August beschlossen, „im Hinblick auf eine mögliche Ausweitung des Konfliktes" Marineeinheiten im Atlantik bereitzustellen[168]). Die Kriegsmarine erhielt am 19. August den Befehl, 21 U-Boote und zwei Panzer-

---

[164]) So Hassell, Vom andern Deutschland, S. 74, Notiz v. 15. 8. 1939. Ähnlich könnten auch Raeders Ausführungen am 22. 7. 1939 vor dem Marineoffizierskorps in Swinemünde interpretiert werden. Raeder teilte mit, daß Hitler ihm gesagt habe, er „werde dafür sorgen, daß es keinesfalls zu einem Krieg gegen England kommt. Denn das wäre Finis Germaniae"; siehe Dönitz, Zehn Jahre, S. 45; vgl. auch Irving, Luftwaffe, S. 126.

[165]) Siehe Halder, Kriegstagebuch, S. 11: „Es gibt keinen Erfolg ohne Risiko, weder politisch noch militärisch... Als Gegner kommt nur England — außer Polen selbst — in Frage, in seinem Schlepptau Frankreich". Ein weiteres Mal lehnt Hitler eine verschiedene Einschätzung Englands und Frankreichs ab.

[166]) ADAP, D, VII, Nr. 74, Aktennotiz Rosenbergs v. 16. 8. 1939. Zur Person des Barons de Ropp vgl. die in Vorbereitung befindliche Studie von Bernd Martin, Friedensinitiativen des Zweiten Weltkrieges.

[167]) Attolicos Aufzeichnung in I Documenti Diplomatici Italiani, Ottava Serie: 1935–1939, Vol. XIII, Roma 1953, S. 73, deutsch: Ursachen und Folgen XIII, Nr. 2821 g.

[168]) Siehe Salewski, Seekriegsleitung, S. 92; vgl. auch Hinsley, Hitlers Strategie, S. 32, Anthony Martienssen, Hitler and his Admirals, New York 1949, S. 17.

schiffe in den Bereich der britischen Seeverbindungen zu entsenden[169]. Es wäre allerdings übertrieben, in diesen vergleichsweise recht schwachen und mehr vorsorglichen Maßnahmen einen „entscheidenden Schritt" Hitlers zum Einsatz seiner Streitkräfte für „einen möglichen Großkrieg" zu erblicken[170]. Vielmehr teilte das OKW noch am 15. August der Seekriegsleitung mit, daß die Ausweitung des Krieges auf die Westmächte wenig wahrscheinlich sei[171]. An der grundsätzlichen Bereitschaft, diese dennoch zu riskieren oder für einen späteren Zeitpunkt eventuell anzustreben, ist deswegen nicht zu zweifeln, zumal der Anteil der Marine an *dieser* Konfrontation im Westen, an der Zerschlagung Frankreichs und der Vertreibung Englands vom europäischen Festland nicht kriegsentscheidend sein würde. Abgeschwächt wurde allerdings die in Ribbentrops Botschaft für Wilson vertretene Meinung, daß Hitler vom englischen Eingreifen „völlig" überzeugt sei[172].

In der bekannten Ansprache vom 22. August vor den auf dem Obersalzberg versammelten Befehlshabern der Wehrmacht[173] benutzte der „Führer" die gleiche Taktik wie am 14. August an gleicher Stelle. Oberflächlich gesehen stellte er das Stillhalten der Westmächte bei der notwendigen Vernichtung Polens als sicher hin — zumal der Pakt mit Stalin vor dem Abschluß stand. Dazu zeichnete Hitler das Bild des zerfallenden Inselreiches, dessen Führer „keine Persönlichkeiten, keine Herren, keine Tatmenschen" darstellten, dessen Rüstung noch schwach sei und dessen politische Lage nicht ungünstiger sein könnte[174]. Es war ja tatsächlich Hitlers Wunsch, zu diesem Zeitpunkt noch nicht den Krieg gegen die Westmächte auszulösen, sondern die Wehrmacht „in einem begrenzten Feldzug gegen ein politisch und militärisch isoliertes Polen ... auszuprobieren, was ihm 1938 nicht gelungen war"[175].

---

[169]) Vgl. William L. Shirer, Aufstieg und Fall des Dritten Reiches, München–Zürich 1963, S. 480; Hinsley, Strategie, S. 32, weist darauf hin, daß solche Maßnahmen während der Sudetenkrise nicht ergriffen wurden; ferner Gemzell, Raeder, Hitler, S. 197, Anm. 6; S. W. Roskill, The War at Sea 1939–1945, Vol. I, The Defensive, London 1954, S. 54: Es wurden U-Boot-Verbände aus der Ostsee in die Nordsee verlegt.

[170]) Diese These vertritt Shirer, Aufstieg und Fall, ebd.

[171]) Kriegstagebuch der Seekriegsleitung, Teil A; Der Vf. dankt Prof. Dr. A. Hillgruber für diesen freundlichen Hinweis. Die mit der Luftkriegführung im Westen betrauten Luftflotten 2 und 3 mußten im August sogar Kräfte an die im Osten einzusetzenden Verbände abgeben; Gundelach, Gedanken über die Führung, S. 46.

[172]) Vgl. oben S. 274.

[173]) ADAP, D, VII, Nr. 192, 193. Vgl. zur Quellenkritik und Bewertung Hillgruber, Quellen, S. 119 ff., Baumgart, Zur Ansprache Hitlers, passim; Hermann Boehm, „Zur Ansprache Hitlers am 22. August 1939" in VfZg 19 (1971), S. 294–300, mit anschließender Erwiderung Baumgarts; Seraphim, Nachkriegsprozesse, S. 450 ff. und Hildebrand, Weltreich, S. 618.

[174]) ADAP, D, VII, Nr. 192; vgl. auch IMT XLI, Raeder-27, Niederschrift Boehm; Heusinger, Befehl, S. 54 und die Liebmann-Aufzeichnung, zit. bei Baumgart, Zur Ansprache Hitlers, S. 145.

[175]) Hillgruber, Quellen, S. 121; vgl. Greiner, Wehrmachtführung, S. 40. Vgl. auch Krebs, Tendenzen und Gestalten der NSDAP, S. 152, der sich an ähnliche Ausführungen Hitlers vor Parteifunktionären in Hamburg erinnert.

Andererseits sollte gewiß gerade der geschilderte Schwächezustand Groß-britanniens das Risiko einer gleichzeitigen Auseinandersetzung mit diesem Staat in den Augen der Militärs erleichtern. Formulierungen wie „Noch ist England Luft-verwundbar... In zwei bis drei Jahren kann sich dies än-dern... In England wünscht man, daß der Konflikt erst in zwei bis drei Jahren eintritt" implizierten, daß ein Eingreifen Englands in den Polenkon-flikt keineswegs eine Katastrophe heraufbeschwören würde. Ausdrücklich gestand der „Führer" ein, daß es „auch anders kommen" könne „bezüglich England und Frankreich. Es läßt sich nicht mit Bestimmtheit prophezeien." Jeder müsse daher „die Ansicht vertreten, daß wir von vornherein auch zum Kampf gegen die Westmächte entschlossen sind"[176]), wie auch andere Ver-sionen der Ansprache Hitlers Bereitschaft zum Risiko ausdrücklich ver-merken[177]). Im übrigen gab Hitler erneut klar zu verstehen, daß die Kon-frontation im Westen durchaus *nach* der Eroberung Polens angestrebt werden könne, der Feldzug nach Warschau hauptsächlich zur Vorbereitung des näch-sten Schrittes dienen sollte[178]). War der Zusammenstoß sowieso unvermeid-bar, würde sich auch verschmerzen lassen, wenn er nicht zum geplanten Zeitpunkt eintreten würde: „Eine Auseinandersetzung", notierte Halder Hit-lers Worte, „die man nicht mit Sicherheit auf 4–5 Jahre verschieben kann, findet besser jetzt statt"[179]).

---

[176]) ADAP, D, VII, Nr. 193.

[177]) Vgl. Greiner, Wehrmachtführung, S. 42: „Das weitere Verhalten Englands und Frankreichs könne natürlich trotz allem nicht mit absoluter Sicherheit voraus-gesagt werden..." Es gelte, die polnische Wehrmacht zu zerschlagen, „auch wenn inzwischen im Westen der Kampf ausbrechen sollte". Dazu auch IMT XLI, Raeder-27. Aufz. Boehm: „Das Ziel ist die .. Zerschlagung der militäri-schen Kraft Polens, auch wenn Kämpfe im Westen entstehen." So war auch der spätere Generalfeldmarschall Kesselring nach der Ansprache beunruhigt durch die Tatsache, „daß die aus dem Krieg mit Polen entstehenden Weite-rungen nicht zu übersehen waren", siehe Albert Kesselring, Soldat bis zum letzten Tag, Bonn 1953, S. 54.

[178]) ADAP, D, VI, Nr. 192 „Ich wollte zunächst mit Polen ein tragbares Verhältnis herstellen, um zunächst gegen den Westen zu kämpfen. Dieser mir sympa-thische Plan war aber nicht durchführbar. Es wurde mir klar, daß bei einer Auseinandersetzung mit dem Westen Polen uns angreifen würde." Siehe oben S. 219 f.; vgl. auch Halder, Kriegstagebuch, S. 23 ff. „An sich erwünscht, zunächst den Westen zu bereinigen, da aber immer klarer wurde, daß in jeder schwie-rigen Lage Polen uns in den Rücken fallen würde, mußte, ehe man an die Westprobleme herangeht, die Ostfrage bereinigt werden." Mit „Ostfrage", das geht aus diesen Formulierungen hervor, war also die Eroberung Polens, nicht der „programmatische" Krieg gegen die Sowjetunion gemeint. Die Integrie-rung des Polenproblems in Hitlers antiwestliches Konzept zeigt sich erneut anschaulich. Vgl. weiter Liebmanns Aufzeichnungen, nach Baumgart, Zur An-sprache Hitlers, S. 145: „Wenn es nach seiner festen Überzeugung jetzt auch zu keiner militärischen Auseinandersetzung mit dem Westen kommen werde, so werde die Abrechnung mit diesem aber doch in einigen Jahren kommen müssen".

[179]) Halder, Kriegstagebuch, S. 24.

Nach all dem muß bezweifelt werden, ob Hitler mit dem Moskauer Pakt[180]) in *erster Linie* nur die Absicht verfolgte, England von Polen zu trennen, wie oft angenommen wurde[181]). Sicherlich vermochte der Vertrag Hitler seinem Wunschziel, dem isolierten Feldzug gegen Warschau, ein gutes Stück näherzubringen und auch zur Hoffnung verleiten, daß die Regierungen in London und Paris zu Fall gebracht würden[182]), doch lag seine größere Bedeutung, wie es scheint, in dem betont antibritischen Charakter[183]), der ihn zu einem eminent wichtigen Werkzeug für die unvermeidliche Auseinandersetzung mit dem Westen machte, mochte diese nun als unmittelbare Folge der britischen Garantie an Polen oder in der näheren Zukunft zu einem von Hitler bestimmten Zeitpunkt erfolgen. Ein zeitweiliges Bündnis mit Rußland hatte Hitler schon C. J. Burckhardt am 11. August für den Fall angekündigt, daß Deutschland infolge der „Unvernunft" der Briten zunächst zum Schlag gegen England und Frankreich gezwungen sein sollte, bevor er zum „Lebensraum" im Osten greifen konnte[184]). Deutschland sei durch den Moskauer Pakt „zunächst politisch in seinem Rücken frei geworden", erklärte Hitler rückblickend am 30. Januar 1940 im Berliner Sportpalast[185]). Nachdem das Reich durch den Polenfeldzug im Osten auch militärisch abgesichert sei, könne – ganz im Sinne der am 11. August angekündigten Aktionsabfolge – zur zweiten

---

[180]) Zur Literatur zum deutsch-sowjetischen Vertrag vgl. Hildebrand, Weltreich, S. 619, Anm. 615, dazu Max Braubach, Hitlers Weg zur Verständigung mit Rußland, Bonn 1960; Philipp W. Fabry, Der Hitler-Stalin-Pakt 1939–1941. Ein Beitrag zur Methode sowjetischer Außenpolitik, Darmstadt 1962; James E. McSherry, Stalin, Hitler and Europe, Vol. I: The Origins of World War II 1933–1939, Cleveland and New York 1968.

[181]) So z. B. Weizsäcker, Erinnerungen, S. 252; Hofer, Entfesselung, S. 124 f. L. B. Namier, Europe in Decay, London 1950, S. 129. Tatsächlich plädiert Liddell Hart noch in seinen Erinnerungen dafür, daß England in dieser Situation besser hätte nachgeben sollen: Lebenserinnerungen, S. 466.

[182]) Siehe Peter Kleist, Zwischen Hitler und Stalin 1939–1945, Aufzeichnungen, Bonn 1950, S. 66, der sich auf eine Information von Dietrich stützt; vgl. auch Weizsäcker, Erinnerungen, S. 252, wo Hitler ähnliche Hoffnungen jedoch als Folge seines Gespräches mit Henderson v. 23. 8. 1939 hegte.

[183]) Es ist selbstverständlich, daß deutscherseits bei den Verhandlungen mit der Sowjetunion die Gegnerschaft gegen England betont wurde: vgl. etwa ADAP, D, VI, Nr. 729, Aufz. v. 27. 7. 1939 des Vortr. LR Schnurre über ein Gespräch mit dem sowjetischen Geschäftsträger Astachow, sowie ADAP, D, VII, Nr. 213, Aufz. über Ribbentrops Gespräche mit Stalin und Molotow in Moskau 23./24. 8. 1939; vgl. Fabry, Hitler-Stalin-Pakt, S. 85 ff., Fabry glaubt jedoch – seiner Grundthese, daß Hitler kein außenpolitisches „Programm" besessen habe, entsprechend – daß Hitler 1939 seine Ostziele gänzlich aufgegeben hatte und nur noch England als Feind ansah.

[184]) Burckhardt, Danziger Mission, S. 348. Nicht uninteressant in diesem Zusammenhang ist der Hinweis Schellenbergs, daß sich Hitler 1937 zur Preisgabe des sowjetischen Marschalls Tuchatschewskij entschloß, da er glaubte, sich durch die Dezimierung der militärischen Führerschaft der Sowjetunion den Rücken gegen den Westen (!) für eine bestimmte Zeit freihalten zu können: Schellenberg, Memoiren, S. 49.

[185]) Aufrufe, Tagesbefehle und Reden, S. 76.

Phase des Kampfes — gegen den Westen — geschritten werden. Polenkrieg und Moskaupakt waren im Sommer 1939 nach Hitlers eigenen Worten vom Januar 1940 also dem nächsten Ziel, der Brechung des westlichen Widerstandes gegen sein „Programm", zugeordnet[186]). Als Anfang der Zerstörung der britischen Vormachtstellung hatte Hitler während seiner Ansprache am 22. August den Vertrag gewertet[187]). Mussolini schrieb er am 25. August, er habe deshalb mit der Sowjetunion abschließen müssen, da Japan „zu einer ebenso klaren Verpflichtung gegenüber England" nicht einverstanden gewesen wäre[188]), womit Hitler die antibritische Zielrichtung des Nichtangriffs-

---

[186]) Es ist verständlich, daß sich Hitler Anfang 1940 hütete, vor der Öffentlichkeit die dritte Phase des Kampfes, nämlich den Angriff auf die Sowjetunion, anzudeuten. Bereits am 17. Mai 1939 hatte Vansittart dem Foreign Office die angeblich vom deutschen Generalstab vertretene Meinung unterbreitet, daß eine deutsch-russische Allianz Hitler zum „entscheidenden Schlag" gegen England befähigen werde: PRO London, FO 371/22972, C/7253/15/18. Die These, durch den Pakt mit Moskau die Rückenfreiheit gegen den Westen gesichert zu haben, vertraten während des Krieges — auch nach dem Einmarsch in die Sowjetunion — mehrfach Hitler und vor allem Ribbentrop, der im Gegensatz zu seinem „Führer" den Vertrag nicht als zeitweilige Notlösung infolge der britischen „Unvernunft" ansah, sondern ihn als dauernden Bestandteil seiner antibritischen Blockbildung bewertete: Vgl. Ribbentrops Unterredung mit Mussolini v. 10. 3. 1940 in Rom: Es sei der Standpunkt des Führers, „daß Deutschland durch die Einigung mit Rußland den Rücken frei bekommt". ADAP, D, VIII, Nr. 665, S. 698, und Ribbentrops Tel. an Schulenburg (Moskau) v. 21. 3. 1940 über die Begegnung Hitlers mit dem Duce: ADAP, D, IX, Nr. 7. Hitler sagte Mussolini am 18. 3. 1940, daß „ihn nur ein bitterer Zwang" zum Zusammengehen mit Stalin veranlaßt habe. „Bereits in Mein Kampf hätte er ausgeführt, daß Deutschland entweder mit England gegen Rußland gehen könne oder gegen England mit Rußland", Hillgruber, Staatsmänner, S. 96. Hitler gab also vor, die grundsätzliche Entscheidung von 1923/24 für die „Bodenpolitik" im Osten bei zumindest vorläufiger Zurückstellung der Kolonialpolitik (vgl. Hillgruber, Strategie, S. 566 u. Anm. 3a und im einzelnen Hildebrand, Weltreich, S. 70 ff. bes. S. 79 f.), damit das Kernstück seines „Programms" revidiert zu haben. Wir meinen hingegen, daß der Diktator eine längerfristige Verschiebung des Rußlandfeldzuges nur einmal, im Herbst 1940, unter dem Einfluß von Ribbentrops Konzeption erwog (vgl. Hillgruber, Strategie, S. 276 ff.; ders. Staatsmänner, S. 216). Wäre Hitler ein reiner Machtpolitiker gewesen, dann hätte sich in der Tat die Mussolini gegenüber aufgezeigte Alternative angeboten. Daß er trotz des Nichtangriffspaktes mit Sowjetrußland im Grunde nie den Plan aufgab, nach Osten auszubrechen, zeigt, in welchem Maße ideologische Faktoren Hitlers Gedankengänge bestimmten. Vgl. ferner Ribbentrops Äußerungen am 5. 11. 1943 zum bulgarischen Ministerpräsidenten Bojiloff und Außenminister Schischmanoff: das Reich habe „in der bestimmten Erwartung, daß England und Frankreich in den Konflikt eingreifen würden, eine Rückendeckung bei der Sowjetunion suchen müssen". PA Bonn, Handakten Schmidt 8, 1943 II; ebenso auch zum japanischen Botschafter Oshima am 19. 5. 1943, ebd.

[187]) Vgl. Greiner, Wehrmachtführung, S. 41. Speer erinnert sich, Hitler — in euphorischer Stimmung — habe sich sehr beeindruckt gezeigt, als ein englischer Pressevertreter zufällig läutende Kirchenglocken als das „Grabgeläut des britischen Empires" bezeichnete. Siehe Speer, Erinnerungen, S. 117.

[188]) ADAP, D, VII, Nr. 266.

abkommens deutlich werden ließ. Auf die konkrete Situation der letzten Augustwoche bezogen erhöhte der Pakt also einmal die Chancen auf einen isolierten Krieg[189]), schuf aber gleichzeitig günstigste Ausgangsbedingungen für den Fall, daß der Westen in den Polenkonflikt eingreifen werde oder zu einem späteren Zeitpunkt von Hitler selbst attackiert werden würde. Die „Abrechnung mit Polen" konnte endgültig zum vorgesehenen Termin beginnen und unter allen Umständen durchgeführt werden[190]). Dieser Wille des „Führers" bildete die unverrückbare Konstante in den turbulenten Ereignissen der letzten Friedenstage.

Chamberlain brachte indessen in seinem Brief an den deutschen Reichskanzler vom 22. August zum Ausdruck, daß der bevorstehende deutsch-sowjetische Pakt an Großbritanniens Entschlossenheit, Polen im Ernstfall beizustehen, nicht das geringste ändere[191]). Alles deutete darauf hin, daß trotz des Moskauer Vertrages das einkalkulierte Risiko des Zweifronten-krieges in den nächsten Tagen eingelöst werden müsse. Botschafter Sir Nevile Henderson, der am 23. August 1939 das Schreiben seines Premierministers auf dem Obersalzberg übergab, vernahm darauf Hitlers Drohung, „jetzt werde man in England ein anderes Deutschland kennenlernen, als man es sich seit vielen Jahren vorgestellt habe"[192]). Es sei nun völlig klar, daß Großbritannien die Vernichtung des Reiches wolle und es sei „besser wenn schon ein Krieg kommen müsse, daß er heute stattfinde, als wenn er 55 oder gar 60 Jahre sei"[193]). Eine Verständigung zwischen Deutschland und England sei unmöglich, davon sei er jetzt endgültig überzeugt[194]). Rückblicke auf die vergeblichen Versuche, die Freundschaft der Briten zu erlangen, Vorwürfe gegen Englands Einmischung in nahezu alle kontinentaleuropäischen Pro-

---

[189]) Im Oktober 1943 freilich sollte Ribbentrop dem Prinzen Cyrill und Regenten Filoff von Bulgarien versichern, daß solche Hoffnungen „eigentlich in Deutschland nicht bestanden"; PA Bonn, Handakten Schmidt 8, 1943 II; vgl. auch Ribbentrops Unterredung mit Bojiloff und Schischmanoff v. 5.11.1943 oben Anm. 186.

[190]) Vgl. Hans-Adolf Jacobsen (Hrsg.); Dokumente zur Vorgeschichte des Westfeldzuges 1939 bis 1940, Göttingen—Berlin—Frankfurt/Main 1956, Nr. 7, S. 28, Notizen zum Kriegstagebuch des OKW von Major d. G. Deyhle (Auszug) Punkt 3: „August 1939: Trotz der englischen Garantie an Polen und des dadurch fast unvermeidlichen Zweifrontenkrieges entschließt sich der Führer, Abrechnung mit Polen durchzuführen, nachdem er Einkreisung durch Russenpakt verhindert hat."

[191]) ADAP, D, VII, Nr. 200, Anlage. Ein Kommuniqué nach der Sitzung des britischen Kabinetts am 22.8.1939 wurde vom gleichen Grundton geprägt: siehe Hore-Belisha, Private Papers, S. 217 und Tel. Theo Kordts v. 22.8.1939 an das AA: PA Bonn, Staatssekretär, Polen 2: „They had no hesitation in deciding that such an event would in no way affect their obligation to Poland, which they have repeatedly stated in public and which they are determined to fulfil."

[192]) ADAP, D, VII, Nr. 200, Aufz. der Unterredung v. 23.8.1939.

[193]) ebd.; vgl. auch Endgültiger Bericht von Sir Nevile Henderson über die Umstände, die zur Beendigung seiner Mission in Berlin führten, Basel 1939, S. 15.

[194]) DBFP, 3, VII, Nr. 248; vgl. auch Hendersons Endgültiger Bericht, S. 15 und Hitlers Antwortschreiben an Chamberlain ADAP, D, VII, Nr. 201.

bleme, mit der die britische Regierung eine Regelung gefährdet oder gar vereitelt hätte, gaben Hitlers Ausführung den beinahe schon traditionellen Rahmen. Am Schluß stand die Ankündigung, „die Frage Danzigs und des Korridors werden liquidiert, so oder so. Ich bitte Sie, das zur Kenntnis zu nehmen[195]).“

Generalstabschef Halder notierte am gleichen Tag, daß der Angriffsbefehl für den 26. August endgültig sei[196]). Hitler bluffte in diesem Punkt also nicht. Ebensowenig sollte die Henderson gegenüber bezeugte Entschlossenheit, dafür auch eine durchaus für möglich gehaltene britische Intervention in Kauf zu nehmen[197]), grundsätzlich nur als Abschreckungsmittel gewertet werden[198]). In seiner politischen Vorstellungswelt stellte sich Englands Tätigkeit wirklich so unheilvoll dar, wie er sie Henderson schilderte. Sie ließ ihm mit ihrem Bestreben, Deutschlands Ausgreifen nach Osten zu verhindern[199]), keine andere Wahl, als der möglichen Konfrontation entgegenzusehen, wollte er nicht auf die Realisierung seines „Programms“ verzichten. Hingegen lag die Intention der Einschüchterung seinen Ausführung zweifelsohne mit zugrunde, ganz eindeutig dann, wenn Hitler den Eindruck zu erwecken suchte, als ob er die unvermeidliche Auseinandersetzung zum jetzigen Zeitpunkt geradezu herbeisehnte. Wenn auch die zu diesem Zweck benutzten Argumente durchaus Gewicht in Hitlers Gedankenwelt besaßen, so doch nur, um das Risiko einer westlichen Kriegserklärung leichter erscheinen zu lassen, nicht aber um die Präferenz des isolierten Polenfeldzuges prinzipiell abzubauen[200]).

---

[195]) ADAP, D, VII, Nr. 200, nachmittags. Um etwaige aus seiner Haltung Ende September 1938 herrührende Zweifel an seiner Entschlossenheit zu zerstreuen, fügte Hitler hinzu „Glauben Sie mir, voriges Jahr — am 2. Oktober — wäre ich marschiert, so oder so! Darauf gebe ich Ihnen mein Ehrenwort!“ Offenbar war ihm sein Zurückweichen von München zu einer Art Trauma geworden, daß Hitler solche feierliche Erklärungen für notwendig hielt. Umso entschlossener mußte er sein, dieses Mal sich nicht vom Ziel abbringen zu lassen!

[196]) Halder, Kriegstagebuch, S. 27.

[197]) Siehe Hitlers Aufforderung „Dann kommen Sie nach. Wenn Sie einen Blanko-Scheck gegeben haben, dann müssen Sie ihn auch einwechseln.“ ADAP, D, VII, Nr. 200. Dagegen Hofer, Entfesselung, S. 166 f. Hitler habe die Möglichkeit der britischen Intervention mehr aus irrationalen Gründen bis zum letzten Augenblick nicht wahrhaben wollen. Vgl. jedoch Ribbentrops Botschaft an Wilson; Siehe oben S. 274.

[198]) Vgl. auch Medlicott, Coming of War, S. 28.

[199]) England als der wichtigste Gegner auf dem Weg der drei Antikominternpaktmächte bildete auch das Thema einer Pressekonferenz im AA v. 23. 8. 1939: PA Bonn, Unterstaatssekretär, Polen-Danzig II.

[200]) Zutreffend umschreibt Weizsäcker Hitlers „état d'esprit“ nach der Henderson-Unterredung vom 23. August: „Es war offensichtlich, daß Hitler direkt auf den Krieg hinarbeitete und nur noch unsicher darüber war, ob er lokalisiert werden könne.“ Weizsäcker, Erinnerungen, S. 253.

4. DIE EINLÖSUNG DES RISIKOS: MOMENTANE WIEDERAUFNAHME DER BÜNDNISKONZEPTION AM 25. AUGUST 1939 UND DER WEG ZUR „VERKEHRTEN" FRONTSTELLUNG VOM 3. SEPTEMBER 1939.

Wenige Tage nach den von einer Atmosphäre größter Kriegsentschlossenheit und verstärkter Risikobereitschaft geprägten Ereignissen des 22. und 23. August ließ Hitler am 25. August[1]) den britischen Botschafter noch einmal rufen und kündigte als „ein Mann großer Entschlüsse" einen entscheidenden Schritt gegenüber England an[2]). Es folgte jene „großzügige", im internen Kreis bereits am 14. August erwähnte, den Engländern offiziös am 20. August durch Hesse[3]) angekündigte Bündnisofferte an das britische Imperium, für dessen Bestand Hitler sich „persönlich zu verpflichten ... und die Kraft des deutschen Reiches einzusetzen" bereit war. Allerdings, so bekräftigte der „Führer", sei Deutschland entschlossen, „die mazedonischen Zustände an seinen Ostgrenzen zu beseitigen". Erst „nach der Lösung dieses Problems" werde sein Paktangebot akut werden. Keineswegs erbot sich also Hitler, in Verhandlungen über die Lösung der polnischen Frage einzutreten[4]), vielmehr war es wieder die zur Genüge bekannte Bedingung der freien Hand im Osten, die Hitler — neben den seit 1937 gewohnten Kolonialforderungen —[5]) auch für diesen Allianzvorschlag stellte. Henderson berichtete nach London, der deutsche Kanzler sei „absolut ruhig und normal gewesen" und habe „mit großem Ernst und offenkundiger Aufrichtigkeit" zu erkennen gegeben, daß er keinen Krieg mit England wünsche und sich nach der Regelung der polnischen Krise zur Ruhe setzen wolle[6]). Legen wir zur Bewertung von Hitlers „Angebot" konventionelle, völkerrechtliche Maßstäbe an, so mögen Naivität und Dilettantismus als hervorragende Merkmale hervorstechen[7]), so daß es nach allem, was wir von Chamberlains Politik wissen, keine Chancen hatte, von den Briten akzeptiert zu werden[8]). Aus Hitlers Perspektive gesehen besaß es hingegen all jene Elemente, die seine Auffassungen von einem Bündnis mit Großbritannien von jeher auszeichneten. Prüfenswert ist die Frage nach den Motiven, die Hitler zu diesem Schritt führten, der in früheren Jahren nichts Außergewöhnliches gewesen wäre,

---

[1]) Zur Chronologie der Ereignisse des 25. August siehe Hofer, Entfesselung, S. 269 ff. „Der dramatische 25. August"; Freund, Geschichte des Zweiten Weltkrieges III, S. 267; Aufz. des Generals Vormann, IfZg München F 34, 1–2; Jasper, Über die Ursachen, S. 330 f.

[2]) und folgende Zitate soweit nicht anders vermerkt: ADAP, D, VII, Nr. 265.

[3]) Siehe oben S. 273 und Anm. 130.

[4]) Vgl. DBFP, 3, VII, Nr. 284, Henderson an Halifax v. 25. 8. 1939, bes. Punkt 6.

[5]) Vgl. Hildebrand, Weltreich, S. 619 f.

[6]) Vgl. DBFP, 3, VII, Nr. 284, Henderson an Halifax v. 25. 8. 1939.

[7]) Vgl. Siegfried A. Kaehler, „Zwei deutsche Bündnisangebote an England, 1899 und 1939", in: Nachrichten der Akademie der Wissenschaften in Göttingen, Phil.-hist. Klasse 1948, Nr. 5, Göttingen 1948; sowie Hofer, Entfesselung, S. 272.

[8]) Zur britischen Reaktion vgl. DBFP, 3, VII, Nr. 447, dt. Text des britischen Antwortmemorandum v. 28. 8. 1939, bes. Punkt 2–3.

für die Nach-München-Periode in dieser Form sich jedoch recht ungewöhnlich ausnahm.

Chamberlains Brief vom 22. August[9]), das Ausbleiben des Kabinettsturzes in London, den der deutsche Reichskanzler nach seinem Gespräch mit Henderson am 23. August erwartet hatte[10]), sowie die Rede des britischen Premiers am 24. August[11]) bezeugten eindeutig, daß England auch nach Abschluß des Hitler-Stalin-Paktes zur aktiven Hilfe für Polen mehr denn je entschlossen war[12]). Je mehr das Engagement zudem in der Öffentlichkeit unterstrichen wurde, desto schwieriger würde sich ein eventueller Rückzug der englischen Regierung auf eine passive Position gestalten. Hatte es bisher zumindest den Anschein gehabt, als ob Hitler das Risiko der britischen Intervention mit steigender Bereitwilligkeit einplante, so war ihm plötzlich am 24. August „der Gedanke, mit dem Westen anzubinden, peinlicher als am Tage vorher"[13]). Jodl notierte gleichfalls, „daß der Führer nicht mehr ganz sicher sei ob England diesmal nicht Ernst macht; er will aber die Auseinandersetzung mit England nicht"[14]). Gegenteilige Aussagen, die darauf hindeuteten, daß Hitler auch an diesem Tag nicht an die Ernsthaftigkeit der britischen Beteuerungen glaubte[15]), könnten sich auf frühere Phasen in Hit-

---

[9]) ADAP, D, VII, Nr. 200 Anlage; vgl. oben S. 285.

[10]) Weizsäcker, Erinnerungen, S. 252 f., das würde allerdings in größerem Maße auf taktische Momente schließen lassen, die Hitlers Sprache in jener Unterredung v. 23. 8. 1939 bestimmten.

[11]) Britisches Blaubuch Nr. 64; Chamberlain warnte vor „gefährlichen Illusionen", die nach dem Moskauer Pakt in Berlin gekeimt wären. „Ich legte daher deutlich dar, ... daß Seiner Majestät Regierung, falls es soweit kommen sollte, entschlossen und bereit sei, unverzüglich alle ihr zur Verfügung stehenden Kräfte einzusetzen."

[12]) Vgl. PA Bonn, Pol. II, antideutsche Mächtegruppe 9, Deutsche Diplomatische Korrespondenz v. 23. 8. 1939 über die Bekräftigung der britischen Garantie: „Im Reich verstärkt sich das Gefühl, daß in England geradezu der Wunsch besteht, dafür zu sorgen, daß Deutschland ... sein Lebensrecht vorenthalten bleibt." Siehe weiter Wagner, Generalquartiermeister, S. 94, Aufz. v. 25. 8. 1939: „Die gestrigen Abendmeldungen (England) lassen kaum mehr einen Zweifel, daß die Westmächte mitmachen." Vgl. auch ADAP, D, VII, Nr. 233, Meldung des deutschen Luftattachés in London, Wenninger, v. 24. 8. 1939: „Letzte Maßnahmen zur Start-Bereitschaft britischer Luftwaffe in Durchführung." Dieser Satz ist im Original (PA Bonn, Staatssekretär, England 2) von Weizsäcker unterstrichen, die Meldung wurde dem RAM weitergegeben; ferner PA Bonn ebd. Aufz. des Legationsrates von Nostitz v. 25. 8. 1939 über „englische Maßnahmen zur Steuerung der englischen Seeschiffahrt" für den Ernstfall. Siehe auch Maurice Baumont, La Faillite de la Paix 1919–1939, in: Peuples et Civilisations, hrsg. von Halphen-Sagnac, Bd. XX, 2, S. 878: „Hitler a perdu ses illusions: il ne compte plus sur l'abstention de la Grande Bretagne ou de la France, au contraire..."

[13]) Weizsäcker, Erinnerungen, S. 253.

[14]) Jodl-Tagebuch, IMT XXVIII, 1780-PS, S. 390. Jodl stützt sich auf eine Information des Adjutanten Schmundt.

[15]) Frank, Galgen, S. 343: Hitler sei der Auffassung, daß England bluffte; Wagner, Generalquartiermeister, S. 93. Tagebucheintrag v. 24. 8. 1939: Hitler glaube

lers Einschätzung der Lage beziehen[16]) oder einmal mehr als Beruhigung der von Hitler mit Mißtrauen betrachteten Heeresführung gedacht sein. Immerhin, jedenfalls hatte Hitler die noch am 22. August zur Schau gestellte Zuversichtlichkeit aufgegeben, aber völlig sicher war er sich des Stillhaltens der Westmächte ja niemals gewesen. Entscheidender für unsere Fragestellung ist, daß mit Herannahen des spätest möglichen Angriffstermins das eingegangene Risiko eines gleichzeitigen europäischen Krieges im Gegensatz zu den vergangenen Wochen und Monaten plötzlich sehr schwer zu werden drohte. Jodls Tagebucheintrag und Weizsäckers Erinnerung enthüllen eine gewisse Ratlosigkeit. Die Alternative: Krieg gegen England oder zumindest momentaner Verzicht auf das nächste Ziel, die Hitler seit München von vornherein klar entschieden zu haben glaubte, gewann offenbar erneut — wie in den letzten Tagen der Sudetenkrise — für Hitler ihre große, unangenehme Tragweite.

Weizsäckers Bemühungen, Hitlers zusätzliche Zweifel hinsichtlich der italienischen Bündnistreue auszunutzen und dem Reichskanzler zu suggerieren, „England werde Polen beispringen, Italien aber nicht uns"[17]), vervollständigte die Reihe der Faktoren, die Hitler bewogen, „sich die Dinge noch einmal durch den Kopf gehen zu lassen"[18]), und die Initiative zu einer neuen Unterredung mit Henderson zu ergreifen. Selbst wenn Hitler damit *ausschließlich* beabsichtigte, England von Polen zu trennen, so hätte das bereits einen gewissen Bruch mit seinen Vorstellungen der voraufgegangenen Wochen bedeutet, denn es war die erste ernsthafte, eindeutig von Hitler selbst initiierte Aktion zu diesem Zweck, nicht etwa eine schillernde Neuauflage ähnlicher Versuche, die ihm wohl ein streng befolgtes Isolierungs-Konzept vorgeschrieben hätte.

Manches läßt jedoch vermuten, daß der Umschwung noch tiefgreifender war, daß Hitler nicht nur kurzfristig für den Polenkonflikt das Eingreifen Großbritanniens auszuschließen versuchte, sondern gänzlich von seinem auf eine mögliche Kollision mit England vor dem Marsch nach Rußland hin orientierten Kurs abkam, um die ursprüngliche, seit Herbst 1937 verworfene Bündniskonzeption wieder aufzugreifen, die ja — wie wir mehrfach betonten — permanent in Hitlers Gedankenwelt existent war. Der bevorstehende Angriff auf Polen verlor damit seine Funktion als Vorbereitung für den Krieg im Westen und behielt allein — wie 1938 die Tschechoslowakei — die primäre Aufgabe, die Ausgangsstellung für den ideologischen Krieg gegen Rußland

---

nicht an die Möglichkeit eines Zweifrontenkrieges; Vormann-Aufzeichnung, IfZg München, S. 7h, danach glaubte Hitler zwar an „feindselige Handlungen" der Westmächte, jedoch nicht an „einen Waffengang der beiden gegen uns".

[16]) Wagner, ebd., bezieht sich auf eine Orientierung von Halder an sämtliche Generalstabsoffiziere (die vielleicht auf Hitlers Ausführungen v. 22. 8. 1939 zurückging), während Jodls Notiz unmittelbar aus Hitlers Umgebung stammte.

[17]) Weizsäcker, Erinnerungen, S. 253. Vgl. auch Weizsäckers Aussage im „Wilhelmstraßenprozeß": IfZg München, Prozeßmaterial, Prot. S. 7853 f., v. 8. 6. 1948.

[18]) So Hitler zu Henderson am 25. 8. 1939: ADAP, D, VII, Nr. 265.

strategisch zu verbessern. Die nach der Münchner Konferenz von Hitler erwogene Möglichkeit, eine Vertreibung Englands vom Kontinent bei gleichzeitiger Niederringung Frankreichs vorzuschalten, die er noch am 11. August Burckhardt androhte, hätte sich dann erübrigt. Auf den „programmatischen" Frankreichfeldzug wäre erneut zugunsten des Einvernehmens mit dem Inselreich verzichtet worden. Das Angebot des 25. August enthielt in der Tat so viel bekannte Momente, und Hitlers Worte sind von so vielen Merkmalen der eigentlichen Englandeinstellung aus den zwanziger Jahren geprägt[19]), daß an der Aufrichtigkeit des „Führers", den Krieg mit England nicht allein zu diesem Zeitpunkt, sondern auch später zu vermeiden und zur Konzeption der früheren Jahre zurückzukehren, nicht gezweifelt werden kann[20]).

Wenn W. Hofer Hitlers Vorschläge angesichts des unmittelbar nach der Unterredung mit Henderson erfolgten endgültigen Befehles zum Angriff auf Polen[21]) „unehrlich und hinterhältig" nennt[22]), so ist das allenfalls eine aus moralischen Maßstäben gewonnene Charakterisierung für Hitlers gesamte Bündniskonzeption, die immer Englands Einverständnis für eine kontinentale Expansion Deutschlands voraussetzte. Nicht trotz eines Paktes mit England, sondern gerade mit einem Bündnis wollte Hitler die polnische Frage gewaltsam lösen. Den lokalen Krieg zur Erprobung der Wehrmacht und zur Erwerbung eines Aufmarschfeldes für die geplante Ostexpansion wünschte er also weiterhin unter allen Umständen. Es bestand kein Grund ihn abzublasen, besonders nachdem Hitler die am 24. August befürchtete Alternativwahl zwischen Zweifrontenkrieg oder gar keinem Krieg durch sein Angebot abgewendet zu haben hoffte. Wenn der Diktator den Angriffsbefehl am gleichen Tag dennoch widerrief, und Hitler nicht, wie in Erinnerung an Hitlers Reaktion nach der Maikrise 1938 durchaus erwartet werden konnte, nach den Meldungen von Mussolinis „Abfall"[23]) und dem Abschluß des britisch-

---

[19]) Vgl. Bracher, Deutsche Diktatur, S. 347; zu gewissen Unterschieden, die vor allem die Frage der Kolonien betreffen, vgl. Hildebrand, Weltreich, S. 619 f. Es fragt sich dabei, ob Hitler bei Annahme seines Angebotes in London und die ersehnte Allianz mit Großbritannien vor Augen den „Griff" zur Weltmachtstellung nicht wieder, wie ursprünglich in „Mein Kampf" vorgesehen, für 100 Jahre vertagt hätte. Allerdings hatte Coulondre von Henderson erfahren, daß Hitler im Gespräch verlauten ließ, er wolle die Kolonialfrage in 3–5 Jahren anschneiden (siehe Hildebrand, Deutsche Außenpolitik, S. 92), während Hitler in den zwanziger Jahren bekanntlich die Kolonialfrage für sehr lange Zeit zurückstellen wollte.

[20]) Vgl. dazu auch Chamberlains Aufz. v. 10. 9. 1939, Feiling, Chamberlain, S. 418: „I believed he seriously contemplated an agreement with us, and that he worked seriously at proposals..."

[21]) Halder, Kriegstagebuch, S. 33; Jasper, Über die Ursachen, S. 320; Vormann-Aufz., IfZg München.

[22]) Hofer, Entfesselung, S. 273; vgl. auch ders., Diktatur Hitlers, Just-Handbuch, S. 217.

[23]) Zur Frage, ob Nachrichten von der abwartenden Haltung Italiens den englisch-polnischen Pakt v. 25. 8. 1939 mitverursachten (so Ribbentrop in Nürnberg, IMT X, S. 307; Görlitz, Keitel, S. 211 und Göring ebenfalls in Nürnberg IMT IX, S. 660) oder Mussolinis Rückzieher erst als Folge der Vertragsunter-

polnischen Beistandspaktes[24]) in einer trotzigen „nun erst recht"-Reaktion verharrte, so zeigt dies einmal, wie sehr er nun die Auseinandersetzung mit England scheute, zum anderen, daß er den Briten die Annahme seines Vertragsvorschlages erleichtern wollte, da sie ihn wohl kaum noch ernsthaft erwogen hätten, wenn gleichzeitig deutsche Truppen auf Warschau vorrückten. Allerdings ließ Hitler keinen Zweifel darüber aufkommen, daß sein Zurückzucken von Anfang an zeitlich sehr begrenzt gedacht war, keinesfalls jedoch den Verzicht auf den Angriff überhaupt und etwa den Auftakt zu einem neuen „München", also zu einer Verhandlungslösung bedeutete[25]).

Aufschlußreich ist es, daß Hitlers „Rückfall" in die „Mein Kampf"-Position seiner Englandeinstellung sich in Abwesenheit Ribbentrops vollzog, der am 24. August, als Hitler in seiner Risikobereitschaft schwankend wurde, von der Vertragsunterzeichnung aus Moskau noch nicht zurückgekehrt war. In den voraufgegangenen Wochen hatte er sich dagegen ständig in der Reichweite seines „Führers" aufgehalten. Man könnte also vermuten, daß Hitlers steigende antibritische Einstellung ab Herbst 1938 nicht unwesentlich von seinem Außenminister mitbestimmt wurde, der auf diese Weise seine eigene, auf England zentrierte Konzeption durchzusetzen hoffte. Blieb Ribbentrops

---

zeichnung zu werten ist, siehe Jasper, Über die Ursachen, S. 330 f.; ferner Ivone Kirkpatrick, Mussolini. Study of a Demagogue, London 1964, S. 402. Wagner, Generalquartiermeister, S. 106, war am 31. 8. 1939 der Auffassung, daß „der Umschwung der Lage am 25. August ... tatsächlich durch das Abspringen Mussolinis erfolgt" sei. Vgl. auch Speer, Erinnerungen, S. 179.

[24]) Im Wortlaut: IMT XXXIX, TC-073, S. 87 ff. Zur Wirkung der Nachricht auf Hitler vgl. Görings Aussage in Nürnberg: IMT XXXIX, 090-TC, S. 107; Ribbentrop: IMT X, S. 302; Frank, Angesichts des Galgens, S. 372, und Wagner, Generalquartiermeister, S. 97, Eintrag v. 26. 8. 1939: „Die gestern viel zu spät einsetzende Überprüfung der Westlage hat ergeben, daß die Voraussetzungen für den Entschluß x und y falsch, das heißt nicht gegeben waren"; x und y bedeuteten die Auslösung des Falles „Weiß". Vgl. weiter Tagebuch der Seekriegsleitung, IMT XXXIV, 170-C, S. 678, v. 25. 8. 1939: „Der bereits angelaufene Fall Weiß wird um 20 h 30 angehalten, auf Grund veränderter politischer Lage. (Enges Bündnisabkommen England/Polen vom 25. 8. mittags und Mitteilung Duces, zwar zu seinem Wort stehen, aber notwendigen großen Rohstoffbedarf erbitten zu müssen." „Sichtlich erfreut" ergriff Hitler gegen Abend Brauchitschs Vorschlag, den Angriff um 8 Tage zu verschieben, um den Aufmarsch „planmäßig zu fahren": Vormann-Aufz. zit. nach Vormann, Polenfeldzug, S. 44. Vgl. Halders ähnliche Aussage im Wilhelmstraßenprozeß, TWC XII, S. 1085. Einem Vermerk aus dem Foreign Office v. 29. 8. 1939 zufolge, teilte Goerdeler telephonisch aus Stockholm den Briten mit, neben den Faktoren Italien und Japan, der schlechten Rohstofflage, sei vor allem Englands Haltung für die Verschiebung des Angriffsbefehls maßgeblich gewesen: PRO London, FO 371/22981, C/12878/15/18, Vermerk Ashton-Gwatkins.

[25]) Vgl. Görings Erklärung in Nürnberg: IMT XXXIX, 090-TC, S. 107, auf Görings Frage, ob die Zurücknahme des Befehls endgültig sei, habe Hitler geantwortet: „Nein, ich werde sehen müssen, ob wir Englands Einmischung ausschalten können." „Zeit zu Verhandlungen" bezweckte Hitler auch nach Keitels Aussage: IMT X, S. 578. Kordt bezweifelt ebenfalls, ob die Gefahr des Zweifrontenkrieges ihn „endgültig abschrecken würde"; Nicht aus den Akten, S. 329.

Einfluß für einige Tage aus, so regten sich in der Gedankenwelt des Diktators wieder stärker ursprüngliche Allianzvorstellungen, die sicher nicht allein anderen zwingenden Umständen, wie der britischen Kriegsbereitschaft und dem italienischen Zögern usw. zuzuschreiben wären; auch zeigte er sich dann den mäßigenden und warnenden Argumenten Weizsäckers nicht verschlossen[26]).

Es erübrigt sich, die oft beschriebenen und analysierten diplomatischen Verhandlungen der letzten Friedenstage ein weiteres Mal im einzelnen nachzuzeichnen. Sie zeigen, daß Hitler nach der am 28. August erfolgten britischen Antwort auf sein Angebot, die in seinen Augen einer Ablehnung gleichkommen mußte, da sie — entsprechend der Chamberlainschen Grundkonzeption — die friedliche Lösung der polnischen Frage zu einem Teil oder gar zur Vorbedingung jeglicher weiterreichenden Verständigung machte[27]), zu einem klaren Kurs, was England anbelangte, nicht mehr zurückfand. Die einzige — allerdings sehr stabile — Konstante seiner Gedanken blieb der Krieg gegen Polen[28]). Die „von höchster Stelle inaugurierte" Sprachregelung für die deutsche Presse vom 16. August, nach der „eine Kompromißlösung für Deutschland unannehmbar sei", man auch nicht auf das „einmalige deutsche Angebot" vom Winter 1938/39 zurückkommen solle[29]), behielt weiter Gültigkeit. In diesem Punkt bewies Hitler, daß er aus der Sudetenkrise „gelernt" hatte.

---

[26]) Vgl. TWC XII, S. 1104, Weizsäcker: „Dieses Treffen gab mir die langersehnte Gelegenheit, Hitler in Abwesenheit Ribbentrops zu sprechen;" auch in IfZg München, Prozeßmaterial, Prot. S. 7853. Annelies von Ribbentrop, die Witwe des ehemaligen Außenministers, sieht die durch die Abwesenheit ihres Mannes entstandenen Folgen freilich anders. Am 23. August sei der Entschluß zum Angriff auf Polen gefallen, und „wer die Tatsachen nüchtern prüft, kann an der Feststellung nicht vorübergehen, daß an diesem entscheidungsreichen Tag der Staatssekretär von Weizsäcker als außenpolitischer Berater Hitlers fungierte". Annelies von Ribbentrop, „Verschwörung gegen den Frieden". Studien zur Vorgeschichte des Zweiten Weltkrieges. Leoni am Starnberger See 1962, S. 436; vgl. auch dieselbe, Deutsch-englische Geheimverbindungen. Britische Dokumente der Jahre 1938 und 1939 im Lichte der Kriegsschuldfrage, Tübingen 1967, S. 387. Aufs Ganze gesehen entsprach nun ein Krieg gegen Polen tatsächlich nicht Ribbentrops Konzept (vgl. oben S. 223), nichts läßt jedoch darauf schließen, daß er Hitler im Sommer 1939 von diesem Unternehmen abgeraten hätte, im Gegenteil.

[27]) Siehe ADAP, D, VII, Nr. 384, Anlage.

[28]) Vgl. Hitlers Worte zu Coulondre am 26. 8. 1939: „Es ist nutzlos... Polen wird Danzig doch nicht abtreten; ich will aber, daß Danzig zum Reich zurückkehrt", Französisches Gelbbuch, Nr. 261. Vgl. auch Halder, Kriegstagebuch, S. 38 v. 28. 8. 1939: „Lage sehr ernst. Entschlossen, Ostfrage so oder so zu lösen"; ferner PA Bonn, Dienststelle Ribbentrop, Vertr. Berichte 2,2, v. 27. 8. 1939, Coulondre teilte einigen ausländischen Diplomaten mit, er habe sich während seiner Unterredung „von der absoluten Entschlossenheit Hitlers überzeugen müssen ... das deutsch-polnische Problem jetzt zu lösen"; und Hitlers Brief an Daladier v. 27. 8. 1939: ADAP, D, VII, Nr. 354.

[29]) Siehe BA Koblenz, ZSg 101/13, Brammer, Vertr. Bestellung v. 16. 8. 1939; vgl. auch Weizsäcker, Erinnerungen, S. 260 (zum 30. 8. 1939).

In keiner Phase der Krise ließ er sich in der gleichen Weise auf ethnische, vom Prinzip des Selbstbestimmungsrechts geleitete Lösungsvorschläge festlegen, wie es am 15. September 1938 in der Unterredung mit Chamberlain geschehen war. Verhandlungen mit den Polen über die deutsch-polnische Frage stimmte er am 29. August zwar zu, sicherte aber deren Nichtzustandekommen durch die Fixierung von ultimativen Fristen[30]). Auf diese Weise abgesichert vermochte er sogar noch durchaus diskutable Forderungen an Polen formulieren zu lassen, ihre Übergabe an Henderson über Ribbentrop mit Hinweis auf die abgelaufene Frist jedoch zu verweigern[31]), oder sie bei ihrer Veröffentlichung im Rundfunk am späten Abend des 31. August als nicht mehr bestehend bezeichnen zu lassen[32]). Damit glaubte Hitler — anders als im September 1938 — ein Alibi in den Händen zu haben, welches vor allem dem deutschen Volk zeigen sollte, daß die Schuld am unpopulären Krieg nicht bei ihm lag[33]), und das bei der Auslösung des Falles „Weiß" die Begründung liefern konnte, daß „alle politischen Möglichkeiten erschöpft" seien[34]). „Der Vermittlungsversuch Englands müsse als gescheitert angesehen werden", erklärte er dem italienischen Botschafter Attolico am Vorabend des

---

[30]) Siehe ADAP, D, VII, Nr. 421, Deutsches Memorandum v. 29. 8. 1939.

[31]) ADAP, D, VII, Nr. 461: Aufz. über Ribbentrops Gespräch mit Henderson v. 30. 8. 1939, Mitternacht. Vgl. auch Görings Aussage in Nürnberg: IMT IX, S. 446.

[32]) Der deutsche 16-Punkte-Vorschlag (Wortlaut siehe ADAP, D, VII, Nr. 458, Schmidt v. 30. 8. 1939 an die Botschaft in London) wurde am 31. 8. 1939 um 21 Uhr von einer amtlichen Mitteilung begleitet (siehe diese bei Hofer, Entfesselung, S. 371, Dok. Nr. 83) über alle deutschen Rundfunksender verlesen. Im Gespräch mit Attolico am 31. 8. 1939 bezeichnete sie Hitler ebenfalls als „hinfällig": ADAP, D, VII, Nr. 478.

[33]) Vgl. Hitlers spätere Äußerung in Gegenwart von Schmidt: Statist, S. 460: „Ich brauchte ein Alibi, vor allem dem deutschen Volk gegenüber..." Die deutschen 16-Punkte sowie die angebliche deutsche Bereitschaft zu Verhandlungen mit Polen spielten eine gewichtige Rolle in Hitlers Reichstagsrede vom 1. 9. 1939: IMT XXX, 2322-PS, S. 167 ff.; Domarus II, S. 1313 f.; Meissner, Staatssekretär, S. 518, berichtet, Hitler habe ihm am Abend des 31. 8. 1939 gesagt, er sei „heilfroh", daß die Polen sein „weitgehend entgegenkommendes Angebot nicht angenommen hätten" ... „er hätte es gegen seine innere Überzeugung gemacht und wäre bei einer polnischen Zustimmung daran gebunden gewesen". Deutlich wird Hitlers Sorge, es könnte eine ähnliche Entwicklung eintreten wie ein Jahr zuvor, als es ihm unmöglich war, einen Kriegsgrund zu finden, nachdem er nur die Anwendung des Selbstbestimmungsprinzips gefordert und der englischen Regierung Zeit gegeben hatte, seine Forderung in Prag durchzusetzen. Siehe auch Kordts Zeugnis, daß Hitler am 29. 9. 1939 der Ausarbeitung der Vorschläge „mißmutig" beigewohnt habe: IfZg München, Zeugenschrifttum, ZS 545. Im Krieg, am 6. Juni 1944, behauptete Hitler im Gespräch mit dem ungarischen Ministerpräsidenten Sztojay, daß Henderson die Vorschläge nicht einmal an die Polen weitergegeben hätte: PA Bonn, Handakten Schmidt, Aufz. 1944, April bis 5. August. Speer vernahm von Hitler, daß es gelte, den Fehler von 1914 zu vermeiden und „der Gegenseite die Schuld zuzuschieben". Speer, Erinnerungen, S. 179.

[34]) ADAP, D, VII, Nr. 493, Weisung v. 31. 8. 1939 zur Auslösung des Falles „Weiß".

Einmarsches in Polen[35]). Den Weg zu einem zweiten „München" hatte er damit blockiert.

Welche Rolle jedoch spielte England neben der mit äußerster Konsequenz verfolgten, auf den Blitzkrieg gegen Polen[36]) hinauslaufenden Linie? Auch in der Woche vor dem 24./25. August stand Hitlers Entschluß zum Angriff auf Polen unverrückbar fest. Besaßen damals jedoch Hitlers Pläne hinsichtlich des östlichen Nachbarn neben ihrer „programmatischen" Funktion einen unmittelbaren Konnex mit der antibritischen Konzeption, mit deren Hilfe der „Führer" Englands anhaltenden Widerstand gegen seine Ambitionen in Osteuropa auszuschalten oder zu umgehen gedachte, so war in den letzten Friedenstagen von dieser zumindest partiellen, wenn nicht überwiegenden Integration der Polenfrage in eine gegen England gerichtete Disposition nichts mehr zu spüren. England interessierte — wie etwa während der Periode des „Ohne-England-Kurses" — nur insoweit, als daß es galt, Mittel und Wege zu suchen, London aus dem bevorstehenden, für den Augenblick quasi zum Selbstzweck gewordenen Krieg gegen Polen herauszuhalten, ohne daß Hitler dabei klare Vorstellungen von Möglichkeiten, Alternativen und ihren Folgen zu haben schien, ohne daß er für diesen Zweck eine eindeutige Marschrichtung verfolgte. Vielmehr wechselte seine Einstellung zum Inselreich nun von Stunde zu Stunde[37]). Sie reichte von offenbar unbeherrschter Kriegsbesessenheit, in der er U-Boote und Flugzeuge in astronomischen Mengen

[35]) ADAP, D, VII, Nr. 478, Aufz. über Hitlers Unterredung mit Attolico v. 31. 8. 1939. Vgl. BA Koblenz, ZSg 101/13, Brammer, Anweisung v. 29. 8. 1939: „Es wird ausdrücklich darauf hingewiesen, daß die heutige Botschaft des Führers an Chamberlain von deutscher Seite den Abschluß der Gespräche darstellt." Eine Entspannung sei nur „bei Erfüllung der deutschen Forderungen zu erwarten." Auch italienische Lösungsvorschläge kamen höchst ungelegen, vgl. ADAP, D, VII, Nr. 395: Weizsäcker vermerkt, er habe Attolicos Vorschläge v. 27. 8. 1939 Ribbentrop vorgetragen, und schließt lakonisch: „Eine Antwort wird dem Botschafter hierauf jedoch zur Zeit nicht gegeben."

[36]) Neben der machtpolitisch und ideologisch gleichermaßen begründbaren Notwendigkeit, die Ausgangsbasis für den Krieg im Osten zu arrondieren und die Rückenfreiheit für einen Westkrieg zu sichern, spielte sicherlich auch das von Hans Frank treffend herausgestrichene Selbstverständnis des „Führers" als nicht nur im Frieden erfolgreichen Politikers, sondern auch im Krieg siegreichen Feldherrn seines Volkes bei der Entscheidung eine Rolle, nach dem entgangenen Krieg gegen die Tschechen nun diesen Feldzug unbedingt führen zu wollen. Siehe Frank, Angesichts des Galgens, S. 346 f. Zur Problematik der psychologischen und historischen Behandlung des „Falles Hitler" vgl. die grundsätzlichen Bemerkungen bei Hildebrand, Weltreich, S. 621, Anm. 625; und ders., „Der ‚Fall Hitler', Bilanz und Wege der Hitler-Forschung", in: NPL 14 (1969) S. 375—386.

[37]) Vgl. auch Alan Bullock, Hitler. Eine Studie über Tyrannei, Neuauflage Düsseldorf 1970, S. 539: „Bis zum Abend des 23. 8. lassen sich Hitlers Absichten mit einiger Sicherheit verfolgen. Aber in den darauf folgenden sechs Tagen ... wird die Situation in Deutschland verzweifelt unklar". Siehe auch Weizsäckers Notizen zum 29. 8. 1939, Erinnerungen, S. 258.

bauen wollte[38]), bis zum ehrlichen Willen, doch noch zur Verständigung zu kommen[39]). Beides, martialische Drohung wie sanfte Versprechen, waren extreme Variationen des einen Zieles, England zum Desinteresse zu bewegen. In diesem Rahmen sollte auch die Tatsache gesehen werden, daß Hitler sich — im Gegensatz zu vorhergehenden geheimen deutsch-britischen Ausgleichsversuchen — selbst aktiv in den „letzten Versuch" des schwedischen Industriellen Birger Dahlerus und seines deutschen Auftraggebers, Göring, einschaltete[40]). Seine „maßvollen" Vorschläge an Polen, die sich durchaus innerhalb des von den „Appeasers" seit jeher zugestandenen Konzessionsspielraums bewegten, und die in abgewandelter Form über Dahlerus die Engländer erreichten[40a]), hatten neben der Legitimationsfunktion vor dem eigenen Volk die weitere Aufgabe, — ähnlich dem Godesberger Memorandum von 1938 — der Londoner Regierung nach der sicher zu erwartenden Ablehnung durch Warschau die Gelegenheit zu geben, aus ihren Verpflichtungen gegenüber Polen auszuscheren[41]). Seltene Äußerungen, die Hitlers erneute Bereitschaft dokumentierten, nötigenfalls auch den großen europäischen Krieg an zwei Fronten zu führen[42]), verbanden sich teils mit Freundschafts-

[38]) Birger Dahlerus, Der letzte Versuch, London—Berlin Sommer 1939, München 1948, S. 62 ff. bes. S. 66, über die Begegnung Hitler-Dahlerus in der Nacht v. 26./27. 8. 1939 und S. 126 über Hitlers Haltung am 1. 9. 1939. Auch die Presse sollte mit Drohungen nicht sparen: Vgl. BA Koblenz ZSg. 109/3, Oberheitmann, v. 1. 9. 1939: „Sollte es aber Großbritannien wagen, seine Heuchelei auf die Spitze zu treiben ... so möge sich das britische Volk gesagt sein lassen, daß es diesmal die Zeche zu bezahlen hat."

[39]) Vgl. Dahlerus, Letzter Versuch, S. 63 und S. 69.

[40]) Siehe allgemein Dahlerus, ebd., passim und Dahlerus' nachträgliche Bewertung in Nürnberg: IMT IX, S. 526; sowie Vormann-Aufz., IfZg München, S. 21, v. 28. 8. 1939: Hitler hoffte als Folge der Dahlerus-Bemühungen, daß England aus dem Krieg herausbleibt. Vgl. auch Hesse, Spiel um Deutschland, S. 203 ff. Hitler habe sich am 27. 8. 1939 erkundigt, „was man den Engländern im äußersten Fall zugestehen könne". Hitler wich also dem Gespräch mit Großbritannien nicht aus, wenn er auch wohl niemals willens war, auf den Krieg gegen Polen zu verzichten, oder auch nur über die Polenfrage zu verhandeln.

[40a]) Vgl. Dahlerus, Letzter Versuch, S. 69 und S. 82.

[41]) Vgl. Halder, Kriegstagebuch, S. 42 v. 29. 8. 1939: „Führer hat Hoffnung, daß er Spalt treibt zwischen England und Polen"; und Wagner, Generalquartiermeister, S. 105, v. 29. 8. 1939, Halder teilte Wagner mit, Hitler hoffe bei Ablehnung seiner Vorschläge durch Polen, „England auf eine Klausel des englisch-polnischen Vertrages zu manövrieren, wonach Englands Bündnispflicht nur gegeben ist, wenn die Souveränität des Staates verletzt ist. Führer hofft, Polen doch noch hauen zu können."

[42]) Vgl. Hitlers Brief an Mussolini v. 26. 8. 1939: ADAP, D, VII, Nr. 307: „Da weder Frankreich noch England im Westen irgendwelche Erfolge erzielen können im Osten aber nach Niederwerfung Polens Deutschland seine gesamten Kräfte durch das Abkommen mit Rußland frei bekommt und die Luftüberlegenheit eindeutig auf unserer Seite ist, scheue ich mich nicht, auf die Gefahr einer Verwicklung im Westen hin, die Frage im Osten zu lösen". Siehe weiter Halder, Kriegstagebuch, S. 40, Notiz v. 28. 8. 1939, Brauchitsch hatte von Hitler gehört: „Wenn es hart auf hart kommt, führe ich auch Zweifrontenkrieg." Nach Vormann, IfZg München, S. 25 ließ Hitler am Abend des 29. 8. 1939 das

beteuerungen[43]), teils wieder mit drastischen Drohungen[44]). Von einem mit Argumenten fundierten Kalkül, die doch unvermeidliche Auseinandersetzung mit Großbritannien schon jetzt oder zumindest später durchzustehen, wie wir es bis zum 23. August in Hitler zu entdecken glaubten, kann jedoch keine Rede mehr sein. Allerdings, so gab er Henderson am 28. August zu verstehen, „der Preis einer Einigung mit England sei für ihn keine Alternative für das Recht, die Interessen des deutschen Volkes zu verteidigen"[45]), sprich: in Polen einzufallen. Ein „neues München", d. h. Verhandlungen und etwaige Einigung über geringfügige Grenzkorrekturen, stand für Hitler weiterhin niemals zur Debatte[46]).

Allein diese Konstante, nicht jedoch wie in den vergangenen Wochen und Monaten ein in den Grundzügen konsequent verfolgtes antibritisches Konzept, ließ Hitler das Risiko des englischen Eingreifens weiter auf sich nehmen, wobei er, ebenfalls anders als bisher, versuchte, es auf ein Minimum zu reduzieren und sich tatsächlich der Hoffnung hingab, es nicht einlösen zu müssen[47]). Das kurzfristige Überwechseln auf den alten Bündniskurs war ohne Erfolg geblieben, die Marschroute des Frühsommers 1939, die eine für unausweichlich erachtete Vertreibung der Briten vom Kontinent ins Kalkül zog und das Risiko eines Zusammenstoßes bewußt und willentlich auf sich nahm, jedoch nicht wieder eingeschlagen.

Am 1. September schloß er zwar die Konfrontation mit Großbritannien infolge des Polenkrieges nicht aus[48]), hoffte aber dennoch, ihn zu vermei-

---

bekannte Motiv seines beginnenden Kräfteverfalls wieder durchblicken: „Ich bin jetzt 50 Jahre alt, noch im Vollbesitz meiner Kräfte. Die Probleme müssen von mir gelöst werden, und ich kann nicht warten."

[43]) Vgl. ADAP, D, VII, Nr. 384 (zu Henderson am 28. 8. 1939), DBFP, 3, VII, Nr. 467, Henderson an Halifax v. 29. 8. 1939 über Gespräch mit Göring.

[44]) Beispielsweise am 29. 8. 1939 gegenüber Henderson DBFP, 3, VII, Nr. 493. Die starken Schwankungen registrierte auch Weizsäcker, Erinnerungen, S. 258.

[45]) ADAP, D, VII, Nr. 384. Nicht zu Unrecht bezweifelte Wagner eine Mitteilung Jodls, daß Hitler – in der Hoffnung, den Krieg gegen England zu vermeiden – sich nur mit Danzig und der Straße durch den Korridor zufriedengeben würde: Wagner, Generalquartiermeister, S. 104, Aufz. v. 28. 8. 1939. Genau das wäre ja einer Neuauflage von „München 1938" gleichgekommen.

[46]) Vgl. Hildebrand, Deutsche Außenpolitik, S. 92; siehe auch Schellenberg, Memoiren, S. 69, Mitteilung des Geheimdienstbeamten Dr. Melhorn: An Hitlers Kriegswillen „vermag niemand mehr zu rütteln. Selbst wenn die Westmächte, wenn Polen noch einlenken, wenn Italien intervenieren wollte, – das alles vermag an Hitlers Entschluß nichts mehr zu ändern."

[47]) Vgl. Vormanns Aufz. S. 23. (IfZg München) für die Zeit nach dem 26. 8. 1939: „In langen Monologen beweist er sich selbst die Richtigkeit der von jeher vertretenen Ansicht, daß Frankreich und England niemals marschieren würden, es auch gar nicht könnten." Hitler war sich also seiner Sache trotz allem nicht sicher, was sich auch darin zeigte, daß er sich mehrfach während Vormanns Lagevorträgen ausschließlich nach dem Westen erkundigte: ebd., S. 18 (27. 8. 1939).

[48]) Vgl. z. B. den Wortlaut der Weisung v. 31. 8. 1939, die den Fall „Weiß" auslöste: ADAP, D, VII, Nr. 493, und Hitlers Haltung nach der Rede vor dem Reichstag am 1. 9. 1939 nach Dahlerus, Letzter Versuch, S. 125 f.

den[49]). „Man müsse jetzt zunächst den Lauf der Dinge abwarten", meinte er zu Attolico am Abend zuvor[50]). Auf Meissners Warnungen, Großbritannien werde nicht abseits stehen, „hatte Hitler nur ein stummes Schulterzucken zur Antwort"[51]). All diese Reaktionen, die nach der Überreichung der britischen Kriegserklärung in den bekannten Worten „Was nun?" gipfelte[52]), waren eher Zeichen einer erschreckenden Konzeptlosigkeit und eines kriegerischen Fatalismus, denn Symptome einer willigen Bereitschaft, das einkalkulierte Risiko nun auch einzulösen[53]).

Zuvor jedoch, am 2. September, hatte Hitler noch einmal der Gefahr einer erneuten Verhandlungslösung ausweichen müssen. Die von Hitler und Ribbentrop gegenüber Mussolinis Konferenzvorschlag[54]) ergriffene Verzögerungstaktik — der Reichsaußenminister erklärte Botschafter Attolico, man wolle „in ein bis zwei Tagen (!) einen Antwortentwurf ausarbeiten"[55]) — erübrigte sich jedoch, als die britische Regierung den Rückzug der deutschen Truppen aus den besetzten polnischen Gebieten zur Vorbedingung jeglicher Verhandlungen machte[56]). Die deutsche Führung gewann damit ein zusätz-

---

[49]) Siehe Hassells abschließende Betrachtung, Vom andern Deutschland, S. 85. Davignon, Berlin 1936–1939, S. 136, François-Poncet, Botschafter in Berlin, S. 19. Vgl. auch Halder, Kriegstagebuch, S. 54, v. 2. 9. 1939: „OQuIV (meldet) Führer will Botschafter Frankreichs und Englands empfangen, nicht festlegen, Fäden nicht abreißen lassen."

[50]) ADAP, D, VII, Nr. 478.

[51]) Meissner, Staatssekretär, S. 503.

[52]) Schmidt, Statist, S. 464; vgl. auch Raeder, Mein Leben, II, S. 167.

[53]) Siehe auch Speer, Erinnerungen, S. 180: Hitler habe 1939 in England zwar den „Feind Nr. 1" gesehen, habe dennoch auf ein Arrangement mit ihm gehofft, sei zwar bereit gewesen, das Risiko in Kauf zu nehmen, „doch hatte er sich nur auf das Risiko präpariert, nicht eigentlich schon auf den großen Krieg". Hitlers Englandeinstellung in den letzten Tagen vor dem 3. September ist damit recht anschaulich umschrieben.

[54]) Vgl. ADAP, D, VII, Nr. 535 Anlage, von Attolico Weizsäcker am 2. 9. 1939 überreicht.

[55]) ADAP, D, VII, Nr. 541, Unterredung Ribbentrop-Attolico v. 2. 9. 1939; vgl. auch Hofers Darstellung, Entfesselung, S. 387.

[56]) Halifax' Erklärung am 2. 9. 1939, 20 Uhr, vor dem Oberhaus: PA Bonn, Staatssekretär, Krieg 1939, 3; Halifax an Ciano v. 2. 9. 1939: DBFP, 3, VII, Nr. 728, und Attolicos Mitteilung für Ribbentrop v. 2. 9. 1939: ADAP, D, VII, Nr. 554. Dieser Standpunkt der britischen Regierung machte letzten noch laufenden deutschen Versuchen ein Ende, Englands Beiseitestehen im Polenfeldzug zu sichern; siehe Hesse, Spiel um Deutschland, S. 210; zu Görings Projekt, am 2. 9. 1939 nach England zu fliegen, vgl. jetzt Irving, Luftwaffe, S. 137 und PRO London, FO 371/22983, C/13916/15/18, Ogilvie-Forbes am 12. 9. 1939 in Stockholm an Cadogan, Dahlerus habe ihm gesagt, daß Göring mit Hitlers Zustimmung zum Flug bereit war. Am 1. 9. 1939 hatte das britische Kabinett bereits den Beschluß gefaßt, die über Dahlerus laufenden Kontakte nach Berlin nur dann fortzusetzen, wenn Hitlers Truppen sich aus Polen zurückzögen PRO London, CAB 47 (39), in: FO 371/22982, C/13238/15/18. Daß Hitler noch am 2. 9. 1939 Hoffnungen auf eine passive Haltung der Briten hegte, zeigt Vormanns Aufzeichnung, IfZg München, S. 37. Zum gesamten Komplex siehe nun die Studie von Bernd Martin, Friedensinitiativen im Zweiten Weltkrieg.

liches weiteres Alibi, das Englands Schuld und Deutschlands Unschuld erweisen und das in Zukunft zu diesem Behuf mehrfach benutzt werden sollte[57]). Noch einmal hatte Hitler — ohne dem Druck eines Ultimatums ausgesetzt zu sein — die Wahl, den Krieg mit der verkehrten Frontstellung — jedoch nur um den Preis der erneuten Zurückstellung seiner nächsten Ziele im Osten — zu verhindern. Es scheint, daß es keinerlei Diskussionen bedurfte, um die Entscheidung zu treffen. Alle scheinbaren und tatsächlichen Aktionen, die Hitler zur Verhinderung eines englischen Eingreifens unternahm, stellten niemals die Lösung der Polenfrage im deutschen Sinne zur Diskussion[58]). In *diesem* Punkt focht Hitler die nach München ergriffene Linie seiner Politik konsequent durch, wenn diese ihn auch zur englischen und französischen Kriegserklärung des 3. September führte[59]). Wenden wir uns nun der oft gestellten Frage zu, ob die Entscheidung des 3. September Hitler tatsächlich so schockieren konnte, wie die von Dolmetscher Schmidt bezeugten Worte und beschriebene Stimmung in der Reichskanzlei[60]) den Eindruck erwecken. Wir müssen dabei drei Betrachtungsebenen unterscheiden, die den verschiedenen Englandkonzeptionen des deutschen „Führers" entsprechen.

1. Gemessen an Hitlers „Mein Kampf"-Programm bedeutet Englands Kriegseintritt eine schwere Störung, wenn nicht Gefährdung seines Stufenplanes. Die Auseinandersetzung mit Großbritannien war — wenn sie sich überhaupt als Folge von Großbritanniens Weigerung, sich zur Juniorpartnerschaft mit dem Reich im Kampf gegen die USA bereit zu finden, als notwendig erweisen würde — für die fernere Zukunft vorgesehen. Unter diesem Aspekt zeigte sich die Zäsur des 3. September darin, daß die britische Regierung schon „dem ersten der von Hitler vorgesehenen, dem großen Eroberungszug nach Osten zeitlich weit vorgestaffelten Feldzüge und damit der weiteren Abwicklung seines ‚Programms'" entgegentrat und „Hitlers außen-

---

[57]) Siehe Hitlers Rede vor dem Reichstag am 19. 7. 1940, Aufrufe Tagesbefehle, S. 98: „Obwohl Deutschland seine Armeen siegreich vorwärtsstürmen sah, nahm ich ihn (d. i. Mussolinis Vorschlag, Vf.) trotzdem an. Allein die englisch-französischen Kriegshetzer brauchten den Krieg und nicht den Frieden." Vgl. auch Göring zu Sumner Welles am 3. 3. 1940, ADAP, D, VIII, Nr. 673, S. 674, und Ribbentrop an Ley v. 14. 9. 1939: ADAP, D, VIII, Nr. 68.

[58]) Gegen Hesses Darstellung (Spiel um Deutschland, S. 210), noch am 2. September 1939 Horace Wilson ein Angebot Ribbentrops unterbreitet zu haben, das angeblich den Rückzug der deutschen Truppen vom polnischen Territorium gegen die englische Zustimmung zur Rückkehr Danzigs zum Reich vorsah, vgl. J. W. Brügel „Eine zerstörte Legende um Hitlers Außenpolitik", in: VfZg 5 (1957) S. 385–387, und DBFP, 3, IX, App. IV, S. 539. Vgl. auch oben Anm. 45, Wagners Zweifel hinsichtlich Jodls Mitteilung, Hitler wolle sich mit Danzig begnügen; grundsätzlich: Martin, Friedensinitiativen.

[59]) Vgl. erneut Hassell, Vom andern Deutschland, S. 85, und Bullock, Origins, S. 280 ff., S. 282.

[60]) Siehe außer Schmidt, Statist, S. 464: Hoffmann, Hitler was my friend, S. 113, „He was sitting slumped in his chair, deep in thought, a look of incredulity and baffled chagrin on his face ... he made a rather pathetic gesture of resignation..."; Raeders Aussage in Nürnberg: IMT XIV, S. 81; dagegen Ribbentrop, Zwischen London und Moskau, S. 202.

politische Grundvorstellung" und die von ihm geplante Stufenfolge: kontinentale Feldzüge–maritimes Ausgreifen „in einem zentralen Axiom" traf[61]).

2. Indessen versuchten wir darzulegen, daß Hitler den britischen Widerstand gegen sein „Programm" in den Jahren von 1935 bis 1937 in steigendem Maße registrierte, er sich genötigt sah, zunächst die Bündniskonzeption aufzugeben und dann — nach den Erfahrungen von München — der britischen „Unvernunft" in einem gegen England gerichteten Konzept zu begegnen, das Londons Widerspenstigkeit notfalls mit militärischer Gewalt brechen sollte. Analysieren wir den 3. September auf der Ebene der Hitlerschen Position von Herbst 1938 bis etwa zum Moskauer Pakt 1939, dann stellt sich die Frontstellung gar nicht mehr als eine unbedingt „verkehrte" dar. So gesehen war Hitlers Plan nur bezüglich des Zeitpunkts, an dem die unvermeidliche Vertreibung der Briten vom Kontinent stattfinden sollte und den er selbst bestimmen wollte[62]), nicht aufgegangen[63]). Vergegenwärtigen wir uns jedoch, daß der „Führer" während dieser Periode aus manchen Gründen auch die vorzeitige, als Folge des seit Frühjahr 1939 für notwendig befundenen Feldzugs gegen Polen ausgelöste Auseinandersetzung mit Großbritannien bewußt in Kauf nehmen wollte, da sich ihre Unvermeidlichkeit dann endgültig bestätigen würde, so daß selbst die Tatsache, daß die zwar aufgezwungene, aber doch seit Herbst 1938 einkalkulierte Konfrontation zur Unzeit eintrat, verschmerzt werden konnte.

3. Aus Hitlers Haltung in den letzten Friedenstagen heraus, als der „Führer" gegenüber England nach dem Scheitern des zwischenzeitlichen „Rückfalls" in die Konzeption der zwanziger Jahre eben diese durchkalkulierte Risikobereitschaft vermissen ließ, als ihm der Gedanke an einen Krieg gegen England „peinlicher" zu sein schien, und er in engstirniger Verkennung der Tatsachen auf Englands Abseitsstehen hoffte[64]), er jedoch den

---

[61]) Siehe Hillgruber, Der Faktor Amerika, S. 8: ders., Strategie, S. 570; ders. Zum Kriegsbeginn im September 1939, in: Österreichische Militärische Zeitschrift 7 S. 360, Hildebrand, Außenpolitik, S. 93. Es ist zu beachten, daß Großbritanniens Widerstand sich bereits gegen den geplanten „Feldzug" gegen die Tschechoslowakei bemerkbar gemacht hatte, und Hitlers Nachgeben den Konflikt mit Großbritannien (– wahrscheinlich –) um ein Jahr verschob.

[62]) Vgl. Lossberg, Wehrmacht, Im Wehrmachtsführungsstab, S. 32; siehe oben S. 276 Anm. 141.

[63]) Vgl. oben S. 245 f. Auch Aigner, Ringen um England, S. 46, nimmt an, daß Hitler nicht deshalb Polen überfiel, weil er glaubte, die Appeasement-Politiker würden nicht kämpfen, „sondern weil er entschlossen war, es mit England auf Biegen und Brechen zur Entscheidung kommen zu lassen, ehe die Gegenkräfte übermächtig wurden". Wir meinen indessen, daß diese Auffassung Hitlers Haltung nur bis zum 23./24. August mitbestimmte, die eindeutige Risikobereitschaft mit Herannahen des entscheidenden Termins plötzlich schwächer wurde, so daß am 1./3. 9. 1939 die von Aigner angedeutete Entschlossenheit nicht mehr vorhanden war.

[64]) Privat schrieb Hewel im Oktober 1939 einem englischen Bekannten: „Wie oft hörte ich den Führer sagen, ist es denn möglich, daß England so weit weg von den Wirklichkeiten des europäischen Lebens lebt, um die Probleme nicht zu sehen wie sie sind." PA Bonn, Handakten Hewel, Privat 1.

Polenkrieg konsequent à tout prix durchzuführen entschlossen war, ist endlich die vielzitierte hilflose, erschrockene Reaktion auf die Nachricht des britischen Kriegseintritts erklärbar.

Welche Entwicklungsmöglichkeiten bot nun die Situation aus Hitlers Sicht betrachtet? Zwar hatten die Westmächte den Krieg erklärt, jedoch spekulierte Hitler darauf, daß sie den Übergang von formaler Kriegsbereitschaft zur faktischen Kampfesführung – die Hitlers Niederlage im Herbst 1939 wahrscheinlich gemacht hätte[65]) – nicht vollziehen würden[66]). Von deutscher Seite durften jedenfalls auf Hitlers Weisung hin im Westen keine Feindseligkeiten begonnen werden[67]). Nach außen hin griff Hitler die „Risiko"-Linie des Sommers 1939 wieder auf. Er erinnerte sich jenes Gedankens, der ihn bei der Festlegung des Konzepts für den Sommer 1939 die Aussicht auf einen vorzeitigen Krieg mit England erleichtert hatte. „Ich bin", schrieb Hitler dem „nichtkriegführenden" Bündnispartner Mussolini, „vor der englischen Drohung nicht zurückgewichen, weil ich, Duce, nicht mehr daran glaube, daß der Friede länger als ein halbes oder sagen wir ein Jahr hätte aufrecht erhalten werden können". Er sei sich bewußt, „daß man einem solchen Kampf auf die Dauer nicht ausweichen kann und daß man mit eisiger Überlegung den Augenblick des Widerstands so wählen muß, daß die Wahrscheinlichkeit des Erfolges gewährleistet ist"[68]). Englands Kriegshetzer hätten die Maske fallen gelassen, die Saat der „jüdisch-plutokratisch und demokratischen Herren-

---

[65]) Dazu J. Kimche, Kriegsende 1939? Der versäumte Angriff aus dem Westen, Stuttgart 1969.

[66]) Zu Hitlers diesbezüglichen Hoffnungen vgl. Speer, Erinnerungen, S. 179, Hitler habe nach dem Eintreffen der Ultimaten gesagt, daß der Westen den Krieg nur zum Schein erklärt habe; Görlitz, Keitel, S. 215: „Das Ganze sei eine bewaffnete Demonstration für die Augen der Welt und im Grunde nicht ernst gemeint." Vormann IfZg München, S. 39: „England will mit seinem Ultimatum nur formal dokumentieren, daß es seiner Bündnispflicht nachkommt." Bereits am 28. 8. 1939 erreichte die Dienststelle Ribbentrop eine Meldung, derzufolge Sir Samuel Hoare vor dem Ministerrat geäußert haben sollte: „Um eine Kriegserklärung kommen wir zwar im gegebenen Falle nicht herum, aber man kann immer noch einer Kriegserklärung Genüge tun, ohne gleich alles dranzusetzen": ADAP, D, VII, Nr. 405, Vertr. Bericht aus London. Vgl. auch Gilbert-Gott, Gescheiterter Friede, S. 222. Auch am 31. August hoffte Hitler, England und Frankreich würden „schlimmstenfalls so machen, als ob sie Krieg führen wollten", Vormann-Aufzeichnung, S. 29.

[67]) Siehe Weisung vom 31. 8. 1939: ADAP, D, VII, Nr. 493, Punkt 3: „Im Westen kommt es darauf an, die Verantwortung für die Eröffnung der Feindseligkeiten eindeutig England und Frankreich zu überlassen." Vgl. auch Vormann, S. 34: „Auf Hitlers ausdrücklichen Befehl habe ich in den nächsten Tagen wiederholt auf strikteste Innehaltung der Weisung hinweisen müssen." Am 31. 8. 1939 hatte Hitler es sogar abgelehnt, den Befehl zur Räumung der westlichen Grenzgebiete zu geben: Halder, Kriegstagebuch, S. 48; Greiner, Wehrmachtführung, S. 51. Vgl. auch Weisung Nr. 2 v. 3. 9. 1939, ADAP, D, VII, Nr. 576 und Hubatsch (Hrsg.) Hitlers Weisungen S. 22 f., Angriffshandlungen der Luftwaffe erst dann freigegeben, wenn England beginnt.

[68]) ADAP, D, VII, Nr. 565, Hitler an Mussolini v. 3. 9. 1939.

schicht", die seit Jahren die Vernichtung Deutschlands predigte und „den deutschen Lebensraum einzuengen" suchte, sei aufgegangen. 90 Millionen Deutsche seien entschlossen, „sich von England nicht abwürgen zu lassen". So etwa lautete der Grundtenor der Proklamationen an Volk, Partei und Wehrmacht am Tage der britischen Kriegserklärung[69]). Die Kehrseite des Hitlerschen Englandbildes auf rationaler und irrationaler, auf machtpolitischer und ideologischer Ebene konnte jetzt ungehemmt hervorgehoben werden. „Unser jüdisch-demokratischer Weltfeind hat es fertiggebracht, das englische Volk in den Kriegszustand gegen Deutschland zu stellen", begann die Proklamation an die Partei[70]), und ließ das alte Schema von Hitlers Vorstellungen über England durchblicken. Der Sieg des antinationalen Judentums über die völkischen Kräfte in England hatte diese Entwicklung zwangsläufig werden lassen, die Hitler seit 1935/37 befürchtete, seit Herbst 1938 als reale Möglichkeit in sein Kalkül mit einbezogen hatte.

Tatsächlich gaben die Westmächte dem deutschen Diktator Gelegenheit, jene Burckhardt gegenüber am 11. August 1939 angedeutete antibritische Konzeption, die Hitlers Planungen nach „München" wesentlich prägte, in ihrer zeitlichen Abfolge zu verwirklichen. Hitler konnte den isolierten Krieg gegen Polen führen, die gleichzeitige kriegerische Auseinandersetzung mit dem Westen fand nicht statt[71]). Als Großbritannien sich nach dem Polenfeldzug immer noch nicht zur Einigung unter Hitlers Bedingungen bereit fand, trat der „Führer" am 10. Mai 1940 mit politisch und militärisch gesicherter Rückendeckung im Osten — Pakt mit der Sowjetunion, Polen militärisch ausgeschaltet — und durch die Besetzung Norwegens verbesserter strategischer Lage[72]) zum Zwischenkrieg gegen den Westen an, der, wie schon am 28. Mai 1938 angekündigt, zur Überrennung Frankreichs und der dadurch bedingten Eliminierung des englischen Widerstandes gegen seine weitreichenden Pläne im Osten führen sollte. Es mußte sich nun zeigen, „daß die europäische Neuordnung... sich unausweichlich vollziehen" würde, wenn nicht mit England (wie bis 1937) oder ohne England (1938), dann eben gegen England[73]).

---

[69]) Aufruf an das deutsche Volk: Domarus II, S. 1339 ff., an die Westarmee: ebd., S. 1341; an die NSDAP: ebd., S. 1342.

[70]) Domarus II, 1, S. 1342, Aufruf an die NSDAP; vgl. auch BA Koblenz, ZSg 102/ 19, Sänger, Hans Fritsche auf der Pressekonferenz v. 3. 9. 1939: „Die Wucht der Argumente soll sich zunächst gegen England richten... Anzugreifen sei nicht das englische Volk, sondern die führenden Mächte, die England in die Einkreisungspolitik getrieben hätten, besonders das Judentum, der internationale Kapitalismus und die Geldmächte seien anzugreifen." Nicht nationale Interessen — diese hätten aus machtpolitischen und ideologischen Motiven zur Allianz mit dem Deutschen Reich gedrängt — sondern die Kräfte des antinationalen „Weltfeindes" hatten England in die Gegnerschaft mit Hitlers Deutschland gebracht.

[71]) Vgl. Bullock, Origins, S. 282, und allgemein Kimche, Kriegsende 1939?

[72]) Dazu allgemein Gemzell, Raeder, Hitler, passim.

[73]) So Berber in: Deutschland-England, S. 227.

Doch obwohl Hitlers operative Ziele im Westen erreicht wurden, reagierte England letztlich anders, als Hitler gehofft hatte. Es ließ sich unter Rückendeckung durch die USA zur Gewährung der freien Hand im Osten auch nicht militärisch zwingen und schuf damit eine Situation, der Hitler gänzlich unvorbereitet gegenüberstand und die den Keim zum endgültigen Scheitern des Hitlerschen „Programms" legte[74]).

---

[74]) Vgl. Hillgruber, Strategie, S. 144 ff., dort in Ausführlichkeit über Hitlers Pläne zur Rettung seines „Programms" nach dem Scheitern seiner verschiedenen England-Konzeptionen.

Schlußbetrachtung

Thesenartig sollen zunächst die Hauptergebnisse der vorliegenden Studie zusammengefaßt werden, um dann in einem Versuch, Hitlers Einstellung zu Großbritannien von 1935/1937 bis 1939 zu den England-Konzeptionen anderer, unter dem Oberbegriff „Politische Führung" zusammenfaßbarer Personen und Gruppen in Beziehung zu bringen, die einzelnen Positionen gegenseitig abzugrenzen und die Wurzeln von Gemeinsamkeiten und Gegensätzen freizulegen. Hier, so scheint es, könnte der Ansatzpunkt zu weiterführenden Untersuchungen zu finden sein, in welchen unsere auf Hitler beschränkte Perspektive zu einem Blickfeld erweitert werden sollte, das etwa mit „nationalsozialistischer Englandpolitik" überschrieben werden könnte und dem von H. A. Jacobsen[1]) herausgearbeiteten, trotz der unbestreitbaren Prädominanz der Hitlerschen Vorstellungen keineswegs monolithischen Gesamtbild der deutschen Außenpolitik jener Jahre mehr entsprechen würde.

1.) Es war Hitlers grundlegende Idee der zwanziger Jahre, in einer durch machtpolitisch-rationale und ideologische Überlegungen gleichermaßen begründbaren Allianz mit Großbritannien — wobei in einer strengen Interessenaufteilung dem Deutschen Reich das europäische Festland und dem Empire die Weltmeere als Machtsphären zugewiesen werden sollten — die kontinentale Phase seines „Programms", also die Errichtung eines deutschbeherrschten, dem deutschen Volk genügend „Lebensraum" gewährenden Kontinentalblocks zu realisieren; die in Hitlers Augen verhängnisvolle wilhelminische Politik der *gleichzeitig* zu erringenden Ziele in Übersee und auf dem Kontinent würde damit abgelöst[2]) durch eine Strategie des „Nacheinander", was zumindest vorerst — „auf hundert Jahre"[3]) — den Verzicht auf „Weltreich"-Ambitionen und Kolonien implizierte und damit nach Hitlers Auffassung die machtpolitischen Voraussetzungen für eine Verständigung mit dem Inselreich schuf. Diese Grundkonzeption der Kollaboration mit England, die demnach ursprünglich für Hitlers Lebenszeit Gültigkeit haben sollte, versuchte der „Führer" nach Übernahme der Regierungsgewalt im Jahre 1933 konsequent und mit allen verfügbaren Mitteln in die Wirklichkeit umzusetzen. Dabei ließ Hitler allerdings mehr oder minder deutlich die Vorzeichen durch-

---

[1]) Jacobsen, Nationalsozialistische Außenpolitik, passim bes. Vorwort und Schlußbetrachtung.

[2]) Vgl. Hillgruber, Strategie, S. 566, Anm. 3a und ebd., S. 36, Anm. 39; Hildebrand, Weltreich, S. 78 ff. betont, daß Hitlers Verzicht auf Weltmacht-Pläne in „Mein Kampf" nur zeitweilig war.

[3]) Zweites Buch, S. 163; vgl. Hildebrand, ebd. S. 79.

blicken, unter denen er ein mögliches Bündnis verstanden wissen wollte: nämlich die gegenseitige unbedingte Respektierung der vereinbarten Interessensphären, was auf freie Hand für Hitlers künftige Aktionen in Mittel- und Osteuropa hinauslief.

2.) Trotz des scheinbaren Erfolges des deutsch-britischen Flottenabkommens verstärkte sich ab 1935 bei Hitler zunehmend der Eindruck, daß die ersehnte Partnerschaft mit Großbritannien weder realisierbar noch unbedingt notwendig war. Englands Haltung im Abessinienkonflikt und während der Wiederbesetzung des Rheinlandes durch deutsche Truppen im März 1936 legte den Gedanken nahe, daß Hitlers Ziele in Osteuropa sich auch ohne Englands Zustimmung verwirklichen lassen würden. Zudem deuteten Anzeichen und Symptome verschiedenster Art — wie die Weigerung der britischen Regierung, sich zu einer gemeinsamen antibolschewistischen Politik in Spanien bereit zu finden, die aus Hitlers Sicht „erzwungene" Abdankung Eduards VIII. sowie die Berichte seines 1936 ernannten Botschafters Ribbentrop — darauf hin, daß Großbritanniens Regierung unter dem Einfluß „antideutscher, jüdisch-bolschewistischer Hintermänner" keineswegs, wie Hitler vermutet hatte, zugunsten der wahren britischen Interessen im Empire sich an allen Angelegenheiten auf dem europäischen Kontinent desinteressieren würde, also nicht willens war — nach dem Sieg „antinationaler" Kreise auch nicht willens sein konnte —, mit dem Reich unter Hitlers Bedingungen zusammenzuarbeiten. Machtpolitisches Kalkül und ideologische Vorstellungen prägten also auch Hitlers Bewertung der englischen Politik.

3.) Ende 1937 führte diese Entwicklung zur ersten Neuorientierung der Hitlerschen England-Konzeption. Ohne Ribbentrops Gedanken einer antibritischen Koalitionsbildung zu übernehmen, strebte der „Führer" fortan die Realisierung der Kontinentalstufe seines „Programms" nicht mehr mit, sondern ohne England an, wobei der ursprüngliche Allianzgedanke der zwanziger und frühen dreißiger Jahre — da nicht mehr realisierbar erscheinend — in den Hintergrund gerückt, aber keinesfalls völlig aufgegeben wurde, sondern als Wunschziel immer latent in Hitlers politischer Vorstellungswelt präsent blieb.

Aber auch die andere Alternative, die kriegerische Auseinandersetzung mit Britannien, konnte Hitler nun nicht mehr völlig ausschließen; für die Phase der Erringung der Weltvorherrschaft, die, wie K. Hildebrand nachgewiesen hat, aus ferner Zukunft in greifbare Nähe rückte, schien sie ziemlich sicher zu sein, aber selbst auf dem Weg zur Kontinentalherrschaft gelangte ein Zusammenstoß in den Bereich des Möglichen.

Nach dem scheinbaren Erfolg beim „Anschluß" der österreichischen Republik und den ersten Erschütterungen während und nach der Wochenendkrise im Mai 1938, als der Gedanke an eine gewaltsame Ausschaltung des britischen Widerstandes *vor* dem Marsch nach Rußland — wenn auch nur momentan — deutlichere Konturen gewann, führte die Konferenz von München aus Hitlers Perspektive betrachtet zum Scheitern des „Ohne-England"-Konzeptes. Das eigentliche „programmatische" Ziel, die militärische Zerschlagung der Tschechoslowakei blieb — zumindest vorerst — wegen des britischen Widerstandes unerreicht. Nur zur Erlangung gemäßigter revisionistischer Ziele, nicht aber bei der Errichtung einer unumschränkten deutschen Kontinentalhegemonie konnte Hitler offenbar auf Englands Neutralität spekulieren.

4.) Das antibritische Konzept, das Hitler nach der Münchner Konferenz im Herbst 1938 als „aufgezwungenen" Ausweg ergriff, bezog die gewaltsame Ausschaltung des englischen Widerstandes gegen Hitlers „programmatische" Ostpläne durch eine blitzartige Überrennung Frankreichs — wobei „nebenbei" die seit 1933 wohl aufgegebene „Mein-Kampf"-Forderung, den „Erbfeind" als kontinentalen Rivalen zu zerschlagen, erfüllt würde — und die Besetzung der Kanal- und Atlantikküsten in das Kalkül mit ein. Nach den vorliegenden Quellen schien Hitler dabei nicht entschieden zu haben, ob die Auseinandersetzung im Westen bewußt als nächstes Ziel vor anderen militärischen Aktionen im Osten für etwa 1940 angesteuert oder lediglich als ein allerdings mit einiger Sicherheit zu erwartendes Risiko bei der weiteren Verfolgung kontinentaler Ziele in Kauf genommen werden sollte.

Für beide denkbaren Fälle war es zweckmäßig, die Marine-Rüstung voranzutreiben (dieses auch im Blick auf die endgültige Auseinandersetzung um die Weltvorherrschaft mit den angelsächsischen Seemächten), die „Rest-Tschechei" auch territorial in den deutschen Machtbereich einzugliedern und — vor allem — die Polenfrage aufzurollen und in einem für Hitler günstigen Sinne zu lösen: a) als weiterer Schritt zur Arrondierung der strategischen Ausgangsbasis für den antibolschewistischen Vernichtungsfeldzug, b) als Rückensicherung für den geplanten oder riskierten Krieg im Westen *vor* der Konfrontation mit der Sowjetunion.

Infolge der britischen Garantie an Polen, kam es „zwangsläufig" dazu, daß die Lösung der Polenfrage durch eine militärische Invasion als nächstes Ziel angestrebt werden mußte, wobei Hitler zwar einen isolierten Feldzug wünschte — nach welchem die Verdrängung Englands vom Kontinent immer noch anvisiert werden konnte —, das Risiko einer Intervention der beiden Westmächte jedoch gemäß der nach „München" ergriffenen Konzeption bewußt übernahm, da ein britisches Eingreifen die Unausweichlichkeit einer deutsch-britischen Konfrontation klar demonstriert hätte und manches selbst den ursprünglich nicht vorgesehenen frühen Zeitpunkt gar vorteilhaft erscheinen ließ. Auch der Moskauer Nichtangriffspakt mit der Sowjetunion war vornehmlich auf einen zwischengeschalteten Schlag nach Westen vor dem Rußlandkrieg ausgerichtet.

5.) Nach dem Intermezzo des 25. August, als Hitler, von manchen Umständen beeinflußt, den Kurs des äußersten Risikos verließ und erneut auf das ursprüngliche Bündnisgleis überwechselte, ließ die Konzeption des „Führers" gegenüber England jene Klarheit in den Grundzügen vermissen, wie wir sie noch für die vorhergehenden Sommermonate zu erkennen glaubten. Die seit „München" unverrückbare Konstante, das nächste Ziel, in diesem Fall die Eroberung Warschaus, unter allen Umständen zu erreichen, blieb jedoch erhalten, so daß Hitler am 3. September 1939 das eingegangene Risiko der britischen und französischen Kriegserklärung wohl oder übel einlösen mußte.

6.) Nur auf dem Hintergrund der in Hitlers Schriften der zwanziger Jahre aufgezeigten Bündniskonzeption erscheint die Frontstellung vom 3. September 1939 als eine „verkehrte", während gemessen an Hitlers Dispositionen im Herbst 1938 allein der Zeitpunkt des deutsch-britischen Krieges Kalkül und Berechnungen zuwiderlief, aber auch selbst diese vorzeitige Auslösung einer spätestens seit 1938 ernsthaft erwogenen Konfrontation immer als Risiko übernommen worden war.

7.) Indessen sollte der Westen Hitler Gelegenheit geben, die „Nach-München"-Konzeption in jener Abfolge, wie er sie am 11. August 1939 Burckhardt vorgetragen hatte, dennoch im Ansatz zu verwirklichen[4]). Faktisch führte die deutsche Wehrmacht einen isolierten Krieg gegen Polen. Die westlichen Kriegserklärungen blieben ohne die befürchtete Folge, daß eine *gleichzeitige* Auseinandersetzung im Westen ausgetragen werden mußte. Die Strategie des „Nacheinander" blieb im Grunde gewahrt: Im Mai 1940 konnte Hitler zum — seit 1938 ins Auge gefaßten — vorgeschalteten Zwischenkrieg im Westen zur Vertreibung Englands vom Festland antreten. Tatsächlich wurden die operativen Ziele mit der Niederwerfung Frankreichs und der Besetzung der England gegenüberliegenden Küsten erreicht, den entscheidenden politischen Zweck konnte das Unternehmen hingegen nicht erfüllen: Großbritannien setzte wider Hitlers Erwartungen den Krieg fort. Auch das antibritische Konzept zur Erlangung der freien Hand im Osten war im Herbst 1940 gescheitert. Hitler mußte zum „programmatischen" Krieg gegen die Sowjetunion antreten, ohne den englischen Widerstand im Rücken ausgeschaltet zu haben, wobei er hoffte, daß ein Sieg über Rußland, Englands Festlandsdegen, die britische Widerstandskraft vollends brechen würde[5]).

Die verschiedenen Varianten der Hitlerschen England-Konzeption hatten das oberste Ziel, die Sicherung der „freien Hand" für Deutschland im Osten, nicht erreicht. Weder die Allianz-Idee noch das „Ohne-England"-Konzept und schließlich auch nicht eine auf die gewaltsame Eliminierung des englischen Widerstandes hinzielende Planung hatten es vermocht, die Regierung in London zur Aufgabe ihrer Politik zu bewegen, die zwar Deutschland als gleichberechtigte Großmacht und als wichtigen Pfeiler in einem europäischen Sicherheitssystem zu akzeptieren bereit war, nicht jedoch die unbeschränkte

---

[4]) Obwohl kein unmittelbares Ergebnis der Arbeit soll dieser Ausblick, der sich auf die Ergebnisse der Studie von A. Hillgruber, Hitlers Strategie, stützt, herangezogen werden, um die bruchlose Kontinuität der Hitlerschen Vorstellungen auch in die Kriegsjahre hinein zu verdeutlichen. Es zeigt sich, daß unsere Arbeit der Ergänzung bis zum Westfeldzug 1940 bedarf, während danach Hillgrubers grundlegende Darstellung für alle Details heranzuziehen ist. Zu deutsch-britischen Kontakten 1939/1940 vgl. nun Martin, Friedensinitiativen.

[5]) Zum „historischen Ort des Unternehmens Barbarossa" vgl. Hillgruber, Hitlers Strategie, S. 564 ff.

Hegemonie einer einzigen Macht in Europa hinnehmen wollte und konnte. Nicht als Partner, sondern als Gegner stand Großbritannien der Realisierung des Hitlerschen „Programms" gegenüber. An dieser Tatsache mußte die Strategie des „Nacheinander" zerbrechen, die Verwirklichung des „Programms" war damit im höchsten Maß gefährdet, der Widerstand der Sowjetunion ab 1941 ließ Hitler dann vollends scheitern.

Mehrfach wurde in der Darstellung angestrebt, Hitlers Position mit den Standpunkten anderer Personen und Gruppen zu konterkarieren, um die Hitlersche Linie noch schärfer hervortreten zu lassen. Versuchen wir nunmehr, die verschiedenen Konzeptionen und Aktionstypen gleichzeitig in einem Bild zusammenzubringen, so zeichnet sich in Ansätzen folgendes Feld der Positionen ab:

Zunächst sei festgehalten, daß offenbar jedes England-Konzept einem übergeordneten Primärziel unterstellt war. Von den Verfechtern der spezifisch nationalsozialistischen Außenpolitik, die gemäß Hitlers machtpolitisch-ideologischem „Programm" die Eroberung neuen Lebensraumes im Osten anstrebte, unterschied sich das Auswärtige Amt, das sich mit einer vorwiegend friedlichen Revision der vom Versailler Vertrag festgelegten Reichsgrenzen begnügen wollte[6]. In dieser Begrenzung der obersten Intention lag jene Kluft zu den übrigen Trägern der deutschen Außenpolitik begründet, die das „traditionelle Instrument" von den eigentlichen Entscheidungen mehr und mehr fern hielt. Mit eben dieser Selbstbescheidung war aber auch der Anknüpfungspunkt zur Gemeinsamkeit mit England gegeben, da die Chamberlain-Regierung angedeutet hatte, daß sie einer gewaltlosen Änderung des Status quo in Mitteleuropa ihre Zustimmung nicht versagen wollte. Die unabdingbare Voraussetzung für Ansätze jeglicher Verständigung, nämlich eine zumindest partielle Übereinstimmung der beiderseitigen Hauptinteressen, bot allein die Konzeption leitender Beamter der Wilhelmstraße.

Chamberlain glaubte diese Vorbedingung auch bei Hitler zu finden, teilweise weil er die „Abschirmung" der eigentlichen Absichten des deutschen „Führers" durch die scheinbare und auch in der strukturellen und personellen Kontinuität des alten Instruments deutscher Außenpolitik, des Auswärtigen Amtes, offenbar gewährleistete Fortsetzung traditioneller deutscher Großmachtpolitik nicht durchschaute, teils weil er Hitler durch eine Politik der Zugeständnisse und Befriedung auf die noch als revisionistisch zu bezeichnende Vorstufe der nationalsozialistischen Außenpolitik unter Beibehaltung einer defensiven antibolschewistischen Fronthaltung festzulegen wünschte.

Hitler und in seiner Gefolgschaft auch Ribbentrop und Göring sahen sich daher vor die Aufgabe gestellt, angesichts dieser britischen Haltung nach Wegen zu suchen, die dennoch zur Erreichung des Hitlerschen Optimalzieles

---

[6]) Zum Unterschied zwischen dem traditionell-konservativen und dem revolutionären Ziel, zwischen dem entsprechenden traditionell-konservativen und revolutionären Instrumentarium vgl. Jacobsen, Außenpolitik, S. 613.

führten, von dem der Diktator unter keinen Umständen ablassen wollte. Hier lag der Ausgangspunkt zu verschiedenen Englandkonzeptionen auch innerhalb der Parteispitze begründet.

Göring gab sich als Anwalt der deutsch-englischen Freundschaft und plädierte dafür, die geplante Expansion im Osten und ihre Vorbereitung günstigenfalls mit, aber niemals gegen Großbritannien durchzuführen. Die Abneigung gegen einen Krieg mit England äußerte sich an mehrfachen Gelegenheiten (Wiedemann-Mission, Wohlthat-Gespräche, Dahlerus' „Letzter Versuch") und brachte ihn in die Nachbarschaft des Auswärtigen Amtes und liberaler wirtschaftsexpansionistischer Gruppen mit Schacht als Mittelpunkt, was sich in der Zusammenarbeit Görings mit Weizsäcker und Neurath vor der Konferenz von München am deutlichsten offenbarte. In ihren Motiven und allgemeinen Zielsetzungen bestand hingegen immer ein unübersehbarer Unterschied, wenn auch das prinzipielle Eingehen auf das „wirtschaftliche Appeasement" der Chamberlain-Regierung zum Zweck friedlicher Großmachtpolitik nicht nur vom Auswärtigen Amt befürwortet wurde, sondern auch Görings Beifall gefunden hätte. Erneut erhebt sich hier die noch nicht beantwortete Frage, inwieweit Göring sich Hitlers Ost-„Programm" wirklich zu eigen gemacht hatte, ob er unter Umständen — bewußt oder unbewußt — eine Alternative zu Hitler darstellte und durchaus eine eigenständige, in den Rahmen traditioneller deutscher Großmachtpolitik passende Linie vertrat und somit der „Wilhelmstraße" und Schacht nicht nur zeitweilig, sondern prinzipiell näher stand als den „programmatischen" Zielen seines „Führers", als dessen getreuen Paladin er sich allerdings gern selbst bezeichnete[7]).

Das Auswärtige Amt benutzte seinerseits Göring offenbar gern als Fürsprecher, der der höchsten Parteispitze angehörte, der also die Isolation der „Wilhelmstraße" beheben und die Aufnahme ihrer Vorschläge bei Hitler begünstigen konnte, während Göring sich zeitweilig — wenn die Parallelität der Interessen offenkundig war — vor den Wagen des Auswärtigen Amtes spannen ließ, auch schon, um sich den Zugang in die Welt der internationalen Diplomatie zu erleichtern.

Ribbentrop entschied sich für eine Politik der radikalen Gegnerschaft zu England. Für irgendwelche Gemeinsamkeit mit den Auffassungen Weizsäckers, Kordts u. a. fehlte damit jegliche Basis. Vielmehr erwiesen sich beide Standpunkte als diametral entgegengesetzt, was sich in den häufigen scharfen Auseinandersetzungen zwischen Weizsäcker, Kordt und Dirksen einerseits und dem Außenminister andererseits äußerte. Selbst mit Göring ergab sich kaum Übereinstimmung im Bereich der Haltung zu England. Der einzige mögliche Bindungsfaktor, die übergeordneten Expansionsziele, besaßen kaum Gewicht, da sie in jedem Fall zum parteiideologischen Pflichtprogramm gehörten und man besonders auch bei Ribbentrop davon ausgehen kann, daß Hitlers „Programm" für Osteuropa nicht mit seiner eigentlichen Zielsetzung korrespondierte.

---

[7]) Vgl. G. M. Gilbert, Nürnberger Tagebuch, Frankfurt 1962, S. 205 f.

Zwischen diesen Gruppen, deren Einfluß durchweg sehr begrenzt blieb, agierte die entscheidende Person Hitler, dessen Einstellung zu England zwar seit den zwanziger Jahren fixiert und im Grunde immer latent vorhanden blieb, aber infolge der britischen „Unvernunft", wie in den einzelnen Phasen verfolgt, „notgedrungen", um die Konstanz der übergeordneten Pläne zu sichern, variiert und zu neuen Konzeptionen modifiziert werden mußte. Es zeigt sich für das Feld der Englandpolitik das Bild einer Variablen, Hitler, deren Bewegungsspielraum so groß ist, daß sie zeitweilig in Berührung mit einander teilweise entgegengesetzten Fixpunkten gerät, die ihrerseits die Variable vollends an ihre Position zu binden suchen. Die verschiedenen Konstanten, die somit Einfluß auf Hitlers Entscheidungsprozeß zu gewinnen hofften, glaubten jeweils günstige Voraussetzungen für ihr Vorhaben vorzufinden. Weizsäcker und Dirksen spekulierten auf Hitlers ursprüngliche Idee der engen Zusammenarbeit mit England und mit ihnen Göring auf seine Abneigung gegen einen Krieg mit dem Empire. Ribbentrop dagegen rechnete mit der machtpolitischen Einsicht des „Führers" in den unveränderten Widerstand der englischen Regierung gegen die „programmatischen" Pläne in Osteuropa und mit einer antibritischen Reaktion auf die Erfolglosigkeit des Verständigungskurses.

Tatsächlich läßt sich beobachten, wie Hitlers Konzept 1937 bis 1939 zeitweilig den Vorstellungen der einen, dann wieder denen der anderen Gruppe ähnelte. Am Tage von München geriet Hitler in die Nähe der Position Görings und des Auswärtigen Amtes, während Ribbentrop abseits stand. Da die Zielsetzungen jedoch selbst zu diesem Zeitpunkt nicht übereinstimmten — Weizsäcker wünschte die friedliche Revision, Göring fürchtete nur den Krieg gegen England, und Hitler erstrebte die Expansion ohne, aber noch nicht gegen England — trug die Parallelität nur momentanen Charakter. Die Gleise trennten sich bald, Hitler änderte seinen Kurs sogar um 180° und steuerte nun weitgehend in Ribbentrops Richtung.

Ein gemeinsamer Nenner fand sich dann noch einmal am 24. August 1939, als Weizsäckers Warnung vor dem Eintritt Großbritanniens in einen deutsch-polnischen Krieg sich mit Hitlers ähnlich gearteten Befürchtungen traf und den Positionswechsel am 25. August mitverursachte.

Mit Göring verband Hitler in den letzten Friedenstagen der gleiche Wunsch, England von Polen zu trennen, was sich in dem zustimmenden Interesse und der aktiven Mitwirkung an den Bemühungen des Schweden Dahlerus äußerte.

Hitler und Ribbentrop besaßen während der Sudetenkrise in der Zurückweisung der britischen Verständigungsfühler einen gemeinsamen Orientierungspunkt, obwohl Hitler lediglich auf ein Desinteresse Londons, Ribbentrop auf eine antibritische Politik abzielte. Die Zeit nach „München" brachte eine noch engere Annäherung der beiderseitigen Auffassungen, aber keine völlige Identifizierung. Hitler bezog die, wie er glaubte, doch einmal fällige Eliminierung des britischen Einflusses vom Kontinent in seine Überlegungen mit ein, um die Rückendeckung für den Marsch nach Osten notfalls gewaltsam zu sichern, während Ribbentrop zwar auch die militärische oder — durch den Ausbau einer starken Koalition gegen das Inselreich — politische Erzwingung der freien Hand im Osten versprach, wohl aber als eigentliches Ziel die Renaissance der wilhelminischen imperialistischen Politik im Duell mit England anvisierte, dieses aber geschickt in Hitlers Vorstellungsschema möglichst nahtlos zu verweben suchte. Hier lag trotz der ab Herbst 1938 feststellbaren weitgehenden Übereinstimmung der gegen England einzuschlagenden Politik eine wesentliche Differenz zwischen Hitlers und Ribbentrops Grundanschauungen. Hatte Hitler die Gegnerschaft zu Großbritannien immer als eine ihm aufgezwungene Wendung angesehen, notwendig, um die Realisierung seines „Programms" im Osten des europäischen Kontinents nicht zu gefährden, wie ja überhaupt alle seine England-Konzeptionen in funktionaler Abhängigkeit von seinem konstant bleibenden Programm standen, so betrachtete Ribbentrop seine englandfeindliche Konzeption als Selbstzweck: Großbritannien erschien auf dem Hintergrund seines Gesamtkonzepts im Gegensatz zu Hitlers Anschauung als natürlicher Rivale, der ausgeschaltet werden mußte. Die Eroberung des Ostraumes hatte für Ribbentrop, der erst 1933 zur Partei gestoßen war, nur Bedeutung, als sie oberste Zielsetzung seines „Führers" war, die er selbstverständlich nach außen zu übernehmen hatte. Das Zentrum seiner Gedankenwelt war hingegen stets auf England ausgerichtet. So sah er offenbar im Bereich der Englandpolitik seine Rolle als Motor, der die entscheidende Figur Hitler in eine Richtung anzutreiben hatte, die auch seinen Vorstellungen entsprach.

Seine Mitwirkung an Hitlers erster Kurskorrektur um die Jahreswende 1937/38 sowie die Tatsache, daß der Reichskanzler während der Abwesenheit seines Außenministers im August 1939 das antibritische Konzept wieder aufgab, machen es wahrscheinlich, daß Hitlers gegen England gerichtete Dispositionen von Ribbentrop zwar nicht geschaffen, aber doch entscheidend gefördert und gepflegt wurden. Seine Außenpolitik gestaltete der Diktator in den Grundzügen zwar eigenmächtig, aber auf dem Sektor „Großbritannien" schien er offenbar am meisten bereit, vermeintlichen Spezialisten sein Ohr zu leihen. Daß er gerade Ribbentrop in dieser Beziehung als seinen „besten Mann" ansah, erwies sich als verhängnisvoll.

Das Gesamtbild der Englandpolitik des nationalsozialistischen Deutschlands, so wie es sich in den von uns betrachteten Jahren ausländischen Beobachtern und vor allem Großbritanniens Regierung darbot, war das Resultat einer verwirrenden Anzahl teils eigenständiger, teils sich überschneidender Programme und Konzeptionen. Die Vorstellungen der „Außenseiter" gewannen niemals eine kreative Wirkung, mitunter jedoch eine fördernde und lenkende Beeinflussung. Sie fügten sich – selbst in verschiedene Richtungen zerfallend – mit der nach zwei Gegenpolen variablen Konzeption Hitlers zu jener Erscheinungsform der „deutschen Einstellung zu England" zusammen, die vor dem Zweiten Weltkrieg von Zeichen großer Uneinheitlichkeit geprägt wurde.

Quellenverzeichnis

1. UNGEDRUCKTE QUELLEN

Politisches Archiv des Auswärtigen Amtes Bonn (PA)

Büro Reichsminister

Polen–Danzig
Polen-Konflikt
Filme F 1–20 (Aufzeichnungen über Unterredungen Hitlers, Ribbentrops, Görings und Keitels mit ausländischen Staatsmännern, Diplomaten und Militärs)

Büro Staatssekretär

Wiederbesetzung des Rheinlandes Bde. 1–10
Besuch des italienischen Außenministers Graf Ciano in Berlin im Oktober 1936
Spanien. Nichteinmischungsausschuß Bde. 1–5
Mittelmeerkonferenz 1937
Beschießung des Kreuzers Leipzig 1937
Besuch des Herrn Reichsministers in London
Mussolini-Besuch 1937
Halifax-Besuch und seine Folgen
Deutsch-englische Beziehungen Bde. 2–6
Westpakt und Westbefestigungen
Italien Bd. 1
Führerreise nach Italien
Polen Bde. 1–2
Der Krieg 1939 Bde. 3–5
Aufzeichnungen über Diplomatenbesuche Bde. 1–5
Aufzeichnungen über Gespräche und Besuche von Nicht-Diplomaten Bde. 1–2
Schriftwechsel in politischen Angelegenheiten Bde. 1–3
Politischer Schriftwechsel mit Beamten des auswärtigen Dienstes Bde. 1–4
Aufzeichnungen über interne Dienstanweisungen, Stellungnahmen zu Sachfragen, Telefonate, usw. Bd. 1
Auslandspropaganda – Presse

Büro Unterstaatssekretär

Einkreisung I
Einkreisung II
Reden und Noten
Dokumente Kriegsausbruch
Polen/Danzig II
Polen/Danzig III
Besuch Darányi in Berlin (1937)
Besuch Graf Ciano in Berlin (1936)

Besuch Gafencu in Berlin (1939)
Besuch Csaky in Berlin (1939)
Besuch Chvalkovsky in Berlin (1939)
Besuch Chamberlain und Halifax in Rom (1939)
Besuch Cincar Markowitsch in Berlin (1939)
Besuch des bulgarischen Ministerpräsidenten in Berlin (1939)
Besuch Graf Teleki und Graf Csaky in Berlin (1939–1940)
Besuch König Carol in Berlin (1938)
Besuch Prinzregent Paul von Jugoslawien in Berlin (1939)
Londoner Besuch Ribbentrops (1937)
Delbos (1937)
Pirow-Besuch (1938)
Besuch Reichsminister in Warschau (1939)
Besuch Halifax (1937–1938)
Besuch RAM in Italien im Mai 1939 und Ciano in Berlin
Besuch Admiral von Horthy, Reichsverweser von Ungarn (1938)
Besuch Stojadinovic (1937–1938)
Besuch Mussolini (1937)
Nichtangriffsverträge
Kolonien

Abteilung Pol. II

England: Allgemeine auswärtige Politik Bde. 1–7
Politische Beziehungen Englands zu Deutschland Bde. 1–11
Englischer Versuch der Bildung einer antideutschen Mächtegruppe im März 1939
Bde. 1–9
Friends of Europe
Gegenseitiger Besuch von Staatsmännern – Besuch Lord Halifax

Abteilung Pol. I Völkerbund

Beziehung zwischen Deutschland und England
England Bde. 1–2

Abteilung Pol. I M

Flottenverhandlungen Deutschlands mit England Bde. 1–5

Abteilung Pol. IV

Politische Beziehungen Italiens zu Deutschland – Besuch Hitlers in Italien im Mai
1938

Handelspolitische Abteilung (Ha Pol)

Handelsvertragsverhältnis Englands zu Deutschland Bde. 1–5
Handelsbeziehungen Großbritanniens zu Deutschland Bde. 1–2
Finanzielle Beziehungen zwischen Deutschland und Großbritannien Bd. 2

Presse-Abteilung

Reichskanzler Bde. 4–5
Maßnahmen zur Hebung des deutschen Ansehens in England
Presse-Übersichten Bd. 24: England
Allgemeines: England Bde. 5–6
Beeinflussung der Presse, Presse, Propaganda in allgemeinen Angelegenheiten:
England Bde. 2–3

Dienststelle Ribbentrop

Vertrauliche Berichte Bde. 1–4 (jeweils Teile 1–2)
Mitarbeiter Berichte Bd. 1 (Teil 1–2)
Vertrauliche Mitarbeiterberichte Bde. 1–3

Chef AO

England

Partei-Dienststellen

Außenpolitisches Amt – Vertrauliche Aufzeichnungen betr. England

Handakten Gesandter Paul Otto Schmidt (Dolmetscher)

Bde. 1–11: Aufzeichnungen 1938–1944
Bde. 19–20: Handakten
Bde. 21–24: Politisches 1–4

Handakten Gesandter Hewel

Deutschland Bde. 1–6
Privates Bde. 1–3
Deutsch-Englische Gesellschaft

Handakten Schmidt (Presse)

Privatakten
vom RAM inspirierte Artikel
Notizen Reichsminister

Handakten Megerle

Anglo-German Discussion Group
Nicht vervielfältigtes Material: Gegen England
Material und Ausarbeitungen: Gegen England 1–40

Handakten Wiehl

Politik Bde. 1–2
England Bd. 8

Handakten Clodius

England (Verträge)
England Bd. 6

Public Record Office London (PRO)

Foreign Office: General Correspondence (FO 371)

1937

Political-Central-Germany:

FO 371/20705–20707 (File 1)
FO 371/20709–20712 (Files 3–12)
FO 371/20719–20723 (File 37)
FO 371/20726   (File 78)
FO 371/20730   (Files 78–83)

FO 371/20732–20733 (Files 163, 165–185)
FO 371/20734–20737 (File 270)
FO 371/20742–20743 (Files 305–372)
FO 371/20749–20751 (Files 3976–7324)

Political-Central — Poland:
FO 371/20758   (File 5)

Political-Southern — Austria:
FO 371/2116   (File 303)

Political-Southern — Italy:
FO 371/21158   (File 1)
FO 371/21176   (Files 200–231)

1938

Political-Central — Germany:
FO 371/21648   (File 30)
FO 371/21654–21660 (File 42: Deutsch-englische Beziehungen)
FO 371/21664–21666 (File 62)
FO 371/21673   (File 85)
FO 371/21674–21676 (File 132: Deutsche Ziele in Mitteleuropa)
FO 371/21678–21684 (File 184: Koloniale Angelegenheiten)
FO 371/21697   (Files 264–307)
FO 371/21704–21709 (Files 541, 812, 951, 1180, 1261, 1329)
FO 371/21714   (File 1941: Sudetenkrise)
FO 371/21723–21777 (File 1941: Sudetenkrise)
FO 371/21760   (Files 4507, 4770)
FO 371/21770–21779 (Files 4815, 4839, 5302: Tschechoslow. Krise)
FO 371/21781–21782 (Files 7262, 7700)
FO 371/21783–21719 (File 11169: München und später)

Political-Central-General:
FO 371/21627   (File 95)
FO 371/21639   (File 4278)

Political-Central — Poland:
FO 371/21802   (File 197)

Political-Southern — Austria:
FO 371/22310–22319 (File 137: Anschluß)

Political-Southern-General:
FO 371/22344–22345 (File 94)

Political-Southern — Italy:
FO 371/22403   (File 23)

Political-Western — League of Nations:
FO 371/22538   (File 104)
FO 371/22541   (File 104)

1939

Political-American — USA:
FO 371/22785–22786 (File 1: Flottenfragen)

Political-Central — Germany:
FO 371/22950–22952 (File 8: Dt.-engl. Handelsbeziehungen)
FO 371/22956   (File 11)
FO 371/22957–22959 (File 13: Militärische Aktivität)
FO 371/22960–22987 (File 15: Deutsche Ziele)
FO 371/22988–22991 (File 16: Deutsch-engl. Beziehungen)
FO 371/22992–22997 (File 19: Dt.-tschechoslow. Beziehungen)
FO 371/23005–23010 (File 53: Nazi activities)
FO 371/23015–23028 (File 54: Dt.-polnische Beziehungen)
FO 371/23047–23048 (Files 246, 272)
FO 371/23054   (Files 779, 836: Wiehl in London, 1061: Flottenfragen)
FO 371/23056–23059 (Files 1645: Propaganda, 2198)
FO 371/23075–23076 (Files 3418, 3778)
FO 371/2380   (File 3778: Presse-Kommentare)
FO 371/2384   (File 4074: Kriegslage)
FO 371/23091   (File 12590: Dt.-polnische Feindseligkeiten)
FO 371/23094–23096 (File 12907: Möglichkeit eines deutschen Westangriffs)
FO 371/23102   (File 13742: Kriegsziele)

Political-Eastern — Turkey:
FO 371/23283   (File 9)

Political-Northern — General:
FO 371/23655   (File 64)

Baltic States:
FO 371/23600–23601 (File 30)

Political-Southern — Italy:
FO 371/23792   (File 7)

Political-Southern — Yugoslavia:
FO 371/23885   (File 409)

Political-Western — Spain:
FO 371/24120   (File 5)

Refugees:
FO 371/24083   (File 520)

Private Collections FO 800

Sir Nevile Henderson	FO 800/268—269[1])
Sir Alexander Cadogan	FO 800/294
Sir John Simon	FO 800/290
Lord Cranborne	FO 800/296
Various Sources	FO 800/395—397[2])

Bundesarchiv Koblenz (BA)

Reichskanzlei (R 43 I)

1476—1477 Kabinettsprotokolle 1937—1938

Reichskanzlei (R 43 II)

1430, 1430 a, 1430 b, 1435, 1435 a, 1436: England

Kanzlei Rosenberg (NS 8)

144—153, 175, 216—219

Adjutantur des Führers (NS 10)

5—17	Schriftwechsel mit der Präsidialkanzlei
31, 35—37	Schriftwechsel mit Reichs- und Länderministerien
89—90	Für Hitler bestimmte außenpolitische Vorlagen, Presseauszüge und Stimmungsberichte
91	Außenpolitische Vorlagen
96	Allgemeine Presseberichte
123	Glückwunsch- und Dankschreiben Hitlers an führende Persönlichkeiten
145—148	Privater Schriftwechsel des Hauptmann Fritz Wiedemann
362, 434	Zuschriften von Privatpersonen aus dem Inland

Stellvertreter des Führers (NS 6)

225—232, 329—330

Sammlung Brammer (ZSg 101)

Mitschriften von „Bestellungen" und „Vertraulichen Informationen" der Pressekonferenzen des Reichsministeriums für Volksaufklärung und Propaganda:
9—14 (2. 1. 1937 – 30. 12. 1939)
30—34 (1. 1. 1937 – 30. 12. 1939)

Sammlung Sänger (ZSg 102)

„Anweisungen" und „Bestellungen" der Pressekonferenz der Reichsregierung, Mitschriften von Journalisten der „Frankfurter Zeitung":
4—18 (1. 1. 1937 – 31. 8. 1939)

---

[1]) Leider war mir die private Korrespondenz Sir Nevile Hendersons aus dem Jahre 1939 nicht zugänglich, da sie gebündelt mit Papieren aus den Jahren 1940—1941 erst im Jahre 1972 freigegeben wurde.

[2]) Die Privatpapiere Lord Halifax' waren zur Zeit meines Aufenthaltes in London in den Händen des Foreign Office und wurden laut Auskunft des Archivpersonals im Public Record Office auf absehbare Zeit nicht zurück erwartet.

Sammlung Oberheitmann (ZSg 109)

„Vertrauliche Informationen" des Reichsministeriums für Volksaufklärung und Propaganda für die Presse:
1–3 (Juli – August 1939)

Sammlung Traub (ZSg 110)

Mitschriften von „Vertraulichen Informationen" der Pressekonferenz des Reichsministeriums für Volksaufklärung und Propaganda:
4–11 (Januar 1937 – September 1939)

Nachlaß Karl Haushofer

HC 833, 925 b, 932 a, b, c

Nachlaß Friedrich Grimm

151

Institut für Zeitgeschichte München (IfZg)

Die Nürnberger Akten, Fall XI gegen von Weizsäcker u. a.: Stenographisches Protokoll, Dokumente der Anklage und Verteidigung
F 34/1–2 Aufzeichnung des Verbindungsoffiziers des Heeres bei Hitler, General von Vormann, 22. 8. – 27. 9. 1939
ED 91, I Nachlaß Frhr. Geyr von Schweppenburg
A 26 Zeitungsausschnittsammlung des Reichsinstituts für die Geschichte des neuen Deutschlands: Großbritannien (1937–1939)
Zeugenschrifttum (ZS): Herbert von Dirksen, André François-Poncet, Fritz Hesse, Paul O. Schmidt, Graf Schwerin von Krosigk, Albert Speer, Ernst von Weizsäcker, Fritz Wiedemann, Ernst Woermann

Mündliche Auskunft erteilte Vortr. Legationsrat i. R. Dr. Fritz Hesse, München

2. GEDRUCKTE QUELLEN

a) Dokumente und Dokumentensammlungen

Das Abkommen von München 1938. Tschechoslowakische diplomatische Dokumente 1937–1939. Hrsg. von Václav Král. Praha 1968
Akten zur Deutschen Auswärtigen Politik 1918–1945. Serie D, (zit.: ADAP, D,) Bd. I–X. Baden-Baden 1950–1956 und Frankfurt/Main 1961–1964, Bd. XI, 1–2, Bonn 1965. Bd. XII, 1–2, Göttingen 1969
Allianz Hitler–Horthy–Mussolini. Dokumente zur ungarischen Außenpolitik. Einleitende Studie und Vorbereitung der Akten zum Druck von Magda Adam, Gyula Iuhasz, Lajos Kerekes. Budapest 1966
Anatomie des Krieges. Neue Dokumente über die Rolle des deutschen Monopolkapitalismus bei der Vorbereitung und Durchführung des Zweiten Weltkrieges. Hrsg. von Dietrich Eichholtz und Wolfgang Schumann. Berlin 1969
Auswärtiges Amt 1939 Nr. 2. Dokumente zur Vorgeschichte des Krieges (Zweites deutsches Weißbuch) Berlin 1939
Blaubuch der Britischen Regierung über die deutsch-polnischen Beziehungen und den Ausbruch der Feindseligkeiten zwischen Großbritannien und Deutschland

am 3. September 1939. Von der Britischen Regierung autorisierte, ungekürzte und unveränderte Übersetzung der englischen Originalausgabe der Documents, Miscellaneous Nr. 9, 1939. Basel 1939

Chamberlain, Neville, *The Struggle for Peace.* London 1939

Ciano, Galeazzo, *Les Archives Secrètes du Comte Ciano* 1956–1942. Procès-verbaux des entretiens aves Mussolini, Hitler, Franco, etc. Traduction de Maurice Vaussard. Paris 1938 (zit.: CAS) (Französische Ausgabe von *L'Europa verso la catastrofe.* Milano 1948)

Daladier, Edouard, *Défense du Pays.* Paris 1939

Deutschland und England 1933–1939. Die Dokumente des deutschen Friedenswillens. Hrsg. von Friedrich Berber, Essen 1940

Diplomáciai Iratok Magyarország Külpolitikájához 1936–1945. (Diplomatische Dokumente zur Außenpolitik Ungarns 1936–1945), Bd. 1, 2, 4. Budapest 1962 (mit Dokumentenverzeichnis und Inhaltsangabe in deutscher Sprache)

I Documenti Diplomatici Italiani. Ottava Serie 1935–1939. Vol. XII–XIII, Roma 1953

Documents on British Foreign Policy 1919–1939. Third Series (zit.: DBFP, 3,) ed. by E. L. Woodward and Rohan Butler. Vol. I–XI. London 1949–1955

Documents Diplomatiques Belges 1920–1940. Publiés par Ch. de Visscher et F. Vanlangenhove. La politique de sécurité extérieure. Tomes III–V. Brüssel 1964–1966

Documents Diplomatiques Français 1932–1939. 2e série (zit.: DDF) Tomes I–V. Paris 1963–1969

Documents on German Foreign Policy 1918–1945. Serie C (zit.: DGFP, C,) Vol. III–V. London 1962, 1966

New Documents on the History of Munich. Prag 1958

Documents on International Affairs. Edited by John Wheeler-Bennet, Arnold J. Toynbee u. a. Issued under the Auspices of the Royal Institute of International Affairs. 1938 Vol. II; 1939–1946 Vol. I, March–September 1939. London–New York–Toronto 1943 und 1951

Dokumente der Deutschen Politik. Reihe: Das Reich Adolf Hitlers (zit.: DDP), hrsg. von F. A. Six, Bd. 6–7. Berlin 1942

Dokumente der Deutschen Politik und Geschichte von 1848 bis zur Gegenwart. Hrsg. von Johannes Hohlfeld. Bd. IV–V: Die Zeit der nationalsozialistischen Diktatur 1933–1945. Bearbeitet von Klaus Hohlfeld. Berlin 1953

Dokumente und Materialien aus der Vorgeschichte des Zweiten Weltkrieges (zit.: DokuMat). Hrsg. vom Ministerium für Auswärtige Angelegenheiten der UdSSR. Bd. I und II (Das Archiv Dirksen). Moskau 1948

Douglas-Hamilton, James, „Ribbentrop and War", in: *Journal of Contemporary History* 5 (1970), Nr. 4, S. 45–63. (Enthält Aufzeichnungen Ernest W. Tennants über Gespräche mit Ribbentrop und Hewel vom 26./27. 7. 1939)

Eckart, Dietrich, *Der Bolschewismus von Moses bis Lenin.* Zwiegespräche zwischen Adolf Hitler und mir. München 1924.

Europäische Politik 1933–1938 im Spiegel der Prager Akten. Hrsg. von Fritz Berber. Essen 1941

Foreign Relations of the United States. Hrsg. vom U.S.-Department of State. 1937: Vol. I. Washington 1954. 1938: Vol. I. Washington 1955

Freund, Michael (Hrsg.), *Geschichte des Zweiten Weltkrieges in Dokumenten.* Bd. 1–3. Freiburg/Brsg. 1953–1956

Gantenbein, James W., (Hrsg.) *Documentary Background of World War II 1931–1941.* New York 1948

Gelbbuch der Französischen Regierung. Diplomatische Urkunden. Akten über die Ereignisse und Verhandlungen, die zum Ausbruch der Feindseligkeiten zwischen Deutschland einerseits und Polen, Großbritannien und Frankreich andererseits führten. Vom Auswärtigen Amt der Französischen Regierung autorisierte, ungekürzte und unveränderte Übersetzung der Französischen Originalausgabe der „Documents Diplomatiques 1938–1939". Basel 1940

Germany and Czechoslovakia 1918–1945. Documents on German Policies. Hrsg. von Kolmann Gajan und Robert Kvaček. Prag 1965

Geschichte in Quellen. Hrsg. von W. Lautemann und M. Schlenke. Bd. V: Weltkriege und Revolutionen 1914–1945. München 1961

Goebbels, Joseph, *Die Zeit ohne Beispiel.* Reden und Aufsätze aus den Jahren 1939/40/41. München 1941

Göring, Hermann, *Reden und Aufsätze.* Hrsg. von E. Gritzbach. München 1938

Henderson, Nevile, *Endgültiger Bericht von Sir Nevile Henderson über die Umstände, die zur Beendigung seiner Mission in Berlin führten.* Basel 1939

Deuerlein, Ernst, „Hitlers Eintritt in die Politik und die Reichswehr", in *VfZg* 7 (1959), S. 177–227

Phelps, Reginald H., „Hitler als Parteiredner im Jahre 1920", in *VfZg* 11 (1963), S. 274–330

Phelps, Reginald H., „Hitlers grundlegende Rede über den Antisemitismus", in *VfZg* 16 (1968), S. 390 ff.

Horn, Wolfgang, „Ein unbekannter Aufsatz Hitlers aus dem Frühjahr 1924", in: *VfZg* 16 (1968), S. 280–294

Hitler, Adolf, *Mein Kampf,* Zwei Bände in einem Band. 317./321. Aufl. München 1938

Hitlers zweites Buch. Ein Dokument aus dem Jahre 1928. Eingeleitet und kommentiert von Gerhard L. Weinberg. Mit einem Vorwort von Hans Rothfels. Stuttgart 1961

Hitlers Wollen. Nach Kernsätzen aus seinen Schriften und Reden. Hrsg. von Werner Siebarth. München 8. Aufl. 1940

Adolf Hitlers Reden. Hrsg. von Ernst Boepple. München 1933

Hitlers Rede vor dem Hamburger Nationalklub von 1919, in: Werner Jochmann, Im Kampf um die Macht. Frankfurt/Main 1960

Calic, Edouard, *Ohne Maske.* Hitler-Breiting Geheimgespräche 1931. Frankfurt/Main 1968

Vortrag Adolf Hitlers vor westdeutschen Wirtschaftlern im Industrie-Klub zu Düsseldorf am 27. Januar 1932. München 1932

Vogelsang, Thilo (Hrsg.), „Hitlers Brief an Reichenau vom 4. Dezember 1932", in: *VfZg* 7 (1959), S. 429–437

Baynes, Norman H. (Hrsg.), *The Speeches of Adolf Hitler.* April 1922 – August 1939. London–New York–Toronto 1942

Domarus, Max, *Hitler.* Reden und Proklamationen 1932–1945. Kommentiert von einem deutschen Zeitgenossen. 2 Bde. Würzburg 1962/63

Es spricht der Führer. Sieben exemplarische Hitlerreden. Hrsg. und erläutert von Hildegard von Kotze und Helmut Krausnick unter Mitwirkung von F. A. Krummacher. Gütersloh 1966

Vogelsang, Thilo (Hrsg.), „Neue Dokumente zur Geschichte der Reichswehr 1930–1933", in: *VfZg* 2 (1954), S. 435: 3. Februar 1933. Aufzeichnungen des Generals Liebmann

Die Reden Hitlers als Kanzler. Das junge Deutschland will Arbeit und Frieden. München 1934

Die Reden Hitlers am Parteitag der Freiheit 1935. München 1935

Die Reden des Führers am Parteitag der Ehre 1936. München 1936

Die Reden des Führers am Parteitag der Arbeit 1937. München 1937

Die Reden des Führers am Parteitag Großdeutschlands 1938. München 1938

Treue, Wilhelm (Hrsg.), „Hitlers Denkschrift zum Vierjahresplan 1936", in: *VfZg* 3 (1955), S. 204–210

–, „Rede Hitlers vor der Deutschen Presse (10. November 1938)", in: *VfZg* 6 (1958), S. 175–191

Lenz, Wilhelm und Kettenacker, Lothar, (Hrsg.) „Lord Kemsleys Gespräch mit Hitler Ende Juli 1939", in: VfZg 19 (1971), S. 303–321

Hitlers Weisungen für die Kriegführung 1939–1945. Dokumente des Oberkommandos der Wehrmacht. Hrsg. von Walther Hubatsch. Frankfurt/Main 1962

Aufrufe, Tagesbefehle und Reden des Führers im Kriege 1939/41. Hrsg. vom Chef der Zivilverwaltung im Elsaß, Abt. Erziehung, Unterricht und Volksbildung. Karlsruhe 1941

Hillgruber, Andreas (Hrsg.), *Staatsmänner und Diplomaten bei Hitler.* Vertrauliche Aufzeichnungen über die Unterredungen mit Vertretern des Auslandes. Bd. I: 1939–1941. Frankfurt/Main 1967. Bd. II: 1942–1944. Frankfurt/Main 1970

Picker, Henry, *Hitlers Tischgespräche im Führerhauptquartier.* Neu hrsg. von P. E. Schramm in Zusammenarbeit mit A. Hillgruber und M. Vogt. Stuttgart 2. Aufl. 1965

Hitler's Table Talks 1941–1944. With an introductory essay on „The Mind of Adolf Hitler" by H. R. Trevor-Roper. New York 1953

Hitlers Lagebesprechungen. Die Protokollfragmente seiner militärischen Konferenzen 1942–1945. Hrsg. von Helmut Heiber. Stuttgart 1962

Le testament politique de Hitler. Notes recueillies par Martin Bormann. Préface de Hugh R. Trevor-Roper. Commentaires de André François-Poncet. Paris 1959

Hofer, Walther, *Der Nationalsozialismus.* Dokumente 1933–1945. Frankfurt/Main 1957

The Confidential Papers of Admiral Horthy. Prepared for the Press and introduced by Miklós Szinai and Lászlo Szücs. Budapest 1965

Jacobsen, Hans-Adolf (Hrsg.), *Dokumente zur Vorgeschichte des Westfeldzuges 1939–1940.* Göttingen–Berlin–Frankfurt/Main 1956

–, und Werner Jochmann, *Ausgewählte Dokumente zur Geschichte des Nationalsozialismus 1933–1945.* Bd. I–II und Kommentar. Bielefeld 1960–1966

Keesings Archiv der Gegenwart. Jahrgänge 1935–1939. Wien 1935–1939

Kempner, Robert M. W., *Das Dritte Reich im Kreuzverhör.* Aus den unveröffentlichten Vernehmungsprotokollen des Anklägers. München und Esslingen 1969

Krywalski, Diether (Hrsg.), „Zwei Niederschriften Ribbentrops über die Persönlichkeit Adolf Hitlers und die letzten Tage in Berlin", in: *Geschichte in Wissenschaft und Unterricht* (zit.: GWU) 18 (1967), S. 730–744

Monatshefte für Auswärtige Politik (zit.: MAP). In Gemeinschaft mit dem Hamburger Institut für Auswärtige Politik hrsg. vom Deutschen Institut für Außenpolitische Forschung, Berlin. Jahrg. 4–6 (1937–1939). Essen 1937–1939

Das nationalsozialistische Deutschland und die Sowjetunion 1939–1941. Hrsg. von E. M. Caroll und F. T. Epstein. Washington 1948

Der Prozeß gegen die Hauptkriegsverbrecher vor dem Internationalen Militärgerichtshof Nürnberg. 14. November 1945 – 1. Oktober 1946 (zit.: IMT). 42 Bde. Nürnberg 1947–1949

Ribbentrop, Joachim von, *Die alleinige Kriegsschuld Englands.* Rede vom 24. Oktober 1939. Berlin 1939

Schultheß' Europäischer Geschichtskalender. Hrsg. von Ulrich Thürauf. Bd. 76–80: 1935–1939. München 1936–1940

Soviet Documents on Foreign Policy. Selected and Edited by Jane Degras. Vol. III: 1933–1941. London–New York–Toronto 1953

Trials of War Criminals before the Nuernberg Military Tribunals. Vol. XII–XIV: Case 11: US. v. von Weizsäcker et al., „The Ministries Case". Washington 1950–1952 (zit.: TWC)

Ursachen und Folgen. Vom deutschen Zusammenbruch 1918 und 1945 bis zur staatlichen Neuordnung Deutschlands in der Gegenwart. Eine Urkunden- und Dokumentensammlung zur Zeitgeschichte. Hrsg. von Herbert Michaelis und Ernst Schraepler. Bd. 10–13. Berlin 1965–1968

Das Urteil im Wilhelmstraßenprozeß. Der amtliche Wortlaut der Entscheidung im

Fall 11 des Nürnberger Militärtribunals gegen Weizsäcker und andere mit ab-
weichender Urteilsbegründung, Berichtigungsbeschlüssen, den grundlegenden
Gesetzesbestimmungen, einem Verzeichnis der Gerichtspersonen und Zeugen
und Einführungen von Robert M. W. Kempner und Carl Haensel. Schwäbisch
Gmünd 1950

Völker, Karl-Heinz (Hrsg.), *Dokumente und Dokumentarfotos zur Geschichte der
Deutschen Luftwaffe*. Aus den Geheimakten des Reichswehrministeriums
1919–1933 und des Reichsluftfahrtministeriums 1933–1939. Stuttgart 1968

Weißbuch der Polnischen Regierung über die polnisch-deutschen und polnisch-
sowjetrussischen Beziehungen im Zeitraum von 1933 bis 1939. Vom Außenministerium der Republik Polen autorisierte, ungekürzte und unveränderte
Übersetzung der Originalausgabe der offiziellen Dokumentensammlung. Basel
1940

b) Memoiren und Tagebücher

Abetz, Otto, *Das offene Problem*. Ein Rückblick auf zwei Jahrzehnte deutscher
     Frankreichpolitik. Köln 1951
Amery, Leopold St., *My Political Life*. Vol. III, London 1955
Anfuso, Filippo, *Rom-Berlin im diplomatischen Spiegel*. München 1951
Astor, Michael, *Tribal Feeling*. London 1963
Attlee, Clement, *As it Happened*. London 1954
Beck, Jozef, *Dernier Rapport*. Politique polonaise 1926–1934. Neuchâtel 1951
Boehm, Hermann, „Zur Ansprache Hitlers vor den Führern der Wehrmacht am
     22. August 1939", in: VfZg 19 (1971), S. 294–300 (mit Erwiderung von W.
     Baumgart)
Bonnet, Georges, *Défense de la paix*. Vol. 1: De Washington au Quai d'Orsay.
     Genf 1946. Vol. 2: Fin d'une Europe. De Munich á la guerre. Genf 1948. (ge-
     kürzte deutsche Ausgabe: *Vor der Katastrophe*. Köln 1951)
Boothby, Robert, *Europa vor der Entscheidung*. Erinnerungen und Ausblicke eines
     englischen Politikers. Düsseldorf 1951
Bor, Peter, *Gespräche mit Halder*. Wiesbaden 1950
Bross, Werner, *Gespräche mit Hermann Göring während des Nürnberger Prozes-
     ses*. Flensburg 1950
Burckhardt, Carl, J., *Meine Danziger Mission 1937–1939*. München 1960
Channon, Henry, „*Chips*". The Diaries. Ed. by R. R. James. London 1967
Churchill, Winston S., *Der Zweite Weltkrieg*. Bd. I, Hamburg 1948
Ciano, Galeazzo, *Tagebücher 1937/38*. Hamburg 1949
–, *Tagebücher 1939–1943*. Bern 1946
Cooper, Alfred Duff, *Das läßt sich nicht vergessen*. München 1954
Coulondre, Robert, *Von Moskau nach Berlin 1936–1939*. Erinnerungen des franzö-
     sischen Botschafters. Bonn 1950
Dahlerus, Birger, *Der letzte Versuch*. London–Berlin Sommer 1939. München 1948
Dalton, Hugh, *The Fateful Years*. Memoirs 1931–1945. London 1957
Davignon, Jacques, *Berlin 1936–1940*. Souvenirs d'une mission. Paris–Brüssel 1951
Diels, Rudolf, *Lucifer ante portas* ... es spricht der erste Chef der Gestapo ...
     Stuttgart 1950
Dietrich, Otto, *Zwölf Jahre mit Hitler*. München 1955
Dirksen, Herbert von, *Moskau–Tokio–London*. Erinnerungen und Betrachtungen zu
     20 Jahren deutscher Außenpolitik 1919–1939. Stuttgart 1949
Dodd, Martha, *L'ambassade regarde*. Paris 1940. (Engl. Ausgabe: Through Em-
     bassy's Eyes, New York 1955)
Dodd, William E. und Martha, *Diplomat auf heißem Boden*. Tagebuch des US-
     Botschafters William E. Dodd in Berlin 1933–1938. Berlin 1962

Dönitz, Karl, *Zehn Jahre und zwanzig Tage*. Bonn 1958. 3. Aufl. Bonn—Frankfurt/ Main 1963

Eden, Anthony, Earl of Avon, *Angesichts der Diktatoren*. Memoiren 1923—1938. Köln—Berlin 1962

—, The Memoirs: *The Reckoning*. London 1965

Edward Duke of Windsor, *A King's Story*. London 1951

Fitz-Randolph, Sigismund-Sizzo, *Der Frühstücks-Attaché aus London*. Stuttgart 1954

François-Poncet, André, *Botschafter in Berlin 1931—1938*. 3. Aufl. Mainz 1962

—, *Botschafter in Rom 1938—1940*. Mainz 1962

Frank, Hans, *Im Angesicht des Galgens*. Deutung Hitlers und seiner Zeit auf Grund eigener Erlebnisse und Erkenntnisse. Neuhaus bei Schliersee 2. Aufl. 1955

Gärtner, Margarete, *Botschafter des guten Willens*. Außenpolitische Arbeit 1914— 1950. Bonn 1955

Gafencu, Grigore, *Europas letzte Tage*. Eine politische Reise im Jahre 1939. Zürich 1946

Geyr von Schweppenburg, Leo Freiherr, *Erinnerungen eines Militärattaches*. London 1933—1937. Stuttgart 1949

Gilbert, G. M., *Nürnberger Tagebuch*. Gespräche mit den Angeklagten. Frankfurt/ Main 1962

Gisevius, Hans-Bernd, *Bis zum bitteren Ende*. Vom Reichstagsbrand bis zum 20. Juli 1944. Sonderausgabe Gütersloh 1961

Groscurth, Hellmuth, *Tagebücher eines Abwehroffiziers 1938—1940*. Mit weiteren Dokumenten zur Militäropposition gegen Hitler. Hrsg. von H. Krausnick und H. C. Deutsch, Stuttgart 1970

Grüber, Heinrich, *Erinnerungen an sieben Jahrzehnte*. Köln 1968

Guderian, Heinz, *Erinnerungen eines Soldaten*. Heidelberg 4. Aufl. 1951

Halder, Franz, *Kriegstagebuch*. Tägliche Aufzeichnungen des Chefs des Generalstabes des Heeres. Bd. I: Vom Polenfeldzug bis zum Ende der Westoffensive (14. 8. 1939 — 30. 6. 1940). Bearbeitet von H. A. Jacobsen in Verbindung mit A. Philippi. Stuttgart 1962

Halifax, E. F. L. Earl of, *Fulness of Days*. London 1957

Hallgarten, George W. F., *Als die Schatten fielen*. Erinnerungen vom Jahrhundertbeginn zur Jahrtausendwende. Berlin—Frankfurt/Main—Wien 1969

Hanfstaengel, Ernst, *Hitler — les années obscures*. München 1968

—, *Zwischen Weißem und Braunem Haus*. Memoiren eines politischen Außenseiters. München 1970

Hassell, Ulrich von, *Vom andern Deutschland*. Aus den nachgelassenen Tagebüchern 1938—1944. Zürich 1946

Henderson, Nevile, *Fehlschlag einer Mission*. Basel 1940

—, *Wasser unter den Brücken*. Episoden einer diplomatischen Laufbahn. Zürich 1949

Hentig, Werner Otto von, *Mein Leben eine Dienstreise*. Göttingen 1962

Hesse, Fritz, *Das Spiel um Deutschland*. München 1953

Heusinger, Adolf, *Befehl im Widerstreit*. Tübingen und Stuttgart 1950

Hoare, Samuel (Viscount Templewood), *Neun bewegte Jahre*. Englands Weg nach München. Düsseldorf 2. Aufl. 1955

Hoffmann, Heinrich, *Hitler was my Friend*. London 1955

Hore-Belisha, Leslie, *The Private Papers*. Hrsg. von R. J. Minney. London 1960

Horthy, Nicolas, *Ein Leben für Ungarn*. Bonn 1953

Hoßbach, Friedrich, *Zwischen Wehrmacht und Hitler 1934—1938*. Göttingen 2. Aufl. 1965

Hull, Cordell, *The Memoirs*. Vol. I. New York 1948

Ironside, Edmund, *The Ironside Diaries 1937—1940*. Edited by R. Macleod and D. Kelly. London 1962

Ismay, Lord, *The Memoirs,* London 1960

Jones, Thomas, *A Diary with Letters 1931–1950.* London–New York–Toronto 1954

Keitel, Wilhelm, *Keitel-Verbrecher oder Offizier.* Erinnerungen, Briefe, Dokumente des Chefs des OKW, hrsg. von Walter Görlitz. Göttingen–Berlin–Frankfurt 1961

Kelley, Douglas M., *22 Männer um Hitler.* Erinnerungen des amerikanischen Armeearztes und Psychiaters am Nürnberger Gefängnis. Olten–Bern 1947

Kesselring, Albert, *Soldat bis zum letzten Tag.* Bonn 1953

Kirkpatrick, Ivone, *The Inner Circle.* Memoirs. London 1959

Kleist, Peter, *Zwischen Hitler und Stalin 1939–1945.* Aufzeichnungen. Bonn 1959

Kordt, Erich, *Nicht aus den Akten . . .* Die Wilhelmstraße in Frieden und Krieg. Erlebnisse, Begegnungen und Eindrücke 1928–1945. Stuttgart 1950

Krebs, Albert, *Tendenzen und Gestalten der NSDAP.* Erinnerungen an die Frühzeit der Partei. Stuttgart 1959

Laval, Pierre, *The Unpublished Diary of Pierre Laval.* With an Introduction by Josée Laval. London 1948

Leeb, Emil, „Aus der Rüstung des Dritten Reiches. Das Heereswaffenamt 1938–1945. Ein authentischer Bericht des letzten Chefs des Heereswaffenamtes", in: *Wehrtechnische Monatshefte.* Beiheft 4. Frankfurt/Main 1958

Liddel-Hart, Basil H., *Lebenserinnerungen.* Düsseldorf–Wien 1966

Lipski, Jozef, *Diplomat in Berlin 1933–1939.* Papers and Memoirs of Jozef Lipski, Ambassador of Poland, ed. by Wacław Jedrzejewicz. New York und London 1968

Loßberg, Bernhard von, *Im Wehrmachtführungsstab.* Bericht eines Generalstabsoffiziers. Hamburg 1949

Ludecke, Curt G. W., *I Knew Hitler.* New York 1937

Macmillan, Harold, *Winds of Change 1914–1939.* London 1966

Maisky, Ivan, *Who Helped Hitler?* London 1964

Manstein, Erich von, *Verlorene Siege.* Bonn 1955

Meissner, Otto, *Staatssekretär unter Ebert, Hindenburg, Hitler.* Der Schicksalsweg des deutschen Volkes von 1918–1945, wie ich ihn erlebte. Hamburg 1950

Milch, Erhard = David Irving, *Die Trägodie der Deutschen Luftwaffe.* Aus den Akten und Erinnerungen von Feldmarschall Milch. Frankfurt/Main–Berlin–Wien 1970

Mosley, Oswald, *My Life.* London 1968

Nadolny, Rudolf, *Mein Beitrag.* Wiesbaden 1955

Nicolson, Harold, *Tagebücher und Briefe.* 1930–1941. Erster Band. Frankfurt/Main 1969

Noel, Léon, *L'agression allemande contre la Pologne.* Une ambassade à Varsovie 1935–1939. Paris 1946

Oven, Wilfried van, *Mit Goebbels bis zum Ende.* Bde. 1–2. Buenos Aires 1949–1950

Papen, Franz von, *Der Wahrheit eine Gasse.* München 1952

Rauschning, Hermann, *Gespräche mit Hitler.* Zürich 2. Aufl. 1940

Raeder, Erich, *Mein Leben.* 2 Bde. Tübingen 1957

Rheinbaben, Werner Freiherr von, *Viermal Deutschland.* Aus dem Erleben eines Seemanns, Diplomaten, Politikers 1895–1954. Berlin 1954

Ribbentrop, Joachim von, *Zwischen London und Moskau.* Erinnerungen und letzte Aufzeichnungen. Aus dem Nachlaß hrsg. von Annelies von Ribbentrop. Leoni am Starnberger See 1953

Rintelen, Enno von, *Mussolini als Bundesgenosse.* Erinnerungen des deutschen Militärattachés in Rom 1936–1943. Tübingen und Stuttgart 1951

Röhricht, Edgar, *Pflicht und Gewissen.* Erinnerungen eines deutschen Generals 1932–1944. Stuttgart 1956

Rosenberg, Alfred, *Das politische Tagebuch* Alfred Rosenbergs aus den Jahren 1934/35 und 1939/40. Hrsg. von H. G. Seraphim. Berlin–Frankfurt/Main 1956

Rothermere, Viscount, *My Fight to Rearm Britain.* London 1939

Schacht, Hjalmar, *Abrechnung mit Hitler*. Hamburg 1948

—, *76 Jahre meines Lebens*. Bad Wörrishofen 1953

Schellenberg, Walter, *Memoiren*. Köln 1959

Schirach, Baldur von, *Ich glaubte an Hitler*. Hamburg 1967

Schmidt, Paul, *Statist auf diplomatischer Bühne. 1923—1945*. Erlebnisse des Chefdolmetschers im Auswärtigen Amt mit den Staatsmännern Europas. Neudruck Bonn 1958

Schuschnigg, Kurt von, *Ein Requiem in Rot-Weiß-Rot*. „Aufzeichnungen des Häftlings Dr. Auster". Zürich 1946

Schwerin von Krosigk, Lutz Graf, *Es geschah in Deutschland*. Menschenbilder unseres Jahrhunderts. Tübingen und Stuttgart 1951

Selby, Walford, *Diplomatic Twilight 1930—1940*. London 1953

Shirer, William L., *Berlin Diary*. The Journal of a Foreign Correspondent 1934—1941. London 1945

Simon, John, *Retrospect*. The Memoirs of The Rt.Hon. Viscount Simon. London 1952

Speer, Albert, *Erinnerungen*. Berlin 1969

Stehlin, Paul, *Témoignage pour l'histoire*. Paris 1964

Strang, William, *Home and Abroad*. London 1956

Strasser, Otto, *Hitler und Ich*. Konstanz 1948

—, *Mein Kampf*. Eine politische Autobiographie. Frankfurt/Main 1969

Szembek, Comte Jean, *Journal 1933—1939*. Paris 1952

Tennant, Ernest W., *True Account*. London 1957

Toynbee, Arnold J., *Acquaintances*. London 1967

Vansittart, Robert G., *Lessons of my Life*. New York 1943

—, *The Mist Procession*. The Autobiography of Lord Vansittart. London 1958

Vormann, Nikolaus von, *Der Feldzug 1939 in Polen*. Weissenburg 1958

Wagner, Eduard, *Der Generalquartiermeister*. Briefe und Tagebuchaufzeichnungen des Generalquartiermeisters des Heeres General der Artillerie Eduard Wagner. München—Wien 1963

Ward Price, George, *Führer und Duce, wie ich sie kenne*. Berlin 1939

Warlimont, Walter, *Im Hauptquartier der deutschen Wehrmacht 1939—1945*. Grundlagen, Formen und Gestalten. Frankfurt/Main 1962

Wedgwood, Josiah, *Memoirs of a Fighting Life*. London 1941

Weizsäcker, Ernst von, *Erinnerungen*. München 1950

Welles, Sumner, *A Time for Decision*. New York 1944

Wiedemann, Fritz, *Der Mann, der Feldherr werden wollte*. Velbert 1964

Wilson, Arnold, *Walks and Talks Abroad*. London 1936

Ziegler, Hans-Severus, *Adolf Hitler*. Aus dem Erlebten dargestellt. Göttingen 1964

Zoller, Albert, *Hitler privat*. Erlebnisbericht einer Geheimsekretärin. Düsseldorf 1949

c) Zeitgenössische Darstellungen

Berber, Fritz, *Die britische Außenpolitik in der Nachkriegszeit*. in: Probleme britischer Reichs- und Außenpolitik. Berlin 1939

Freytag-Loringhoven, Axel, *Kriegsausbruch und Kriegsschuld*. Essen 1940

—, *Deutsche Außenpolitik. 1933—1940*. Berlin 1941

Gritzbach, Erwin, *Hermann Göring*. Werk und Mensch. München 1938

Heiden, Konrad, *Adolf Hitler*. Zürich 1936

Knop, W. G., (Hrsg.) *Beware of the English*. German Propaganda Exposes England. London 1939

Kriegk, Otto, *Wer treibt England in den Krieg?* Die Kriegshetzer Duff Cooper, Eden, Churchill und ihr Einfluß auf die englische Politik. Berlin—Leipzig 1939

Londonderry, Marquess, *England blickt auf Deutschland*. Essen 1938

Moeller van den Bruck, Arthur, *Das Dritte Reich*. Hrsg. von Hans Schwarz. Hamburg 3. Aufl. 1931

Müller, Karl Alexander von, *Deutschland und England. Ein weltgeschichtliches Bild*. Berlin 1939

Noack, Ulrich, „Chamberlains neue Kontinentalpolitik" in: *Monatshefte für Auswärtige Politik* 6, 1 (1939), S. 544–553

Pückler, Carl-Erdmann, *Einflußreiche Engländer. Portraitskizzen englischer Politiker*. Berlin 1938

–, *Wie stark ist England?* Leipzig 1939

Rein, Adolf, *Warum führt England Krieg?* Berlin 1940

Rogge, Heinrich, „Was ist Einkreisungspolitik? Eine aktuelle Klarstellung", in: *Monatshefte für Auswärtige Politik* 6, 1 (1939), S. 553–565

–, *Hitlers Versuche zur Verständigung mit England*. Berlin 1940

Rothermere, Viscount, *Warnungen und Prophezeiungen*. Zürich 1939

Sonnemann, Theodor, *Die zweidimensionale Einkreisung. Die deutsch-englischen Beziehungen 1900–1939*, Berlin 1941

Seibert, Theodor, *Deutschland und England*, in: Probleme britischer Reichs- und Außenpolitik. Berlin 1939

Thost, Hans W., *Als Nationalist in England*. München 1939

Literaturverzeichnis

1. BIBLIOGRAPHISCHE UND QUELLENKUNDLICHE HILFSMITTEL

Bibliographie, in: Revue d'histoire de la deuxième guerre mondiale 1 ff. Paris 1951 ff.

Bibliographie zur Zeitgeschichte. Beilage der Vierteljahrshefte für Zeitgeschichte. Zusammengestellt von Thilo Vogelsang. Stuttgart 1953 ff.

Bücherschau der Weltkriegsbücherei. Bibliothek für Zeitgeschichte. Stuttgart 1953 ff.

A Catalog of Files and Microfilms of the German Foreign Ministry Archives. 1920–1945, comp. and edited by G. O. Kent, vols. I–III, Stanford 1962–1966

Dahlmann-Waitz, *Quellenkunde der Deutschen Geschichte.* 10 Aufl. Hrsg. von H. Heimpel und H. Geuss. Lieferung 3. Stuttgart 1966

Deuerlein, Ernst, „Die informatorischen Aufzeichnungen des Auswärtigen Amtes 1918–1939", in: *Außenpolitik* 4 (1953), S. 376–384

Epstein, Fritz T., „Die Erschließung von Quellen zur Geschichte der deutschen Außenpolitik", in: *Welt als Geschichte* 22 (1962), S. 204–219

Facius, Friedrich – Booms, Hans – Boberach, Heinz, *Das Bundesarchiv und seine Bestände.* Boppard 2. Aufl. 1968

Herre, Franz – Auerbach, Hellmuth, *Bibliographie zur Zeitgeschichte und zum Zweiten Weltkrieg für die Jahre 1945–1950.* München 1955

Hildebrand, Klaus, „Der zweite Weltkrieg. Probleme und Methoden seiner Darstellung", in: *NPL* 13 (1968), Sp. 485–502

Holzhausen, Rudolf, „Die Quellen zur Erforschung der Geschichte des Dritten Reiches von 1938 bis 1945", in: *Europa-Archiv* 4 (1949)

Hubatsch, Walther, *Deutsche Memoiren 1945–1955.* Eine kritische Übersicht deutscher Selbstdarstellungen im ersten Jahrzehnt nach der Katastrophe. Laupheim 1956

Index to the Correspondence of the Foreign Office for the Year 1936 ff. Nendeln/Liechtenstein 1969

Indices zu den zwölf Nürnberger US-Militärgerichtsprozessen. I: Sachindex zu den Urteilen. Göttingen 1950. II: Sachindex zum Verfahren gegen Ernst von Weizsäcker u. a. Bearb. von H.-G. Seraphim. Göttingen 1952

Jacobsen, Hans-Adolf, *Zur Konzeption einer Geschichte des Zweiten Weltkrieges 1939–1945.* Disposition mit kritisch ausgewähltem Schrifttum (bearb. unter Mitwirkung von Joachim Röseler) Frankfurt/Main 1964

Jahresbibliographie. Bibliothek für Zeitgeschichte. Neue Folge der Bücherschau der Weltkriegsbücherei. Stuttgart 1960 ff.

Kessel, Eberhard, „Zur Geschichte und Deutung des Nationalismus", in: *Archiv für Kulturgeschichte* 45 (1963), S. 357 ff.

Kluke, Paul, „Die englischen und deutschen diplomatischen Akten", in: *HZ* 175 (1953), S. 527–541

Philippi, Hans, „Das Politische Archiv des Auswärtigen Amtes", in: *Der Archivar* 13 (1960), S. 201 ff.

Rohr, Wilhelm, „Schicksal und Verbleib des Schriftgutes der obersten Reichsbehörden", in: *Der Archivar* 8 (1955), S. 161–174

Seraphim, Hans-Günter, „Der Index der amtlichen deutschen Ausgabe des Prozesses gegen die Hauptkriegsverbrecher", in: *Europa-Archiv* 5 (1950), Sp. 3028–3031

Ziegler, Jenet, „Repertoire international des bibliographies publiées de 1945 à 1965 sur la seconde guerre mondiale", in: *Revue d'histoire de la deuxième guerre mondiale* 16 (1966) H. 63, S. 69–80

2. DARSTELLUNGEN

Achille-Delmas, F., *Adolf Hitler*. Essai de biographie psycho-pathologique. Paris 1946

Aigner, Dietrich, *Das Ringen um England*. Das deutsch-britische Verhältnis. Die öffentliche Meinung 1933–1939. Tragödie zweier Völker. München und Esslingen 1969

Albertini, Rudolf von, „England als Weltmacht und der Strukturwandel des Commonwealth", in: *HZ* 208 (1969), S. 52–80

Amery, Leopold St., *The German Colonial Claims*. London 1939

Angel, Pierre, „Les responsabilités hitlériennes dans le déclenchement de la deuxième guerre mondiale", in: *Revue d'histoire de la deuxième guerre mondiale* 15 (1965), H. 60, S. 1–20

Ansel, Walter, *Hitler Confronts England*. Durham N.C. 1960

Arnold, Herbert Anton, *Neville Chamberlain und Appeasement*. Die Wurzeln der Chamberlainschen Appeasement-Politik, ihre theoretische Formulierung und ihre Umformung in die Praxis. Würzburg 1965

Assmann, Kurt, *Deutsche Schicksalsjahre*. Historische Bilder aus dem zweiten Weltkrieg und seiner Vorgeschichte. Wiesbaden 1950

Baron, H., „Das Geheimnis des Septembers 1938", in: *Deutsche Rundschau* 71 (1948), H. 9, S. 181–191

Basler, Werner, „Zur Vorgeschichte des deutsch-sowjetischen Nichtangriffspaktes 1939", in: *Zeitschrift für Geschichtswissenschaft* 2 (1954), Beiheft 1, S. 126–161

Batowski, Henryk, „August 31st 1939 in Berlin", in: *Polish Western Affairs* 4 (1963), S. 20–50

Baumgart, Winfried, „Zur Ansprache Hitlers vor den Führern der Wehrmacht am 22. August 1939. Eine quellenkritische Untersuchung", in: *VfZg* 16 (1968), S. 120–149

Baumont, Maurice, *La Faillite de la Paix*. Peuples et Civilisations, hrsg. von Halphen-,Sagnac Bd. XX, 2. o. O. 1951

Der Beginn des Zweiten Weltkrieges. Schriftenreihe der Bundeszentrale für Heimatdienst. H. 47, Bonn 1960

Bengtson, John Robert, *Nazi War Aims*. The Plans for the Thousand Year Reich. Rock Island 1962

Bensel, Rolf, „Die deutsche Flottenpolitik von 1933 bis 1939. Eine Studie über die Rolle des deutschen Flottenbaus in Hitlers Außenpolitik", in: *Marine-Rundschau* Beiheft 3 (April 1958)

Besymenski, Lew, *Der Tod des Adolf Hitler*. Hamburg 1968

Birkenhead, F. W., *The Life of Lord Halifax*. London 1965

Bidlingmaier, Gerhard, „Die strategischen und operativen Überlegungen der Marine 1937–1942", in: *Wehrwissenschaftliche Rundschau* 13 (1963), S. 312–331

Bloch, Charles, „Les relations anglo-allemandes de l'accord de Munich á la dénonciation du traité naval de 1935", in: *Revue d'histoire de la deuxième guerre mondiale* 5 (1955), H. 18, S. 33–49, H. 19, S. 41–65

—, *Hitler und die europäischen Mächte 1933–1934*. Kontinuität oder Bruch. Frankfurt 1966

Bodensieck, Heinrich, „Zur Vorgeschichte des Protektorates Böhmen und Mähren. Der Einfluß volksdeutscher Nationalisten und reichsdeutscher Berufsdiplomaten auf Hitlers Entscheidung", in: GWU 19 (1968), S. 713–732

–, „Zur außenpolitischen Argumentation des Nationalsozialismus nach dem Münchner Abkommen 1938", in: GWU 10 (1959), S. 269–285

Booms, Hans, „Der Ursprung des zweiten Weltkrieges – Revision oder Expansion?", in GWU 16 (1965), S. 329–353

Boveri, Margret, Der Diplomat vor Gericht. Berlin–Hannover 1948

Bracher, Karl-Dietrich, „Das Dritte Reich zwischen Abschirmung und Expansion", in: Bracher, K. D. – Sauer, W. – Schulz, G., Die nationalsozialistische Machtergreifung 1933–1934. Köln 2. Aufl. 1962, S. 220–260

–, „Das Anfangsstadium der Hitlerschen Außenpolitik", in: VfZg 5 (1957), S. 63 ff.

–, Adolf Hitler. Bern–München–Wien 1964

–, Die deutsche Diktatur. Entstehung, Struktur, Folgen des Nationalsozialismus. Köln–Berlin 1969

Bramsted, Ernest K., Goebbels and National Socialist Propaganda 1925–1945. London 1965

Braubach, Max, Der Einmarsch deutscher Truppen in die entmilitarisierte Zone am Rhein im März 1936. Ein Beitrag zur Vorgeschichte des Zweiten Weltkrieges. Köln–Opladen 1956

–, Hitlers Weg zur Verständigung mit Rußland. Bonn 1960

Brook-Sheperd, Gordon, Der Anschluß. Graz–Wien–Köln 1963

Broszat, Martin, Der Nationalsozialismus. Stuttgart 1960

–, „Betrachtungen zu Hitlers Zweitem Buch", in: VfZg 9 (1961), S. 418–429

–, „Die Reaktion der Mächte auf den 15. März 1939", in: Bohemia. Jahrbuch des Collegium Carolinum 8 (1967), S. 253–280

–, „Soziale Motivation und Führer-Bindung der nationalsozialistischen Bewegung", in: VfZg 18 (1970), S. 394–409

Brügel, J. W., „Eine zerstörte Legende um Hitlers Außenpolitik", in: VfZg 5 (1957), S. 385–387

–, „Die Appeasement-Politik im Kreuzfeuer der Kritik", in: NPL 8 (1963), Sp. 803 ff.

Buchheim, Hans, Das Dritte Reich. Grundlagen und politische Entwicklung. München 1958

–, – Eucken–Erdsiek, Edith – Buchheit, Gert – Adler, H. G., Der Führer ins Nichts. Eine Diagnose Adolf Hitlers. Rastatt 1960

Buchheit, Gert, Ludwig Beck. Ein preussischer General. München 1964

Bullock, Alan, Hitler. Eine Studie über Tyrannei. Düsseldorf 7. Aufl. 1960. Neuauflage 1971

–, Hitler and the Origins of the Second World. Oxford 1967

Burdick, Charles, „Die deutschen militärischen Planungen gegenüber Frankreich 1933–1938", in: Wehrwissenschaftliche Rundschau 6 (1956), S. 678–685

Bußmann, Walter, „Ein deutsch-französischer Verständigungsversuch vom 6. Dezember 1938", in: Nachrichten der Akademie der Wissenschaften in Göttingen, phil.-hist. Klasse Nr. 2, 1953, S. 47–76

–, „Zur Entstehung und Überlieferung der Hossbach-Niederschrift", in: VfZg 16 (1968), S. 373–384

Butler, R. M., Lord Lothian (Philip Kerr). London 1960

Carr, Edward H., The Twenty Years Crisis. London 1946

–, International Relations between the Two World Wars 1919–1939. London 1947

Celovsky, Boris, Das Münchner Abkommen 1938. Stuttgart 1958

Colvin, Ian, Vansittart in Office. An historical survey of the origins of the second world war based on the papers of Sir Robert Vansittart. London 1965

Compton, James V., Hitler und die USA. Die Amerika-Politik des Dritten Reiches und die Ursprünge des Zweiten Weltkrieges, Oldenburg–Hamburg 1968

Connell, John, The „Office". A Study of British Foreign Policy and its Makers 1919—1951. London 1958

Conway, John S., German Foreign Policy. 1937—1939 Diss. Cambridge 1955

Conze, Werner, Die deutsche Nation. Ergebnisse der Geschichte. Göttingen 2. Aufl. 1955

Craig, Gordon A., „High Tide of Appeasement. The Road to Munich 1937—1938", in: Political Science Quarterly 65 (1950), S. 20—37

—, und Gilbert, Felix, (Hrsg.), The Diplomats 1919—1939. Princeton 1953

Daim, Wilfried, Der Mann der Hitler die Ideen gab. München 1958

Dehio, Ludwig, Gleichgewicht oder Hegemonie. Krefeld 1948

—, Deutschland und die Weltpolitik im 20. Jahrhundert. München 1955

Deuerlein, Ernst, „Die gescheiterte Anti-Hitler-Koalition. Die politischen und militärischen Verhandlungen zwischen Großbritannien, Frankreich und der Sowjetunion im Frühjahr und Sommer 1939", in: Wehrwissenschaftliche Rundschau 9 (1959), S. 634—650

—, Hitler. Eine politische Biographie. München 1969

Der deutsche Imperialismus und der Zweite Weltkrieg. Materialien der wissenschaftlichen Konferenz der Historiker der DDR und der UdSSR zum Thema „Der deutsche Imperialismus und der zweite Weltkrieg" vom 14.—19. Dezember 1959 in Berlin, Bde. 1—2, Berlin 1960—1961

Dickmann, Fritz, „Machtwille und Ideologie in Hitlers außenpolitischen Zielsetzungen vor 1933", in: Spiegel der Geschichte. Festgabe für Max Braubach, Münster 1964, S. 915 ff.

Donosti, Mario, Mussolini e l'Europa. La politica estera fascista. Roma 1945

Das Dritte Reich und Europa. Bericht über die Tagung des Instituts für Zeitgeschichte in Tutzing, Mai 1956, München 1957

Deutsche Geschichte seit dem Ersten Wetlkrieg. Bd. 1—2; hrsg. vom Institut für Zeitgeschichte. Stuttgart 1971—1973.

Dülffer, Jost, „Weisungen an die Wehrmacht 1938/39 als Ausdruck ihrer Gleichschaltung", in: Wehrwissenschaftliche Rundschau 12 (1968), S. 651—655

—,Weimar, Hitler und die Marine. Reichspolitik und Flottenbau 1920—1939. Düsseldorf 1973

Duroselle, Jean-Baptiste, Histoire diplomatique de 1919 à nos jours. Paris 1953

Eichholtz, Dietrich und Hass, Gerhart, „Zu den Ursachen des Zweiten Weltkrieges und den Kriegszielen des deutschen Imperialismus", in: Zeitschrift für Geschichtswissenschaft 15 (1967), S. 1148—1170

Eichholtz, Dietrich, Geschichte der deutschen Kriegswirtschaft 1939—1945, Bd. I: 1939—1941, Berlin 1969

Eichstädt, Ulrich, Von Dollfuß zu Hitler. Geschichte des Anschlusses Österreichs 1933—1938, Wiesbaden 1955

Einhorn, Marion, Die ökonomischen Hintergründe der faschistischen deutschen Intervention in Spanien 1936—1939. Berlin 1962

Erdmann, Karl Dietrich, „Die Zeit der Weltkriege", in: Bruno Gebhardt, Handbuch der deutschen Geschichte, hrsg. von Herbert Grundmann Bd. IV, 8. Aufl., Neudruck Stuttgart 1965

Erfurth, Waldemar, Die Geschichte des deutschen Generalstabes von 1918—1945. Studien zur Geschichte des zweiten Weltkrieges. Göttingen 1957

Eubank, Keith, Munich. Oklahoma 1963

Fabry, Philipp W., Der Hitler-Stalin-Pakt 1939—1941. Ein Beitrag zur Methode sowjetischer Außenpolitik. Darmstadt 1962

—, Mutmaßungen über Hitler. Urteile von Zeitgenossen. Düsseldorf 1969

Feiling, Keith, The Life of Neville Chamberlain. Neuausgabe London 1970

Fest, Joachim C., Das Gesicht des Dritten Reiches. Profile einer totalitären Herrschaft. München 1963

Foerster, Wolfgang, *Ein General kämpft gegen den Krieg*. Aus den nachgelassenen Papieren des Generalstabschefs Ludwig Beck. München 1949

Foertsch, Hermann, *Schuld und Verhängnis*. Die Fritsch-Krise im Frühjahr 1938 als Wendepunkt in der Geschichte der nationalsozialistischen Zeit. Stuttgart 1951

Fraenkel, Heinrich und Manvell, Roger, *Hermann Göring*. Hannover 1964

Frede, Günther-Schüddekopf, Otto-Ernst, *Wehrmacht und Politik 1933–1945*. Braunschweig 1953

Freund, Michael, „Der Alptraum der Bündnisse". Das Rätsel der britischen Politik im Frühjahr 1939, in: *Außenpolitik* 4 (1953), S. 549–561

Friedländer, Saul, *Auftakt zum Untergang*. Hitler und die Vereinigten Staaten von Amerika 1938–1941. Stuttgart–Berlin–Köln–Mainz 1965

Funke, Manfred, *Sanktionen und Kanonen*. Hitler, Mussolini und der internationale Abessinienkonflikt 1934–1936. Düsseldorf 1970

–, „7. März 1936. Studie zum außenpolitischen Führungsstil Hitlers", in: *Aus Politik und Zeitgeschichte*. Beilage zur Wochenzeitschrift „Das Parlament", B 40/70 v. 3. 10. 1970, S. 1–34

Furnia, Arthur H., *The Diplomacy of Appeasement*. Anglo-French Relations and the Prelude to World War II 1931–1938. Washington D.C. 1960

Gackenholz, Hermann, „Reichskanzlei 5. November 1937. Bemerkungen über Politik und Kriegführung des Dritten Reiches", in: *Forschungen zu Staat und Verfassung*. Festgabe für Fritz Hartung, hrsg. von R. Dietrich und G. Oestreich. Berlin 1958, S. 459–484

Gathorne-Hardy, G. M., *Kurze Geschichte der internationalen Politik 1920–1939*. Klagenfurt–Wien 1948

Gehl, Jürgen, *Austria, Germany and the Anschluß. 1931–1938*. London 1963

Gemzell, Carl Axel, *Raeder, Hitler und Skandinavien*. Der Kampf für einen maritimen Operationsplan. Lund 1965

George, Margarete, *The Warped Vision*. British Foreign Policy 1933–1939. Pittsburgh 1965

Geschichtsfälscher. Aus Geheimdokumenten über die Vorgeschichte des Zweiten Weltkrieges, Berlin 1948, 2. Aufl. 1954

Giese, Fritz-Ernst, *Die deutsche Marine 1920 bis 1945*. Aufbau und Untergang. Frankfurt/Main 1956

Gilbert, Martin – Gott, Richard, *Der gescheiterte Friede*. Europa 1933–1939. Stuttgart 1964 (engl. Ausgabe: *The Appeasers*. London 1963)

Gilbert, Martin, *Britain and Germany between the Wars*. London 1964

–, *The Roots of Appeasement*. London 1966

Gisevius, Hans-Bernd, *Adolf Hitler*. München 1963

Glum, Friedrich, *Der Nationalsozialismus*. Werden und Vergehen, München 1962

Göhring, Martin, *Bismarcks Erben*. Deutschlands Weg von Wilhelm II. bis Adolf Hitler. Wiesbaden 1958, ²1959

–, *Alles oder Nichts*. Zwölf Jahre totalitärer Herrschaft in Deutschland, Bd. I: 1933–1939. Tübingen 1966

Görlitz, Walter und Quint, Herbert A., *Adolf Hitler – Eine Biographie*. Stuttgart 1952

Görlitz, Walter, *Adolf Hitler*. Persönlichkeit und Geschichte Bd. 21/22. Göttingen 1960

Gosset, Pierre et Renée, *Adolf Hitler*. Tomes I–III. Paris 1961–1963

Graml, Hermann, „Zur Diskussion über die Schuld am Zweiten Weltkrieg", in: *Aus Politik und Zeitgeschichte*. Beilage zur Wochenzeitschrift „Das Parlament", B 27/64 v. 1. 7. 1964, S. 3–23

–, *Europa zwischen den Kriegen*. München 1969

Granzow, Brigitte, *A Mirror of Nazism*. British Opinion and the Emergence of Hitler 1929–1933. With an Introduction by Bernard Crick, London 1964

Grebing, Helga, *Der Nationalsozialismus*. Ursprung und Wesen. München 1959

Greiner, Helmuth, *Die oberste Wehrmachtsführung 1939–1943*. Wiesbaden 1951

Groehler, Olaf, „Kolonialforderungen als Teil der faschistischen Kriegszielplanungen", in: *Zeitschrift für Militärgeschichte* 4 (1964), S. 547–562

Gruchmann, Lothar, *Nationalsozialistische Großraumordnung*. Die Konstruktion einer „deutschen Monroe-Doktrin". Stuttgart 1962

—, *Der Zweite Weltkrieg*. Kriegführung und Politik. München 1967

Gundelach, Karl, „Gedanken über die Führung eines Luftkrieges gegen England bei der Luftflotte 2", in: *Wehrwissenschaftliche Rundschau* 10 (1960), S. 33–46

Haffner, Sebastian, *Winston Churchill*. Selbstzeugnisse und Bilddokumente. Reinbek 1967

Hagemann, Walter, *Publizistik im Dritten Reich*. Ein Beitrag zur Methodik der Massenführung. Hamburg 1948

Hallgarten, George W. F., „Hitler verwirklicht seinen Grundplan. Zur Psychologie und Soziologie der nationalsozialistischen Expansion", in: *Blätter für deutsche und Internationale Politik* 10 (1965), S. 515–522, 690–699

Hansen, Ulrich, *Die Vorgeschichte des Zweiten Weltkrieges in kommunistischer Sicht*. Bonn und Berlin 1965

Hass, Gerhart, „Die USA und der Kriegsausbruch im September 1939", in: *Deutsche Außenpolitik* 9 (1964), S. 860–866

Hauser, Oswald, *England und das Dritte Reich*. Eine dokumentierte Geschichte der englisch-deutschen Beziehungen von 1933 bis 1939 auf Grund unveröffentlichter Akten aus dem britischen Staatsarchiv. Erster Band: 1933 bis 1936. Stuttgart 1972

Heer, Friedrich, *Der Glaube des Adolf Hitler*. Anatomie einer politischen Religiosität. München und Esslingen 1968

Heiber, Helmut, *Adolf Hitler*. Eine Biographie, Berlin 1960

Hemmerle, Eduard, *Der Weg in die Katastrophe*. Von Bismarcks Sturz bis zum Ende Hitlers. München 1948

Herz, John H., „Sinn und Sinnlosigkeit der Beschwichtigungspolitik. Zur Problematik des Appeasement-Begriffes", in: *Politische Vierteljahresschrift* 5 (1964), S. 370–389

Herzfeld, Hans, *Die moderne Welt 1789–1945*. II. Teil: Weltmächte und Weltkriege. Die Geschichte unserer Epoche 1890–1945, Braunschweig 3. Aufl. 1960

—, „Zur Problematik der Appeasement-Politik", in: *Geschichte und Gegenwartsbewußtsein*. Festschrift für Hans Rothfels, hrsg. von W. Besson und F. Frhr. Hiller von Gaertringen. Göttingen 1963, S. 161–197

Higgins, Trumbull, *Hitler and Russia*. The Third Reich in a Two-Front-War 1937–1943. New York 1966

Hildebrand, Klaus, *Vom Reich zum Weltreich*. Hitler, NSDAP und koloniale Frage. München 1969

—, „Deutschland, die Westmächte und das Kolonialproblem", in: *Aus Politik und Zeitgeschichte*. Beilage zur Wochenzeitschrift „Das Parlament", B 22/69 v. 31. 5. 1969

—, „Hitlers Mein Kampf. Propaganda oder Programm? Zur Frühgeschichte der nationalsozialistischen Bewegung", in: *NPL* 14 (1969), S. 72–82

—, „Der Fall Hitler. Bilanz und Wege der Hitler-Forschung", in: *NPL* 14 (1969), S. 375–386

—, *Deutsche Außenpolitik 1933–1945*. Kalkül oder Dogma? Stuttgart–Berlin–Köln–Mainz 1971

—, „Le programme de Hitler et sa réalisation", in: Revue d'histoire de la deuxième guerre mondiale (H. 4, 1971) S. 1–36

Hill, Leonidas E., „The Wilhelmstrasse in the Nazi Era", in: *Political Science Quarterly* 82 (1967), S. 546–570

Hillgruber, Andreas, „Quellen und Quellenkritik zur Vorgeschichte des Zweiten Weltkrieges", in: *Wehrwissenschaftliche Rundschau* 14 (1964), S. 110–126

—, „Der Beginn des Zweiten Weltkrieges in der Sicht sowjetischer Geschichtsschreiber", in: *Aus Politik und Zeitgeschichte*. Beilage zur Wochenzeitschrift „Das Parlament", B 25/64 v. 26. 8. 1964

—, *Hitlers Strategie*. Politik und Kriegführung 1940–1941. Frankfurt/Main 1965

—, „Der Faktor Amerika in Hitlers Strategie 1938–1941", in: *Aus Politik und Zeitgeschichte*. Beilage zur Wochenzeitschrift „Das Parlament", B 19/66 v. 11. 5. 1966

—, (Hrsg.), *Probleme des Zweiten Weltkrieges*. Köln und Berlin 1967

—, *Deutschlands Rolle in der Vorgeschichte der beiden Weltkriege*, Göttingen 1967

—, *Kontinuität und Diskontinuität in der deutschen Außenpolitik von Bismarck bis Hitler*. Düsseldorf 1969

—, „Zum Kriegsbeginn im September 1939", in: *Österreichische Militärische Zeitschrift* 7 (1969), S. 357–361

Hinsley, Francis, *Hitlers Strategie*. Stuttgart 1952

Hofer, Walther, *Die Entfesselung des Zweiten Weltkrieges*. Eine Studie über die internationalen Beziehungen im Sommer 1939. Mit Dokumenten. Frankfurt/Main 3. Aufl. 1964

—, „Die Diktatur Hitlers bis zum Beginn des Zweiten Weltkrieges", in: *Handbuch der Deutschen Geschichte*, hrsg. von Leo Just, Bd. IV, 2. Teil, IV. Abschnitt. Konstanz 1965

Hoggan, David L., *Der erzwungene Krieg*. Ursachen und Urheber des Zweiten Weltkrieges. Tübingen 7. Aufl. 1966

Holldack, Heinz, *Was wirklich geschah*. Die diplomatischen Hintergründe der deutschen Kriegspolitik. Darstellungen und Dokumente. München 1949

Holzweißig, Gunter, *Das Deutschlandbild der britischen Presse im Jahre 1935*. Ein Beitrag zur Grundlegung der englischen Appeasementpolitik. Hamburg Diss. phil. 1967

D'Hoop, Jean Marie, „Frankreichs Reaktion auf Hitlers Außenpolitik 1933–1939", in: *GWU* 15 (1964), S. 211–223

Hubatsch, Walther, *Der Admiralstab und die obersten Marinebehörden in Deutschland 1848–1945*. Frankfurt/Main 1958

Ingrimm, Robert, *Hitlers glücklichster Tag*. London am 18. Juni 1935. Stuttgart 1962

Irving, David, *Die Tragödie der Deutschen Luftwaffe*. Aus den Akten und Erinnerungen von Feldmarschall Milch. Frankfurt/Main–Berlin–Wien 1970

Jacobsen, Hans-Adolf, *Fall Gelb*. Der Kampf um den deutschen Operationsplan zur Westoffensive 1940, Wiesbaden 1957

—, *Dünkirchen*. Ein Beitrag zur Geschichte des Westfeldzuges 1940. Neckargemünd 1958

—, „Zur Programmatik und Struktur der nationalsozialistischen Außenpolitik 1919–1939", in: *Aus Politik und Zeitgeschichte*. Beilage zur Wochenzeitschrift „Das Parlament", B 50/67 v. 13. 12. 1967, S. 3–22

—, *Nationalsozialistische Außenpolitik 1933–1938*. Frankfurt/Main 1968

Jäckel, Eberhard, *Frankreich in Hitlers Europa*. Stuttgart 1966

—, *Hitlers Weltanschauung*. Entwurf einer Herrschaft. Tübingen 1969

Jasper, Gotthard, „Über die Ursachen des zweiten Weltkrieges. Zu den Büchern von A. J. P. Taylor und David L. Hoggan", in: *VfZg* 10 (1962), S. 311–340

Kaehler, Siegfried A., „Darstellungen und Kritik der Außenpolitik des Nationalsozialismus", in: *Befreiter Geist*. Vorträge der kulturpolitischen Woche in Hannover, 25.–27. 9. 1945. Hannover 1946

—, „Zwei deutsche Bündnisangebote an England, 1899 und 1939" in: *Nachrichten der Akademie der Wissenschaften in Göttingen, phil.-hist. Klasse 1948, Nr. 5*, Göttingen 1948

—, „Zur diplomatischen Vorgeschichte des Kriegsausbruches vom 1. September 1939", in: *Nachrichten der Akademie der Wissenschaften in Göttingen, phil.-hist. Klasse* 1949, Göttingen 1949

—, „Geschichtsbild und Europapolitik des Nationalsozialismus", in: *Die Sammlung* 9 (1954), S. 337—354

Kielmannsegg, Peter Graf, „Die militärisch-politische Tragweite der Hoßbach-Besprechung", in: VfZg 8 (1960), S. 268—275

Kieser, Rolf, *Englands Appeasementpolitik und der Aufstieg des Dritten Reiches im Spiegel der britischen Presse (1933--1939). Ein Beitrag zur Vorgeschichte des Zweiten Weltkrieges.* Winterthur 1964

Kimche, J., *Kriegsende 1939? Der versäumte Angriff aus dem Westen.* Stuttgart 1969

Kirkpatrick, Ivone, *Mussolini. Study of a Demagogue.* London 1964

Klee, Karl, *Das Unternehmen „Seelöwe".* Die geplante deutsche Landung in England 1940. Göttingen—Berlin—Frankfurt/Main 1958

Klein, Burton H., *Germany's Economic Preparation for War.* Cambridge Ma. 1959

Kloss, G., The Image of Britain and the British in the German National Socialist Press, in: *The Wiener Library Bulletin* 1970, S. 21 ff.

Kluke, Paul, „Nationalsozialistische Europaideologie", in: VfZg 3 (1955), S. 240—275

—, „Das Münchner Abkommen und der Zweite Weltkrieg", in: *Die Sudetenfrage in europäischer Sicht.* Bericht über die Vorträge und Aussprachen der wissenschaftlichen Fachtagung des Collegium Carolinum in München-Grünwald am 1.—3. Juni 1959. München 1962

—, „Politische Form und Außenpolitik des Nationalsozialismus", in: *Geschichte und Gegenwartsbewußtsein.* Festschrift für Hans Rothfels, hrsg. von W. Besson und F. Frhr. Hiller von Gaertringen, S. 428—461. Göttingen 1963

Königer, Heinz, *Der Weg nach München.* Über die Mai- und Septemberkrise im Jahre 1938 und ihre Vorgeschichte. Berlin 1958

Kordt, Erich, „Ein Kommentar zur Erklärung Vansittarts", in: *Frankfurter Hefte,* November 1948

—, *Wahn und Wirklichkeit.* Die Außenpolitik des Dritten Reiches. Versuch einer Darstellung. Stuttgart 1950

Krausnick, Helmut, „Legenden um Hitlers Außenpolitik", in: VfZg 2 (1954), S. 217—239

—, „Deutscher Widerstand und englische Kriegserklärung", in: *Aus Politik und Zeitgeschichte.* Beilage zur Wochenzeitschrift „Das Parlament", B 1/56 v. 4. 1. 1956

—, „Vorgeschichte und Beginn des militärischen Widerstandes gegen Hitler", in: *Vollmacht des Gewissens,* Bd. I. München 1956, Neudruck Frankfurt/Main—Berlin 1960

—, „Der Weg in den Krieg", in: *Der Beginn des Zweiten Weltkrieges,* Bonn 1960, S. 5—16

Kühne, Horst, „Zur Kolonialpolitik des faschistischen deutschen Imperialismus 1933—1939", in: *Zeitschrift für Geschichtswissenschaft* 8 (1961), S. 513—537

—, *Faschistische Kolonialideologie und Zweiter Weltkrieg.* Berlin 1962

Kuhn, Axel, *Hitlers außenpolitisches Programm.* Entstehung und Entwicklung 1919—1939. Stuttgart 1970

Lange, Karl, „Der Terminus Lebensraum in Hitlers Mein Kampf", in: VfZg 13 (1965), S. 427—437

—, *Hitlers unbeachtete Maximen.* „Mein Kampf" und die Öffentlichkeit. Stuttgart—Berlin—Köln—Mainz 1968

Langer, William L. und Gleason, Everett S., *The Challenge to Isolation.* New York 1952

Leiser, Erwin, „*Deutschland, erwache!"* Propaganda im Film des Dritten Reiches. Reinbek 1958

334

Leithäuser. Joachim G., „Diplomatie auf schiefer Bahn", in: *Der Monat* 4 (1952), S. 614—634, 5 (1952), S. 49—68, 195—206, 282—310

Leuschner, Joachim, *Volk und Raum*. Zum Stil der nationalsozialistischen Außenpolitik. Göttingen 1958

—, „Zur Methode der nationalsozialistischen Außenpolitik", in: *Deutsche Universitätszeitung* 13 (1958), H. 1, S. 14—21

Lindner, Helmut, *Das Komplott der reaktionären imperialistischen und faschistischen Kräfte in Deutschland und Frankreich vom Münchner Abkommen bis zur vollständigen Annexion der Tschechoslowakei* (unter besonderer Berücksichtigung der Deutsch-Französischen Erklärung vom 6. Dez. 1938). Berlin Diss. 1964 an der Parteihochschule „Karl Marx" beim ZK der SED

Lochner, Louis P., *Die Mächtigen und der Tyrann*. Die deutsche Industrie von Hitler bis Adenauer. Darmstadt 1955

Loewenheim, Francis L., *Peace or Appeasement*. Hitler, Chamberlain and the Munich Crisis. Boston 1965

Lucács, Georg, *Die Zerstörung der Vernunft*. Neuwied und Berlin 1962

Lundgreen, Peter, *Die englische Appeasement-Politik bis zum Münchner Abkommen*. Voraussetzungen, Konzeption, Durchführung. Berlin 1969

Macleod, Iain, *Neville Chamberlain*. London 1961

Malanowski, Wolfgang, „Das deutsch-englische Flottenabkommen vom 18. 6. 1935 als Ausgangspunkt für Hitlers doktrinäre Bündnispolitik", in: *Wehrwissenschaftliche Rundschau* 5 (1955), S. 408—420

—, *Die deutsche Außenpolitik zwischen Revision und Doktrin 1932—1936*. Hamburg Diss.phil. 1956

Manvell, Roger und Fraenkel, Heinrich, *The Canaris Conspiracy*. The Secret Resistance to Hitler in the German Army. London 1969

Martienssen, Anthony, *Hitler and his Admirals*. New York 1949

Martin, Bernd, „Zur Vorgeschichte des deutsch-japanischen Kriegsbündnisses", in: *GWU* 21 (1970), S. 606—615

Maser, Werner, *Die Frühgeschichte der NSDAP*. Hitlers Weg bis 1924, Frankfurt/Main—Bonn 1965

—, *Hitlers „Mein Kampf"*. Entstehung, Aufbau, Stil, Änderungen, Quelle, Quellenwert, kommentierte Auszüge, München und Esslingen 1966

Mason, T. W., „Some Origins of the Second World War", in: *Past and Present*, Dezember 1964

Mau, Hermann und Krausnick, Helmut, *Deutsche Geschichte der jüngsten Vergangenheit 1933—1945*. Tübingen 2. Aufl. 1957

Mc Sherry, James E., *Stalin, Hitler and Europa*. Volume One: The Origins of World War II: 1933—1939. Cleveland and New York 1968

Mc Vickar Haight, John, „The United States and the Munich Crisis", in: *Journal of Modern History* 32 (1960)

Medlicott, W. N., „La politique britannique et la crise de la Tchécoslovakie", in: *Revue d'histoire de la deuxième guerre mondiale* 2 (1952), H. 7, S. 29—40

—, „De Munich à Prague", in: *Revue d'histoire de la deuxième guerre mondiale* 4 (1954), H. 13, S. 3—16

—, „La marche vers la guerre 1939", in: *Revue d'histoire de la deuxième guerre mondiale* 6 (1956), H. 21, S. 1—21

—, *The Coming of War 1939*. London 1963

—, *British Foreign Policy since Versailles* 1919—1963. London 1968

Meinck, Gerhard, *Hitler und die deutsche Aufrüstung 1933—1937*, Wiesbaden 1959

Meinecke, Friedrich, *Die deutsche Katastrophe*. Betrachtungen und Erinnerungen. Wiesbaden 1947

Menzel-Meskill, Johanna, *Hitler and Japan*. New York 1966

Merkes, Manfred, *Die deutsche Politik gegenüber dem spanischen Bürgerkrieg 1936—1939*. Bonn 2. Aufl. 1969

Messerschmidt, Manfred, *Die Wehrmacht im NS-Staat, Zeit der Indoktrination.* Hamburg 1969

Metzmacher, Helmut, „Die deutsch-englischen Ausgleichsbemühungen im Sommer 1939", in: *VfZg* 14 (1966), S. 369–412

Meyer-Hermann, E., „Göring und die englische Kriegserklärung am 3. 9. 1939", in: *GWU* 9 (1958), S. 375–376

Middlemas, Keith and Barnes, John, *Baldwin. A Biography.* London 1969

Mielcke, Karl, *Deutsche Außenpolitik 1933–1939.* Alfeld/Leine 1961

Milward, Alan S., *Die deutsche Kriegswirtschaft 1939–1945.* Stuttgart 1966

Moltmann, Günter, „Deutschland und die Welt im Jahre 1939", in: *Schicksalsjahre deutscher Geschichte 1914–1939–1944.* Hrsg. von Klaus-Jürgen Müller. Boppard 1964

–, „Weltherrschaftsideen Hitlers", in: *Europa und Übersee.* Festschrift für Egmont Zechlin, Göttingen 1961, S. 197–240

–, „Franklin D. Roosevelts Friedensappell vom 14. April 1939. Ein fehlgeschlagener Versuch zur Friedenssicherung", in: *Jahrbuch für Amerikastudien* 9 (1964), S. 91–109

Mosley, Leonard, *On Borrowed Time. How World War II Began.* London 1969

Mowat, Charles, *Britain between the Wars 1918–1940.* London 1955

Müller, Klaus-Jürgen, *Das Heer und Hitler. Armee und nationalsozialistisches Regime 1933–1940.* Stuttgart 1969

Nagle, Thomas W., *A Study of British Public Opinion and the European Appeasement Policy 1933–1939.* Genf Diss. 1957

Namier, Lewis B., *Diplomatisches Vorspiel 1938–1939.* Berlin 1949

–, *Europe in Decay. A Study in Disintegration, 1936–1940.* London 1950

–, *In the Nazi Era.* London 1952

Nečrič, A. M., „Die englisch-deutschen Gegensätze in der Kolonialfrage vor dem zweiten Weltkrieg", in: *Sowjetwissenschaft,* Gesellschaftswissenschaftliche Abteilung 1 (1955), S. 1–21

Nicoll, Peter, *Englands Krieg gegen Deutschland. Die Ursachen, Methoden und Folgen des Zweiten Weltkrieges.* Tübingen 1963

Niedhart, Gottfried, „Weltmacht, Anspruch und Wirklichkeit. Zur britischen Außenpolitik im 20. Jahrhundert", in: *NPL* 13 (1968), S. 233–241

–, *Großbritannien und die Sowjetunion 1934–1939. Studien zur Politik der Friedenssicherung zwischen den beiden Weltkriegen.* München 1972

Nikonow, A. D., *The Origins of World War II and the Prewar European Political Crisis of 1939.* Moskau 1955

Noguères, Henri, *Munich ou la drôle de paix. (29. septembre 1938).* Paris 1963

Nolte, Ernst, „Eine frühe Quelle zu Hitlers Antisemitismus", in: *HZ* 192 (1961), S. 583–606

–, Der Faschismus in seiner Epoche. Die Action Française. Der italienische Faschismus. Der Nationalsozialismus. München 1963

Northedge, F. S., *The Troubled Giant. Britain among the Great Powers.* London 1966

Obermann, K. und Polisensky, J. (Hrsg.), *Die Hintergründe des Münchener Abkommens.* Berlin 1959

Omodarme, Marcello dell' „La missione Wohlthat", in: *Rivista di Studi politici internazionali* 26 (1959), S. 235–242

O'Neill, Robert J., *The German Army and the Nazi Party 1933–1939.* London 1966

Ott, Johann, *Botschafter Sir Eric Phipps und die deutsch-englischen Beziehungen. Studien zur britischen Außenpolitik gegenüber dem Dritten Reich.* Erlangen Diss.phil. 1968

Pese, Walter Werner, „Hitler und Italien 1920–1926", in: *VfZg* 3 (1955), S. 113–126

Petzina, Dieter, *Autarkiepolitik im Dritten Reich. Der natiooalsozialistische Vierjahresplan.* Stuttgart 1968

Pirow, Oswald, *James Barry Munnik Hertzog.* London 1958

Poole, De Witt C., „Light on Nazi Foreign Policy", in: *Foreign Affairs* 25 (1946), S. 130—145

Potjomkin, W. P. (Hrsg.), *Geschichte der Diplomatie.* Bd. 3: Die Diplomatie in der Periode der Vorbereitung des Zweiten Weltkrieges (1919—1939). Moskau 1947

Rabl, Kurt, „Neue Dokumente zur Sudetenkrise", in: *Bohemia.* Jahrbuch des Collegium Carolinum 1, München 1960, S. 312 ff.

Rauch, Georg von, „Der deutsch-sowjetische Nichtangriffspakt vom August 1939 und die sowjetische Geschichtsforschung", in: *GWU* 17 (1966), S. 472—482

Recktenwald, Johann, *Woran hat Adolf Hitler gelitten?* Eine neuropsychiatrische Deutung. München—Basel 1963

Renouvin, Pierre, *Histoire des relations internationales.* Bd. 8: Les crises du XXᵉ siècle. Paris 1958

Ribbentrop, Annelies von, *Verschwörung gegen den Frieden.* Studien zur Vorgeschichte des Zweiten Weltkrieges. Leoni am Starnberger See 1962

—, *Deutsch-englische Geheimverbindungen.* Britische Dokumente der Jahre 1938 und 1939 im Lichte der Kriegsschuldfrage. Tübingen 1967

Ritter, Gerhard, *Carl Goerdeler und die deutsche Widerstandsbewegung.* Stuttgart 1954

Robbins, Keith, *München 1938.* Ursprünge und Verhängnis. Zur Krise der Politik des Gleichgewichtes. Gütersloh 1969

Robertson, E. M., *Hitler's Pre-War Policy and Military Plans 1933—1939.* London 1963

Rock, William R., *Appeasement on Trial.* British Foreign Policy and Its Critics, New York 1966

Röhrs, Hans-Dietrich, *Hitlers Krankheit.* Tatsachen und Legenden. Neckargemünd 1966

Rönnefarth, Helmuth K. G., *Deutschland und England.* Ihre diplomatischen Beziehungen vor und während der Sudetenkrise (November 1937 — September 1938), Göttingen Diss.phil. 1953

—, „Die Sudetenkrise 1938. Entstehung-Verlauf-Bereinigung", in: *Zeitschrift für Ostforschung* 4 (1955), S. 1—47

—, *Die Sudetenkrise in der internationalen Politik.* Entstehung, Verlauf, Auswirkung. Wiesbaden 1961

Roos, Hans, *Polen und Europa.* Studien zur politischen Außenpolitik 1931—1939. Tübingen 2. Aufl. 1965

Roskill, S. W., *The War at Sea 1939—1945.* Vol. I: The Defensive, London 1954

Ross, Dieter, *Hitler und Dollfuß.* Hamburg 1966

Rothfels, Hans, *Die deutsche Opposition gegen Hitler.* Frankfurt/Main 1958

Rowse, A. L., *All Souls and Appeasement.* A Contribution to Contemporary History. London 1961

Ruge, Friedrich, *Der Seekrieg 1939—1945.* Stuttgart 1954

Salewski, Michael, *Die deutsche Seekriegsleitung 1935—1945.* Bd. 1: 1935—1941. Frankfurt/Main 1970

Sasse, Heinz Günther, *100 Jahre Botschaft in London.* Aus der Geschichte einer deutschen Botschaft. Bonn 1963

Schäfer, E. Philipp, *13 Tage Weltgeschichte.* Wie es zum zweiten Weltkrieg kam. Düsseldorf—Wien 1964

Scheler, Eberhard, *Die politischen Beziehungen zwischen Deutschland und Frankreich zur Zeit der aktiven Außenpolitik Hitlers Ende 1937 bis zum Kriegsausbruch.* Würzburg Diss.phil. 1962

Scherer, André, „Le problème des Mains Libres à l'est", in: *Revue d'histoire de la deuxième guerre mondiale* 8 (1958), H. 4, S. 1—25

Scheurig, Bodo, *Ewald von Kleist-Schmenzin.* Ein Konservativer gegen Hitler, Oldenburg 1968

Schlenke, Manfred, „Die Westmächte und das nationalsozialistische Deutschland. Motive, Ziele und Illusionen der Appeasementpolitik", in: *Mitteilungen der Gesellschaft der Freunde der Wirtschaftshochschule Mannheim* 16 (1967), S. 35–43

Schmokel, W. W., Dream of Empire. German Colonialism 1919–1945. New Haven-London 1964 (dt.: *Der Traum vom Reich. Der deutsche Kolonialismus 1919–1945*, Gütersloh 1967)

Schramm, Wilhelm Ritter von, „Hitlers psychologischer Angriff auf Frankreich", in: *Aus Politik und Zeitgeschichte*. Beilage zur Wochenzeitschrift „Das Parlament", B 5/61, S. 45–58

Schubert. Günter, *Die Anfänge der nationalsozialistischen Außenpolitik 1919–1923*. Köln 1963

Schuman, Frederick L.,*Night over Europe*. The Diplomacy of Nemesis. New York 1941

Schuschnigg, Kurt von, *Im Kampf gegen Hitler*. Die Überwindung der Anschluß-idee. Wien–München–Zürich 1969

Schwarz, Paul, *This Man Ribbentrop. His Life and Time*. New York 1943

Seabury, Paul, „Ribbentrop and the German Foreign Office", in: *Political Science Quarterly* 66 (1951), S. 532–553

–, *Die Wilhelmstraße*. Die Geschichte der deutschen Diplomatie 1930–1945. Frankfurt/Main 1956

Seeland, Rolf, *Appeasement*. Eine Methode zur Lösung internationaler Konflikte, Hamburg 1968

Seraphim, Hans-Günter, „Nachkriegsprozesse und zeitgeschichtliche Forschung", in: *Mensch und Staat in Recht und Geschichte*. Festschrift für Herbert Kraus. Kitzingen/M. 1954, S. 436–455

Sexau, Richard, „Diplomaten unter Hitler", in: *Neues Abendland* 7 (1952), S. 43–54, 98–106

Shirer, William L., *Aufstieg und Fall des Dritten Reiches*. München–Zürich 1963

–, *Der Zusammenbruch Frankreichs. Aufstieg und Fall der Dritten Republik*. München–Zürich 1970

Siebert, Ferdinand, *Italiens Weg in den Zweiten Weltkrieg*. Frankfurt/Main 1962

Snell, John L. (Hrsg.), *The Outbreak of the Second World War. Design or Blunder*. Boston 1962

Sommer, Theo, *Deutschland und Japan zwischen den Mächten 1935–1940*. Vom Antikominternpakt zum Dreimächtepakt. Eine Studie zur diplomatischen Vorgeschichte des Zweiten Weltkrieges. Tübingen 1962

Sontag, Raymond J., „The Last Months of Peace 1939", in: *Foreign Affairs* 35 (1956/57), S. 507–524

–, „The Origins of the Second World War", in: *Review of Politics* 25 (1963), S. 497–508

Stadelmann, Rudolf, *Deutschland und Westeuropa*. Laupheim 1948

–, „Deutschland und England am Vorabend des Zweiten Weltkrieges", in: *Festschrift für Gerhard Ritter zu seinem 60. Geburtstag*. Hrsg. von R. Nürnberger, Tübingen 1950, S. 401–428

–, *Hegemonie und Gleichgewicht*. Zum Problem der außenpolitischen Ordnung Europas. Laupheim 1950

Stechert, Kurt, *Dreimal gegen England*. Napoleon, Wilhelm II., Hitler. Stockholm 1945

Stenzl, Otto, *Die anglo-französische Politik gegenüber Deutschland und Italien 1937–1938*. Wien Diss.phil. 1956

Strauch, Rudi, *Sir Nevile Henderson*. Britischer Botschafter in Berlin 1937–1939. Ein Beitrag zur diplomatischen Vorgeschichte des Zweiten Weltkrieges, Bonn 1959

Studnitz, Hans Georg von, „Spiel mit der Geschichte", in: *Außenpolitik* 4 (1953), S. 716–726

Survey of International Affairs. Issued under the Auspices of the Royal Institute of International Affairs by Arnold J. Toynbee u. a. London–New York–Toronto 1951 (1938, vol. 2), 1952 (The World in March 1939), 1953 (1938), 1958 (The Eve of War 1939)

Sykes, Christopher, *Troubled Loyalty.* A Biography of Adam von Trott zu Solz, London 1968

Taylor, A. J. P., *The Origins of the Second World War.* With a new introduction. London 6. Aufl. 1965 (dt. Ausgabe: *Die Ursprünge des Zweiten Weltkrieges.* Gütersloh 1962)

Teichová, Alice, „Die geheimen britisch-deutschen Ausgleichsversuche am Vorabend des Zweiten Weltkrieges", in: *Zeitschrift für Geschichtswissenschaft* 7 (1959), S. 755–796

Thompson, Neville, *The Anti-Appeasers.* Conservative Opposition to Appeasement in the 1930s. Oxford 1971

Toscano, Mario, *The Origins of the Pact of Steel.* Baltimore 1967 (ital. Ausgabe: Le Origini Diplomatiche del patto d'acciaio, Firenze 2. Aufl. 1956)

Trevor-Roper, Hugh R., „Hitlers Kriegsziele", in: *VfZ* 8 (1960), S. 121–133

Überhorst, Horst, *Elite für die Diktatur.* Die Nationalpolitischen Erziehungsanstalten 1933–1945. Düsseldorf 1969

Valloton, Henry, *Bismarck et Hitler.* Paris 1954

Vital, David, „Czechoslovakia and the Powers, September 1938", in: *Journal of Contemporary History* 1 (1966), S. 37 ff.

Völker, Karl Heinz, *Die deutsche Luftwaffe 1933–1939.* Aufbau, Führung und Rüstung der Luftwaffe sowie die Entwicklung der deutschen Luftkriegstheorie. Stuttgart 1967

Vogel, G., „Hitlers Krieg gegen England. Das deutsch-englische Verhältnis vor Ausbruch des Zweiten Weltkrieges", in: *Europa-Archiv* 4 (1949), Sp. 2421–2430

Voigt, Johannes H., „Hitler und Indien", in: *VfZg* 19 (1971), S. 33–63

Vogelsang, Thilo, „Die deutsch-englischen Beziehungen 1938–1939", in: *Politische Literatur* 3 (1954), S. 116–121

Wagner, Dieter und Tomkowitz, Gerhard, „Ein Volk, ein Reich, ein Führer". Der Anschluß Österreichs 1938. München 1968

Wallace, W. V., „The Making of the May Crisis of 1938", in: *Slavonic and East European Review* 41 (1962–1963), S. 368–390

Watt, Donald C., „The German Diplomats and the Nazi Leaders 1933–1939", in: *Journal of Central European Affairs* 15 (1955–1956), S. 148–160

–, „The Anglo-German Naval Agreement of 1935. An Interim Judgment", in: *The Journal of Modern History* 28 (1956), S. 155–175

–, „Anglo-German Naval Negotiations on the Eve of the Second World War", in: *Journal of the Royal United Service Institution* 103 (1958), S. 201–207 und S. 384–391

–, „Pirow's Berlin Mission in November 1938. Free Hands for Hitler and Relief for the Jews", in: *The Wiener Library Bulletin* XII (1958), S. 53

–, „Der Einfluß der Dominions auf die britische Außenpolitik vor München 1938", in: *VfZg* 8 (1960), S. 64–74

–, „Christian Essay in Appeasement. Lord Lothian and his Quaker Friends", in: *The Wiener Library Bulletin* XIV, Nr. 2 (1960), S. 30 f.

–– *Personalities and Policies.* Studies in the Formulation of British Foreign Policy in the Twentieth Century. London 1965

Weinberg, Gerhard L., The May Crisis 1938", in: *The Journal of Modern History* 29 (1957), S. 213–225

–, „German Colonial Plans and Policies", in: *Geschichte und Gegenwartsbewußt-*

sein. Festschrift für Hans Rothfels zum 70. Geburtstag, hrsg. von W. Besson und F. Frhr. Hiller von Gaertringen. Göttingen 1963, S. 406—436

—, *The Foreign Policy of Hitler's Germany.* Diplomatic Revolution in Europe 1933—1936. Chicago und London 1970

Wendt, Bernd Jürgen, *München 1938.* England zwischen Hitler und Preußen. Frankfurt/Main 1965

—, *Appeasement 1938.* Wirtschaftliche Rezession und Mitteleuropa. Frankfurt/Main 1966

—, *Economic Appeasement.* Handel und Finanz in der britischen Deutschlandpolitik 1933—1939. Düsseldorf 1971

Wheatley, Ronald, *Operation Sea Lion.* German Plans for the Invasion of England 1939—1942. Oxford 1958

Wheeler-Bennet, John W., *Die Nemesis der Macht.* Die deutsche Armee in der Politik 1918—1945. Düsseldorf 1954

—, *Munich. Prologue to Tragedy.* London 1948

Wiggershaus, Norbert, Der deutsch-englische Flottenvertrag vom 18. Juni 1935. England und die geheime deutsche Aufrüstung 1933—1935. Diss. phil. Bonn 1972

Wirth, Fritz, „ ... Und London Schweigt. Aus den Geheimpapieren des Foreign Office", in: *Die Welt* Nr. 17—22, 1968 vom 20. 1. 1968—26. 1. 1968

Winkler, Hans-Jürgen, *Legenden um Hitler.* Berlin 1961

Wiskemann, Elizabeth, *The Rome—Berlin Axis.* A History of the Relations between Hitler and Mussolini, London 1949, verb. Auflage 1966

Woerden, A. V. N., „Hitler Faces England. Theories, Images and Policies", in: *Acta Historiae Neerlandica* (1968), S. 141—159

Wollstein, Günter, *Das deutsche Reich und die europäischen Großmächte in der Anfangsphase der nationalsozialistischen Herrschaft in Deutschland,* Marburg/Lahn, Diss.phil. 1971

Wurl, Ernst, „Zur Geschichte des deutsch-sowjetischen Nichtangriffspaktes vom 23. 8. 1939", in: *Deutsche Außenpolitik* 4 (1959), S. 882—895

Zechlin, Egmont, „Keine Widerstandskämpfer im AA?", in: *Die Zeit* Nr. 13 vom 27. 3. 1952

Ziebura, Gilbert, „Die Krise des internationalen Systems 1936", in: *HZ 203* (1966), S. 90—98

„Der Zweite Weltkrieg. Ursachen und Folgen in der Sicht deutscher und ausländischer Historiker", in: *Aus Politik und Zeitgeschichte.* Beilage zur Wochenzeitschrift „Das Parlament", B 35/64 vom 26. 8. 1964 und 36/64 vom 2. 9. 1964

Abkürzungen

AA	Auswärtiges Amt
ADAP	Akten zur Deutschen Auswärtigen Politik
BA	Bundesarchiv, Koblenz
CAS	Ciano-Archives Secrètes
DBFP	Documents on British Foreign Policy
DDB	Documents Diplomatiques Belges
DDF	Documents Diplomatiques Français
DDI	Documenti Diplomatici Italiani
DDP	Dokumente der Deutschen Politik
DGFP	Documents on German Foreign Policy
DNB	Deutsches Nachrichten Büro
DokuMat	Dokumente und Materialien aus der Vorgeschichte des Zweiten Welt-krieges
FO	Foreign Office
GWU	Geschichte in Wissenschaft und Unterricht
HZ	Historische Zeitschrift
IfZg	Institut für Zeitgeschichte, München
IMT	Der Prozess gegen die Hauptkriegsverbrecher vor dem Internationalen Militärgerichtshof in Nürnberg
MAP	Monatshefte für Auswärtige Politik
NPL	Neue Politische Literatur
PA	Politisches Archiv des Auswärtigen Amtes, Bonn
PRO	Public Record Office, London
RAM	Reichsaußenminister
TWC	Trials of War Criminals before the Nuernberg Military Tribunals
VfZg	Vierteljahrshefte für Zeitgeschichte

Personenindex

(Der Name „Hitler" wurde nicht aufgenommen)

Cooper, Alfred Duff 60, 86 f., 190 A., 192, 194, 202, 234 A., 236, 255 A.
Corbin, André Charles 171 A.
Coulondre, Robert 218 A., 263, 265 A., 290 A., 292 A.
Crowe, Sir Eyre 50
Csaky, Graf Istvan 182 A., 188 A., 223, 225 A., 253, 256, 276
Cyrill, Prinz von Bulgarien 66 A., 67 A., 98 A., 285 A.

Dahlerus, Birger 22 A., 278 A., 295, 297 A., 308
Daladier, Edouard 148, 186, 194, 292 A.
Daranyi, Koloman 188 A.
Davignon, Jacques 226 A., 235 A.
Delbos, Yvon 33 A., 54 A., 58 A., 65 A., 67 A., 78 A., 101
Derby, Lord 72 A.
Dieckhoff, Hans Heinrich 47 A., 52, 54 A., 64 A., 151 A., 195 A.
Diels, Rudolf 22 A.
Dietrich, Otto 112, 118 f., 231 A., 270, 283 A.
Dirksen, Herbert von 142 A., 143 A., 147 A., 151 A., 152 f., 163, 164 A., 165, 167 A., 168 A., 169, 190 A., 195 A., 196 A., 199 A., 200 A., 202 A., 203 A., 204 A., 227 f., 233 A., 261 A., 265 f., 269–271, 308 f.
Dirksen, Viktoria von 79 A.
Dönitz, Karl 31 A., 213 A.
Draganoff, Parvan 206 A.

Eckart, Dietrich 24 A.
Eden, Anthony 23 A., 33, 38 f., 45–48, 50 A., 51, 60, 62–64, 73 A., 77 f., 79 A., 80 A., 84, 86 f., 94 A., 95, 101 A., 102 f., 111 A., 112 A., 118 A., 125, 130, 135, 136 A., 137 A., 145, 194, 202
Eduard VIII., König von England, Herzog von Windsor 65–69, 72 A., 75, 97, 123, 271, 304
Eisenlohr, Ernst 165 A.
Epp, Franz Ritter von 187 A.

Felmy, Hellmuth 254 A.
Filoff, Bogdan 285 A.
Flandin, Pierre-Étienne 33 A., 44 A., 47 A., 52 A.
Forster, Albert 71, 159 A., 168, 170 A., 218 A., 266

Franckenstein, Baron von 64
Franco, Francisco 161
François-Poncet, André 33 A., 44, 47 A., 52, 53 A., 58 A., 62 A., 65 A., 67 A., 78 A., 101, 151 A., 157 A., 164, 181, 190 A., 196, 218 A.
Frank, Hans 31 A., 61 A., 192 A., 195 A., 238, 294 A.
Fritsche, Hans 301
Funk, Walther 228 f.

Gafencu, Grigore 244 A., 249 f.
Gallacher, William 60 A.
Georg V., König von England 39 A., 66
Georg VI., König von England 65, 67, 90, 157
Geyr von Schweppenburg, Leo Freiherr 46 A., 254 A.
Gibbs, Sir Philip 95
Goebbels, Joseph 80 A., 99 A., 120, 203, 240 A., 264 A.
Goerdeler, Carl 17, 75 A., 210, 291 A.
Göring, Hermann 70 A., 75, 76 A., 79–81, 84 A., 103, 109, 111, 126–128, 138 A., 141 A., 142 A., 146, 160, 166 f., 170 A., 173, 180, 182 A., 188, 191 A., 193 A., 230 A., 238 A., 244 A., 248 f., 259 A., 261, 266 A., 269, 290 A., 291 A., 293 A., 295, 296 A., 297 A., 298 A., 307–309
Grandi, Dino Graf 61, 90
Gray (Lieutenant-Colonel) 262 A.
Greiser, Arthur 260 A.
Groscurth, Helmut 18 A.
Guderian, Heinz 196
Günsche, Otto 116
Guse, Günther 169 A., 214 A.

Hacha, Emil 221, 232 A.
Halder, Franz 18 A., 169 A., 254 A., 282, 286, 291 A., 292 A., 295 A.
Halifax, Lord 55, 73, 76 A., 85–88, 109–119, 121, 125, 127 f., 130, 131 A., 134–136, 137 A., 138 f., 140 A., 143, 146, 147 A., 151 A., 152, 163, 164 A., 165–167, 168 A., 171, 179 A., 187 A., 198, 199 A., 200, 209 A., 210 A., 224 A., 225 A., 233, 237, 244 A., 250 A., 253 A., 255, 259 A., 260 f., 262 A., 263, 269, 270 A., 296 A., 297 A.
Hanfstaengl, Ernst 32 A.
Hassell, Ulrich von 31 A., 54, 91, 98, 189 A., 207, 212, 219, 240 A., 246 A.
Haushofer, Albrecht 143 A., 169

Mosley, Oswald 33, 265
Muller, Max 266 A.
Munters, Vilhelms 259
Mussolini, Benito 15 A., 24, 40—42, 61 A.,
  67 A., 68, 75, 92 A., 96—98, 100, 127,
  142 A., 153 A., 159 A., 161 f., 172, 181 f.,
  186, 188 A., 192, 193 A., 206 A., 210,
  222, 225, 232 A., 244 A., 246 A., 248,
  250 A., 259, 266, 284, 290 A., 291 A.,
  295 A., 297, 298 A., 300

Namier, Lewis B. 51 A.
Neurath, Konstantin Freiherr von 45,
  46 A., 54, 58, 62 f., 71 A., 77 A., 85, 91—
  95, 96 A., 97 A., 107, 109—112, 118, 123,
  126, 136, 138 A., 140, 180, 217 A., 308
Nicolson, Harold 44 A., 50 A., 250 A.
Niemöller, Martin 132 A.
Noel-Baker, Philip 37 A.
Noel-Buxton, Lord 164 A.
Nostitz, Gottfried von 288 A.

Ogilvie-Forbes, Sir George 187 A., 189
  A., 197 A. — 199 A., 209 A., 218 A., 225
  A., 240 A. f., 244 A., 250 A., 255 A., 297
  A.
Orsenigo, Cesare 253 A.
Oshima, Hiroshi 149, 284 A.
Osusky, Stefan 159 A., 166 A.
Ott, Eugen 158, 159 A., 211, 258 A.,
  259 A.

Papen, Franz von 64, 76
Paul, Prinzregent von Jugoslawien
  260 A.
Pfeffer, Franz von 209 A.
Philipp, Prinz von Hessen 181 A.
Phipps, Sir Eric 33 A., 39, 41, 48 A.,
  50 A., 52 f., 54 A., 60 A., 63, 66 A.,
  78 A., 79 f., 88 f., 127 A., 195 A., 200,
  209 A.
Pilsudski, Jozef 217
Pirow, Oswald 91, 198 f.
Puttkamer, Karl-Jesco von 233 A.

Raczynski, Graf Edvard 201 A.
Raeder, Erich 18 A., 30 A., 93 A., 104,
  160, 212 f., 217, 222 A., 240 A., 248,
  280 A., 298 A.
Rath, Ernst von 202

Redesdale. Lord 33 f.
Reichenau, Walther von 79 A., 86
Rennel, Lord 33
Ribbentrop, Annelies von 292 A.
Ribbentrop, Joachim von 17, 31, 37 A.,
  44, 48, 53, 55 f., 57 A., 63—69, 72 A.,
  73 f., 76 A., 77, 78 A., 79 A., 89 f., 93 A.,
  94, 96—98, 101, 103, 121 A., 122—124,
  127, 129 f., 132 f., 135—138, 139 A., 142
  A., 149, 152 f., 158, 159 A., 161, 163—
  165, 166 A., 169, 170 A., 171—176, 180 f.,
  189 A., 191 A., 193 A., 198, 206 A., 207 f.,
  209 A., 210, 217, 219 A., 221—223, 225,
  228—230, 231 A., 238 A., 239 A., 244,
  245 A., 246 A., 253 A., 258—260, 265 A.,
  266—268, 271 f., 273 A., 274, 275 A.,
  278 A., 280 f., 284 A., 286 A., 290 A.,
  291, 293, 297, 298 A., 304, 307—310
Rintelen, Enno von 98
Röchling, Hermann 267
Roosevelt, Franklin D. 125 A., 250, 252
Ropp, Baron de 280
Rosenberg, Alfred 51, 266, 280 A.
Rothermere, Lord 32, 89
Rüter, Ernst 227 A., 230
Rumbold, Sir Horace 50 A.
Runciman, Viscount 163 A., 164 f.

Sargent, Sir Orme E. 50 A.
Schacht, Hjalmar 75 A., 76, 77 A., 84 A.,
  166 A., 185 A., 187, 228, 261, 308
Schellenberg, Walter 68 A., 283 A.
Schischmanoff, Demetrios 284 A., 285 A.
Schmidt, Guido 89 A.
Schmidt, Paul 33 A., 68 A., 71 A., 293 A.,
  298
Schmundt, Rudolf 205 A., 245 A., 255 A.,
  256, 257 A., 263 A., 288 A.
Schniewind, Otto 214
Schnurre, Julius 283 A.
Schulenburg, Friedrich Werner Graf von
  der 284 A.
Schuschnigg, Kurt von 135, 139
Selzam, Eduard von 163 A.
Seton-Watson, Robert William 51 A.
Simon, Sir John 23 A., 38 f., 51, 109 f.
Simpson, Wallis 65, 67 A.
Speer, Albert 42, 100 A., 157, 284 A.,
  293 A.
Stalin, Josef 96, 281, 283 A., 288
Stanley, Oliver 228, 230
Steward (Pressechef) 113 A., 178
Sthamer, Heinrich-Georg 209 A.
Stojadinovic, Milan 126 A.